新潮文庫

灰色の虹

貫井徳郎著

新潮社版

9817

灰色の虹

心臓の鼓動が聞こえた。

緊張しているのか。江木雅史《えぎまさふみ》は自問した。確かに緊張はしている。それは当然のことだ。だが体が強張《こわば》って動かなくなるほどではない。気持ちも萎縮《いしゅく》してはいない。ふだんとのわずかな違いは汗ばんだ掌《てのひら》と、少し早い心臓の拍動だけだ。できる、と雅史は確信した。

窓から見える空は、夕焼けを通り越して黒くなり始めていた。赤と黒の中間の、灰色。これはおれの人生を塗り込める色だと、雅史は感じる。明るさを失い、かといってすべてを塗り潰《つぶ》す黒にもなりきれない、中途半端《はんぱ》な色。あらゆる希望を奪われたのに、ただ自由だけを手にしている今は、苦しいまでに中途半端でしかない。こんな現状と、それを強いる運命を雅史は憎まずにはいられなかった。

だから、決意したのだ。運命がどんなに抗《あらが》いがたいものであろうと、何もせずにいるのは苦痛でならない。理不尽な運命に復讐《ふくしゅう》し、周囲を塗り潰すこの灰色を自力で塗り替えないことには、生きていく意味が見いだせない。人は雅史の決意を、愚かと言うだろう。しかし、他にどんな選択肢があるのか。誰ひとりとして信じてくれないまったき孤独を、世界から切り離された恐怖を、いかに癒《いや》せばいいのか。その答えを持たない者には、雅史を非難する権利はない。今はそう言い放つことができた。

まず最初に狙《ねら》う相手は、不規則な生活をしていた。予想できない動きをする相手の隙《すき》を窺《うかが》うのは、容易ではない。しかし雅史にとって第一の標的は、是が非でも復讐したい相手だった。復讐の成功率は、回を重ねるごとに落ちていく。狙う相手全員を殺すことは、この日本ではかなり難しい挑戦である。後回しにすれば、討ち漏らす危険性が増すだけだ。だから雅史は、最初の標的として伊佐山毅臣《いさやまたけおみ》を選んだのだった。

また、伊佐山を真っ先に狙うメリットもあった。伊佐山を恨む者は多い。伊佐山の死が殺人だと警察に知れても、容疑者リストには膨大な数の名前が書き込まれるだろう。雅史の名前が捜査線上に浮かんだところで、大勢の中のひとりに過ぎない。容疑が散れば散るほど、警察の手が雅史に伸びる可能性は低くなるのだ。後のことを思えば、危険は少ないに越したことはなかった。

雅史は伊佐山の動向に目を光らせ続けた。たとえ不規則な生活でも、一定期間観察し続けることで、ある程度の習慣性が見えてくる。伊佐山は職業柄、隙の少ない男だった。いい加減な生活をしているようでいて、周囲への目配りを常に怠っていないように思える。それでも雅史は、諦《あきら》めずに根気よく見張り続けた。いくら警戒心が強くても、四六時中神経を張り詰め続けていられるわけがないと考えた。

そして、チャンスは巡ってきた。狙うなら今しかないという瞬間が、もうじきやってくる。この千載一遇の機会を、雅史は逃したくなかった。押しつけられた運命であっても変えることができるのだと、自分自身に証明したかった。

雅史は心臓に手を当てた。恐れはない。必ずやってくるチャンスに、怖じ気《おけ》づく心配はない。自分が平静を保っていることに安堵《あんど》し、雅史は玄関のドアノブに手をかけた。このドアを開ければもう引き返せないのだという考えが頭をよぎったが、それも雅史の足を止める力はなかった。

雅史は灰色の世界へと踏み出していった。

第一章　刑事

1

携帯電話が鳴り始めた。

いつもなら無視するところだが、このメロディだけは聞き逃せなかった。伊佐山毅臣は小さく舌打ちして、横に坐《すわ》っている女に「ちょっと待ってろ」と声をかけた。自分が席を外した間に、他の客のところになど行ったらただでは済まさないつもりだった。

「はい」

店の外に出て、短く応じた。相手は律儀《りちぎ》に、「伊佐山部長刑事の携帯電話でしょうか」と確認してくる。そんな前置きが煩《わずら》わしく、伊佐山は「そうだ」とぶっきらぼうに答えた。相手は早口に、用件を一気に告げた。

「殺人事件発生の報が入りました。遺体発見現場は、西幸町《にしさいわい》五丁目四の六、的場《まとば》コーポ204です。現場の状況からして、他殺死体と思われるとのことです」

「わかった。すぐ行く」

携帯電話を閉じ、ポケットにしまった。唇が乾いていたので、軽く舐《な》め回す。わずかに昂揚《こうよう》した気分を抱えて、店内に戻った。

　女はぽつんとソファに坐っていた。この店はすでに、伊佐山の性格を理解している。伊佐山気に入りの女を他の客につけたりしたらどうなるか、簡単に予想がつくのだろう。伊佐山が腰を下ろすと、女はすかさずお絞りを差し出してきた。

「何かいいことがあったの？」

　女はそんなことを訊《き》いてくる。伊佐山は手を拭《ぬぐ》いながら、女の顔を見返した。

「どうしてそんなことを訊く？」

「だって、にやにやしてるから」

「おれがか？」

　自覚がなかったので、思わず右手を口許《くちもと》に当てた。表情に気持ちが出るようでは、おれもまだまだだな。そう内心でひとりごちつつも、笑みを引っ込めることはできなかった。

「うん、すごく嬉《うれ》しそうに帰ってきたよ。いい人からの電話？」

　伊佐山が気に入っていることを、女は承知しているはずだ。それなのにあえてそんなことを言うのは、伊佐山の気持ちを受け入れるつもりはないと遠回しに仄《ほの》めかしたいからだろう。伊佐山は瞬時に笑みを消し、目を細めた。女の顔に、狼狽《ろうばい》の色が走った。

「つまらないことを言うなよ。おれは女の軽口が嫌いなんだ」

「……はい」

店のママから因果でも含められているのか、あるいは伊佐山を内心では恐れているのか、女は素直に頷《うなず》いた。悄然《しょうぜん》としたその様子に、伊佐山は満足する。口答えをするような女は好きじゃない。この調子で素直な態度をとり続けるなら、伊佐山の思うままになる日も遠くなさそうだ。遠慮なく、女の顔から胸元にかけてを眺め回した。整形したのではないかと疑われるほど形のいい鼻、尖《とが》った頤《おとがい》、そして隆起した胸。すぐ隣に坐っているのに、手が届かないのがもどかしい。いっそ、何か弱みを握って言いなりにさせてやろうかとも思う。そうした手段の方が手っ取り早いことを、伊佐山はこれまでの経験から知っていた。

「死体が見つかったんだよ」

「えっ？」

唐突な伊佐山の言葉に、女は理解が追いつかなかったようだ。伊佐山は苛立《いらだ》つことなく、もう一度繰り返してやる。

「死体が見つかったらしい。どうやら殺しだ。それが、おれがにやにやしていた理由だよ」

伊佐山の説明を聞いて、女は絶句した。もともと大きい目を、さらに見開いて伊佐山を見つめている。その眸《ひとみ》に畏怖《いふ》の色を見て取り、伊佐山は満足した。こちらを恐れる感情は、いずれ服従へと結びつく。威圧し続ければそのうち落ちるのは、女も容疑者も同じだった。

「帰るよ」

告げると、女は慌《あわ》てて手を上げ、ボーイを呼んだ。傍らに跪《ひざまず》いたボーイに、「つけておけ」と命じる。この店は基本的につけなど利《き》かないそうだが、伊佐山の知ったことではなかった。以前に一度、「おれが踏み倒すとでも思ってるのか」と凄《すご》んだところ、それ以後はその場で精算しなくてもよくなった。しかし未《いま》だ、一度も料金を払ったことはない。

「また来るぜ」

立ち上がる際に、女の太腿《ふともも》に手を這《は》わせた。抑えきれなかったように、女の顔に怒りと屈辱の感情が漏れ出る。すぐさまそれを隠したのは立派だが、しかし伊佐山に見られた辺りはしょせん小娘だった。おれを睨《にら》んだことをいずれ後悔させてやるぜ。そう心の中で話しかけてから、伊佐山は店の出口へと向かった。

2

伊佐山がいたキャバクラから死体発見現場は、さほど離れていなかった。タクシーを走らせると、十五分ほどで到着した。先ほどとは違い、降りる際にはきちんと料金を払った。強気に出るのも場所をわきまえないと、後々問題が大きくなる。伊佐山はこれからも、警察という居心地のいい場所から離れるつもりはなかった。

的場コーポの前には、不安そうな顔をした若い制服警官が立っていた。年格好からして、死体を見たのは初めてなのかもしれない。街灯の明かりの下なので顔色まではわからなかったが、今にも吐きそうな青い顔をしていてもおかしくなかった。

「誰か、もう来てるのか」

警察バッジも示さず、警官に問いかけた。伊佐山は警官の顔を憶《おぼ》えていなかったが、向こうは知っていたらしい。しゃちほこばって敬礼をしてから、「はっ」と応じた。

「すでに刑事課の方がおふたり、いらしています」

一般人にとっては意外かもしれないが、警察に入ってまず叩《たた》き込まれるのが正しい言葉遣いである。ドラマなどでは一人称に「自分」を使う警察官が出てくるが、実際にそんな喋《しゃべ》り方をすればたちまち叱《しか》られる。一人称は「私」、階級に応じた敬語を使うのは当たり前、丁寧語と謙譲語の区別もつかない今どきの若者は、まずここで苦労をしていることだろう。短い応答ではあったが、この制服警官は取りあえず合格だった。

伊佐山は無言で頷いて、制服警官の横を通った。集合ポストで、204を探す。名前が書いてないので、女のひとり暮らしと見当をつけた。男と同居していると、連名で名前を出していることが多い。

外階段を使って、二階に上がった。廊下の手前から部屋番号は増えていく。四つ目のドアは開け放たれていて、明かりが廊下に漏れていた。

中を覗《のぞ》くと、見知った顔があった。同じ刑事課に属する、香川《かがわ》と浜崎《はまざき》だ。香川は髪の半分以上が白くなった、五十代のベテラン。浜崎は四十三歳の伊佐山より少し若いくらいの、鬱陶《うっとう》しいほどにエネルギッシュな刑事である。どちらも、伊佐山と反りが合わないという共通点があった。

無言で中に入っていき、室内を見回した。浜崎が伊佐山に気づき、「ご苦労様です」と声をかけてくる。それに鷹揚《おうよう》に頷き、靴を脱いだ。靴下の繊維も現場には落とせないので、両足にビニール袋を被《かぶ》せる。現場に臨場するためのビニール袋は、今や警察バッジと同様に常に携帯していなければならない物だった。

部屋はさほど広くなかった。玄関の右手に小さいキッチン、正面に六畳ほどの和室があり、襖《ふすま》で隣室と繋《つな》がっている。さらに奥があるとも思えないから、2Kの間取りか。女性のひとり暮らしには充分な広さだった。

香川も振り向いて、「ああ」と「やあ」と中間のような声を出す。いかにも渋々挨拶《あいさつ》をしているといった声だ。そんなにいやなら、無視していればいいじゃねえか。伊佐山は内心で鼻を鳴らす。

香川はあと十年もすれば間違いなく好々爺《こうこうや》になりそうな、人情派の刑事である。誠意をもって容疑者と接すれば必ず心が通じるなどと真顔で言うキャラクターなので、浜崎とは別の意味で暑苦しかった。当然のことながら、威圧こそが自白を引き出す最も有効な手段だと考えている伊佐山とは、意見が真っ向から対立する。何度もぶつかった末に、意見交換はしないという一点でのみ妥協をし、今に至っているのだ。挨拶もしたくない気持ちは、伊佐山も同じだった。

六畳の和室の中央には、大きめの座卓があった。座卓の向こうを覗いたが、死体はない。どうやら被害者は隣室で死んでいるようだ。伊佐山はためらうことなく、隣室に足を向けた。

そこは四畳半ほどの部屋だった。壁際《かべぎわ》にベッドが置かれ、その上にパジャマを着た人が寝ている。顔色が青黒く、口から分厚い舌をはみ出させている女は、たとえ元が美女であろうとその美しさの片鱗《へんりん》も留めていなかった。ひと目見ただけで、死んでいるのがわかる惨状だった。

部屋の中には異臭がした。被害者が失禁し、脱糞《だっぷん》もしているのだろう。その異臭と顔色から、死因が扼殺《やくさつ》か絞殺《こうさつ》であることは明らかだった。伊佐山の推測を裏づけるように、死体の首回りには絞められた痕跡《こんせき》がある。人相が変わっているので、年格好の見当はつかなかった。

「課長と鑑識はいつ来るって？」

和室に戻り、浜崎に問いかけた。浜崎も香川もあまり付き合いを持ちたくないタイプであることに変わりはないが、浜崎の方が年下だけにまだましだった。部屋の中の物には手を触れず、ただ目だけであちこちを探っている浜崎は、振り返りもせずに答えた。

「もうじきだと思いますよ。連絡はいっているはずですから」

鑑識が来ないことには現場を漁《あさ》るわけにはいかないし、課長の指示なしに周囲の聞き込みもできない。いち早く駆けつけたメリットといえば、美女のなれの果てとゆっくりご対面する時間があったというだけである。死体を眺めるのは嫌いではないが、この異臭には閉口する。さっさと捜査に取りかかりたかった。

室内にいても仕方ないので、新鮮な空気を求めて廊下に出た。たばこも吸わず、鑑識の到着を待つ。苛立つまでもなく、数分遅れで鑑識係の人員がやってきた。伊佐山に会《え》釈《しゃく》をして、どやどやと中に入っていく。

追い出されるように浜崎と香川も外に出てきたので、取りあえず情報を共有することにした。

「第一発見者のことは、何か聞いてるか？」

「いえ、特には」

浜崎は首を振った。伊佐山と同様、死体が見つかったという一報だけを聞いて駆けつけたようだ。第一発見者は青くなってその辺で吐いているか、あるいはもう現場から立ち去ったのか。後者であるなら、通報者こそが真犯人である可能性もあった。

さらに五分ほどして、安藤《あんどう》刑事課長があたふたとやってきた。風呂《ふろ》に入った後らしく、髪が濡《ぬ》れている。激務に追われて家庭を顧みる暇もない警察官は、離婚率が高い。別れずに長く続いている夫婦はたいてい、妻が元婦人警官という履歴を持っている。安藤もまた例外ではなく、妻はかつてミニパトでせっせと駐車違反の車両を摘発していたと聞いた。今夜もどうせ、妻の手料理を食べた後にゆっくり風呂に浸《つ》かり、寝酒でもしようかと考えていたところを呼び出されたのだろう。お気の毒なことだと、皮肉を交えて伊佐山は鼻を鳴らす。

「ご苦労」

伊佐山たちを見て、安藤は頷く。部屋の中で鑑識係の面々が活動を開始しているのを確認すると、今は中に入れないと判断したのか、伊佐山に向かって問いかけた。

「殺しで間違いないのか」

「あれが事故や自殺だったら、警察バッジを返上してもいいですよ」

つまらないことを訊くなという気持ちを込めて答えると、安藤はテレパシーで伊佐山の内心を察したかのように顰《しか》め面《つら》をした。これがただの事故で、伊佐山が本当に警察バッジを返上してくれればありがたいのにと考えていることが、こちらにも伝わってくる。

以心伝心の間柄だなと、伊佐山は口許を歪《ゆが》めて笑った。

「検視は？」

「また、酒でもかっ食らって寝てるんじゃないですか」

安藤は香川か浜崎に尋ねたつもりなのだろうが、伊佐山が先に答えた。検視官である権堂《ごんどう》は、酒好きの伊佐山が呆《あき》れるほどの大酒飲みである。質より量を求めていつも安酒を飲んでいるので、皮膚の汗腺《かんせん》から酒の臭《にお》いを常に染《し》み出させているような男だった。いずれアル中で病院送りになると言われつつも、検視官を二十年以上も続けている。どんなに泥酔していても検視の目は曇らないと、半ば伝説的に署内では語られていた。

「権堂が酒を飲んでるかどうかなど訊いてない。こっちに向かってるかが問題なんだ」

「寝てはいないと思いますよ。権堂さんの自宅はここから遠いですから、遅れているだけだと思います」

苛立たしげな安藤の言葉を、浜崎が引き取った。安藤はものの役に立たない薄っぺらなプライドを後生大事に抱えている男なので、伊佐山は面白くてついからかってしまう。浜崎のまともな返事に、さぞや安堵していることだろう。場合が場合なのでからかうのもここまでにして、後は口を噤《つぐ》むことにした。安藤は伊佐山には相談せず、残りのふたりを相手に聞き込みの分担を決めている。

そうこうするうちに、刑事課の面々が全員揃《そろ》った。安藤が決めてあった役割を発表し、周辺の聞き込みに当たらせる。あいにく刑事課の人員の数は奇数なので、ペアを組ませるとひとり余ってしまう。余るのはいつも、協調性がないと見做《みな》されている伊佐山だった。単独行動を上司に認められ、伊佐山は軽く肩を竦《すく》めて喜びを示した。

伊佐山が割り当てられたのは、マンション外の地域だった。被害者の生活態度について知るには同じマンションの住人に訊くのが一番だが、そんな当たりを引きそうな役割は伊佐山に回ってこない。毎度のことなので伊佐山も腹は立てず、黙ってマンションの外に出ていった。一、二軒訪ねてみたが、案の定マンションの住人とは付き合いがないというつれない返事を聞くだけである。伊佐山はただ、鑑識係が引き上げるときを楽しみに聞き込みを続けた。

マンションから離れているうちに、検視官の権堂がやってきていたようだった。ちょうど出てきたところを見かけたので、声をかける。権堂は県警内でも数少ない、伊佐山を毛嫌いしていない人物だった。自分自身もアル中で、周囲に苦い顔をされているからだろう。今夜もまた、権堂は顔を赤らめて臭い息を吐いていた。

「よお、何がわかった？」

「ああ、毅《たけ》さんか。あんた悪徳刑事のくせして、仕事熱心だよな。死体のことなんて、捜査会議まで待ってりゃいやでも教えてもらえるぞ」

以前にも何度か同じことを言っているのだが、アルコールで脳細胞をかなり殺されている権堂はまるで憶えていないらしい。面倒なので伊佐山は、「おれは短気なんだよ」とだけ答えておいた。

「で、どうなんだ？　死因は？　死亡推定時刻は？」

「まあまあ、そう急《せ》かすなよ。ええと」

つい今し方見てきたばかりのはずなのに、権堂は眉根《まゆね》を寄せて考え込む。これで検視を一度でも間違えば一気に信用を失うところだが、未だにそんな事態に陥っていないのは大したものだった。

「死亡推定時刻は、おおよそ二十四時間前かな。前後一時間くらいの誤差は見てくれ。死因は扼殺。わかるのはそんなところだ。詳しいことは大学の先生に訊くんだな」

「二十四時間。丸一日前なのか」

警察官である検視官は、基本的に死体を傷つけずに検視を行う。つまり死体状況の観察と触感だけでおおよその死亡推定時刻を割り出しているのであり、死亡から時間が経《た》てば経つほどその精度はどうしても落ちる。死後三、四時間程度ならば正確な推測が可能だとしても、丸一日経っているのに自信を持って言い切れる権堂の眼力はやはり屹立《きつりつ》していた。これが他の人なら解剖の結果を待つところだが、権堂ならばまず間違いはないだろう。

「死にたてほやほやのホトケじゃないからな。殺されたのが今夜でなければ、昨日の夜だろうよ」

遺族が聞いたら怒りそうなことを言ってから、「じゃあな」と手を挙げて権堂は去っていった。そんな権堂の不謹慎さが、伊佐山は嫌いではなかった。

単独行動の利点を生かして、受け持ち区域の聞き込みが終わっていないのに現場に戻った。鑑識作業が終了していれば他の者に先んじて部屋の中を漁れるし、第一発見者の情報も聞けるかもしれない。出世などはとうに諦めているが、真犯人をこの手で捕まえる快感は人に譲りたくなかった。

現場の玄関前には、安藤が難しい顔をして立っていた。伊佐山を見ると、「聞き込みは終わったのか」と咎《とが》める口調で訊いてくる。それを無視して、逆に尋ね返した。

「第一発見者はわかってるんですか」

持ち場に戻れと怒鳴りたいのを、安藤は抑えたようだった。言っても伊佐山は聞かないと、これまでの経験から学習しているのだろう。腹立ちを鼻息にして吐き出すと、渋々といった様子で口を開いた。

「被害者《マルヒ》が無断欠勤したのを訝《いぶか》って、会社の同僚が様子を見に来たんだ。通報者の名前はわかっている。死体を見て気分が悪くなったので、すでに帰宅しているそうだ」

「ということは、玄関の鍵《かぎ》は開いてたんですね」

「詳しいことはまだ聞いてない」

伊佐山の先走りを安藤が快く思っていないのは、仏頂面が雄弁に物語っていた。上司の顔色などいちいち気にかけてはいられないので、「ふん」と鼻先で返事をしておく。安藤は何か言いたそうにしたが、そこに救急車がやってきたため口を噤んだ。救急隊員が、死体を運び出していった。

「お前、聞き込みは終わったのか」

再度、安藤が尋ねてくる。今度は伊佐山も、大袈裟《おおげさ》に首を振って答えた。

「マンション外の人に話を聞いても、クソの役にも立たないってことは課長もわかってるでしょう。ここから離れれば離れるほど無意味になるんだから、もっと有意義なことをやらせてくださいよ」

「お前が聞き込みを疎《おろそ》かにすれば、その分他の者がしなくちゃならないんだぞ！　勝手なことばかり言うな！」

ついに安藤の忍耐も切れたようだ。伊佐山は耳の穴をほじり、取れた耳垢《みみあか》を吹き飛ばしてから、手袋を嵌《は》めた。そして顔を赤くする安藤を置いて、現場の部屋に入っていく。そろそろ鑑識の作業も終わるだろうと見当をつけたのだった。

「この辺りは触っていいか」

一応断ってから、和室の座卓に置いてある携帯電話を手にした。アルミニウム粉にまみれているので、指紋検出は終わっているはずだ。最後の通話は昨夜の二十一時十四分。

権堂の見立てと矛盾してはいなかった。

電話の相手は「こーちん」という名で登録されていた。これでは男か女かわからない。だが遡《さかのぼ》って通話履歴を見てみると、こーちんとのやり取りは頻繁だった。男だな、と伊佐山の勘が断定する。

メールログを見てみて、その推測は補強された。こーちんからのメールが突出して多く、相手の言葉遣いは男のものだった。送信メールも、こーちん相手だと甘ったるい文言が目立つ。容疑者第一号発見。伊佐山は密《ひそ》かにほくそ笑んだ。

赤外線通信で、自分の携帯電話にこーちんの電話番号とメールアドレスを転送しておく。刑事課全体での情報の共有など、伊佐山にとってはお題目でしかなかった。

「おい、伊佐山！　お前の仕事は聞き込みだ。誰が部屋を漁っていいと許可した！」

玄関から死角になる場所で携帯電話をいじっていたのだが、安藤に見つかってしまった。「へいへい」と素直に応じて、携帯電話を戻す。容疑者候補の連絡先を摑《つか》んでしまえば、後はこちらのものだった。

首を竦めて廊下に戻ると、マンション内の聞き込みを担当していた刑事が戻っていた。声を潜めて、安藤に報告している。伊佐山は興味ない体《てい》を装《よそお》いながらも、聴力をそちらに集中させた。

「――どうやらマルヒの部屋には、特定の男が出入りしていたようです。複数の住人から証言を得ました。人相風体から、同一人物と思われます」

「そうか。若い女のひとり暮らしだからな、男のひとりやふたりはいるだろう」

安藤は頷きながらも、さしてその聞き込みを重要視していない口振りで答える。予断を持たないようにしているのだろうが、伊佐山の意見は違った。予断こそが、事件を解決に導くとっかかりなのだ。予断なしに事件を解決できた刑事がいたらお目にかかってみたいものだと、常々思っている。

「真面目《まじめ》にやれよ、伊佐山」

現場を後にしようとする伊佐山の背中に、安藤の声が向けられた。まるで出来の悪い生徒に発破をかける教師のようだ。伊佐山は再度、「へいへい」と答えてマンションを出た。携帯電話の中のデータがある限り、何を言われようと右から左に聞き流すことができた。

3

初期捜査がひととおり終わった段階で、署に戻った。どうやら安藤は、県警本部の捜査一課の応援を仰いだらしい。こんな事件、所轄《しょかつ》署だけで充分だと伊佐山は思うが、殺人事件だから一課の出馬を乞《こ》うという判断はいかにも事なかれ主義の安藤らしい。偉そうな態度の一課刑事が乗り込んでくるかと思うと、いささか業腹《ごうはら》だった。一課刑事を受け入れるために、所轄署がしなければならないことは多い。まず、捜査本部設置のための準備がある。署内の講堂にパイプ椅子《いす》と長机を並べ、ファクス機と無線機を持ち込み、ここで捜査会議が行えるようにする。それだけではなく柔道場には泊まり込む刑事たちのための布団《ふとん》を揃え、さらには寝酒とつまみまで用意しなければならない。そうしたことは総務課がやるとはいえ、所轄署全体が下働きをさせられているという感はどうしても拭《ぬぐ》えなかった。一課刑事がどれほどのものかと、伊佐山はいつも思う。

正式な捜査会議は一課刑事がやってくる明朝に開くとして、事前に所轄署刑事たちの初期捜査の収穫を報告し合うことになった。安藤が課長席の前に立ち、被害者の身許《みもと》説明から始める。

「まず、被害者の名前は及川暁美《おいかわあけみ》。三十三歳、独身。市内に複数の店舗を持つ呉服屋に勤務。両親はすでに死んでいるので、今はひとり暮らしとのことだった。これは同じマンション内の住人の証言からも確かと思われる。第一発見者は同じ呉服屋に勤める同僚で、出勤してこないマルヒの様子を見に来て死体を見つけた。以上が、現状判明している基礎データだ。では、各自聞き込んできたことを発表してもらおうか」

安藤の求めに応じて、各人が順番にメモを読み上げ始めた。それによると、昨夜十時前後に悲鳴や怪しい物音を聞いた人は見つかっていない。現場の部屋の両隣の住人ですら、在宅していたのに声は聞いていなかった。住人の言葉によると、あのマンションは防音がしっかりしていて、隣に人がいるかいないかもわからないほどらしい。実際に声を上げて検証してみる必要があるが、少々の物音では外に漏れなかった可能性が高かった。

同じく昨夜十時前後に、現場の部屋を出入りする者の姿は目撃されていなかった。あのマンションは築年数が古く、エントランスはオートロックではない上に防犯カメラも設置されていない。人目に触れずに出入りするのは簡単だったと思われる。

「特定の男が出入りしていたという証言を、複数得ています」現場で安藤に報告していた刑事が、同じことを発表した。「年格好は三十前後。こざっぱりとした服装や髪型をしていて、ごく真っ当な雰囲気だったとのことです。身長はおよそ百六十五から百七十センチ。太ってはおらず痩《や》せてもなく、中肉中背。マルヒの部屋に入るところを目撃されるのはいつも平日なら二十一時過ぎ、休日にはマルヒと連れ立って部屋から出てくることもあったそうです。おそらく、マルヒの恋人でしょう。名前はまだ不明です」

「愛称はこーちん、マルヒとはほぼ毎日、メールと電話でやり取りしている」

順番が回ってきたわけではないが、伊佐山は挙手もせずに声を発した。一同の視線がいっせいに集まる。安藤は露骨に不快な顔をした。

「携帯のデータか」

「そうですよ」

伊佐山は涼しい顔で認めた。現在、被害者の携帯電話は分析のために科学捜査研究所に回されている。事前にデータを見たのは、この中では伊佐山だけだった。正規の手続きを踏めば、情報を摑むのが遅くなり苛立たしいだけである。把握できることはさっさと知っておいた方がいいと考え、伊佐山は独断で携帯電話のデータを覗いたのだった。

「番号もメールアドレスもわかってます。ドコモに問い合わせれば、こーちんの住所氏名も一発ですよ」

「……わかった。その件はお前に任せる。裁判所が開き次第、捜査令状を取ってドコモに行け」

「了解」

つい、口許に笑みが浮かんだ。思惑どおりの展開だ。こうでもしないと、安藤は伊佐山に重要な役目を割り振らない。同僚がいいネタを拾ってくるのを、歯嚙《はが》みして眺めていなければならないところだった。どんな世界でもそうだろうが、自分で判断できない者は結果を残せない。

それ以後は、さして耳寄りな情報も出てこなかった。これからのことは県警捜査一課が合流した捜査本部で決めることになり、しばし解散となる。家庭持ちはしばらく家に帰れなくなることを見越して帰宅したが、妻子に逃げられている伊佐山は寒いだけのアパートに帰る気にもなれなかった。かといって、気に入りの女がいるキャバクラももう客を受けつけない時間帯になっている。仕方ないので、喫煙室に行ってたばこを吹かすことにした。二本も吸うと眠くなってきたので、仮眠室で毛布を被《かぶ》って寝た。

翌朝七時に目を覚ますと、気が早い一課の刑事がちらほらと顔を見せ始めていた。顔を洗って口を漱《すす》ぎ、起き抜けの一服をしているうちに意識がしっかりしてくる。講堂に並んでいる席の後方に陣取って、会議が始まるのを待った。県警捜査一課が乗り込んでくる捜査本部では、一課刑事が前方に坐り、所轄署刑事は後方と慣例で決まっている。それは如実《にょじつ》に県警内での序列を示していて、伊佐山としては面白くなかった。実績を上げている自分が一課に引き抜かれないことも、喉《のど》に刺さった小骨のように不愉快でならない。

八時過ぎに始まった捜査会議は、退屈のひと言に尽きた。新たな情報などあろうはずもないから、発表されるのは知っていることばかりになる。伊佐山は机に肘《ひじ》を突き、掌で顎《あご》を支えて密かに居眠りをした。眠れるときに眠って体力を温存するのも、刑事の仕事のうちだと考えた。

安藤と一課の係長で決めた組分けが、最後に発表された。半覚醒《はんかくせい》状態で聞いていると、伊佐山の相棒の名が耳に飛び込んできた。貝塚《かいづか》という一課刑事の名は聞いたことがない。立ち上がってこちらに会釈《えしゃく》する男は、まだ三十代前半に見えた。その若さで一課刑事か。妬《ねた》ましさを覚え、伊佐山は中腰でぞんざいに頷いて応じた。

「貝塚部長刑事です。よろしくお願いします」

会議が終わると、貝塚の方から近づいてきて挨拶《あいさつ》した。伊佐山が年長だと見て、敬意を表しているのだろう。階級は同じでも、一課刑事の方が立場が上という暗黙の了解がある。年下の男に偉そうに振る舞われることも覚悟していたので、相手が下手《したて》に出てきたことは少し意外だった。

「伊佐山部長刑事です」

今度はきちんと立ち上がって、名乗った。並んでみるとわかるが、貝塚は長身で伊佐山より十センチほど高い。見下ろされる格好になり、伊佐山は不愉快に感じた。気に食わない奴《やつ》だ、そんな第一印象を持った。

「聞きましたが、伊佐山さんはすでにネタをひとつお持ちとか」

「ああ、まあ」

どうやら貝塚は、組分けを事前に知らされていたらしい。快活で人当たりがよさそうだから、その辺りを買われて伊佐山の相棒に選ばれたのだろうか。貝塚ははきはきした口調で続ける。

「取りあえず我々はその線を追いますので、自動的に鑑《かん》ということになります」

捜査は大きく分けて、地取りと鑑捜査の二種類がある。地取りは現場周辺の聞き込み、鑑捜査は被害者の人間関係を調べ上げる作業をいう。〝こーちん〟を容疑者候補一号と考えている伊佐山は、鑑担当になれて満足だった。この事件は、いくら現場周辺で聞き込みをしても解決できないと思っている。

「あんた、ラッキーだったな」

「は？」

伊佐山の言葉が唐突だったので、貝塚は意味が理解できなかったようだ。伊佐山は少し笑って、つけ加える。

「おれと組んでラッキーだったと言ってるんだよ。手柄を挙げられるぜ」

「――伊佐山さんの噂《うわさ》は聞いてますよ」

貝塚は不意に口調を変えて、含みのある物言いをした。伊佐山はわずかに眉《まゆ》を上げる。

「ほう。どんな噂だ」

「まあ、いろいろと」

貝塚は曖昧《あいまい》にごまかし、それ以上続けようとしなかった。さすが、若くして一課刑事になるだけのことはある。単に人当たりがいいだけではなく、食えない一面もあるようだ。そうでなければ使い物にならん、と多少は認めてやる気になった。

「それじゃあ、さっさと出発するか」

鑑担当の割り振りに加わる必要はないので、いくつかのグループに分かれて固まっている同僚たちを尻目《しりめ》に鞄《かばん》を手にした。貝塚も頷いて、荷物を取りに自分の席に戻る。他の者たちがまだ出発できないうちに動き出すのは、抜け駆けをしているようで快感だった。

4

まず地方裁判所まで歩いていき、情報開示のための捜査令状を取った。それを手に、タクシーを使ってNTTドコモの地方支社に行く。令状を示して電話番号の持ち主の情報を求めたところ、五分と待たされずにプリントアウトされたデータが出てきた。データによると、番号の持ち主の名前は原田《はらだ》幸輔《こうすけ》だった。だから〝こーちん〟というわけらしい。住所と固定電話の番号まで、紙には書かれている。さっそく訪ねてみることにした。

原田幸輔の職業まではわからない。もし普通のサラリーマンであれば、平日のこの時間帯には在宅していないだろう。それでも家族がいれば、勤め先を訊《き》き出せる。ひとり暮らしでないことを祈りながら、徒歩で向かった。

貝塚はこの間、無駄口を叩かなかった。無口そうには見えないのに、ただ黙々と伊佐山の後をついてくる。つまらない会話をしないで済むのはありがたかったが、こうまで喋らないと監視されているようにも思えてくる。それも苛立たしいので、伊佐山の方から話しかけた。

「あんた、知らない顔だが一課に配属されたばかりか？」

どういう経緯で一課に引き上げられたのか、気にかかってならなかった。伊佐山も実績だけなら、管内随一と言っていいはずだ。にもかかわらず未だに所轄署に留まっているのは、上司の覚えがめでたくないからに違いない。安藤が足を引っ張っているなら、陥《おとしい》れてでも首をすげ替えてやる必要があるかもしれなかった。

「今年の六月に、一課に異動になりました」

伊佐山の内心など知らず、貝塚は屈託のない調子で答える。六月なら、会ったことがなくても不思議ではなかった。

「誰か、本部に知り合いでもいたのか？」

「ええ、まあ」

貝塚はあっさり認める。要は本部の人間の引きがあったということだ。有能であれば推薦され、一課に引き抜かれるのは当たり前のことだから、コネによる昇進とは違う。それでも純粋な実力評価とも思えず、伊佐山は鼻から息を吐き出した。運や要領のいい奴が羨《うらや》ましいと、内心で皮肉を言う。

原田幸輔の自宅はマンションだった。オートロックではないので直接玄関前まで行き、呼び鈴を鳴らす。中で人の動く気配があった。

「はい」

インターホンから女の声がした。あまり若そうではない。伊佐山は一歩下がり、応対を貝塚に任せてみた。どんな聞き込みをするのか、確かめてみたかったのだ。

「すみません、ちょっとお伺いしたいことがあって、県警からやってきました」

よくある手口の詐欺《さぎ》のようなことを、貝塚は言う。そんなことで取り合ってもらえるのかと案じていたら、「えっ」と絶句する声に続いてすぐドアが開いた。中からは中年の女が顔を出す。これが原田幸輔の母親だろうか。

「おはようございます。こういう者です。ええと、こちらは原田幸輔さんのお宅で間違いないですよね」

「はあ、そうですが」

母親は貝塚が示した警察バッジをしげしげと眺めてから、怪訝《けげん》そうに頷いた。息子が何をしたのかと案じていることが、ありありと窺える。

「幸輔さんはご在宅ではないですよね」

「会社に行っております」

「すみませんが、会社の名前を教えてもらえます？」

貝塚の口調はあくまで気さくだった。威圧的なところはかけらもない。もう少し強く出た方がいいのではないかと伊佐山が考えていたら、案の定母親は問い返してきた。

「あのう、幸輔が何か？」

「ちょっとまだお話しできないんですよ。幸輔さんから聞いていただけます？」

「——はい」

母親は納得していないようだったが、それでも警察の質問には逆らえないと思ったのか、素直に息子の勤め先を口にした。貝塚はそれをノートに書き取る。

「ありがとうございます。ところで、ここ数日の息子さんの様子はどうです？　何かいつもと違う感じはありませんか」

ついでにといった調子で、貝塚はさりげなく尋ねた。母親はその呑気《のんき》な口調に釣られたのか、一瞬何か言いかけたが、すぐに首を振った。

「いえ、特に何も」

「そうですか。大変参考になりました。お騒がせしました」

丁寧に頭を下げて、辞去する。後ろからついていきながら、伊佐山は声をかけた。

「あのおばさん、何か言いかけたな」

「そうですね。息子の態度で、気になることがあったのかもしれません」

貝塚は平然と応じる。もし原田幸輔が犯人だとしたら、やはりふだんの態度に動揺が見られるはずだ。同居している母親がそれに気づかないわけもなく、最後の質問はなかなか有効だったと言えた。のんびり尋ねていたようでいて、けっこうな策士だ。伊佐山は感心すると同時に、貝塚に対する警戒心も覚えた。こういう相手には、隙《すき》を見せてはならない。

バスに乗って、市街の外れに向かった。原田幸輔は大手家電メーカーの工場に勤めているという。まずは事務所の受付で名を名乗り、原田を呼び出してもらった。パーティションで区切られた応接間に通され、出されたお茶を飲んで待つ。貝塚は生真面目《きまじめ》に、お茶には手を伸ばさなかった。

三分ほどして、作業着を着たおどおどとした態度の若い男がやってきた。伊佐山たちから離れたところに立ち、顎を突き出すようにして頭を下げる。伊佐山はその様を、じっと観察した。警察が訪ねてきた用件に心当たりがあるから怯《おび》えているのか、それとも用件に見当がつかないから警戒しているのか。伊佐山の心証では、前者のように見受けられた。

「原田さんですね。お仕事中、申し訳ありません。お時間はとらせませんから、少しお話を伺わせてください」

「はあ」

歯切れの悪い口調で応じて、原田は貝塚に勧められるままにソファに腰を下ろした。目を伏せ、伊佐山たちを直視しようとしない。疚《やま》しいところのあるなしにかかわらず、気弱なたちなのは間違いないようだ。

「及川暁美さんをご存じですよね」

貝塚は前置きもせず、いきなり被害者の名前を出した。原田はその名に反応して顔を上げようとしたが、ぎりぎりのところで動きを止めた。そのせいで、肩がびくりと震える。誰が見ても怪しげな態度だった。

「……はい」

原田は小声で認める。貝塚は例の軽い口調で質問を重ねた。

「原田さんは及川さんとお付き合いしてるんですか？」

「ええ、まあ」

原田は曖昧に認めてから、ようやく顔を上げた。そして小首を傾《かし》げるようにして、訊き返す。

「それが何か？」

「実は及川さんが亡《な》くなられたんですよ」

「えっ？」

原田は目を見開いた。ごく普通の反応と言える。しかし伊佐山の目には、その驚き方はいささか大袈裟に映った。そこそこの演技力はあっても深みがない、二流の俳優の芝居を観《み》ているかのようだ。

「ど、どうして？」

それもまた、当然の質問だ。貝塚は昨日の天気の話でもするように、あっさり答える。

「殺されたんです」

「殺された？」

「ご存じなかったですか」

聞き方によっては、腹を立てられても仕方のない貝塚の物言いだった。だが原田は怒る余裕もないのか、激しい動きで首を振る。

「知るわけありませんよ。殺されたって、どういうことですか」

「それを私たちが調べているわけです。殺されたのはおととい、遺体が発見されたのは昨日の夜のことです。原田さんはおととい、及川さんと電話で話をしていますね。どんな話をしたんですか？」

「どんなって、元気？とか、何してる？とか、そういった挨拶みたいなことです」

「でも昨日は、電話しなかったんですね」

「毎日連絡してるわけじゃないですから。付き合ってたと言っても、そんなに深い付き合いじゃないし」

「ほう。そうなんですか。恋人ではなかった、と？」

「いや、あのう、なんというか、ぼくも及川さんも他に特定の人がいたわけじゃないから、恋人と言えば確かにそうだったのかもしれないけど……」

どうやら原田は、自分が及川暁美と特別な関係にあったとは認めたくないらしい。だとしたところで、実際にどういう関係だったかは調べればすぐにわかる。この時点で恋愛関係を素直に認めなかったという点に留意しておけば、それで充分だった。

「つまり、他の人に比べて親しい関係であったのは間違いないんですね」

貝塚が念押しをする。この確認には、原田も頷かざるを得なかった。

「そう……ですね」

「では、及川さんが殺されたと聞いて、どうお感じですか」

「どうって、びっくりしてます」

「ショックじゃないんですか」

「そりゃあショックですよ！」いかにも心外とばかりに、原田は気色ばんだ。「ショックじゃないわけないでしょ。でも今はびっくりするのが先で、ショックを感じるほど実感がないんです。いきなり警察に来られて、知り合いが殺されたと聞いても、ああそうですかと納得はできないでしょ。殺されたって、本当なんですか？　いや、それ以前に、死んだのは確かなんですか？」

どういう態度をとればいいのかわかってきたらしく、原田は饒舌《じょうぜつ》になった。今はちゃんと顔を上げて、貝塚に言葉を浴びせている。こうして徐々に本性が表に出てくれば、こちらの心証も固まっていく。どんどん喋れ、と伊佐山は内心で促した。

「残念ですが、及川さんが殺されたのは確かなことなんですよ」

「そんな……」

改めて衝撃を感じたのか、貝塚の言葉を聞いて原田は放心した。貝塚はそこに質問を被《かぶ》せる。

「いろいろ確認させてください。まず、及川さんとはどこで知り合われたんですか」

「――お見合いパーティーです」

「ほう。お見合いパーティー」

意外な単語が飛び出してきた。及川暁美はそうしたところに顔を出していたのか。

「それは結婚相談所のようなところが主催しているものですか？　それとも、そのパーティーだけの企画に参加したんでしょうか」

「一応結婚相談所には入会してます。ただそこは会費が安いので、頻繁に女性を紹介してくれるわけじゃありません。たまにそうやってパーティーを開くときに、招待状をくれるだけです」

「つまり、そんなに切実に結婚したいと望んでいたわけじゃないんですね」

「はい。だから結婚相談所というより、パートナーを紹介するシステムと言った方がいいですね。参加している女性も、結婚結婚ってがっついてるような人は少ないみたいです」

「及川さんもそうだったんですね」

「だと思います」

「パーティーで知り合って、その後交際を続けていた、と？」

「交際といっても、たまに会って一緒にご飯を食べるとか、お酒を飲むとか、その程度の付き合いです」

「本格的な交際には至っていなかったわけですね。知り合って、まだ日が浅かったんでしょうか」

「五ヵ月、くらいです」

原田は考えながら答える。五ヵ月は殺意が生じるに充分な時間だと、伊佐山は聞いていて思った。

「五ヵ月も経っていて、恋人同士ではなかったとおっしゃるんですか」

貝塚も当然の質問を向ける。原田は困ったように眉根を寄せた。

「だって、お互い社会人なら時間なんてあっという間に経っちゃうじゃないですか。月に一回くらいしか会ってなければ、そんなに親しくはならないですよ」

「原田さんの方も積極的にはなれなかったということですね」

「いや、そうじゃなくて、本当に仕事が忙しくて会っている暇がなかったんです」

「及川さんはそのパートナー紹介システムで、他の人と知り合われた様子はなかったんですか」

「もしかしたら他にも連絡をとり合う人がいたかもしれませんけど、ぼくは知りません」

原田は気を悪くした様子もなく、否定する。実際、及川暁美が一番頻繁に連絡をとっていたのがこの原田なのだから、他の男の影は今のところないと言ってよかった。

「及川さんが誰かに恨まれていたとか、あるいは不審な人につけ狙われていたとか、そういう話を聞いたことはありますか」

「恨み、ですか」

記憶の抽斗《ひきだし》を探るように、原田は中空に視線を向けた。そして、力なく首を振る。

「日常レベルのトラブルの話なら聞いたことありますけど、殺されるような恨みなんて……」

「ストーカーにつけ狙われている、なんてこともなかったですか」

「ぼくは知らないです」

「では、どうして殺されたかには心当たりはないですか」

「ないですよ。普通に生きてれば、殺されたりしないでしょ。及川さんが殺されるなんて、想像もできない。きっと強盗か何かに襲われたんだ、かわいそうに――」

そう言うと原田は、目許《めもと》を掌で覆《おお》った。演技だとしたら、なかなか興が乗ってきたようだ。

「わかりました。では最後に念のため。おとといの夜十時頃、原田さんはどこにいらっしゃいましたか？」

「おとといの夜十時頃？　それって、ぼくのアリバイ調べですか」

「まあ、そうです」貝塚は悪びれずに認める。「といっても原田さんを疑っているわけではなく、原田さんを容疑者リストから除外するための質問ですから、怒らないでくださいね」

貝塚は若いくせに老獪《ろうかい》なことを言う。そう言われては答えないわけにはいかないと思ったか、原田は渋々と口を開いた。

「ええと、おとといは友達と呑《の》んでました」

「夜十時前後には、そのお友達と一緒にいたんですね」

「そうです。疑うんなら確認してください」

「はい、そうさせてもらいます。お友達の名前を教えていただけますか」

遠慮のない貝塚の反応に、原田はいささか面食らったようだった。一瞬ぽかんとしてから、友人の名前を口にする。アリバイを主張するとは思わなかったので、伊佐山は訝りながら原田の顔を見つめた。原田は伊佐山の視線を感じると、まるで熱線に触れたように慌てて目を逸《そ》らした。

5

「アリバイを主張してきましたね」

工場を出るとすぐに、貝塚がそう話しかけてきた。そんなことを言うからには、貝塚も原田がホンボシとの見込みを持っていたのだろうか。伊佐山は鼻で嗤《わら》い、答えた。

「こざかしい真似《まね》をしてるなら、突き崩してやるまでさ。警察を舐めるとどういうことになるか、教えてやらないとな」

「友人に口裏を合わせてもらっている、と伊佐山さんは考えてるんですね。ということは、原田が臭いと？」

わざわざ口に出して確認する貝塚の意図がわからなかった。伊佐山とコミュニケーションをとろうとしているのかもしれない。コンビを組む者との交流など毛ほども気にかけていない伊佐山だが、貝塚の考えていることが知りたかったので応じてやった。

「殺しなんてのはたいてい、金か痴情の縺《もつ》れが原因と決まってるんだよ。都会みたいにわけのわからん動機の殺人は、この辺りじゃ起きねえさ」

「なるほど」

貝塚は素直に頷く。やはり何を考えているのかわからない。伊佐山は目を細めて貝塚の横顔を眺めたが、当人は涼しい表情のままだった。

その足で、事件当夜に原田と一緒にいたという友人を訪ねた。友人の名は秋山健吾《あきやまけんご》といった。秋山は警備会社に勤めているとかで、原田から聞いた当人の携帯電話に連絡をしてみたところ、今日は夜勤だから今は在宅しているという。警察からの突然の連絡にも驚いていないのは、すでに原田から一報が入っているからだと思われた。それを見越して、伊佐山たちもいきなり押しかけるのを諦めていたのだった。

秋山は築年数の古そうなアパートに住んでいた。原田の説明によれば、独身のひとり暮らしとのことである。伊佐山の住んでいるところも似たような佇《たたず》まいなので、中を覗いてみるまでもなく秋山の生活ぶりは想像がついた。

「ごめんください」

ここでの応対も、貝塚に任せた。貝塚は例の気さくな口調で、部屋の中に声をかける。すぐに、髪の毛を乱した若い男が顔を出した。起き抜けのまま、髪に櫛《くし》ひとつ入れていないらしい。腫《は》れぼったい目で伊佐山たちを見ると、「どうぞ」と中に入るよう促した。

「失礼します」

貝塚は丁寧に言って三和土《たたき》に入った。三和土は男ふたりがぎりぎり立てる程度の広さである。伊佐山は玄関ドアに寄りかかり、後ろから貝塚と秋山のやり取りを眺めることにした。スペースがないのをいいことに、手帳も開かない。

「ところで、ご用件はもうおわかりかと思いますが、原田幸輔さんのガールフレンドが亡くなった事件について調べているのです」

「はい」

秋山は口が重そうだった。本物の刑事を前にして、緊張しているのかもしれない。こんな相手に質問するには、やはり貝塚の方が適任である。貝塚は雰囲気を和らげるように、軽い口調で言った。

「原田さんのガールフレンド、及川暁美さんですが、お会いしたことあります？」

「ええと、一、二回」

ふて腐れたような表情のまま、秋山は答える。どうして自分がこんな質問を受けなければならないのか、とでも言いたげな態度だった。それでも貝塚は、相手の気持ちにはまるで気づいていない様子で続ける。

「じゃあ、お亡くなりになったと聞いてショックでしょう？」

「別に……。あんまりよく知らないから」

大の大人とは思えぬ、きちんとした敬語も使えない受け答えに、伊佐山は苛立ちを覚えた。警備会社に勤めているというから屈強な男を想像していたが、予想に反して秋山は華奢《きゃしゃ》な体格だった。ろくに運動もできないひ弱な子供が、そのまま二十代後半まで年を重ねてしまったといった外見だ。こういう奴は尻《しり》のひとつでも蹴《け》り上げてやればしゃきっとした返事をするものだが、貝塚に任せている今は不快感を押し殺すしかなかった。

「ああ、そんなに親しくはないんですか。でも、殺されたと聞けば驚きましたでしょ」

貝塚の問いかけに、秋山は「ええ」と「うう」の間のような声を出す。こんな男が相手のときはさっさと本題に入ればいいと伊佐山が考えていると、貝塚はいきなり切り込んだ。

「原田さんと及川さんは仲良かったですか」

「それ、どういう意味？」

ようやく秋山の目に感情が浮かんだ。貝塚は澄まして答える。

「おふたりの仲がうまくいっていたかどうかを尋ねているのです」

「それって、原田を疑ってるってこと？」

「我々はまず、事件関係者全員を疑うところから始めます。原田さんだけを疑っているわけじゃありませんよ」

貝塚の口調は、内心をまったく窺わせなかった。秋山は納得したのかしてないのか、曖昧に首を傾げながら答える。

「よく知らない。あいつ、彼女の話はそんなにしなかったから」

「原田さんは彼女の自慢話をするようなタイプではなかったということですか。それとも、仲が良くないから彼女の話をしなかったんでしょうかね」

「だから、知らないって。原田本人に訊けばいいでしょ」

しつこい貝塚に、秋山は苛立ったようだった。貝塚はあっさりと話題を変える。

「そうですね。ところで、及川さんが亡くなったのはおとといの夜のことなんですけど、原田さんはそのとき、あなたと一緒にいたとおっしゃっています。間違いはないですか」

「おととい、は確かに原田と呑んでた」

秋山はぼそぼそと認めた。表情が乏しいので、嘘《うそ》をついているのかどうか見極めにくい。伊佐山はじっと秋山の顔を観察し続ける。

「おふたりで、ですか？」

「そう」

「では、店の名前を教えていただけますか」

貝塚の求めに、秋山は考える素振りもなくすらすらと応じた。秋山たちは一昨日の夜、居酒屋に行っていたそうだ。居酒屋では客数が多く、特定の客を店員が記憶している可能性は低い。どうせ裏づけが取れないと、警察を甘く見ているのだろうか。伊佐山が注意を促すまでもなく、貝塚がさらに確認する。

「あの店だと客の出入りが多くて、おふたりがいたという証言は得にくいと思うんですよ。何か、店員の記憶に残るようなことはありませんでしたか」

「記憶に残るようなこと……」

秋山は眉根を寄せ、しばし記憶を辿《たど》るような表情をした。そして、「ああ」と声を上げる。

「そういえば、原田が醤油差《しょうゆさ》しを倒した。こぼれた醤油で椅子が汚れて店員が拭《ふ》いてたから、誰か憶えてるんじゃないかな」

「なるほど。でしたら訊けばわかるでしょうね」

貝塚は納得したとばかりに頷いている。しかし伊佐山は、その話に胡散臭《うさんくさ》いものを感じた。いかにもアリバイ作りのための作為のようではないか。

秋山たちが店を出たのは夜十一時半過ぎだったという。司法解剖の結果、死亡時刻は十時前後と推定されている。店に入った時刻は七時過ぎだそうだから、それが本当なら原田のアリバイが成立することになる。だが伊佐山は、自分の見込みが外れたとは思わなかった。

気弱そうな原田の顔を思い出す。仮にアリバイ工作をしていたとしても、締め上げて自白に導くのは伊佐山にとってさほど難しいことではなかった。

6

続けて、問題の居酒屋に行った。開いていなければ出直すつもりだったが、すでに準備のために店員は店内にいた。警察バッジを示し、おとといの夜に醬油をこぼした客のことを憶えている人がいないかと尋ねる。するとひとりの女性店員が、自分が対応したと手を挙げた。

「そのお客さんのことなら憶えてます。肘で醬油差しを倒してしまったとかで、隣の椅子の座面が汚れてしまったんです」

「二十代後半くらいの、男性のふたり客でしたか」

貝塚が確認をとる。女性店員ははっきりと頷いた。

「そうです。若い男性ふたりです」

貝塚は『どう思う』といった顔で伊佐山を見た。伊佐山は質問を代わった。

「醬油をこぼしたのが何時頃だったか、憶えてますか」

「さあ。時間まではちょっと……」

女性店員は申し訳なさそうに首を振る。だが伊佐山は諦めなかった。

「店が混んでる時間帯は決まってますよね。醬油の後始末をしたとき、忙しかったかどうかもわかりませんか」

「いやぁ、うちは七時過ぎ頃からずっと忙しいんですよ。でも、早い時間か遅くにかってことなら、早い時間だったような気がします」

　曖昧ですみません、と女性店員は頭を下げる。忙しく立ち働いていたなら、時間を特定できないのは仕方なかった。むしろ、でたらめな証言で捜査を混乱させられる方が迷惑だ。わからないならわからないで、それもひとつの前進と言える。

「客ふたりの顔は憶えていますか？　もし写真を見て証言してもらうことになったら、自信を持って『この人だ』と言えますか」

　こんなふうに問えば、たいていの人は後込《しりご》みする。案の定、この女性店員も「自信はないです……」と言葉を濁した。それでいい、伊佐山は内心でほくそ笑む。

「その客たちは、七時から十一時半までずっと席にいましたか？　どちらかが途中で抜けたりはしてませんか」

「ちょっとそれも確実なことは言えないです。ずっとそのテーブルだけを見ていたわけではないですから」

　女性店員は慎重に確言を避けた。伊佐山の望むままである。これで原田のアリバイには曖昧な余地が残ったことになる。充分な収穫だった。

　ついでに、原田たちが坐っていたテーブルまで案内してもらった。するとそこは、ちょうど太い柱の陰になっている空間だった。フロアを行き来する従業員には、明らかに死角になっている。こんな席だったか、と伊佐山は目を細めた。

居酒屋を後にして、遅い昼食を摂《と》ることにした。目についた牛丼《ぎゅうどん》屋に入る。昼時を外しているので、先客は少なかった。カウンターの端に陣取り、小声で言葉を交わす。

「あれではアリバイの裏が取れたことにはならないと思ってます？」

貝塚が興味深そうに尋ねてきた。伊佐山の捜査方法を面白がっているかのようだ。伊佐山は牛丼を掻《か》き込みながら、頷く。

「もちろん、そうだ。あんなあやふやな証言で、アリバイになるか」

「秋山の証言はどうです？」

「友人の証言など、当てにならん。いくらでも口裏を合わせられるだろう」

「しかし、事は殺しですよ。もっと軽い罪ならともかく、殺しを庇《かば》いますかね」

「成り行きで証言してやる羽目になることもある。まあ、見てろよ。もし原田と秋山が嘘をついているなら、絶対にゲロさせてやるから」

「絶対、ですか」

貝塚はなにやら言いたいことのありそうな相槌《あいづち》を打った。伊佐山は箸《はし》を動かす手を止めて、その横顔を睨む。

「何か文句でもあるのか」

「いえいえ、とんでもない。落としのいーさんの評判は聞いてますよ」

貝塚はとぼけた調子で、平然と言った。まさに蛙《かえる》の面《つら》にしょんべんだな、と伊佐山は密かに苦笑する。一課刑事としての武器が貝塚にあるなら、この飄々《ひょうひょう》とした態度だと思った。

「さて、この後はどうしますか？　まだ捜査会議までは時間がありますけど」

今夜の捜査会議は、十時からと言い渡されている。鑑の担当も決めずに署を出てきたので、原田の線を当たり終えた今はやることがない状態だった。だが伊佐山には、無駄に時間を潰すつもりはなかった。

「原田の家の周りで聞き込みでもするか。近所の評判を聞いて回ろう」

「えっ、それはちょっと早くないですか？　原田がホンボシだとして、警察の手が伸びてると知ったら逃げ出すかもしれませんよ」

「逃げてくれたら、自分がやったと認めたようなもんだ。手間が省けてありがたい」

「でも……」

「いやなら帰れよ」

きっぱり言い放つと、貝塚は口をへの字にした。仕方ない、と言いたいらしい。結局牛丼屋を出た後も、おとなしく伊佐山についてきた。

適度に休憩を入れながら、原田家の近隣を訪ね歩いた。原田の評判は、おおむね悪くなかった。近所の人に会えばきちんと会釈《えしゃく》をする、礼儀正しい青年という評価が大半である。トラブルを起こしたことは一度もなく、悪い友達と付き合っている気配も皆無だとのことだった。

「まあ、こんなもんですかね」

貝塚がさして失望した様子もなく言う。伊佐山も同じ思いだった。

「近所の評判なんてのは、大して当てにならないからな。むしろ、刑事が自分の身辺を嗅《か》ぎ回っていると知って、原田がどう動くかだ」

事件を起こした犯人の人となりを訊いて回っても、たいてい「あんな真面目そうな人が」だの、「とても信じられない」だのといった言葉が出てくるだけである。虫も殺さぬような顔をした人間が凶悪犯罪を起こすことは決して珍しくはなく、見かけだけで判断するのがいかに危険かを伊佐山は骨身に染みて承知していた。この聞き込みが意味を持つとしたら、それはもう少し先のことだろう。

ファミリーレストランで夕食を摂ってから、署に戻った。捜査会議では、各自が今日一日の成果を発表する。こうした場で一課刑事の貝塚に発表させるわけにもいかず、伊佐山が神妙にメモを読み上げた。原田にアリバイがあることを告げると、講堂内に微妙に失望の気配が流れた。

一同の耳目《じもく》を集めたのは、同じく鑑担当の浜崎からの発表だった。被害者の及川暁美は、今でこそ安いマンションに住んでいるが、ゆくゆくはまとまった財産を相続する立場なのだという。叔父に当たる人物が資産家で、子供がいないために遺産は及川暁美の許《もと》に行くことになっているそうだ。殺しの動機は女か金、が持論の伊佐山にとっても、それは無視できない情報だった。

「遺産はいくらくらいなんだ」

司会の県警本部捜査一課の係長が尋ねる。浜崎は、メモを見て答えた。

「現金、有価証券、土地を合わせて、およそ一億とのことです」

ひゅーっ、と揶揄《やゆ》とも羨望《せんぼう》とも取れる声が上がる。係長は質問を続けた。

「叔父は何をやってる人だ」

「歯科医です」

「で、及川暁美が死んでしまった今、その遺産はどこに行く？」

「もし叔父が遺言状を残さずに死んだとしたら、すでに及川暁美の両親は死去しているため、叔父の従姉《いとこ》に当たる女性が相続することになります。この従姉も高齢なので、叔父より先に従姉が死んだ場合はさらにその息子が相続人になります」

「息子の名は？」

「加賀谷《かがや》明通《あきみち》、三十八歳。詳しいことを調べるには、今日一日では時間が足りませんでした」

「よし、では明日からはその従姉と、息子である加賀谷明通について徹底的に洗え。金に困っていないか、事件当夜のアリバイはあるのか、調べ上げるんだ」

「わかりました」

浜崎は答えて、腰を下ろした。伊佐山の目には、浜崎の表情が得意げに映った。

特にトラブルがあったという証言もなく、一応のところアリバイもある恋人よりも、一億円の遺産を受け取れるかもしれない親戚《しんせき》の方がいかにも臭い。もし伊佐山が無関係の立場でその話を聞いたなら、加賀谷明通こそホンボシだと目星をつけるだろう。しかし加賀谷明通の線を摑んだのは浜崎であり、伊佐山が追っているのは原田だった。抜け駆けまでして強引に担当になった原田の線だったのに、もしかしたら貧乏くじを引いたのかもしれない。目の前で浜崎に手柄を立てられるかと思うと、どうにも悔しくてならなかった。

こうなればなんとしても、浜崎が当たりを引く前に原田のアリバイを崩さなければならない。それは伊佐山にとって、真実の解明よりも遥《はる》かに重要なことだった。

7

翌日には、もう一度原田を訪ねた。何度も足を運び、プレッシャーをかけるのが伊佐山のやり方である。そうすることで自滅的に尻尾《しっぽ》を出す者は、思いの外《ほか》に多い。原田もそうであることを期待しての、二度目の訪問だった。

平日だったので、昨日と同じように勤め先に押しかける格好になった。呼び出された形の原田は、露骨にいやな顔をしていた。

「まだ何かあるんですか？　こちらも仕事中なので、何度も来られては困るんですよ。質問があるなら、一度にお願いできませんか」

事務所では他の者の耳があると気にしたのか、今日は外での立ち話だった。貝塚が宥《なだ》めるように言う。

「申し訳ありません。後からいろいろ思いつくのが、警察の悪い癖で。おっしゃるとおり、一度で済ませるよう努力はしますが、もし新しいことがわかったらやっぱりご協力をいただかなければなりません。ご理解ください」

「だったら次は、仕事の後にしてくださいよ」

不服そうに、原田は口を尖《とが》らせる。昨日ほど怯えた様子がないのは、刑事と接することに慣れたからだろうか。

「ええとですね、今日お伺いしたのは、及川さんが亡くなられた日にいらしてた居酒屋のレシートをお持ちではないかと思ったからなんです」

原田の不平をさらりと無視して、貝塚は本題に入る。レシートの確認を思いついたのは伊佐山だが、今日も質問は貝塚に任せているのだった。原田はその問いにしばし考えるように中空を見つめ、そして財布を取り出した。中を見て、首を振る。

「ないですね。もともともらってないのかもしれません」

「ない？　秋山さんがお持ちだという可能性もないですか」

「どうだろう。レジの前でふたりで財布を出して払ったから、あいつが受け取ったのか受け取ってないのかもよくわからないです。でも、それが何か大事なことですか？　ぼくが本当に居酒屋にいたか、まだ疑ってるんですね」

原田は心外だとばかりに眉を顰《ひそ》める。貝塚はそれをまるで気にせず、平然と言った。

「疑う疑わないではなく、確認が我々の仕事なんですよ。原田さんも工場にお勤めなら、製品の確認をしますでしょう？　それと同じです」

横で聞いていた伊佐山は、その応対に不覚にも感心してしまった。なるほど、そんなふうに言われたら相手も反論できない。年下の男から学ぶのは業腹だが、使える手は自分のスタイルに取り込んでも損はなかった。

案の定、原田はそのまま黙り込んでしまった。貝塚の返事では、自分が疑われているかどうかもわからないだろう。今は怒りよりもむしろ、戸惑いが顔に表れている。戸惑いは、怯えに繋がる。もっと怯えろ、と伊佐山は密かに念じた。

「じゃあ、もう一度確認しますが、店を出たのは何時で、払った金額はいくらでしょうか」

貝塚が改めて聞き直す。原田はしばらく考えてから、十一時半頃に店を出て、代金はふたりで六千円くらいだったと答えた。

「六千円？　ぴったりではないですよね。端数《はすう》は憶えてませんか」

「酔ってましたから。どちらかが端数は丸めて払ったはずですが、よく憶えてません」

半ば意固地になったように、原田は首を振った。憶えていたとしても、まともに答える気はないのかもしれない。今日はこの辺りが引き時だと判断した。貝塚が礼を言うと、原田は会釈とは言えない程度に首を振り、工場に戻っていく。

「やっぱり、持ってませんでしたね、レシート」

工場を後にしてから、貝塚が呆れ気味に話しかけてきた。レシートの提示を求めても、どうせ応じないだろうというのが伊佐山と貝塚の一致した予想だったのだ。当たり前だという意味を込めて、伊佐山は大きく頷く。

「出せるわけがない。自分が何時にどこにいたかということは、できるだけ曖昧にしておきたいはずだからな」

「とはいえ、秋山とふたりで会計をしたという言葉まで嘘とは思えませんよ。友人の秋山はともかく、店員は口裏を合わせてくれないですからね」

「だから、店を出た時刻が曖昧であればそれでいいんだよ。十一時半に帰ったと言いつつ、実際は十時頃だったのかもしれない」

「うーん、それはちょっと開きがありすぎませんか。一時間半は、ごまかすには長すぎますよ」

「死亡推定時刻は、前後三十分ずつ幅を見ることができる。死んだのが十時半だとしたら、主張とのずれは一時間でしかない」

「それにしたところで、一時間はなぁ」

貝塚はあまり納得していないようだった。伊佐山にしてみれば、何が問題なのかわからない。一時間の誤差など、ないにも等しいとしか思えなかった。

秋山に連絡をとったところ、夜勤明けで今から帰るところだという。ちょうどいいので、秋山にとって都合のいい場所にあるファミリーレストランで落ち合うことにした。伊佐山たちはバスに乗り、国道を中心街方面に向かう。

ファミレスに入ると、秋山は先に来て待っていた。伊佐山たちを認めても、立ち上がって挨拶する気配はない。貝塚が近づき、声をかける。秋山は坐ったまま、顎をしゃくってテーブルの反対側の席を示した。そこに腰を下ろすときに伊佐山がわざとテーブルにぶつかると、秋山はようやく驚いたように顔を上げた。秋山の前にあったティーカップからハーブティーがこぼれている。少し溜飲《りゅういん》が下がった。

「お忙しいところ、すみません。お伺いしたいのは、原田さんと居酒屋を出る際の会計のことなんです」

貝塚は原田に尋ねたのと同じ質問を向ける。それに対して秋山がとった反応は、やはり原田とまったく同じだった。しばし考えて財布を取り出し、中身を見、首を振った。

「ない。レシートを受け取ったかどうかも憶えてないよ」

まるで示し合わせたような答えだ、と横で聞いていて伊佐山は思った。実際、示し合わせていても決しておかしくはない。こいつの証言はまったく信ずるに値しないと、心の中で断じた。

今度はコーヒーカップを、乱暴にソーサーに戻した。大きな音に反応して、秋山がこちらに顔を向ける。じっと見つめ返してやると、秋山は自分から目を逸らした。それは紛れもなく、心に疚しいものを抱えた人間がとる態度だった。

いくつかの点を確認してから、秋山を解放してやった。秋山が席を立った後で、伊佐山はぼそりと言う。

「あいつは嘘をついている」

「そうかもしれませんね」

貝塚はあっさりと応じた。伊佐山の断定を信じているともいないとも取れる、気のない返事だった。それが癇《かん》に障《さわ》り、伊佐山は鼻を鳴らす。

そのままそこで昼食を摂ってから、居酒屋に向かった。昨日の店員がいたので呼び出し、三日前の午後十一時半頃に六千円前後の精算をした男ふたりの客がいたかを確認する。女性店員は厨房《ちゅうぼう》に行き、しばらくしてから戻ってきた。

「男性ふたりのお客さんの精算をした人は何人もいるので、どのお客さんのことなのかよくわからないんですけど」

「記憶だけに頼らなくても、レジの記録があるんじゃないんですか」

ちょうど目の前にあったレジスターをついて、貝塚が尋ねる。女性店員はまた断って、奥に消えた。もはや一従業員が答えられる事柄ではないのだろう。代わって中から現れたのは、店長という名札をつけた四十絡《がら》みの男だった。

「三日前の午後十一時半頃のお客様ですね」

手にしているファイルを広げ、貼《は》りつけてある巻紙状の記録を指で追う。何度かその指の動きを止めてから、店長は首を傾げた。

「六千円前後の精算は何件かありますね。具体的に端数はわからないのでしょうか」

「それが、ふたりとも憶えてないんですよ。レシートを受け取ったかどうかもはっきりしないんです」

「それでしたら、こちらも確実なことは申し上げられません。お尋ねの時刻に六千円前後の支払いをしたお客様がいらっしゃったかという質問なら、何人かいましたと答えるしかないですね」

「ちょっといいですか」

横から口を挟んで、伊佐山はファイルに手を伸ばした。店長の許可を得る前に、ページに目を走らせる。数字の羅列で最初は意味がわからなかったが、何度か戻って見直すうちに理解できた。確かに、六千円前後の精算はいくつもある。十一時半頃は、帰る客が多かったようだ。

これではなんの裏づけにもならない。原田たちの嘘を暴《あば》くことはできないが、さりとてアリバイが確固としたものになったわけでもなかった。むしろ伊佐山の推測には都合がいい結果とも言えた。

「わかりました。けっこうです」

伊佐山はファイルを返し、礼を言った。今や原田に対する心証は、限りなく黒に近い灰色になっている。一度色に染まった紙は、二度と純白には戻らない。伊佐山にとって原田は、そういう存在になったのだった。

8

「さて、次はどうしますか」

貝塚が面白がるように尋ねてきた。原田に固執する伊佐山が、物珍しく感じられているらしい。興味本位で見られるのは苛立たしいが、貝塚はなかなか役に立つ。質問をすべて任せて横で聞いているだけでいいのは、かなり楽だった。だから伊佐山は、苛立ちを表明せずに応じてやった。

「原田の友人に当たる。マルヒとの関係がどうだったか、訊いて回ろう」

「またプレッシャーをかけるわけですか」

貝塚は伊佐山の方針に異を唱えないが、すごく乗り気というわけでもなさそうだった。やる気があるのかないのか、よくわからない。面倒なので、「そういうことだ」とだけ答えておいた。

原田の交友関係は知らないので、ふたたび勤め先の工場に足を向けた。同僚の話を聞くためである。貝塚は行く先を知ると、ひと言だけ懸念《けねん》を口にした。

「身辺を嗅ぎ回られていると知ったら、原田は文句を言うでしょうねぇ」

「そんなことを心配して、刑事をやってられるか」

容疑者からの抗議など、撥《は》ねつければいいだけのことだ。原田がまだ容疑者以前の存在でしかないことには、あえて目を瞑《つぶ》った。

工場の受付で、原田と親しく付き合っているのは誰かと尋ねた。受付の女性は答えられなかったが、カウンターの後ろにいた男たち数人が話し合い、何人かの名前が挙がった。中でも特に親しいと目されている人を、まず最初に呼び出した。

「原田が何かやったんですか？」

応接スペースにやってきた原田の友人は開口一番、不安そうに尋ねてきた。貝塚はさも驚いたといった顔をして、「ご存じなかったですか」と応じる。

「原田さんの恋人が殺されたんですよ」

「原田の恋人？」友人は愕然《がくぜん》とするでもなく、むしろ怪訝そうだった。「恋人って、誰のことですか」

「及川暁美さんという方ですが、知りませんでしたか」

「いや、知らないですよ。原田に付き合ってた女がいたなんて……」

殺人という現実より、原田に交際相手がいたことにショックを受けているかのようである。貝塚はその様子をじっと観察するようにしばし沈黙してから、おもむろに続けた。

「原田さんの身の回りには、まるで女っ気を感じなかったですか」

「うーん、言われてみればちょっと付き合いが悪いところもあったけど、あいつはもともとそういう奴だから……。恋人って、本当なんですか？　あいつ、彼女がいるのを隠してたのかなぁ。そういう奴だよなぁ」

「そういう奴、というのは？」

「えっ？　ああ、あいつは少し水臭いところがあるんですよ。あんまり自分のことを喋らないというか。だからここの工場では一番おれが親しいと思うんですけど、それでもあいつのことをよく知らないですからね」

「あまり付き合いがよくない、と？」

「いえ、そうじゃないんです。もし恋人がいるのに話さなかったんなら、たぶんそれはおれに気を使ったからなんですよ。おれは彼女なんていないんで。そういう気の使い方をする奴なんです」

「なるほど」

確かにそれは水臭い。そんな奴とは付き合いたくないなと、横で聞いていて伊佐山は思った。

「では、及川暁美さんという名前もご存じない、それどころか女性と付き合っていたことすら聞いてない、というわけですね」

「まあ、そういうことになりますかね」

貝塚の念押しを、友人は不承不承といった体で認めた。原田の過去の女性関係も、同様に何も知らないという。適当なところで切り上げ、次の人を呼んでもらった。

それ以後、都合四人の同僚に質問をしたが、誰も及川暁美のことを知らなかった。どうやら原田は、職場では意図的に恋人の存在を伏せていたと見做すしかない。それは原田の内向的な性格を物語るのか、あるいは何か別の理由があるのか。伊佐山はどうしても、秘密にしていたことに意味を見いださずにはいられなかった。

質問を終えて事務所を出たときだった。呼び止められたので振り向くと、怒りを露《あら》わにした原田が立っていた。原田は足音も荒く近づいてくると、唾《つば》を撒《ま》き散らさんばかりの勢いで捲《まく》し立てた。

「職場に来るのはやめてくださいと言ったでしょう！　しかもぼくにじゃなく、会社の人にあれこれ訊いて回るなんて、ひどいじゃないですか。ぼくが及川さんを殺したと思ってるんですか！」

「ああ、そうだよ」

貝塚が口を開くより先に、伊佐山が答えた。貝塚が頭を抱えたそうな顔をしたのが、視界の端に映る。しかしかまわずに、原田に冷笑を向けた。

「及川暁美はお前が殺したんだ。そうなんだろ？」

「何を言うんですか。ぼくが何か疑われるようなことをしましたか？」

原田の顔は見る見る青ざめてきた。それは恐怖のためではなく、込み上げる怒りをなんとか押し殺しているせいだろう。その怒りを爆発させてみろよ、伊佐山は挑発的に思う。

「女が殺されりゃ、怪しいのは男と相場が決まってるんだよ」

「ぼくが彼女の死を一番悲しんでるんだ！　それなのに犯人扱いなんて、人権無視にもほどがある。警察はそんな捜査の仕方をするんですか」

原田は口許を震わせていた。摑みかかってくれればこっちのものなんだが、と伊佐山は期待したが、原田の自制心は強かった。悔しげに唇を嚙み締めるだけで、行動を起こそうとはしない。だから伊佐山は、もう一度同じことを繰り返した。

「そうだよ、警察はいつもこうやって犯人を捕まえるんだ。だからあんたも、必ず逮捕してやるよ」

「ぼくじゃない。ぼくが殺したんじゃない！」

「じゃあなんで、及川暁美と付き合ってたことを会社で秘密にしてたんだ？　疚しいことがないなら、堂々としていればいいじゃねえか」

「だからそれは、まだ恋人と言えるような関係じゃなかったからです。前にもそう言ったでしょう」

「そりゃ、具体的にどういう意味なんだ？　ヤってなかったってことか？」

伊佐山はあえて下品な質問を向けた。あまりに直截《ちょくせつ》な問いに、原田は答えあぐねたように口をぱくぱくさせる。伊佐山は追及の手を緩めなかった。

「どうなんだよ。ヤったのか、ヤってないのか。ヤってないから恋人じゃなかったって言うんだな」

「いや、あの、そういう関係がまったくなかったわけじゃ……」

原田は曖昧に語尾を吞み込む。しかし、そんな返事でごまかすことを伊佐山は許さなかった。

「関係があったのか、なかったのか、どっちなんだよ。嘘をつくとあんたのためにならないぜ」

「——関係はありました」

「それでも恋人じゃねえって言うのか。遊びだったわけだ」

「違います！」原田はまた、声を荒らげた。「遊びで付き合ってたわけじゃないけど、まだ本気でのめり込むほどじゃなかったんですよ。そういうこともあるでしょ。付き合う相手を決めるのに、慎重になっちゃいけないんですか」

開き直ったような、原田の主張だった。これには伊佐山も、思わず苦笑する。

「いや、別に悪くないよ。じっくり選ぶのはいいんじゃねえか。じゃあつまり、あんたは及川暁美の品定め中だったってことだな」

「品定めという言葉は、無神経だと思います」

「どんなに言葉を飾ったって、結局そういうことだろ」

原田の抗議を、伊佐山は受けつけなかった。少しずつだが、原田の本音を引き出すことに成功しつつある。この機会を逃すわけにはいかなかった。

「で、及川暁美を恋人と認めてないってことは、付き合う気はなかったわけだ」

「まだわかんないですよ。そんなに会ってたわけじゃないんですから」

「でも、連絡はかなり頻繁にとってたみたいじゃないか」

プライベートな事実をぶつけてみても、原田は動揺しなかった。携帯電話の通話記録を警察が見ていることくらい、承知しているのだろう。

「彼女の方からはよくメールをもらってました。彼女の携帯を覗いたんなら、それもわかってるんでしょ」

「あんたの方からはメールをしてない、と言いたいんだな。つまり、向こうが一方的にあんたに惚《ほ》れてるだけだったわけだ」

「いや、そうじゃないですよ。そういう意味じゃないです」

原田は露骨に慌てた。誘導されて自分に不利なことを言ってしまったと気づいたのだろう。説明をする口調は早口になっていた。

「ぼくはまめにメールをするタイプじゃないんです。仮に及川さんと正式に交際していたとしても、それは変わらなかったと思いますよ。だから別に、及川さんが一方的にぼくを好きになっていたなんてことはないです。及川さんはたまたま、メールでの世間話の相手にぼくを選んでただけだと思いますよ」

あくまで原田は、及川暁美とそれほど深い付き合いではなかったと主張したいらしい。そんなふうに言葉を重ねれば重ねるほど、伊佐山の心証はどんどん悪くなっていく。それなのに原田は、そのことに気づいていないようだった。

「そうか、わかった。要するにあんたは、金に目が眩《くら》むタイプじゃないってことだな」

伊佐山は最後に、とっておきのネタを投げてみた。おそらく原田は及川暁美の遺産相続の話を知らないと予想していたところ、案の定きょとんとした顔で「えっ？」と訊き返すだけだった。

「どういう意味ですか」

「及川暁美は、金持ちの親戚から一億の遺産を受け取れるはずだったんだよ。付き合って、あわよくば結婚まで持ち込めればあんたも濡《ぬ》れ手で粟《あわ》だったのに、残念だったな」

「それ、本当ですか」

原田は驚きを隠しきれないようだった。目を丸くし、瞬《まばた》きも忘れている。この驚きはいったいどういう意味だろうかと、伊佐山はじっくり観察した。金の卵を産む鶏を殺してしまったことを悔いているのか。それとも大魚を逸したことでの放心か。少なくとも、原田が犯人だとしても遺産相続は動機になんら関係がないと見てよさそうだった。

「一億はでかかったな」

伊佐山がからかうように言うと、原田は悔しげに顔を歪めた。

9

「及川暁美の友人に当たる」

工場を出てすぐ、伊佐山はそう宣言した。貝塚は一拍おいてから、「えっ」と声を上げる。

「及川暁美の友人、ですか。でもそれは、私たちの担当ではないじゃないですか」

「いいんだよ、そんなこと。おとなしく担当を守ってて、手柄なんか挙げられるか」

うるさいことを言うなと、顔を歪めて手を振った。だが貝塚は、そんなことでは納得しなかった。

「まずいでしょう、それは。本当の担当者とかち合ったら、どうするんですか」

「どうもしねえよ。隠れりゃいい」

伊佐山は本気で言ったのだが、貝塚はそれを冗談と受け取ったようだ。

「隠れればって、隠れる暇もなかったらどうするんですか」

「いちいち細かいことを心配するなぁ。お前、女にもてないだろ」

「そんなことないですよ。これでもけっこうもてるんですから。って、私の話はどうでもいいです。どうして担当外のことにまで首を突っ込むんですか」

「原田の言い分を信用してねえからだよ」

貝塚が納得しようがしまいがどうでもいいのだが、一応説明してやった。貝塚はその意味を考えるように、真剣な顔になる。

「つまり、及川暁美は原田と付き合っているつもりだったかもしれない、ということですか」

「そのとおりだ。頭いいじゃねえか」

男にその気がなくても、女はすっかり恋人気取りで積極的になり、やがて女の存在を鬱陶《うっとう》しく思うようになった男に殺意が芽生える。そんな事件を、伊佐山はこれまでうんざりするほど見てきた。今回は例外だとする心証は、今のところひとつもない。原田の言い分はよくわかったから、次には及川暁美側の意見を聞いてみたくなったのだった。

「確かにそれは知りたいところですが、でも担当者の報告を会議で聞けば充分じゃないですか。何も伊佐山さんが担当を越えてまで聞き込みしなくても……」

それでも貝塚は腰が引けるようだった。伊佐山はつい、言わずもがなのことを言ってしまう。

「お前は本部の一課刑事だから、そんなのんびりしたことを言ってられるんだよ」

足許を見られるような発言は避けるべきだったが、がっついたところのない貝塚の態度がどうにも妬ましかった。これ以上がたがた言うようなら置いていくまでだと内心で思っていると、案に相違して貝塚はおとなしくついてくる。不思議な男だ、と伊佐山はわずかに苦笑した。

及川暁美の実家の住所は知らないので、勤め先である呉服屋に向かった。呉服屋に入る際には、まず外から店内を覗いて他の刑事がいないことを確認した。被害者の勤め先なら真っ先に当たるべきなので、今日はもう担当刑事も来ていないだろうと予想はした。しかし何かの弾みで鉢合わせしてしまうと、やはり説明が面倒である。刑事は縄張り意識が強く、自分の持ち場を荒らされるとそれだけで怒る者が多い。他人の怒りを恐れるわけではないが、無用な摩擦は避けるにしくはなかった。

店内に入って警察バッジを示すと、またかといった反応をされた。だがそんなことは斟酌《しんしゃく》せず、及川暁美と一番親しかった店員は誰かと尋ねる。すると、店内の離れた場所に立っていた女性が、諦め顔で近づいてきた。

「私が、及川さんと親しくしてました」

すでに別の刑事に、根掘り葉掘り質問をされているのだろう。まだ用があるのかと言いたげな、不満と不安がない交ぜになった表情だった。店内で立ち話をするわけにもいかないので、事務所の一角を借りて話を聞くことにする。

「原田幸輔、という名前を聞いたことがありますか」

渋々ついてきた貝塚に、質問役を任せることはできなかった。伊佐山は前置きもせず、いきなり単刀直入に尋ねる。女性店員は考えもせずに頷いた。

「はい、あります」

「及川さんは原田さんのことをなんと言ってましたか。恋人ですか」

「はい」

原田の曖昧な態度とは対照的に、女性店員の肯定は明瞭《めいりょう》だった。伊佐山は満足の笑みを浮かべたくなるのを、じっとこらえる。

「おふたりはどんな付き合いをしていたか、聞いてますか」

続けて尋ねたところ、今度はどう答えたものかといった様子で返事をためらう。促さずに待っていると、やがて女性店員は口を開いた。

「詳しく聞いたわけじゃないんですけど……」

「かまいません。なんでも言ってください」

「最初のうちは、及川さんも嬉しそうでした。いい人と知り合えた、って」

女性店員はそこで言葉を句切る。続きを期待させるに充分な前置きだった。果たして、女性店員は伊佐山を嬉しくさせることを言った。

「でもそのうち、彼女が暗い顔をしていることが多くなってきたんです。気になったのでどうしたのかと訊いてみたら、彼のことで悩んでました」

「悩み。どんな？」

「私は原田さんに会ったことないんですけど、及川さんの説明によるとちょっと気が弱い感じの人みたいです。でも及川さんは前に、おれについてこいみたいなタイプの人と付き合っていやな思いをしたそうなんで、少し気が弱いくらいの方がいいと言ってました。それなのに、付き合っているうちに意外な面が見えてきたらしいんです」

「意外な面」

原田が気弱な男だという観察は、伊佐山も同意できた。ただ、それだけではないという感触もある。その伊佐山の勘が今、裏づけられそうだった。

「原田さんはプライドが高い人なんだと、及川さんは言ってました。まあ、男の人ですから、プライドがまったくないのもどうかと思いますし、それ自体はいいんです。ただ――」

「ただ？」

女性店員が言い淀《よど》んだのは、言いたくないからではなくどう表現したらいいのか迷ったためのようだった。眉根を寄せて、ひとつずつ自分の口にする言葉を確かめるようにして続ける。

「ええと、なんというか、及川さんがそう言ったわけじゃなく私の解釈なんですけど、原田さんはたぶん男尊女卑的な発想をする人みたいで」

「男尊女卑、ね」

それのどこが悪いと伊佐山は思うが、今はよけいなことは言わずにおく。女性店員は伊佐山の微妙な反応には気づかずに続けた。

「原田さんはふだんはいい人なんですが、ちょっとプライドに関わるような話になると、

『女のくせに』みたいなことを言ってすごく怒るんだそうです。もうホントに、殴られるんじゃないかっていうくらいの勢いで怒らせちゃったことがあるらしくて、このまま付き合いを続けていいものかどうか悩んでいるようでした」

「ほう。殴られる」

いいことを聞いた。これこそまさに、伊佐山が聞きたかった情報だ。担当外のことにまで首を突っ込んだ甲斐《かい》があったというものである。

「じゃあ、及川さんが殺されて、その話を思い出したでしょう？」

完全な誘導尋問だという自覚はあった。貝塚が後で文句を言いそうだが、知ったことではない。女性店員は頷きかけ、慌てて首を振った。

「いえ、別にそんな……」

「正直に答えてくれていいんですよ。何もあなたの証言だけで、原田さんを犯人扱いしたりはしませんから」

ここぞとばかりに、猫撫《ねこな》で声を出した。それに安心したのか、女性店員はさんざんためらった末に認める。

「――まったく思い出さなかったと言えば、嘘になります」

「でしょうねぇ。ということは、及川さんは原田さんに殺されたと思ってるんですね」

「いや、そんなことはないです。誰がなんて、そういうことはぜんぜん考えてません」

「まあ、いいでしょう」

充分有益な話が聞けたので、この辺りで勘弁してやることにした。伊佐山が質問を打ち切ると、女性店員は露骨に安堵の表情を浮かべた。

10

その夜の捜査会議で主役になったのは、伊佐山ではなく浜崎だった。司会の捜査一課係長も興味を持っていたらしく、今日一日の成果を各自に発表させるときにまず真っ先に浜崎を指名した。浜崎は自信に満ちた態度で立ち上がり、メモを読み上げる。

「所轄の浜崎です。私はマルヒが受け取るはずだった遺産の相続者である加賀谷松子《まつこ》と、その息子の明通について調べました。松子は今年七十一歳のパートタイマーです。夫とは三十年近く前に離婚しています。仕事内容はビル掃除。あまり裕福な暮らしをしているとは言えません。そして息子の明通は、昨日も報告しましたように年齢は三十八歳。六年前に脱サラをしてIT関係の会社を興《おこ》しましたが、二年で潰しています。その後はバイトで食いつなぎ、一年前から塾の講師をしていますが、教え方がうまくないらしく生徒から人気がなく、受け持つ授業はそれほど多くありません。従って経済状況も逼迫《ひっぱく》しているものと思われます」

臭いな、という声がそこここで上がった。悔しいことに伊佐山も、ぷんぷん臭《にお》うと認めざるを得なかった。

「当人には会ったのか」

係長の質問が飛ぶ。浜崎は顔を上げて、はっきり「はい」と答えた。

「松子と明通、それぞれ別々に会いました。松子も明通も、私たちが訪ねていってもさほど驚いてはいませんでした。つまり、すでに及川暁美の死を知っていて、自分たちの許に警察が来ることも予想していたということです」

「ってことは、一億の遺産が自分たちのところに転がり込んでくるかもしれないと、ふたりは知っていたんだな」

「そうです。その点は白《しら》を切ることなく、ふたりとも認めました」

「ふたりは遺産のことを喜んでたか」

「一応親戚が殺されたわけですから、露骨に嬉しそうな顔はしませんでした。しかし、金をありがたく思っているのは間違いないです。ふだんからマルヒと行き来があったわけではなく、ほとんど会ったこともない親戚だったらしく、白々しく悲しんでみせるようなこともありませんでした」

「親子のどちらか、あるいは両方に借金は？」

「明通には借金があります」

浜崎はここぞとばかりに、声に力を込めた。数人の刑事が、「ほう」と声を漏らす。

「会社を潰したときにできた借金が三百万。その返済が追いつかず、サラ金に手をつけています。現在の借金総額は詰め切れませんでしたが、三百万より増えていそうです」

決まりじゃねえの、とそそっかしい誰かが呟《つぶや》いた。伊佐山も、これが自分の発表ならばそう言いたいところだった。

「アリバイは？」

一課係長の問いに、浜崎は微笑を浮かべた。抑えても抑えきれない笑みのように、伊佐山の目には映った。

「ありません。松子も明通も自宅にいたと言っていますが、第三者でそれを裏づけられる人はいません。一応隣家に当たったところ、犯行時刻に家の中の照明が点《つ》いていて、誰かがいる気配はあったとのことですが、それが松子と明通だったと断言はできないと言っています。あえて言えばカーテンに映った影は松子だと思うが、明通も家の中にいたかどうかはわからないと、隣人は証言しました」

「いいじゃないか」

一課係長は満足そうに言って、自分の顎をさすった。そして念のためとばかりに、質問をつけ加える。

「で、君の心証はどうなんだ。加賀谷明通は殺しをしそうな男か」

「虫も殺さぬ、といったタイプではないですね。脱サラ後の生活がうまくいかない挫折《ざせつ》感が、体全体に染みついているような男です。話すときもこちらの目を見ず、上目遣いにおどおどと答えるので、印象を言うなら決していいとは言えません」

「よし、わかった」一課係長は大きく頷くと、今度は一同に向けて指示する。「鑑担当は分担を変えて、加賀谷親子の身辺を重点的に洗ってくれ。特に事件当夜、加賀谷明通が外にいたことを証言する人を見つけるんだ。地取りは明通らしき男を現場付近で見かけた人がいたら、しっかり確認しろ」

「わかりました」と答えるのは、一課の主任クラスの人間だ。中には伊佐山より若い者もいる。自分が蚊帳《かや》の外に置かれているようで、面白くなかった。

その後も各刑事の発表が続いたが、浜崎ほど目覚ましい成果を語れる者はいなかった。発表している刑事自身、加賀谷親子の線を追えばいいと思っていることが露骨に窺える。そんな雰囲気の中で立って、今日一日の収穫を語るのは空《むな》しい作業だった。

「所轄の伊佐山です。私はマルヒの恋人だった、原田幸輔の身辺を洗っています。原田は事件当夜のアリバイを主張していますが、それを裏づけているのは友人ひとりで、多少曖昧なところがあります。原田と友人は犯行時刻、居酒屋で飲んでいたと言っているものの、店員でそれを憶えている人はいません。精算時のレシートも残っていないので、店を出た時刻もはっきりしないのです。私は明日以降、原田のアリバイを崩すことに専念したいと思います」

会議の流れに逆らい、我が道を行く宣言をした。返ってきたのは、冷ややかな気配だけだった。明らかに怪しい人物が捜査線上に浮かび上がったのに、なぜアリバイがある人にこだわるのか。はっきり声に出す者はいなくても、冷ややかな気配は一同の気持ちを雄弁に物語っていた。

「また強引な真似をするんじゃないだろうな」

その声は、ほんの囁《ささや》き程度だった。しかし静まり返っていた会議室の中では、思いの外に響き渡った。声のした方に視線を向けると、ばつが悪そうに頬を搔いているのは香川だった。伊佐山は視線をねじ込むように睨みつけてやったが、香川は頑としてこちらを見ようとしなかった。他の同僚たちも、退屈そうに耳をほじったりあくびをしたりしている。伊佐山は奥歯を噛み締め、音を立てて椅子に腰を落とした。この屈辱を晴らすためにも、是が非でも原田を落としてやると心に誓った。

11

今すべきことは、他の刑事たちの目にはごくごく薄い灰色にしか見えていない原田を、もっと濃い色に染め上げてやることである。そのためには、原田の事件への関与を裏づける証言なり証拠なりが必要だった。物証はともかく、証言など粘り次第でいつか出てくるものだと伊佐山は考えている。その持論を、今こそ実行に移すべきときだった。

問題は、伊佐山が鑑担当だということだった。目撃者捜しは、地取りの仕事である。自分の分担を越えての捜査は、堂々とできるものではない。ふたりひと組で行動することになっている貝塚の存在が、こうなってみると邪魔だった。

伊佐山は割り当てられている被害者親族への聞き込みを、ごくごくあっさりと片づけた。貝塚に質問を任せると時間を節約できないので、自ら積極的に問いかける。ふたり目の親族への聞き込みを終えた後、さすがに貝塚が不審そうな顔をした。

「ずいぶん焦《あせ》ってませんか？　そんなに急ぐ必要はないと思うんですけど」

「急ぐ必要はあるんだよ」

「どうしてです？」

「ちょっとな」

なんとかこのままごまかしきってしまおうと思っていたが、貝塚はしつこかった。

「何か他にしたいことでもあるんですか？　それは仕事絡みですか？」

「うるせえな」

声を低めて、凄んで見せた。だが意外にも、その程度のことで貝塚は怯《ひる》まなかった。

「原田の線を追いたいんでしょう。違いますか？」

「だったらどうだって言うんだ」

「伊佐山さんが原田にこだわるのも、別に悪くないと思いますよ。だったらどうして、今日の分担決めのときにそれを希望しなかったんですか」

「原田は原田でも、おれがやりたいのは目撃者捜しだよ」

「目撃者捜し？」

すぐには、伊佐山の求めることが理解できなかったようだ。一拍ほどおいて、貝塚は目を見開く。

「現場周辺で、原田を見た人がいないか捜したいんですか」

「そうだよ」

「でもそれは、地取りがやっているじゃないですか」

「地取りはもう、加賀谷なんとかのことしか頭にない。原田のことを訊く奴なんて、ひとりもいないさ」

「まあ、それはそうかもしれませんが……」

ようやく貝塚の語調から勢いがなくなった。今のうちにと、伊佐山は足を速めて貝塚との距離を開く。貝塚は慌てて追ってきた。

「待ってくださいよ。じゃあ聞き込みを早く終えて、現場に向かうつもりなんですか」

「お前は帰っていい」

分担外の仕事にまで首を突っ込むことを、ただ黙っていてくれればそれでいい。もし上層部に報告するようなら、脅しつけてやらなければならないと考えていた。

「だから、待ってくださいって。伊佐山さんが現場周辺の地取りをする気なら、私も付き合いますよ」

「お前が？」

思いがけないことを言われ、つい足を止めた。貝塚は困ったように眉根を寄せている。

「なんのつもりだよ」

「ですから、付き合います。そんなに邪険にしないでください」

「ついてきて、どうするんだよ」

「別にどうもしませんよ。単に伊佐山さんがどういう捜査をするのか、興味があるだけです」

貝塚の説明を、額面どおり受け取ったわけではなかった。なんとなく胡散臭いものを感じるが、さりとて相手の心中をずばり言い当てることもできない。強く拒絶する理由も見つけられず、「好きにしろ」と言い捨てるしかなかった。貝塚はにやりと笑って、「好きにします」と答えた。

割り当てられた仕事を、伊佐山たちは半日で片づけた。形ばかりの聞き込みで、手抜きと言われても仕方がない仕事ぶりであることは自覚している。だが、もはやいまさら被害者の周辺を嗅ぎ回ったところで、新たな容疑者候補が浮かび上がってくるとは思えなかった。捜査本部は加賀谷親子の決め打ちにかかっているし、伊佐山自身は原田をなんとしても落としたい。真面目に取り組むのが馬鹿馬鹿《ばかばか》しい仕事でしかなかった。

現場に到着したときには、夕方になろうとしていた。聞き込みをするにはいい時間帯だ。外出していた人たちも、そろそろ帰宅している頃だろう。伊佐山は無駄足を承知で、まずマンションの住人を一戸一戸訪ねて回ることにした。

たいていの家には人がいたが、主婦は夕食を作っている途中らしく、いかにもいやそうに玄関先に出てくる。しかもこのマンションでは二度三度と聞き込みをしているはずなので、『またか』という顔をする人も少なくなかった。それでも伊佐山は苛立ちを面に出さず、辛抱強く訊いて回った。ここで相手を威圧しても、何も出てこないことはよくわかっていた。

伊佐山は漠然とした訊き方はせず、具体的に原田の容姿を描写して、こんな感じの人を見なかったかと尋ねた。こうした質問は当然初めてのはずなので、最初いやそうにしていた人も少し興味を惹《ひ》かれたように考え込む。だが結局思い当たることはないらしく、首を横に振る者が大半だった。伊佐山もそれは予想していたことなので、特に失望はしない。

ちょっとした手応《てごた》えを感じたのは、マンションでの聞き込みを終えて外に出たときのことだった。マンションの並びのアパートを訪ねた際に、伊佐山の質問に対して「そういえば」と首を傾げて考え込む中年女性がいたのだ。

「そういう人なら見たことある気がするけど……」

「本当ですか。あのマンションに出入りはしていたはずなので、見かけるだけなら別におかしくはありません。あの事件があった夜に見たかどうかが問題なんですよ」

伊佐山は具体的な日時を告げて、もう一度確認した。きついパーマをかけた中年女性は、「あの日は義弘《よしひろ》のプールの日だから……」などとひとり言を言って、己の記憶を探っている。

「あ、でも、その前のときだったかなぁ」

どうやら断言できるほど、記憶がはっきりしているわけではないようだ。しかし伊佐山は、せっかくの手応えを簡単に手放す気はなかった。

「義弘というのは、息子さんですか。息子さんは事件の日、プールに行ってたんですね。で、その日にあなたは、夜十時頃に外に出たんですか」

「高校に行ってる娘のお弁当を作らなきゃならないのに、うっかりしてなんにも冷凍庫になかったんですよ。だからコンビニに冷凍食品を買いに行ったんです。確かそのときにすれ違ったような……」

「弁当の材料を買うために外に出たのは、最近では事件の夜だけだったんですね」

「いえ、そうでもないんですよ。割としょっちゅうやっちゃうことなんです」

パーマの中年女性は、恥ずかしがるように首を竦める。さすがに伊佐山も、少し語気を強めた。

「では、事件の夜の他に外に出たことは？」

「確か先々週もやっぱり夜にコンビニに行ってるんですよ。だからもしかしたら、そのときに見かけたのかもしれません」

「あやふやな話では困るんですよ、奥さん」

伊佐山は不意に声を低め、顔を突き出した。パーマの女はびっくりしたように身を遠ざける。その張りを失った顔に向かって、呟くように告げた。

「はっきりしない話に振り回されるのは困るんだ。警察もそんな暇じゃないんだよ。わかるだろ、奥さん。あんたが曖昧なことを言えば、殺人鬼が野放しでいる時間がそれだけ長くなるんだ。今日も人殺しが、あんたの家のそばをうろうろしてるかもしれないんだぜ。それでいいのかよ。高校生の娘は、いったい何時に帰ってくるんだよ」

「む、娘は部活があるから、いつも夕方に帰ってきますけど」

「夕方って言ったって、今時分はもうずいぶん暗いじゃないか。すぐそばで殺人事件が起きたっていうのに、不用心だと思わないか」

「それは思いますけど、あたしもパートがあるんで迎えに行くわけにはいかないし、娘も高校生にもなると親の迎えなんていやがるし……」

「だったらよけい、早く犯人を捕まえなきゃいけないだろう。あんたの証言ひとつで、この辺りの安全がまた戻ってくるんだぜ。あやふやなこと言って、ご近所様に迷惑をかけるのはよくないよ」

「伊佐山さん」

横手から声がし、肘を引っ張られた。だが伊佐山は無視し、肘を強く引いて貝塚の手を振り払った。ここで邪魔をされるわけにはいかなかった。

「なあ、男を見かけたのは事件があった夜なんだろ。その男は、被害者の女と付き合ってたんだよ。そんな男が事件当夜にこの辺りをうろついてたなんて、おかしな話じゃないか。あんただってそいつが怪しいと思うだろう」

畳みかけると、パーマの女は思考を停止したように機械的に頷いた。よし、それでいいんだ。伊佐山は笑いたいのをわずかに口角を動かすだけで抑え、念押しをした。

「今度、そいつの写真を持ってくるよ。そうしたら、その男を事件当夜に見たとはっきり証言できるな。いいね」

伊佐山の迫力に押されたように、パーマの女は何度も首を縦に振った。これで一歩前進だ。伊佐山の胸にはぬるま湯にも似た満足感が染み出してくる。遠からぬうちに必ず、原田の尻尾を摑めると確信した。

12

「伊佐山さん、ちょっといいですか」

案の定と言うべきか、聞き込みをしたアパートを離れると、貝塚が話しかけてきた。いつもの飄々とした口調ではなく、声音が変わっている。低音で切り込むような物言いは、確かに刑事のそれだった。こんな声も出せるのかと、伊佐山はいささか見直す思いだった。

「なんだよ」

「今の聞き込みは、ちょっとないんじゃないですか。あれは完全な誘導尋問でしょう。あんな証言、信頼に値しませんよ」

「だったらどうだって言うんだ」

伊佐山は歩みを止めなかった。負けじと貝塚はついてくる。

「どうって、駄目に決まってるじゃないですか！　あの証言では、とても検察に上げられないですよ。法廷に出しても、証拠として取り上げてもらえるとは思えません」

「証拠になるかどうかを決めるのはお前じゃない。裁判官だ」

「そもそも法廷に出せないと言ってるんですよ。あんな脅迫めいた訊き方をしたことがわかれば、証拠能力の問題だけじゃない、警察の捜査方法にも疑問符がついてしまうじゃないですか」

「おれがどんな質問をしたのか知ってるのは、おれとお前だけだ。お前がよけいなことを言わなければ、誰も気づかない」

「そういう問題じゃないでしょう」苛立ったように、貝塚は両手を振る。「それに、腕のいい弁護士にかかったら、あんな証言は簡単に崩れますよ。それがわかっててどうして——」

「原田を逮捕に、いや任意同行に持ち込めればそれでいいんだよ。自白を取っちまえばこっちのもんだ」

「自白！」

貝塚は鼻を鳴らした。その言葉には、呆れたニュアンスが籠《こも》っている。これまで逆らうような態度を見せなかった貝塚の豹変《ひょうへん》に、伊佐山はつい足を止めた。

「自白を取って初めて、事件は解決するんだよ。証拠や証言なんてのは、おまけに過ぎねえ」

「昔ながらの自白偏重主義ですか。だから日本の警察は遅れてるって言われるんですよ。大事なのは自白じゃない、物証でしょ。いつまでも自白に頼った起訴をしているから、冤罪《えんざい》事件が起きるんだ。おれたち警察は、そろそろ意識を改めなくちゃならない頃なんですよ。違いますか」

「違うね」

伊佐山は短く答えて、ふたたび歩き出した。貝塚はしつこく追ってくる。

「どう違うんですか」

「自白こそ、何よりの証拠なんだよ。やってもいない奴は、死んでもやったとは言わない。自白する奴は、ホンボシだから白状するんだ。意識を改めろ、だと？　改めた結果はどうだ。検挙率が見る見る下がるだけじゃないか。おれにしてみりゃ、そっちの方が嘆かわしいよ。お前ら若い者が、現場を知らない奴らの決めたマニュアルどおりに捜査をしてるから、挙げられるホシも挙げられなくなったんだ」

「それこそ違いますよ。検挙率の低下と、自白偏重主義を改めることとの間にはなんの因果関係もない。検挙率が下がったのは、昔に比べて社会が複雑になって、事件が多様化したからだ。自白に追い込んでめでたしめでたしなんて発想じゃ、ますます検挙率が下がるだけですよ」

「お前とくだらないことで言い争う気はない」

妥協点が見いだせそうにないので、面倒になって切り上げようとした。だが貝塚は引き下がらなかった。

「ちょっと待ってください。今の証言をどうするつもりですか。捜査会議で発表するんですか」

「お前はどうするつもりだ。伊佐山の拾ってきた証言は当てになりませんと、上に報告するのか」

「伊佐山さん次第です。以後、伊佐山さんがきちんとした捜査手順に則《のっと》って行動してくれるなら、今のことは不問にしてもいいですよ」

「不問にしても、か。はっ。お偉いこった」

皮肉を言わずにはいられなかった。これまではなんとか衝突せずにやってこられたが、やはりこうなるしかなかったのだと、醒《さ》めた気持ちで考える。自分より年下の一課刑事となど、そもそもうまく付き合っていけるわけもなかったのだ。コンビ解消を上に申し出るなりなんなり、好きにすればいい。

「まさか伊佐山さん、あんないい加減な証言で突っ走るつもりじゃないでしょうね」

「立派な証言が得られたんだ。後は原田のアリバイを崩すだけだ」

「噂どおり、強引な捜査をするんですね」

「なんだと」

自分がどう噂されているかなど、とっくに承知している。だから聞き流してもいいところだったが、貝塚の口吻《こうふん》にはどこか棘《とげ》があるような気がして無視できなかった。

「おれのどんな噂を聞いたって言うんだ」

「ですから、強引な捜査をするって噂ですよ」

もはや貝塚は、従順な後輩などではなかった。所轄刑事を一段低く見る、一課刑事の目つきをしている。こいつ、本性を隠していやがったな。伊佐山はようやく貝塚の本質を知った気がした。

「お前が聞き込みについてきたのは、その噂が本当かどうか確かめるためだったわけか」

得心がいった。もしかしたら貝塚は、評判が悪い伊佐山を危ぶんだ県警本部がつけて寄越した目付役だったのかもしれない。だとしたら貝塚は今、しっかり伊佐山の尻尾を摑んだというわけだった。

かまうものか。伊佐山は内心で吐き捨てる。捜査手法に問題があろうと、真犯人を挙げれば文句は言わせない。罪を犯した者を逮捕するのが警察の仕事であり、それが市民の安全に繋がる。綺麗事《きれいごと》ばかりで済まないのは当たり前のことで、過程を問題視するのは真犯人を利する行為でしかなかった。強引と言われようとも自分のやり方を貫くのは、言わば伊佐山の信念だった。

「もう一度確認します。これから伊佐山さんはどうするんですか。改めて、もっと信頼できる証言を取るために動くんですか」

歩き続ける伊佐山の前に、貝塚は回り込んできた。立ち塞《ふさ》がって告げた言葉は、最後通牒《つうちょう》のつもりなのだろう。だが伊佐山は、そんなものは歯牙《しが》にもかけなかった。

「おれはおれの好きなようにやる。いちいちお前に報告する気はない」

そして、貝塚の肩を押して前を空けさせた。すれ違いざま、貝塚が「わかりました」と硬い声で言うのが聞こえた。

貝塚はそれきり、伊佐山についてこようとはしなかった。歩きながら振り返ると、道を反対の方へと進んでいる。タクシーでも拾って、署に帰るのだろう。伊佐山はこのまま真っ直《す》ぐ、駅に向かうつもりだった。

顔を前に戻した瞬間だった。背中にちりちりとした違和感を覚え、もう一度素早く振り返った。貝塚がこちらを睨んでいるのか。そう想像したほど、鋭い視線を感じたのだった。

だがそこには、もう貝塚の姿はなかった。道を曲がって、伊佐山の視界の外に行ったようだ。もちろん、他に伊佐山を見つめる者もいない。貝塚が道を曲がる際に一瞥《いちべつ》をくれたのだろうと解釈し、それきりその件は念頭から押しのけた。伊佐山の脳裏を占めていたのは、どうやって原田のアリバイを崩すかという思考だけだった。

13

夜になって捜査会議に出席するために署に戻ると、当然のように叱責《しっせき》を食らった。直接の上司である安藤と、本部の管理官がふたりして伊佐山を呼び出し、説教を垂れた。世間の目だの警察への信頼だの、わかりきったことばかりを言われたような気がするが、右から左に聞き流したのでよく憶えていない。管理官はともかく、安藤は伊佐山が耳を貸していないことを察していただろうが、それでも言わずにはいられなかったようだ。管理官は最後に、貝塚とのコンビ解消を告げて部屋を出ていった。残った安藤は、忌々《いまいま》しげに吐き捨てた。

「お前みたいな奴がいるから、警察を悪者のように思う市民が出てくるんだ。他の真面目な警察官にとっては、いい迷惑だよ。お前のような奴を腐った林檎《りんご》って言うんだ」

気が利いたことを言うじゃねえか。思わず伊佐山は皮肉の笑みを浮かべた。腐ってても役に立つ林檎と、体裁ばかり整えて何もできない林檎と、いったいどちらが市民のためになっていると思うのか。伊佐山の検挙率の高さに気兼ねしてふだんは何も言わない安藤が、本部の管理官に追随して偉そうな能書きを垂れるのが滑稽《こっけい》でならなかった。

新たにコンビを組まされたのは、同じく県警本部捜査一課の曽我《そが》という刑事だった。伊佐山も知っている五十代のベテランで、おそらく重しの意味があるのだろう。所轄を見下していることを隠さない、いけ好かない男だ。伊佐山と衝突するのは目に見えているはずなのにあえて組ませたのは、これ以上伊佐山に勝手な真似はさせないという上層部の意思表示に他ならなかった。

曽我のような男に頭を下げるのは業腹なので、翌日の聞き込み中は一度も自分からは話しかけなかった。曽我も伊佐山とコミュニケーションをとるつもりはないらしく、無言を貫いている。関係者への質問をすべて伊佐山に任せ、自分は一歩引いた場所でじっと観察しているのがなんとも目障《めざわ》りだった。どうやってこの男を振り切り、自由に動ける時間を作るかを、伊佐山はずっと考え続けた。

情勢が一変したのは、その夜の捜査会議の席上でだった。事件当夜の所在がはっきりしていなかった加賀谷明通のアリバイが、どうやら成立してしまいそうだという報告があったのだ。

「それは確かなのか」

期待をしていただけに、失望が大きいのだろう。捜査一課係長は眉間《みけん》に皺《しわ》を寄せて、浜崎に確認した。浜崎も悔しげな顔で答える。

「何せそういう女子高生の言っていることですから、疑いの余地が皆無とは思いませんが、まず間違いなさそうで……」

「なんだよ」

係長の舌打ちが、講堂中に響き渡った。他の者たちも舌打ちこそしないものの、気落ちしているのは明らかだった。最有力容疑者と目されていた人物に、アリバイが成立してしまったのである。失望するなと言う方が無理だった。

浜崎の報告はこうだった。逮捕のための地固めに動き出した警察の態度を見て、加賀谷明通は自分が容疑者と見られていることを悟ったらしい。そのため、これまで曖昧にしてきた事件当夜の所在を、唐突に口にしたのだった。加賀谷はあの夜、出会い系サイトで知り合った女子高生と会っていたと主張した。相手が未成年と知りつついかがわしい行為に及んだため、これまで言えずにいたのだそうだ。

浜崎たちは加賀谷の携帯電話を任意提出させ、メールのやり取りを確認した。すると確かに、特定の女性と交渉の末に会う約束が取り交わされていた。日時はまさしく、殺人事件があった当夜である。相手の女子高生と、ふたりが行ったと告白したラブホテルに確認したところ、加賀谷の言葉が嘘でないことが裏づけられた。事件解決まであと一歩と意気込んでいた浜崎が消沈するのも無理はなかった。

「まだ加賀谷松子が残ってるじゃないか。そっちの線も徹底的に洗え」

一課係長の指示は、ほとんど負け惜しみのようにしか聞こえなかった。母親である松子が共犯という可能性はあっても、単独犯とはとうてい思えない。事件当夜に加賀谷家に人がいたことは確かなのだし、松子は七十一歳と高齢である。その松子が遺産のために親戚を殺すとは、いかにも説得力がない推理だった。

加賀谷親子の線が潰れ、失望の気配が漂う中、伊佐山だけは密かに喜びを噛み締めていた。やっぱりおれの見込みこそ正しかったのだ。そう声に出して胸を張りたい気分がある。生意気な浜崎の悄《しお》れた顔を見るのは、何にも増して痛快だった。

14

次の朝、伊佐山は安藤に病欠を願い出た。むろん、仮病である。安藤もそんなことはわかっているのか、どういう了見かと烈火の如《ごと》く電話口で怒鳴り散らしたが、伊佐山は下手な演技をわざとらしく続けた。しつこく咳《せ》き込み続けた末に、「そういうことなので」と嗄《しわが》れ声で言って一方的に電話を切る。その後は携帯電話の電源をオフにしておいた。

これで、自由が確保できた。もとより女房子供にはとっくに逃げられているし、休日を一緒に過ごす女もいない。ずる休みをしてまで独自の捜査をするとは、なんと真面目な刑事なのかと自画自賛したくなる。事件解決の暁には、県警本部長賞が欲しいものだと本気で思った。

伊佐山の狙いは原田ではなく、その友人である秋山だった。今のところ、秋山の証言だけが原田のアリバイを支えている。原田を任意同行で引っ張るためには、秋山の証言を崩さなければならなかった。

伊佐山は直接秋山を訪ねるような愚は犯さなかった。攻めるには、まず武器が必要である。武器は秋山の過去を探れば必ず見つかると確信していた。

最初に、秋山の勤め先である警備会社の本社に行った。そこで人事の担当者に警察バッジを突きつけ、秋山の履歴書を出させた。記載されている実家の住所電話番号をメモし、その場で電話をしてみる。繋がった先は確かに、「秋山」と名乗った。どうやら実家は引っ越していないようだ。渋る人事担当者に無理矢理履歴書のコピーを取らせてから、警備会社を後にした。

秋山の実家は、車で二時間ほどのところにあった。わざわざ行くのは面倒だが、電話で済ませるわけにはいかない。自分の車を使い、高速道路を飛ばした。昼前には、こんなことでもなければ絶対に来ないだろう平凡な田舎町に着いていた。

秋山の父親は仕事に行っていて不在だったが、母親は家にいた。伊佐山の警察バッジを見ただけで動転し、声が上擦る初老の女である。相手が判断力を失っているのをいいことに、伊佐山は家に上がり込んだ。長い距離をドライブしてきたのだから、お茶の一杯でも飲ませてもらわないことには帰りたくなかった。

「あのう、健吾がいったい何を……？」

伊佐山の求めに応じてお茶を運んできた母親は、恐る恐る尋ねた。伊佐山はもったいをつけてゆっくりと茶を啜《すす》ってから、おもむろに口を開く。

「実はですねぇ、お宅の息子さんが嘘の証言をしているせいで、我々警察は本当に困ってるんですよ」

わざとぞんざいな口調で言った。怯えている相手には、高圧的な態度で接した方が効果的だ。果たして母親は、目に見えておろおろし始めた。視線が左右に泳ぎ、両手を意味もなく組み合わせたかと思うと、心臓に手を置いてゆっくりと深呼吸をする。そして勇気を振り絞ったとばかりに、先を促した。

「息子は、いったい何をしでかしたんでしょうか」

「安心してよ、お母さん。あんたの息子が犯罪を犯したわけじゃないんだ。どうも、殺人犯を庇っているようなんだよね」

「え……」

よほど悲愴《ひそう》な覚悟をしていたのか、息子は罪を犯していないと言われ、母親はぽかんとした顔をした。緩急こそ、相手の気持ちを挫《くじ》くための重要なテクニックである。伊佐山はここぞと切り込んだ。

「殺人事件があった晩に、あんたの息子は犯人と思われる男と一緒にいたと言い張ってるんだ。その証言のせいで、我々は殺人犯を逮捕することができずにいるんだよ。罪を犯したわけじゃないと言ったけど、厳密にはこれは偽証罪だな。それに公務執行妨害罪をつけてもいい。いや、そんなことよりも、殺人犯が未だに野放しになっていることが問題なんだよ。悪い奴はちゃんと捕まるべきだろう？　まして相手は殺人犯だ。一日でも早く逮捕するのが警察の責務だし、善良な市民が望むことだと思わないか。なあ、お母さん」

「は、はい」

母親はただ、伊佐山の言葉を肯定してかくかくと頷くだけである。伊佐山はとっておきの猫撫で声を出した。

「じゃあさ、お母さん。あんたから息子に、正直に本当のことを話すように言ってくれよ。お前のせいで大勢の人が迷惑をしてるんだ、って。それが親としての務めだろ、なあ。世間に迷惑をかけるような真似を、息子にさせちゃいけないよなぁ」

「そうですね、そうですね」

心底申し訳なさそうに、母親は何度も頭を下げる。伊佐山は顎をしゃくって、電話機を指し示した。

「じゃあ、今すぐ息子に電話しろよ。警察に正直に何もかも話せと、親として言ってやんな」

「はい」

母親は自分の意思を欠いたロボットのようにぎくしゃくと立ち上がると、言われるままに子機を手に取り電話をかけ始めた。

「健吾？　お母さんよ。えっ？　忙しいってあんた、それどころじゃないでしょ。今、ここに刑事さんが来てるのよ。あんた、とんでもないことをしているらしいじゃないの。人殺しを庇ってるんだって？　どうしてそんなことするの？　何言ってるの。警察がそんな間違いするはずがないでしょ。あんたのせいで大勢の人が迷惑してるってよ。お母さん、もう恥ずかしくて恥ずかしくて死にたいくらいよ。どうしてこの年になってまで、そんな思いをしなきゃいけないの。あんただってもう、親孝行してくれてもいい年でしょ。えっ？　関係なくないわよ。嘘ばっかりついてると、あんたも警察に捕まっちゃうのよ。そうしたら母さん、恥ずかしくて外にも出られなくなっちゃうじゃない。頼むから母さんにそんな思いはさせないでおくれ。ねっ、お願いだから――」

母親は途中で言葉を切り、手にしている子機を呆然《ぼうぜん》と見つめた。どうやら一方的に通話を切られたらしい。顔を上げて伊佐山に向けた目は、叱責を覚悟した怯えきった色に満たされていた。そんな母親に、伊佐山は大きく頷いてやった。

もとより伊佐山も、秋山が母親の説得に簡単に応じるなどとは期待していない。単に揺さぶりをかけたかっただけだから、その意味では母親の訴えかけは上出来だった。もし自分が秋山だったら、親からあんなふうに迫られれば気が滅入《めい》る。秋山も相当応《こた》えているはずだった。

ひたすら詫《わ》び続ける母親に、今後も説得を続けるよう命じた。それだけでなく、地元に今も残っている秋山の友人の名前を言わせる。おそらく有益な情報は、母親よりも昔の友人の方が多くもたらしてくれるだろう。伊佐山はゆっくり茶を飲み干し、また来ると言い残して秋山家を辞去した。

15

「こんな時間に、何？」

警備員室から出てきた秋山は、いたく不満そうだった。時刻はもうすぐ深夜零時を回ろうとしている。刑事の訪問を受けるのにふさわしい時間ではなかった。

しかも伊佐山は、今日は自宅ではなく勤め先に押しかけた。秋山は夜勤に就いていたのだ。暇そうに警備員室で煎餅《せんべい》を食べているところを呼び出したのだから、業務に支障があるとは思えないが、押しかけてこられる側にとっては迷惑な話だろう。しかしそんなことを斟酌して遠慮する気は、伊佐山には毛ほどもなかった。

「お前、高校生のときに補導歴があるらしいな」

前置きはせず、いきなり切り出した。言ってみればそれは、相手が身構える前に凶器を突き出したようなものだった。当然効果は抜群で、秋山は目を剝《む》いて硬直した。伊佐山はあえてにやにやとした笑みを浮かべ、秋山に囁きかける。

「お前、万引きの常習犯だったんだってなぁ。何度も捕まっては、そのたびに母親を泣かせてたそうじゃないか。そんなお前が今は、こともあろうに警備員か。ずいぶんご立派になったじゃねえか」

伊佐山の皮肉を、秋山は物理的圧力のように感じているのかもしれない。顔を背け、表情を強張らせている。じっと地面を見つめているのは、おそらく悔しさを噛み殺しているからだ。屈辱は、人間の心を脆《もろ》くする。もっと悔しがれよ、と伊佐山は心の中で呟いた。

「だから、なんだって言うんだよ」

視線こそ合わせようとしなかったが、秋山にはまだ言い返す気力があったようだ。多少は歯応えがないと面白くない。伊佐山は歯を剝き出して笑った。

「せっかく立派な仕事に就いてるんだ。それをみすみす失いたくはないだろうなぁと思ってな」

秋山の補導歴は、当時の同級生から聞いた話だった。どうやら秋山はいじめられっ子だったらしく、力の強い者たちに無理矢理万引きをさせられていたらしい。挙げ句に捕まり、警察沙汰《ざた》になったことも何度かあったという。当時の同級生たちは憐《あわ》れみ半分、そして蔑《さげす》み半分でそう語った。秋山と親しくしていた者は、結局見つけられなかった。そんな友人はそもそも存在しなかったようだ。

「どういう意味……ですか」

秋山は眦《まなじり》を吊《つ》り上げて伊佐山を睨んだが、語勢は途中で弱まった。自分の弱い立場を、ようやく実感したらしい。警察相手に突っ張って、勝てるわけないだろ。伊佐山はそう言ってやりたいのを、鼻を鳴らすことでこらえる。

「因果応報って言葉を知ってるか。悪いことをすると、巡り巡って自分の身に降りかかってくるっていう意味だよ。だからお前も、失業しないようせいぜい気をつけな」

「刑事さん……、おれの昔のことを会社にチクる気ですか」

秋山はもう、伊佐山の顔を直視しなかった。目を伏せ、ぼそぼそと自信なさそうに喋る。その様はまるで、己の尻尾を股《また》の間に挟んだ犬のようだ。従おうとしない相手を叩き伏せるのは、何にも増して達成感を味わわせてくれることだった。

「おれは警察官だから、善良な市民を脅すような真似はしないぜ。誤解しないでくれよ」

伊佐山は肩を竦め、大袈裟に首を振って見せた。しかし秋山はむろん、そんな言葉で安堵したりはしなかった。

「じゃあ、なんなんですか。どうしておれにつきまとうんですか」

「お前が勘違いしているかもしれないと思ってな。お前は前に、殺人があった晩にはずっと原田と一緒にいたと言ったよな。あれは勘違いだったんだろ？」

腹芸は通じないようなので、はっきり言ってやるしかなかった。秋山はようやく伊佐山の意図を察して、目を丸くする。

「証言を変えろと言うんですか」

「変えろとは言ってない。本当のことを喋れば、それでいいんだよ」

「でも、本当におれはずっと原田と一緒にいたんで……」

「ずっとかよ。一瞬も離れずにか。原田がひとりでトイレに立つこともなかったと言うのかよ」

「いえ、それは……」

「ずっと一緒だったと言うなら、それは明らかに嘘だろ。トイレまで一緒に行くような、そういう特殊な関係なのか、お前たちは？」

「違いますけど」

「じゃあ、原田がひとりで居酒屋を出ていったと認めるんだな」

「そうは言ってませんよ！」

秋山は血相を変えた。自分の言葉が原田の運命を左右するとわかっているのだ。だが伊佐山にしてみれば、だからこそ秋山には証言を翻《ひるがえ》してもらわなければならなかった。

「なあ、秋山。お前はそのとき、どれくらい酒を飲んだんだ？」

「えっ」

不意に話の矛先が変わり、秋山は戸惑っていた。眉根を寄せて考えながら、慎重に答える。

「中生《ちゅうなま》を三杯くらいに、たぶんサワーも同じくらい……」

「お前は酒に強い方か」

「いえ、そんなにすごく強いというわけでは……」

「だったら、ジョッキで六杯も酒を飲めば、相当酔っていたはずだな」

「でも、意識がなくなるほどじゃないです」

話の向かう先が見えたらしく、秋山はきっぱり否定した。それでも伊佐山は、秋山の言葉など無視した。

「いや、お前は酔っていたんだ。だから原田が席を立っても、それが何分間くらいのことだったかわからなかった。違うか」

「トイレに行っても、せいぜい三分くらいのものですよ。そんなに長い時間はいなくなっていません」

「お前、まだよくわかってないようだな」

秋山の物わかりの悪さに、伊佐山は苛立った。顔を近づけ、再度現状を理解させてやる。

「仕事をなくしたいのか？　えっ？　この不況の世の中、一度首を切られたら再就職は難しいぞ。フリーターになって、日銭を稼いで暮らすか？　先の見えないその日暮らしは辛《つら》いぞ」

「おれにとって原田は、たったひとりの友達なんですよ！」秋山は目に涙を浮かべて、そう叫んだ。「おれの過去を調べて回ったんなら、もうわかってるんでしょう。おれには友達がいないんですよ。中学も高校も、ずっと苛《いじ》められて過ごしてたんです。毎日地獄でした。だからやっとそこを抜け出して社会に出ても、どうやって友達を作っていいのかわからなかったんです。自分からは怖くて話しかけられないし、雰囲気が暗いから誰も話しかけてくれないし、ずっと孤独でした。そんなおれに、原田だけは向こうから話しかけてくれたんですよ。バイトのとき、おれがゲームをやってたら『何やってるの』って訊いてくれたんです。たったそれだけでも、おれにはすごい嬉しかったんだ。原田もゲームが好きで、思いがけなく話が弾んで、誰かと会話するのはこんな楽しいことなんだってあのとき初めて知りました。それからおれたちは、どんどん仲良くなりました。原田とおれは、似た者同士だったんです。おれよりはましだけど原田も友達は少ないから、あいつにとってもおれが一番の親友なんですよ。そんな大事な存在を、裏切れって言うんですか」

「そういう大事な存在だから、庇ってやってるのか」

秋山の訴えになど、微塵《みじん》も心は動かなかった。伊佐山はこれまで、演技のうまい者をうんざりするほど見てきた。人間は信用ならない。それが、長い時間をかけて培《つちか》ってきた伊佐山の哲学だった。

「違いますよ！　庇ってなんかいません。原田が彼女とうまくいってなかったことは認めますが、だからって殺すなんて……」

「お前にとって原田は、親よりも大事な親友なんだな。そんな親友が、弾みで人を殺してしまったと泣きついてきたら、当然助けてやるよなぁ。何しろお前が、ただ『ずっと一緒にいた』と言うだけで原田のアリバイが成立するんだから。つまり、お前の気持ちひとつで原田の運命が天国と地獄に分かれるわけだ。そりゃあ庇わずにはいられないよな」

「だから、庇ってませんよ……」

秋山は反駁《はんばく》するが、その声からは力が失われていた。あとひと息だ、伊佐山は手応えを感じた。

「何もお前が偽証したとは、おれも思わないよ。お前は酒に酔っていた。原田はトイレに立った。席に戻ってくるのが多少遅くても、酔っていたお前にはよくわからなかった。だから原田が三十分くらいいなくなっていても、おかしいとは思わなかった。そうだろ？」

「原田は三十分もいなくなったりしてません……」

「それを証明できる人は、お前以外にいないんだよ。居酒屋の店員は、お前たちのテーブルをあまり見てなかったからな。あの席は、柱の陰になってて他から隔離されているじゃないか。あの席を選んだのは、原田なんだろう？　原田は席を外してもすぐには気づかれない場所を、最初から選んでたんだよ」

この指摘に、秋山は黙り込んだ。伊佐山の断言に、気持ちが揺らいでいるのだろう。原田のしでかしたことを知って庇っているにしろ、はっきりとは知らずに友人の窮状を察してアリバイを証言しているだけにしろ、自分の言葉にさほど説得力がないとわかってきたのだ。もはや原田のアリバイは、崩れたも同然だった。

「よし、もう一度最初から訊くぞ」

質問のやり直しを宣言すると、秋山は気落ちしたように肩を落とした。それはこれまでに伊佐山が何度も目にした、警察に逆らう気がない者の態度だった。

16

原田の顔には、不満と不安が等分に表れているようだった。時刻は午前一時を過ぎている。このような時刻にいきなり訪問されれば誰でも不機嫌になるだろうが、非常識な時刻だからこそ同時に不安も覚えるはずだ。チェーンをかけたまま開かれたドアは、そんな原田の二律背反な思いを物語っているかのようである。刑事を追い返すことも、招き入れることもできない原田の心境を思い、伊佐山はサディスティックな喜びを感じた。

「なあ、これを外してくれよ。話しにくくてしょうがない」

伊佐山は余裕を持って、チェーンを指差した。原田はためらいを見せながらも、渋々と外す。伊佐山は身を滑り込ませて中に入った。

「秋山は以前の証言を撤回したよ」

前置きをせず、原田に言葉をぶつけた。それが物理的な力を及ぼしたかのように、原田は目を瞠《みは》って仰《の》け反《ぞ》る。驚きのあまり、言葉を失っているようだった。

「秋山はもう、お前のアリバイを証明しないんだよ」

追い討ちをかけると、原田はようやく声を取り戻した。

「どういうことですか。アリバイを証明しないって、秋山自身がそう言ってるんですか」

「そうだよ。お前と一緒に居酒屋に行ったが、お前が長い時間、席を離れていて戻ってこなかったと証言してる」

「嘘だ！　そんなこと、秋山が言うわけない」

原田は小刻みに震え始めていた。それは自分のアリバイが崩れたことで動揺しているのか、それとも秋山に裏切られたのが衝撃なのか、伊佐山の目には判然としない。どちらでもいいことだった。

「お前が信じようと信じまいと、事実は動かないんだ。お前のアリバイは消えた。だから、ちょっと署まで来てもらいたいんだよ」

「どうしてですか！　ぼくはやってない。なんにもしてないんだ。それなのにどうして、逮捕されなきゃならないんだ！」

原田はわずかに後ずさりながら、首を小さく振り続けた。このまま逃亡されることを、伊佐山は懸念《けねん》する。いつでも飛びついて原田を拘束できるよう、全身の筋肉を緊張させた。

「逮捕じゃないよ。任意同行ってやつだ。もっとも、拒否するならこちらも考えを改める。任意同行に応じない奴は、たいてい後ろ暗いところがあるものだからな。自信を持って逮捕状を請求して、出直してくるよ」

「話なら、ここでもできるじゃないですか」

原田は未だ、自分が陥った状況を理解できずにいるようだった。往生際《おうじょうぎわ》が悪い。伊佐山は顎をしゃくって、選択を求めた。

「素直に任意同行に応じるか、逮捕状を持った刑事が踏み込んでくるのを待つか、ふたつにひとつだ。あらかじめ教えておいてやるが、どういう形で逮捕されたかによって裁判官の心証は大きく変わってくるぞ」

「裁判官……」

自分が被告人席に立つ姿をまったく想像していなかったとは思えないが、具体的な単語は原田にとって大きな圧力となったようだ。しばし目を泳がせた末に、がっくりと肩を落とす。伊佐山にとっては、見慣れた眺めだった。

「一緒に署に行くな？」

確認すると、原田は悄然としたまま頷いた。そこで初めて伊佐山は靴を脱いで上がり込み、原田に身支度する時間を与えた。離れたところから見ていた原田の父母は、この成り行きがまったく理解できないとばかりに呆然としている。そんな父母の目の前を、原田の肘を引いて横切った。

伊佐山が自分の車で原田を署まで連れていくと、ちょっとした騒ぎになった。署に泊まり込んでいた若い者たちが、慌てて安藤に連絡をとったのだ。寝ていただろうに、安藤はすぐにやってきて、尋問の準備をしていた伊佐山に事情説明を求めた。伊佐山は舌打ちをしながらも、無視するわけにもいかないので手短に応じた。

「原田のアリバイが崩れました。原田は友人に、偽証を頼んでいました」

「本当なんだな。本当にアリバイは崩れたんだな。お前の勇み足じゃないな」

これまでの伊佐山の実績は承知しているはずなのに、安藤はしつこく念を押した。面倒なので、「大丈夫ですよ」とだけ答えて安藤の胸を手の甲でぽんぽんと叩いてやる。

事態の変転に驚いている安藤は、そんな伊佐山の無礼な仕種《しぐさ》も咎めなかった。

取調室に押し込められた原田は、不安そうに目を泳がせていた。伊佐山は机を挟んで正面に坐り、原田の様子をじっくりと観察する。原田は伊佐山の視線を感じて、身を竦ませた。

「さてと、ここまで来たらもう観念してるよな。お前は被害者を殺す動機があって、事件当夜のアリバイがない。それだけでなく、友人にアリバイの偽証まで頼んでいる。こんなにわかりやすい事件は、なかなかないぜ。手間をかけさせずに素直に自白してくれよ」

「ぼくはやってないです！　アリバイの偽証だって頼んでません！」

原田は顔を上げ、身を乗り出すようにして訴えた。伊佐山は耳の穴をほじって、取れた耳垢を息で吹き飛ばす。

「悪足掻《わるあが》きはやめろよ。お前のアリバイは崩れたんだ」

「秋山がそう言ったんですか？　ぼくが偽証を頼んだと、秋山が言ったんですか」

原田の顔にははっきりと、不安と恐れが浮かび上がっていた。秋山の裏切りこそが、原田の気持ちを挫く武器だ。伊佐山はそう判断し、まだ切り札はちらつかせるだけに留めた。

「秋山が何をきっかけに証言を翻したか、わかるか」

伊佐山の問いに、原田は震えるように首を振るだけだった。伊佐山はにやりと笑って答えてやる。

「お前は居酒屋で、わざと店員の死角になるような席を選んだだろ。そのことを指摘してやったら、秋山は自分の嘘を認めたんだよ」

「死角……。どういう意味ですか！　ぼくはただ、話し声を周りに聞かれない席にしたかっただけですよ。それが何かいけないんですか？」

「あの席だったら、お前が長時間席を外していても、店員に気づかれない。こっちがそこまでわかっていると知って、秋山はもうお前のアリバイを支えきれないと思ったんだ」

「ちょっと待ってください。ぼくは長時間席を外したりしてませんって。秋山がそんなことを言ったんですか？」

あくまで原田は、秋山を信じたいようだった。秋山は原田を、たったひとりの友人だと言った。自分と原田は似た者同士なのだ、と。ならば原田にとって秋山も、数少ない友人のひとりなのだろう。その秋山に裏切られたと知ったときこそ、原田が崩れる瞬間だと伊佐山は予想した。

「秋山は酒に強くないだろ。だからあの日は、酔ってて記憶が確かじゃないらしいぞ」

「そんな――」

原田は絶句した。いい調子だ、と伊佐山は内心でほくそ笑む。原田は必ず落ちる。これまでの経験から、伊佐山はそう確信した。

「居酒屋から事件現場まで、二十分もあれば往復できる。及川暁美を殺すのに十分。つまり、たった三十分間だけ席を外していればお前にも犯行が可能だったんだ。だからお前は、居酒屋で店員の死角になる席を選び、秋山に口裏を合わせてもらった。そうなんだろ？」

「ぼくがあの席を選んだのは、話の内容を周りに聞かれたくなかったからですよ」

原田は力なく、同じことを繰り返した。言いたいことをすべて吐き出させるのも、自白への近道である。伊佐山は促した。

「話ってなんだよ」

「……暁美のことです」

しばらく逡巡《しゅんじゅん》した末に、原田はぽつりと答えた。伊佐山は思わず身を乗り出したくなる。いよいよ動機に繋がる供述が得られるようだ。

「及川暁美のことで、何か悩みでもあったのか」

話しやすいよう水を向けてやったが、原田はなかなか続けようとしなかった。これから話すことが、逆に自分の首を絞めることにもなりかねないとわかっているようだ。だとしたところで、ここまで打ち明けておいて口を噤んでは、犯行を仄めかしたも同然である。原田は顔を歪めながら語り始めた。

「ぼくにとって暁美は、初めて付き合った女でした。ぼくは性格が暗くて、女の子に好かれるタイプじゃないですから。でも暁美とは趣味の話が一致して、なんというかぜんぜん構えずにお喋りができたんです。女の子相手に、ゲームやアニメの話で盛り上がったのは初めてでした。こんな子がいるんだ、ってびっくりしました。人なつっこくて、向こうからどんどん話しかけてくれて、それがすごく嬉しかったんです。顔だってぼくにはもったいないくらいかわいいし、暁美と付き合えることになったときには人生のピークは今だって思えるほど感激しましたよ。暁美はそれくらい大切な女なんです」

そんな女を殺したのか。伊佐山は内心でそう合いの手を入れたが、実際には口を挟まなかった。よけいなことを言って、原田が口を閉ざしてしまうのを恐れたのだ。原田は俯《うつむ》いたまま、訥々《とつとつ》と続ける。

「でも暁美は、もともと人なつっこい性格だから、親しくするのはぼくだけじゃないんです。男友達も多くて、誘われると断らないタイプなんですよ。ぼくっていう彼氏がいるのに、他の男とふたりで呑みに行ったりするんです。ぜんぜん変な意味じゃないって暁美は言うんだけど、ぼくは不安でした。暁美のことが信用できないとかそういう意味じゃなくって、自分に自信が持てなかったんです。だから他の男と遊ぶのはやめて欲しいと頼んだんですけど、暁美は単なる友達付き合いだからと言って聞いてくれませんでした。それで、どうしたらいいかと秋山に相談していたんです」

原田は話し終えると、自分の説明がどう受け止められたか案じるように伊佐山の顔を上目遣いに見た。伊佐山としては、嬉しさのあまり相好が崩れるのを必死でこらえなければならなかった。今のはまさに、ホンボシの自白ではないか。脅しつけるまでもなく、原田は自ら犯行動機を告白してくれたようなものだった。

「つまりお前は、恋人の浮気性に悩んでいたわけだな。女を自分だけのものにしておきたいのに、相手の浮気癖は治らなかった。それで思い余って殺してしまったというわけか」

「違いますよ！　どうしてそうなるんですか。ぼくにとって暁美は大切な女だったと言ったでしょう。殺すなんて、考えられないですよ。暁美が死んで一番悲しんでるのは、このぼくなんですよ」

原田は自分の胸を指差して主張した。だがむきになればなるほど、悲しんでいるという自らの言葉を裏切る結果になる。今の原田を見て、故人を悼《いた》んでいると思う人はいないだろう。そんな己の姿に、原田は気づいていないようだった。

「秋山はお前のことを、たったひとりの友達だと言ってたよ。あの言い方だと、秋山も彼女なんてしゃれたものはいないんだろうな。だからこそ、女を独占しておきたいというお前の気持ちがよくわかったわけだ。共犯者として捕まるかもしれないのに協力してくれるなんて、友達はありがたいなぁ」

動機の体裁が整ったことで、伊佐山は話を戻した。原田はどう反論していいかわからないのか、何も言い返さない。伊佐山は静かな口調で続けた。

「そんな友達を巻き込むなんて、お前も罪作りなことをしたな。わかってるのか、お前のせいで、秋山も犯罪者だ。あいつの人生はこれでめちゃくちゃだよ。お前のせいなんだよ。お前と知り合ったりしなければ、秋山は犯罪者にならなかったんだ」

「ぼくは……何もしてないです」

「いい加減にしろよ！」

伊佐山は平手で机の天板を叩いた。大きな音が、狭い取調室に響き渡る。伊佐山の態度の豹変に、原田はびくりと肩を震わせて怯えた。伊佐山は立ち上がって、もう一度原田の目の前で机を叩いた。

「おとなしく言ってりゃつけあがりやがって。全部ネタは挙がってるんだよ。白を切ったってどうにもなりゃしないんだ。だったら大切な友達を巻き込むんじゃねえよ。お前が素直に認めれば、こっちだって鬼じゃねえ、秋山の偽証は見逃してやったっていいんだぜ。何しろ秋山は酔っぱらってたんだ。お前のしたことなんて何も知らず、長いトイレだと思ってたってことにしてやるよ。それが友達のためってもんじゃないのか、えぇ？　お前は親友の人生を狂わせて、それで平気なのかよ」

「そんなこと言われても……、ぼくは……」

原田は俯いて、小声で呟く。伊佐山はその顎に手をかけ、上を向かせた。顔を五センチほどの距離まで近づけ、言葉をねじ込むように告げる。

「いいか、このままおとなしく帰れるなんて、そんな甘いことを考えるんじゃねえぞ。こっちは何日でもお前に付き合う準備ができてるんだ。寝かしてなんかやらねえからな。お前が正直に何もかも話すまで、何十時間でも付き合ってやるよ」

原田の目に怯えが走った。精神の動揺を物語って、瞳孔《どうこう》が収縮している。伊佐山は原田の顎にかけた手に力を込め、軽く左右に揺さぶってやった。暴力とも言えないそんな動作が、意外に被疑者の意気地を挫くのに効果的だ。片頰を歪めて笑い、解放してやる。

「今夜は寝られると思うなよ」

そう言い置いて、いったん取調室を出た。伊佐山も昼から動きどおしなので、体が辛い。少し休憩を入れてから、また原田を脅しつけるつもりだった。

休んでいる間に、再度安藤に詳しい説明をした。安藤は伊佐山の報告に、今度は納得したようだった。署に泊まっていた若手たちを集めて、急遽《きゅうきょ》臨時の会議を開く。伊佐山に代わって尋問をする者も決められた。これで、こちらは睡眠を取れるが原田は不眠不休で尋問を受けることになる。突っ張れば突っ張るほど、原田は辛くなるのだった。

結局原田は、翌日の午後一時過ぎに落ちた。がっくりと肩を落とすと、「ぼくがやりました」と蚊の鳴くような声で認めたのだ。見えていた結果とはいえ、伊佐山はこの上ない達成感を覚える。この瞬間のために、伊佐山は警察官をやっているのだった。

「よし、よく話してくれたな。厳しいことを言って悪かった。話せば楽になるんだよ。なっ、そうだろ。もう嘘をつくのはやめろよ」

優しい口調に切り替えてそう語りかけると、原田は素直にこくりと頷く。こうなれば、後はもう楽なものだった。

伊佐山は供述書を書き始めた。動機はむろん、嫉妬《しっと》だ。原田が語ったことをそのまま書くだけで、供述書として充分通用する。伊佐山が作文をする余地はほとんどなかった。書き上げた供述書を読み上げ、末尾に拇印《ぼいん》を押させる。原田はもう、言われるがままに動く人形のようだった。勝利と征服の快感が、伊佐山の全身を駆け巡る。何にも代えがたい、警察官だけが味わえる至高の愉悦だった。

17

取調室を出ると、廊下に刑事たちがずらりと並んでいた。伊佐山はその者たちに供述書を示し、「落ちたぞ」とだけ告げる。するとそこここでどよめきが起きて、伊佐山の自尊心をくすぐった。伊佐山の手腕に、捜査本部の皆が感嘆した瞬間だった。

並んでいる者たちの中に、貝塚の顔を見つけた。伊佐山と視線が合うと、弾《はじ》かれたように俯く。伊佐山は近づいて、貝塚のネクタイを摑み上げた。そして顔を寄せ、小声で囁く。

「わかったか。捜査ってのはこうやるんだよ」

あくまで目を合わせようとしない貝塚だが、顔には抑えようもない悔しさが浮かんでいた。先ほどとはまた別の勝利の喜びが、伊佐山を昂揚《こうよう》させる。一課刑事の悔しげな顔こそ、所轄刑事にとっての報酬だった。

仮眠しか取っていないことを考慮され、一時帰宅を安藤から許可された。安藤は伊佐山の捜査方法に異を唱えたことなど綺麗に忘れたらしく、下にも置かぬ扱いで労をねぎらう。安藤のそんな豹変は今回だけではないので、伊佐山も苦笑せざるを得ない。日和《ひより》見《み》の上司も悪くないと感じるのは、こんなときだった。

署に顔を出すのは明日でいいので、自宅のアパートで昼寝をした。本当なら明日の朝まで泥のように眠り続けてもいいところだが、今日ばかりは時間がもったいない。このような日にこそ、ふだんの憂《う》さを忘れて羽目を外したかった。

夕方の早い時刻に、馴染《なじ》みのキャバクラに行った。気に入っている女が出勤していることは、事前に電話で確認してある。指名をすると女は、作り笑いを浮かべて「久しぶりね」と近寄ってきた。

そういえば、この女の弱みを握ってやろうと考えていたのだった。伊佐山は思い出す。被疑者を自白に追い込むのは得意だが、女を口説くのは面倒でいけない。近道があるのに迂遠《うえん》な方法を取るのは、性に合わなかった。殺人事件が解決したと教えてやると、女は目を輝かせて興味を示す。それはあながち営業とも見えず、女は血腥《ちなまぐさ》い話が好きだという伊佐山の持論を裏づけてくれた。眸が潤《うる》んでいる女を見て、店外に連れ出すなら今夜だと考える。それで望む展開にならないなら、弱みを探ってやるまでのことだ。

女が他のテーブルに行ってしまう前に、店が終わった後の話をした。女はこれまで頑《かたく》なに誘いを拒んでいたのが嘘のように、一緒に食事をすることをあっさり承知する。待ち合わせのショットバーを指定して、女が席を立ったのを機に店を出た。

約束の時刻までは三時間余りある。それまでは安い店で酒を飲み、時間を潰すつもりだった。キャバクラがある一帯は、総じて値段が高い。安い店が軒を連ねるエリアに行くために、大通りに出た。

週末ではないので、人通りはそれほど多くなかった。横断歩道を渡り、そのまま大通りに沿って歩く。さほど呑んだつもりはないが、疲れが溜《た》まっているせいかわずかに酔いを感じた。

伊佐山から見て左側にある車道の交通量は少なく、通りすぎる車はスピードを出していた。歩道と車道を隔てるガードレールは、街路樹の先で切れている。右側にコインパーキングがあるためだった。今はコインパーキングに入ろうとする車もない。伊佐山は足を止めずに歩き続けた。

ふと、足許が覚束《おぼつか》なくなった。背後から何かにぶつかられた気がしたが、体のバランスを取り戻すことに意識が向いた。体は左側によろけ、ガードレールの切れ目から車道に飛び出す。伊佐山の眼前には、巨大なトラックの車体が迫っていた。

口を大きく開けて、悲鳴を発したつもりだった。だがそれが実際に声になったかどうか、伊佐山は確認できなかった。破壊的な衝撃を体全体に感じ、伊佐山の意識は吹き飛んだ。次の瞬間には、五感が暗転してすべてが終わっていた。

PAST 1 2002

1

携帯鳴ってるよ、と姉に言われ、江木雅史は慌《あわ》ててダイニングルームに戻った。テーブルに置きっぱなしにしていた携帯電話が、振動しつつ鳴っている。手に取ろうとする雅史を見て、姉の杏子《きょうこ》はにやにや笑った。

「彼女からでしょ」

その冷やかしに、雅史は口許《くちもと》だけの微笑で答えた。姉も弟の無口には慣れている。雅史が言葉で答えなくても、それを気にした様子はなかった。

「もしもし」

携帯電話を開いて、応じた。相手は丁寧に、「由梨恵《ゆりえ》です」と名乗る。今のように親しくなった後でも、砕けた物言いをせずに電話をかけてくる態度が好もしかった。

「今、大丈夫？」

「大丈夫だよ。準備はできてる」

雅史の言葉を聞いて、横にいる姉が面白そうに「大丈夫だよ。準備はできてる」と繰り返す。無口で女っ気がなかった弟が、恋人相手に二語以上の言葉を口にしているのが愉快でならないようだ。雅史は苦笑して、姉に背を向けた。由梨恵はこちらの様子も知らずに続ける。

「ごめんね、遅くなっちゃって。もう出られるから」

「わかった。じゃあ、四十分後に」

「うん」

雅史の口が重いので、やり取りはいつも短い。それでも由梨恵の声を聞けて、雅史の胸は温かくなった。

「わかった。じゃあ、四十分後に」

姉が眉《まゆ》を寄せてわざとらしく難しい顔を作り、また雅史の口真似《くちまね》をした。そして一転して笑うと、「なんか、信じられないわねぇ」と感慨深げに言う。

「あたしの目の黒いうちに、まーに彼女ができるなんて、想像もしなかったわ。あたしも安心して嫁に行けるってものよね」

冗談めかしているが、七割方本音なのだろうと雅史は受け取る。雅史自身、自分が女性とのデートを控えて胸を高鳴らせている図など、思い描いたこともなかった。女性と付き合うことだけが男の幸せとは思わないが、今が由梨恵と知り合う以前より遥《はる》かに幸せなのは事実だ。視界までもが、薄靄《うすもや》が消え去ったかのように明るくなった。

そして姉もまた、今は幸せの絶頂にいるはずだった。姉はこの夏、三年間付き合っていた恋人と婚約した。結婚式の日取りも決まり、勤めていた会社を花嫁修業のために辞めた。今は習い事だの結婚式の準備だので、日々ばたばたして過ごしている状態である。もともと陽気なたちではあるが、ここのところは特に姉の表情から笑顔が絶えなかった。

会釈《えしゃく》するように姉に頷《うなず》きかけて、ダイニングルームから自室に向かった。バッグを手にし、廊下に出る。すると、ちょうど通りかかった母と鉢合わせになった。母は「あら」と言って道を空け、雅史の服装を上から下まで舐《な》めるように見ると、姉とそっくりな顔でにやっと笑った。

「デート？」

照れ臭かったが、雅史は小さく頷いた。顔が赤くなっていないことを祈る。母はますます笑みを深くした。

「いいわねぇ。杏ちゃんがお嫁に行くことが決まっただけでも嬉《うれ》しいのに、まーくんにも彼女ができるなんてねぇ。まさに盆と正月がいっぺんに来たようだわ」

母はおどけて言った。姉が結婚することに父は複雑な表情を見せていたが、母は手放しで喜んでいる。これが男親と女親の違いなのだろう。雅史に対しては母も異なる態度をとるかと思いきや、姉と同様、無口な息子の交際関係を密《ひそ》かに案じていたようだ。雅史に恋人ができたと知るや、「絶対に逃げられないようにしなさいよ」と少々下品な物言いで釘《くぎ》を刺したくらいだった。

「ねえねえ、いい話は何度聞いてもいいんだから、期待してるわよ」

母の言う「期待」とは、もちろん杏子に続いての結婚話だ。これまでは推し量ってみたこともなかったが、親にとって子供たちが結婚することはひとつの到達点なのかもしれない。その到達点が間近に迫っていることを予感し、母は浮き立っているのだった。

「そのうち、うちにも連れていらっしゃいよ」

母は最近、何度もそう言う。むろん雅史も、いずれ連れてくるつもりでいる。だが今は、姉の結婚を控えて慌ただしい時期だ。連れてくるための好機は、まだもう少し先だと考えていた。

「うん、じゃあ行ってくる」

短く答えて、姉にしたのと同じように軽く会釈した。母はまたしてもにやりとして、

「行ってらっしゃい」と答える。その表情は姉に瓜《うり》ふたつで、ふたりが親子であることをはっきりと物語っていた。母の陽気さを、雅史はまるで受け継いでいない。

がんばってねぇ、などという姉の能天気な声を背に、家を後にした。団地の階段を駆け足気味に下り、外に出る。すると団地の中庭で、ゴルフクラブを振っている父の姿が見えた。父は姉の婚約が決まってから、ゴルフクラブを振っていることが多くなった。

「出かけてくるよ、父さん」

通り過ぎざまに、声をかけた。父はようやく雅史に気づいて、「ああ」と応じる。やり取りはそれだけで、互いに言葉を重ねようとはしない。雅史は明らかに父親似だ。雅史とて、好きで無口になったわけではなかった。姉の輝くような陽気さを、子供の頃は眩《まぶ》しく見上げていた。姉のようになりたいと強く願い、自分に似ている父を嫌悪《けんお》した時期もある。父がもっと違う性格であれば、自分もまた別の明るい人生を送れたのではないかと恨んだのだった。

だがそれは言いがかりに過ぎないことも、心の片隅で理解していた。自分を形成したのは父の血ではなく、雅史自身である。確かに人より辛《つら》い経験は多くしたかもしれないが、それに負けてしまったのは己の弱さのせいだ。生まれつきの容姿にコンプレックスなど抱かず、堂々と振る舞っている人は世の中に大勢いる。自分もそうすべきだったと気づいたのは、つい最近のことだった。

バスに乗って、郊外の大型ショッピングモールに着いた。待ち合わせ場所の噴水広場には、すでに由梨恵の姿があった。由梨恵はいつものように、至って地味な服装をしている。しかし職場に来る際の装《よそお》いとは明らかに違うから、本人なりに精一杯がんばっておしゃれをしているのだろう。由梨恵がどんな服を着ようと雅史はかまわないが、デートのためにおしゃれをしてくれているのは嬉しい。その気持ちをいつかきちんと伝えたいと思っているのに、言葉が見つからない自分がもどかしかった。

「ごめん。待たせた」

「大丈夫。あたしも今来たところだから」

由梨恵ははにかむように微笑《ほほえ》んだ。由梨恵は自分の笑顔に魅力がないと固く信じ込んでいる節があるので、笑うときはいつも俯《うつむ》く。ちゃんとこっちを向いて笑って欲しいと雅史は思うが、それには時間がかかることもよくわかっていた。雅史もまた、他人に向かって笑いかけるのは苦手だった。

午《ひる》には少し早いが、昼食を摂《と》ることにした。決めてあったイタリアンレストランに入り、注文を済ませる。ここのパスタは量が多いので、腹一杯食べたい雅史には適量だが、女性の由梨恵にはいささか多い。特に由梨恵は、女性としてもあまり食べない方で、最初は雅史も驚かされた。まるでたくさん食べることで他人の注意を惹《ひ》くのが怖いかのように、由梨恵は控え目にしか食べない。だから由梨恵は、かわいそうなほどに痩《や》せていた。

由梨恵はいつも自分の皿の半分を、雅史に分ける。雅史と料理を分け合って食べるのが嬉しいようだ。雅史は一・五人分でも、簡単に平らげられる。まして由梨恵が喜んでくれるなら、二人前でも三人前でも食べられそうだった。

「姉さんの結婚が決まってから、家の中が慌ただしくて落ち着かないんだ」

自分でも悔しいことに、雅史は訥々《とつとつ》としか喋《しゃべ》れない。話題を探すのが苦手だし、それを楽しく語ることもできない。だから相手の性別を問わず、ふたりきりになるのがいささか苦痛なのだが、由梨恵といる際はそんな息苦しさを感じずに済む。由梨恵とふたりでいるときは沈黙も重苦しくないし、だから自然と話したいことも心から湧《わ》いてくる。こんな経験は、初めてのことだった。

「でもそれは、嬉しい慌ただしさじゃない。雅史さんのお父さんもお母さんも、嬉しくてしょうがないのよ、きっと」

パスタをフォークで絡《から》め取りながら、由梨恵はそう言葉を返した。由梨恵はなかなか、相手の目を見て話そうとしない。それでも雅史相手には、ずいぶん顔を上げてくれるようになった。今でも視線が合えばすぐに俯いてしまうが、目を見交わす回数は明らかに増えた。自分が由梨恵に自信を与えつつあるのだとしたら嬉しいし、雅史もまた由梨恵に自信を授けてもらっていた。似た者同士だからこそ、わかり合えるのだと雅史は思っている。

「うん、そうなんだろうけど、家の中に居場所がなくて」

苦笑をしてみたつもりだった。これまであまり表情筋を使わずに生きてきたから、うまく苦笑できたかわからない。だが、きっと由梨恵には通じているのだろうと思う。由梨恵は料理を見たまま、ぽつりと言う。

「だったら、雅史さんと会える機会が増えて、あたしにとってはいいな」

由梨恵は顔を真っ赤にしていた。さりげなく口にしているように見えても、内心では決死の覚悟だったのかもしれない。だから雅史はすかさず、「おれも」と答えた。由梨恵は驚いたように顔を上げ、目が合うと表情を輝かせた。雅史もまた、自然に笑うことができた。

由梨恵とは、勤め先で出会った。雅史の方が三年先輩で、新入社員の由梨恵が同じ課に配属されて知り合った。といっても、最初から雅史が由梨恵を意識していたわけではない。たとえ相手が由梨恵でなくても、雅史が女性を特に意識することはなかったのだ。女性は自分の人生の外にいる存在であり、特定の人との関わりなどできるわけがないと思っていた。

だから由梨恵は雅史にとって、他の女性と特に変わるところのない人だった。しかし実際は、入社当初から由梨恵はちょっとした有名人だった。目が一重で鼻が低く、頬に丸みがあって下膨れに見える顔立ちは、率直に評して美しいとは言えない。由梨恵自身、自分の容姿に自信がないらしく、美しく見せようという努力を最初から放棄していた。だから服装や髪型は野暮ったく、女性社員の中ではかえって浮いていた。自分を目立たせないためにあえて着飾らないでいたらしいが、そういう意図であるなら明らかに逆効果だった。面と向かってこそ誰も言わないが、男性社員が陰で差別的な言辞で由梨恵を揶揄《やゆ》しているのを雅史は何度か聞いたことがあった。

そんなとき雅史は、顔を歪《ゆが》めはしたものの、発言者を窘《たしな》めたりはしなかった。自分もこんなふうに陰口を叩《たた》かれているのだろうと想像すると、とてもではないが声を発することはできなかった。とはいえ、そうした自分の勇気のなさをなんとも思わないほど恥知らずだったわけではない。声を荒らげられたらどんなにいいかと、羨望《せんぼう》にも似た思いを胸の中で転がし続けた。

由梨恵はいつも、下を向いている人だった。顔を上げて自分の面貌《めんぼう》を見られることを恐れるように、常に俯いている。同じ課に所属しているにもかかわらず、雅史は最初の一年間、由梨恵の顔をあまりよく知らないほどだった。

雅史が初めてまともに由梨恵と言葉を交わしたのは、知り合って一年後のことだった。次の新入社員が入ってきて、歓迎会を課でやることになり、その席で隣り合わせた。互いに面識はあるが、仕事以外の用件で話したことは一度もない。雅史はこうした場で如才なく振る舞うすべを知らないから、陰気な由梨恵が隣でかえって安堵《あんど》した。これで、沈黙を申し訳なく思う必要がなくなる。

『……どうぞ』

蚊の鳴くような声で話しかけられたのは、ビールを勧められたときだった。雅史は伏せてあったコップを手に取り、由梨恵の酌を受けた。由梨恵はまるで理科の実験をしているかのように、慎重にビールを注ぐ。その生真面目《きまじめ》さが雅史は面白かったが、言葉にはできなかった。

考えてみれば、この人はどんなときでも真面目だな。ふと、雅史は気づいた。自分に自信がないせいで殻に閉じ籠《こも》っている、つまり雅史と同じタイプの人であることは、一年も職場でともに過ごしていればなんとなく察していた。だからといって同病相憐《あいあわ》れむような付き合いをしたいとは思わず、雅史の方から話しかけることもなかった。しかし、真面目に生きる姿は好感が持てる。雅史が由梨恵に悪い印象を持つ理由は、今のところひとつもなかった。

ビール瓶を由梨恵の手から受け取り、返杯をした。由梨恵はこれまた生真面目に両手を添えて酌を受ける。雅史は自分でも驚いたことに、ほとんど衝動的に話しかけていた。

『お酒、飲めるの？』

一年も一緒に働いていて、しかもこうして飲み会に同時に出席したことも何度かあったのに、由梨恵が酒を飲めるかどうかも知らなかった。由梨恵が視界に入っていなかったのではなく、単に雅史が世界を閉ざしていたからだ。由梨恵は話しかけられたことに驚いたのか、顔を赤らめて「少し」と答える。その声を聞くと、かつて経験したこともない感情が不意に胸の底から湧いてきた。問いかけにまともに答えてもらえたことに対する喜びであると気づくまでには、しばしの時間が必要だった。それほどに、雅史にとっては馴染《なじ》みのない感情だったのだ。

後で知ったのだが、由梨恵の側もそれは同じだったそうだ。話しかけてもらえたことが、すごく嬉しかったという。結局その夜は、訥々とながら由梨恵とずっと言葉を交わしていた。それまで私的な会話をしたことがなかっただけに、意外なほど話題には困らなかった。

互いの住む場所のことに始まり、家族構成、大学時代の専攻、趣味など、傍で聞く者には退屈に思えるありふれた話題だったかもしれない。しかし雅史には、ひとつひとつが新鮮だった。相手が自分の話に興味を持ち、丁寧に頷いてくれる。そんな当たり前の反応に飢えていたことを、いまさら思い知った。孤独には慣れていて辛いとも感じなくなっていたつもりだったが、それは心の奥底にある感情から目を逸《そ》らしていただけに過ぎなかったのだと気づいた。その日から由梨恵は、雅史にとって特別な存在になった。

雅史には生まれつき、左の頰に痣《あざ》があった。顔のほぼ三分の一を覆《おお》う青い痣は、幼い頃はいじめやからかいの原因だった。心ない悪口をさんざん浴びせられ、雅史は自分と他者の違いに否応《いやおう》なく気づかされた。やがて、他の人と同じようには振る舞えないのだという諦《あきら》めが胸の底に居座り、雅史を無口にさせた。鏡を見るのも、写真に写るのもいやだという劣等感は、他者と雅史を隔てる高くて分厚い壁となった。

雅史にとって、世界は生きづらかった。揶揄や中傷から身を守るためには殻に閉じ籠らなければならないが、そうした態度は周辺から人を遠ざける。他人が抱く雅史の印象は小学校の頃から〝暗い奴《やつ》〟であり、それ以上ではなかった。暗い人間には友達ができず、いつもひとりだった。休み時間に話す相手はおらず、部活にも入れず、ただ学校と家を往復するだけの毎日は砂を噛《か》むような殺伐とした日々であった。中学高校、そして大学でまでも同じような生活を送った挙げ句、雅史の心の表面は硬質化し、もはや他者と言葉を交わす方法すらよくわからなくなっていた。ふとどうしようもなく叫び出したくなることは何度もあったが、やがてその回数も減っていった。

だから、由梨恵と会話できたことは鮮烈な記憶として雅史の裡《うち》に残った。人と言葉を交わす、たったそれだけのことがこんなにも嬉しいとは、新鮮な驚きだった。知らずにいれば耐えられたことも、一度知ってしまえば苦しみになる。雅史は抑えがたい衝動に駆られて、次の日から無理矢理口実を作って由梨恵に話しかけるようになった。

由梨恵はいやがらなかった。依然として声は蚊の鳴くようだったが、雅史に話しかけられることを喜んでいるようにも見えた。そのうち、由梨恵からも話しかけてくるようになった。由梨恵の方から話しかける相手は、職場で雅史しかいなかった。

それでも雅史は長い間、由梨恵に好意を持たれていることを確信できなかった。自分が他人から好かれるという状況を、心から信じ切れずにいたのだ。他者との接触に傷つき、心を硬い殻で覆ってみても、新たな傷を負うことは怖い。由梨恵とふたりだけの時間を過ごしてみたいと思いつつも、それをどう実現すればいいのかわからず、いたずらに時だけが過ぎていった。

由梨恵を初めてデートに誘った際には、特に劇的なきっかけがあったというわけではない。思いが高じてとしか言いようのない、胸をぎりぎりと締めつける切なさに駆られてのことだった。その頃雅史はすでに、由梨恵の個人メールアドレスを聞き出していた。たわいのないやり取りなら、幾度かしたことがある。誘いのメールを送るのに、さしたる障害はなかった。

勇気を振り絞ってメールを送った直後に、激しい後悔に襲われた。こんなことをしなければよかったのにと、悔いても悔やみきれない己の愚かさを罵倒《ばとう》し続けた。きっと由梨恵は誘いを黙殺するか、あるいは手厳しい言葉で撥《は》ねつけるに違いない。社内で言葉を交わすささやかな喜びも、もう味わえないのだ。そんなことなら何もせず、ただ淡い関係を継続していればよかった。自分からは何もせず、他者に何かをしてもらおうとも望まない。そういう生き方こそが一番合っているのだと、痛いほどにわかっているはずだったのではないか。どうして人並みの生き方ができると、一瞬でも考えてしまったのか。

しかしそんな懊悩《おうのう》も、短い時間で終わった。由梨恵からの返信は、さほど間をおかずに届いたからだ。雅史はそのメールをすぐにも見たい気持ちと、できるなら見たくない気持ちの、ふたつの相反する思いに引き裂かれた。メールを読むためのボタンを押すときには、大袈裟《おおげさ》でなく手が震えた。

そして文面を読み、今度は心が震えた。泣きはしなかったが、胸が温かい液体で満たされるかのようだった。雅史は携帯電話を額に当て、目を瞑《つぶ》った。いつまでもこの瞬間の感情が続けばいいと、強く強く願った。

翌週の日曜日に、ふたりで映画を観《み》た。社外で会う由梨恵は見違えるようで、雅史には眩しかった。道行く他の女性と比べて地味すぎる装いも、雅史の目にはきらびやかだった。由梨恵の表情は硬かった。雅史は由梨恵を直視できず、態度がぶっきらぼうになってしまった。由梨恵を怖がらせてはいけないと思いつつも、どうにもならなかった。

由梨恵の表情は硬かった。雅史と一緒にいるのがつまらないのだと思った。大して言葉を交わさないままに映画館に行く。中に入ると、黙っていられるのが嬉《うれ》しかった。半面、映画が終わった後のことを考えると胃が痛くなりそうだった。

見終わってそのまま別れるわけにもいかないので、喫茶店に誘った。雅史と一緒にいたくないなら、きっと断るはずだと予想した。だが由梨恵は断らず、素直についてきた。雅史は意外に思いつつも、由梨恵がまだ付き合ってくれることを喜んだ。

幸い、観た映画は面白かった。映画の話を振ると、ようやく由梨恵は表情を崩して喋り始めた。互いに感銘を受けたシーンがほぼ一致しているのも、嬉しい驚きだった。気づいてみればいつの間にか話題は方々に飛び、あっという間に二時間が経過していた。

その勢いのままに夕食にも誘うと、由梨恵はなんらためらわずに頷いた。楽しいお喋りの時間は、さらに三時間も続いた。

それが、ふたりの初デートだった。新入社員の歓迎会の席で言葉を交わしてから、一年近くの年月が過ぎていた。互いに臆病《おくびょう》だっただけに、距離を縮めるにはどうしても時間がかかった。しかし、二度目のデートに誘うときには雅史も躊躇《ちゅうちょ》しなかった。

由梨恵とは会えば会うほど、互いに怖くなるほど親密になった。こんなに親しくなっていいものなのだろうかと、懐疑的な気持ちを抱くこともあった。それでも会えばやはり楽しく、灰色だった視界にいきなり色が差したかのようだった。由梨恵もまったく同じ思いでいることも、そのうち知った。

デートの回数を重ねるうちに、雅史たちの交際が社内で噂《うわさ》になった。ふたりでいるところを、誰かに見られたらしい。噂には多分に嘲《あざけ》りの調子が混じっていた。暗く冴《さ》えない者同士がくっついて、いかにもお似合いだと、口さがない同僚が言っているのを耳にしたこともある。それでも雅史は、いっこうに気にしなかった。雅史も由梨恵も誰にも迷惑をかけないから、ただ放っておいて欲しいとだけ思った。

雅史は今もまだ殻に閉じ籠っている。しかしこの殻の中にいるのは、雅史だけではなかった。由梨恵とふたりでいる殻の中は、外界のあらゆる負の感情を弾《はじ》き飛ばす楽園に感じられた。ふたりだけの世界は、この上なくいとしかった。

付き合い始めて一年後に、雅史は由梨恵にプロポーズをした。これからの人生を重ね合わせる以外の選択肢があるとは、まったく思えなかった。由梨恵はあっさりと頷き、そしてこのときばかりは雅史の顔を正視して微笑んだ。これまで見たどの女性の笑顔よりかわいいと思った。

あいにくなことに、ほぼ同時に姉の結婚が決まった。家の中は大騒ぎになり、婚約の報告ができる雰囲気ではなくなった。やむなく、姉が嫁いで落ち着いたら正式に両親と由梨恵を引き合わせることにした。双方の家合意の上の婚約を数ヵ月先に延ばしたところで、雅史たちの気持ちが変わることはない。楽しみは先に取っておこうという、余裕ある心境で構えていられた。今はただ、こうして由梨恵と一緒にいられるだけで満足だった。

「姉さんも、由梨と会いたがってるよ」

雅史はさんざん悩んだ挙げ句、由梨恵を〝由梨〟と呼ぶことにした。愛称で呼ぶと、またさらに距離が縮まったように感じられた。由梨恵は雅史を、〝雅史さん〟と呼ぶ。それがいささか不満ではあったものの、以前は〝江木さん〟だったのだからこれでも進歩したのである。最近では由梨恵も、〝雅史さん〟と呼んでも顔を赤らめなくなった。

「私も会ってみたいけど、でも怖い」

由梨恵はおかしなことを言った。雅史はわずかに口許を緩ませて、「怖くないよ」と応じた。

「おれとは正反対の、明るい人だよ。怖いところなんてないさ」

「でも、お姉さんは綺麗《きれい》な人なんでしょ。私のことを見たら、なんでこんな女がって思われちゃうかも……」

付き合いが一年を経過した今でも、由梨恵は自信のないことを言う。由梨恵の気持ちはよくわかるから責められないが、あの姉を恐れる必要はまったくないのにと雅史は笑いたくなった。

「綺麗と言うほどでもないよ。まあ、十人並みより少しいいくらいかな。おれは由梨の方がいい」

最後にさらりとつけ加えたつもりだったが、その実心臓は激しく高鳴っていた。由梨恵もたちまち顔を真っ赤にし、俯いて「ありがとう」と言った。昔は自己卑下するばかりで誉《ほ》め言葉をまるで受けつけてくれなかったから、これもまた大きな進歩だった。

実際、姉が由梨恵を苛《いじ》めることなど考えられなかった。姉ならきっと、由梨恵の人柄をきちんと理解するだろうと思う。早く引き合わせ、由梨恵に姉のことを「お姉さん」と呼んで欲しかった。

食事を終えて、レストランを出た。そのままショッピングモールを突っ切り、シネマコンプレックスに向かう。今日はアメリカで記録的興行成績を残したハリウッド映画を、ふたりで観る予定だった。初めてのデート以来、映画鑑賞はふたりの共通の趣味となった。一緒に観た映画の本数も、もう三十本を超える。雅史はそれまで、あまり俳優や監督の名前には詳しくなかったが、今はかなり知識が増えた。新しく仕入れた情報を元に、由梨恵と観たばかりの映画の感想を語り合うのは至福のひとときだった。

自動券売機で、予約してあったチケットを受け取る。上映開始まで、あと十分だった。

2

課長の市瀬《いちせ》は、朝から苛立《いらだ》っていた。

市瀬の不機嫌な顔は、珍しくもなかった。癇症《かんしょう》な性格の市瀬は、まるで笑顔を浮かべるのは損だとばかりにいつも眉間《みけん》にぴりぴりとした気配を漂わせている。四十になろうという年齢にもかかわらず自分の感情をコントロールできないのは、社長の甥《おい》ということで入社当時から甘やかされ続けた結果だろう。立場の弱い者を罵倒《ばとう》することになんら躊躇を覚えない性格は、雅史を格好の標的として認識しているようだ。顔の痣について侮蔑《ぶべつ》的な言辞を浴びせられたことも、一度や二度ではなかった。

痣に関してはもうどうにもならないことと達観しているが、誹謗《ひぼう》にはなかなか慣れることができない。心を硬い殻で覆っていても、傷つけることを意図した言葉にはやはり反応してしまう。これがもっと大規模な会社での話なら異動を期待することもできるが、総勢四十人弱の中小企業では望むべくもない。さりとて転職などとうてい不可能だから、いやな上司の存在にも歯を食いしばって耐えるしかなかった。

不機嫌そうな市瀬はいつものことでも、今日は明らかに苛立った様子が窺《うかが》えた。家庭で何かあったのだろうか。尊大な性格の市瀬にも、曲がりなりにも妻子がいる。よくあんな人と結婚するよねと、妻の神経を疑うようなお喋りを女性社員がしているのを耳にしたこともあった。雅史も同感ではあるが、むしろ妻には同情を覚える。市瀬のことだから、きっと女性蔑視の発言を家庭でも連発しているのだろう。

以前は辛かった市瀬の理不尽な言葉も、今はなんとか耐えられるようになった。それも、同じ課に由梨恵がいるからだった。由梨恵がなじられるくらいなら、自分が矢面に立った方がいい。雅史に当たり散らすことで市瀬の気が晴れれば、それだけ由梨恵に被害が及ぶ可能性が低くなるのだ。出社が辛くなくなったのは由梨恵のお蔭《かげ》であり、その点だけでも雅史は大いに感謝していた。

他の企業の課長職がどれくらい忙しいポジションなのか雅史は知らないが、市瀬は明らかに暇そうだった。実務はすべて部下たちに押しつけているのだから、それも当然だ。自分ですることといえばどうでもいい電話と、部下が作った書類に目を通して判を押すことだけである。そんな仕事ぶりでほとんどの社員よりいい給料をもらっているため、激務のトラック運転手たちには蛇蝎《だかつ》の如《ごと》く嫌われていた。市瀬が運転手たちと直接接しない事務方にいるのは、ある意味社長の配慮とも言えた。

市瀬は何をするでもなくただ貧乏揺すりを続けた挙げ句、不意に口許に両手を当て、何度も息を吐いては吸った。そして眉《まゆ》を顰《ひそ》めると、部屋の中にいる者たちを見渡す。市瀬の視線は、真《ま》っ直《す》ぐに由梨恵に向かった。

「河本《かわもと》」

市瀬は由梨恵の名字を呼ぶと、傲慢《ごうまん》な態度で顎《あご》をしゃくった。雅史はパソコンを打つ手を止め、思わずそのやり取りを注視してしまった。こんなときに市瀬に呼びつけられるのは、災難以外の何物でもない。市瀬が由梨恵に対して無理難題を言わなければいいがと、ただそれだけを願った。

「口臭予防のうがい薬、買ってきてくれ。おれがいつも使っている銘柄は知ってるだろ」

市瀬はそんなことを由梨恵に命じた。由梨恵は市瀬の秘書ではなく事務員なのだから、そんな使い走りをさせられる謂《い》われはない。だが市瀬は、部下たちを私用のために使うことをまるでためらわなかった。当然の特権であるかのように、特に女子社員にはあれこれ言いつける。中でも由梨恵に命じることが多いのは、市瀬が由梨恵を軽んじている証《あかし》に思えて、雅史は不愉快だった。

「はい」

由梨恵は小さい声で応じて、金を受け取ると文句も言わずに事務所を出ていった。市瀬の命令がその程度のことで、雅史は密かに胸を撫《な》で下ろした。

十五分ほどして、由梨恵は戻ってきた。ドラッグストアのレジ袋を、おつりとともに市瀬に渡している。市瀬はねぎらいの言葉ひとつかけずにそれらを受け取ると、袋の中身を見て「おい」と声を発した。

「これ、いつもおれが使ってるのと違うじゃないか。なんでこんなのを買ってくるんだよ」

「すみません。いつものは売ってなかったものですから……」

由梨恵は首を竦《すく》め、雅史の席からは聞き取りにくいほど小声で答えた。市瀬は苛立ちを露《あら》わにして、「ちっ」と舌打ちする。

「使えねえなぁ。売ってなかったら別の店に行けばいいじゃねえか。味が違うとおれはいやなんだよ。ったく。顔がいまいちなんだから、せめて気働きくらい見せろってんだ」

市瀬は課の人間全員に聞かせるかのように、わざと大声で言った。雅史はその瞬間、自分が揶揄されたとき以上に腹が立ったが、しかしそれを表明することができなかった。忍従が習い性になっている雅史にとって、感情を表に出すのは至難の業だったのだ。

恋人が、それも婚約者が理不尽に中傷されているのに、文句ひとつ言えずにただ椅子《いす》に坐《すわ》っているだけの自分が情けなかった。雅史はマウスを力いっぱい握り締め、無力感に耐える。申し訳なさのあまり、由梨恵の顔を見ることもできなかった。

由梨恵は「すみませんでした」と繰り返し、自分の席に戻った。市瀬は再度舌打ちをすると、「まあ、ないよりはましだけどな」と呟《つぶや》く。

「今日はこれから、来客があるんだよ。だから気を使ってんのに、しょうがねえなぁ」

市瀬の独白は、白けた雰囲気の中に消えた。それでも市瀬当人はまったく気にした様子もなく、レジ袋を下げて部屋を出ていく。口を漱《すす》ぎに行ったのだろう。「やな奴」とパートの女性が吐き出すように言ったのが、唯一《ゆいいつ》の溜飲《りゅういん》の下がる出来事だった。

十一時が近づくにつれ、市瀬の苛立ちはますます募っていくようだった。何度も壁掛け時計を見ては、耳障《みみざわ》りな舌打ちを繰り返す。誰が来るのか雅史は知らないが、約束の時刻は十一時なのだろう。それも、口臭を気にするほどだから、よほど大事な客に違いない。だとしたところで、市瀬はいったい何に苛立っているのか。詳細を知らない雅史には、見当もつかなかった。

市瀬ひとりのせいでオフィスには帯電するような空気が淀《よど》んでいたが、そんな重苦しい気配とは不釣り合いに明るい声が響いたのは、十時五十分のことだった。

「毎度お世話になりますー」

いきなり飛び込んできた作業着姿の中年女性は、誰にともなく頭を下げると、ドアの外から台車を引き入れた。台車には大きい観葉植物が載っている。オフィス用の観葉植物をリースしている会社の作業員だ。月に二度のペースで交換に来て、さっさと仕事を終えて帰っていく。小柄で元気のいい女性という以外、特に記憶に残る存在ではなかった。

「遅い！」

それに嚙《か》みついたのが、市瀬だった。市瀬は事務机の天板を平手で叩くと、立ち上がって壁掛け時計を指差した。

「何時だと思ってるんだ？　いつもより五分以上も遅いじゃないか。今日は大事な来客があるんだ。萎《しお》れた観葉植物なんかがあったら、先方の心証が悪くなるだろうが」

「すみません、道が混んでたもので……」

いつもはなんの声もかけない課長が、今日に限っていきなり怒鳴りつけてきたことに、女性作業員は面食らったようだった。口の中でもごもごと釈明をする一方、作業は止まってしまっている。客が来るのに備えたいなら、邪魔をしないでさっさと交換をしてもらえばいいのにと雅史は考えた。

しかし、一度怒りを炸裂《さくれつ》させた市瀬は、別の考えを持っているようだった。「言い訳はいい！」と一喝すると、女性に近づいて襟元を摑《つか》んだ。

「あんた、名前は？　あんたの会社は名札もつけさせないのか。名前を言えよ。仕事が遅いと、クレームをつけてやる」

「課長」

考えるよりも先に声が出てしまったのは、先ほどの悔いが胸の底に残っていたからだ。雅史はわずかに後悔したが、それ以上に市瀬に対する憤《いきどお》りを感じていた。なぜこんな幼稚な人間に、皆揃《そろ》って頭を下げなければならないのか、わからなくなっていた。

「なんだよ」

思いもかけない方向から制止の声を向けられ、市瀬は眉根に深い皺《しわ》を寄せた。これまでであれば市瀬の険しい表情に竦み上がっていたところだが、今はもう引っ込みがつかない。雅史は立ち上がって、現在時刻を指摘した。

「十一時にお客様がいらっしゃるなら、そんなことを言ってる場合じゃないと思いますが」

「なんだ、てめえ。おい、江木。お前、誰に向かって言ってるのかわかってるのか」

「課長に言ってます」

しっかり言い返せたことを、雅史は誇りに感じた。もう逃げたくはない。二度と由梨恵に向かって屈辱的なことは言わせないと、不退転の決意で胸を張った。

「ほう。江木、お前ずいぶん偉くなったんだなぁ。何様のつもりだ、えっ？　不細工な女でも彼女ができると、いいかっこしたくなるもんか」

しかし雅史の決意は、市瀬に対しては逆効果でしかなかった。嘲《あざけ》りの口調は、雅史と同時に由梨恵をも貶《おとし》めた。雅史の思考が、不意にかつて経験したことのない色で染め上げられた。目の前が真っ赤になる、感情が沸騰《ふっとう》する瞬間。これほどの強い怒りを覚えたことは、生まれて初めてだった。

「――謝ってください」

感情が激するあまり、声が低くくぐもった。市瀬には届かなかったらしく、「はあ?」とふざけた調子で訊《き》き返される。雅史は事務机を回り込み、市瀬に近づいて再度言った。

「謝ってください」

「何をふざけたこと言ってるんだ。頭おかしいんじゃねえか。あの不細工女の前でそんなに――」

「謝れよ!」

それ以上言わせまいと、市瀬の胸倉を摑んだ。そのまま壁まで押しつけ、締め上げる。理性だの配慮だのといった常識的な発想は頭の中から消え果て、ただ真紅の怒りだけが体を衝《つ》き動かしていた。

「やめて! やめてください!」

視野が狭く絞り込まれ、耳はなんの音も拾わなくなっていたはずなのに、ただその声だけは胸に届いた。雅史は我に返り、市瀬の胸倉を摑み上げている現状に戸惑った。雅史の力が緩んだのを察して、市瀬が乱暴に払いのける。そして自分の首筋を揉《も》むと、恨みの籠《こも》った一瞥《いちべつ》を雅史に向けた。

「てめえ、こんなことをしてどうなるか、覚悟しておけよ。絶対許さないからな。明日からお前の席はないものと思え」

自分のしでかしたことに驚いて立ち尽くしている雅史には、その脅しは遠いものに感じられた。己の中に潜んでいた激しい感情に、ただただ驚いている。呆然《ぼうぜん》と由梨恵に目を向けると、痛みをこらえるかのような悲しげな顔をしていた。その表情を見て初めて、申し訳ないことをしたと思った。

気まずい状況を打破したのは、ドアを叩くノックの音だった。どうやら市瀬が待っていた客が来たようだ。それまで凍りついていた観葉植物交換の作業員は、慌てて手近の女性社員にサインをもらうと、逃げるように出ていった。入れ違いにスーツ姿の男ふたりが入ってくると、市瀬は一度咳払《せきばら》いをしてから猫撫《ねこな》で声で応対を始めた。

雅史は自分の席に戻り、頭を抱えた。市瀬のことだから、己の言動を反省などしないだろう。宣言どおり、雅史に対しての報復を実行するに違いない。そうなれば、明日からは大袈裟にしても、近いうちに職を失うことになるのだ。由梨恵と結婚するどころの話ではなかった。

顔を上げなくても、由梨恵が心配そうな目つきでこちらを見ているのがわかった。由梨恵を不安にさせてしまったことが、何よりも悔しかった。

3

驚くべき事態は、その翌日に会社で雅史を待ち受けていた。

雅史は出社して真っ先に課長席を見たが、なぜかそこに坐る人はいなかった。雅史の処遇を社長と相談しているのだろうかと、重苦しい不安がたちまちのしかかってくる。首を洗って待つ心境で、雅史は自分の席に坐っていた。

しかし市瀬は事務所に現れることはなく、代わりに飛び込んできたのはとんでもないニュースだった。なんと、市瀬が死んだというのだ。

「えっ」

絶句とはこんな状態のことかと身をもって知ったほど、雅史は言葉を失っていた。耳にしたひと繋《つな》がりの文章には、何か別の意味が籠っているのではないかと首を捻《ひね》ってしまう。昨日まで元気に存在していた人が、今日はもう生きてこの世にいないとは、簡単には認識できなかった。

「嘘《うそ》だろ。なんで課長が死ぬんだよ」

古参の男性社員が、情報を拾ってきた女子社員に食ってかかっていた。やはり雅史と同じように、信じがたい思いでいっぱいなのだろう。問われた女子社員は泣きそうな顔で、「詳しいことはわかりません」と答えている。不安や苛立ち、もどかしさといった負の感情が、部屋の中に一気に充満した。

「おれが社長に聞いてくる」

男性社員はそう宣言し、すぐ部屋を出ていった。もはやひとりとして仕事に着手できる者はなく、電話が鳴っても誰も出ようとしなかった。電話の音はこんなに耳障りだったのかと、雅史はぼんやりと考えた。

出ていった者が戻ってくるまでは、ずいぶん長く感じられた。実際には十分ほどだったのだろうが、一時間にも二時間にも思える。だから部屋のドアが開いたときには、各自が安堵の気配さえ発した。もしかしたらその場にいた全員が、市瀬の死は誤報だったという報告を期待していたのかもしれない。

だが、報告を聞いてきた男性社員の表情は陰鬱《いんうつ》だった。自分に集中する視線を感じているはずなのに、なかなか口を開こうとしない。首を傾《かし》げた末にようやく出てきた言葉は、「よくわからないんだ」だった。

「課長の家族からじゃなく、警察から連絡があったらしい。変死なんじゃないか、なんて話もあるそうだ」

「変死」

誰かがその単語を繰り返し、女子社員が「ひっ」と息を呑《の》む音が響いた。ひとりが一同の気持ちを代表して、問い返した。

「変死って、殺されたってことですか」

「そうなのかもしれないけど、まだわからない。詳しいことが判明したら、おれたちにも教えてくれるそうだ」

誰ひとり納得していないはずだが、続けて質問する者はいなかった。社内に詳しい事情を知る者がいないなら、今はただ続報が届くのを待つしかない。言葉を交わす元気のある人もなく、それぞれが自分の席に戻って無意味に書類整理などを始めた。部下たちに好かれていたとはとても言えない市瀬の不在は、思いがけず一同の胸に強い衝撃を与えていた。

詳報は、意外な形でもたらされた。ふたり組の刑事が、社を訪ねてきたのだ。男たちは丁寧に自分の身分を名乗ったが、それを聞かなくても尋常な仕事に就く人間でないことはひと目でわかった。ひとりは瘦《こ》けた頰と炯々《けいけい》と光る目が印象的な初老の男性、もうひとりは武道家のような体格が威圧的にも見える中年の男である。まずは入り口に一番近い席の女性社員が応対し、戸惑いを隠せない様子で事務所にいる一同を振り返った。頰が瘦けた刑事は一歩前に進み出ると、大きな声を発した。

「神代署《かみしろ》の松井《まつい》といいます。お仕事中、申し訳ありません。実は皆さんの上司に当たる市瀬孝幸《たかゆき》さんが、昨夜遺体で発見されました。変死状態でしたので解剖が行われまして、どうやら殺人の疑いがあると判断されました」

やはり、と誰もが思ったのか、驚きの声は少なかった。静かな衝撃とでもいった気配が、一同の頭上を流れる。松井と名乗った刑事は、淡々と続けた。

「市瀬さんは何者かから暴行を受け、転倒した際に後頭部を強打し、亡《な》くなったようです。犯人と思われる人物は、まだ特定できていません。そこで皆さんにご協力願いたいのですが、昨日やここ数日以内で、何か市瀬さんに変わったことはなかったでしょうか。不安そうだったとか、心配事を抱えているようだったとか、あるいはなんらかのトラブルに巻き込まれているという話を聞いたとか、どんな情報でもかまいません。お仕事の邪魔をして大変恐縮ですが、教えていただけるとありがたいです。社長さんに許可を得ていますので、よろしければひとりひとりお話を伺わせてください。ご協力をお願いします」

松井刑事はぺこりと頭を下げると、「ではまずあなたから」と手近な人を指名し、坐れる場所はないかと尋ねた。応接室があるような大会社ではないので、隣接するブースを使うしかない。まずは指名された社員と松井が、パーティションの向こうに消える。その後ろについていこうとした大柄な刑事は、一度立ち止まると、まるで敵意を抱いているように鋭い目つきで一同の顔を睥睨《へいげい》した。思わず雅史は、自分から目を逸らしてその視線を避けた。

松井刑事の説明を聞いて、雅史はいやな予感を覚えた。市瀬のここ最近のトラブルといえば、誰もが真っ先に昨日のいざこざを思い浮かべるはずだ。市瀬と雅史は、まさに一触即発のところまで行った。その直後の来客で雅史の処遇はうやむやになったが、人々の記憶まで消えるわけではない。あれが警察の耳に入れば、絶対に着目されることだろう。

しかし、と雅史は自分を勇気づけるように考える。あの場にいた人間ならば皆、昨日のいざこざの原因は知っているはずだ。市瀬の差別的な発言に端を発していることであり、雅史の側に非はない。ましてあれが殺意に発展するような種類の揉《も》め事でないことは、皆が口を揃えて証言してくれるだろう。そう期待して、膨れ上がろうとする不安をなんとか静めた。それでも巨大な質量を伴うプレッシャーがパーティションの向こうから押し寄せてくるようで、雅史は密かに震えた。

応接ブースでは声を低めているのか、やり取りをしていることはわかるが、その内容までは聞き取れなかった。指名された者は、十分ほどで戻ってくる。入れ替わりに次の者が松井に呼ばれ、立ち上がった。自分の順番が回ってくるまで、胃が固く縮こまるような思いに耐えなければならないのだろうと雅史は覚悟した。

松井は最初のふたりを、特に深い理由もなく選んだようだったが、次は違った。松井ではなく大柄な刑事が応接ブースから出てくると、事務所じゅうを見回して「江木さんという人は？」と言ったのだ。

市瀬とのいざこざが刑事の耳に入ったようだ。誰が話したかは、あえて気にするまいと雅史は思った。刑事にその情報を与えた人に、悪意があるとは思いたくなかったからだ。覚悟を決め、勢いをつけて立ち上がった。

「私です」

「ちょっと、いらしていただけますか」

大柄な刑事は言葉こそ丁寧だったが、顎をしゃくるようにして呼びつけた。その横柄《おうへい》な態度に、雅史は気分を害するよりもむしろ、恐れを抱いた。刑事が示す圧倒的権力に、本能的な恐怖を覚えたのだった。

大きい背中についていくようにして、応接ブースに入った。待っていた松井刑事は立ち上がりもせず、「おかけください」と自分の正面を指し示す。ここが社内であるにもかかわらず、雅史はこれから自分が取り調べを受けるのだと感じた。

「ちょっと気になる情報を耳にしましたので、直接お伺いすることにしました。なんのことだか、おわかりになりますよね」

松井刑事はそんなふうに切り出した。雅史としては、頷くしかなかった。

「はい、わかります。私が昨日、市瀬さんと口論したことについてですよね」

「口論。口論だけではなかったとも聞きましたけど」

言外に、説明は正確にしろと言われたように受け取った。雅史は自分の心臓の音が、耳の真横でしているように思えた。

「事情をご説明します」

ありのままを話すのが、刑事たちの漠然とした疑惑を晴らす最良の方法だと考えた。自分でもくどいと感じるほど丁寧に、市瀬の発言を巡るトラブルについて語って聞かせる。松井刑事はひとつひとつ頷きながら、そして隣に坐る大柄な刑事はメモを取りながら、耳を傾けていた。ふたりとも表情を変えないので、雅史の説明をどのように受け止めているのか見当がつかなかった。

「――そういうわけで、つい短気を起こして市瀬さんの胸倉を摑んでしまいました。でも揉めたと言ってもそれだけのことで、市瀬さんは来客との折衝に忙しかったらしく、その後私とは言葉を交わしませんでした。市瀬さんが死んだなんて、今でも信じられないです」

疑われないようにそう言い添えたのだが、口にしてみるとなにやら言い訳がましく響いた。昨日の来客は銀行員だったらしく、どうやら融資の相談をしていたようだと後でわかった。社の経営状況は、いささか逼迫《ひっぱく》しているらしい。それは全社員に不安を与える重大ニュースだったが、今や市瀬の死という大事件を前にして霞《かす》んでしまった。社の将来よりも、自分の行く末が雅史は心配だった。

松井刑事は最後に大きく頷くと、身を乗り出して雅史の目を正面から覗《のぞ》き込んだ。雅史は圧力を感じたが、ここで目を逸らせば疚《やま》しい態度と映ると考え、気を張って刑事の視線を受け止めた。松井刑事はおもむろに口を開く。

「江木さんはこれまで、市瀬さんとそうした口論をしたことがありましたか」

雅史は首を激しく左右に振り、否定した。

「一度もありません」

「一度もですか。つまり江木さんは昨日初めて、市瀬さんの言動を許せないと感じたわけですね」

そのように訊かれると、初めてというのは嘘になる。しかしここで正直に答えても、なんら益はないと思えた。

「言葉が多少きつい人ではありましたが、腹を立てたのは初めてでした」

「ほう。ではどうして、昨日に限って？」

やはり警察は、曖昧《あいまい》な答え方を許してくれない。どうせ由梨恵との関係は知られるものと判断し、恋人を馬鹿《ばか》にされたからだと説明した。メモを取る大柄な刑事も、松井も、依然として表情を変えない。由梨恵に迷惑がかからなければいいがと、願わずにはいられなかった。

「そうでしたか。しかし日頃からそんな暴言を吐く人であれば、トラブルも多かったんじゃないですか。江木さん以外に、市瀬さんに面と向かって文句を言った人はこれまでいなかったんですか」

改めて問われると、なにやらじりじり追いつめられているように思えてきた。市瀬に公然と刃向かったのは、雅史が知る限り他にいない。実態はほとんど家族経営の零細運送会社で、社長の親族に逆らうのは自殺行為だった。いくら由梨恵のためとはいえ、大それたことをしたものだとの思いは拭《ぬぐ》えない。

市瀬を窘《たしな》める者はいなかったと答えれば、社内でのトラブルは昨日の一件だけということになる。それは己の首を絞める行為に繋がりかねないが、嘘は言えなかった。他にはいないとの返事に、松井は小さく頷いた。

「なるほど。大変参考になりました。では続けて伺いますが、あなたと諍《いさか》いがあった市瀬さんが殺されたことを、どう感じてますか？　別に不思議はないとでも？」

続く質問は、露骨に誘導めいていた。雅史は慌てて首を振る。

「とんでもない。びっくりして今は何も考えられない状態です。不思議はないなんて、そんな――」

うまく自分の心情を説明できている自信がなかった。日頃、思いを表明せずにいることのつけが回ってきたかのようだ。松井はそんな雅史の態度を観察するような、冷静な眼差《まなざ》しを保っている。できるなら、刑事の視線から逃げたかった。

「では、市瀬さんが殺された理由に心当たりはないですか」

続く松井の質問には即答した。

「ないです」

「問題がある性格なのに？」

「性格に問題があることと、殺されることとの間には、ものすごい隔たりがあると思います」

警察はやはり、昨日のトラブルが原因だと考えているのだろうか。そうとでも考えなければ、このしつこさは理解できなかった。

「わかりました。では最後に伺いますが、昨夜の十時から十一時頃にかけて、江木さんはどちらにいらっしゃいましたか」

そう問われた瞬間、雅史は思わず目を瞑《つぶ》りそうになった。ついに、最も訊かれたくない点に質問が至ったからだ。市瀬が遺体で発見されたのが昨夜と聞いて、雅史はおののかずにはいられなかった。雅史には昨夜のアリバイがないのだった。

雅史は釣りを趣味としていた。由梨恵と知り合う以前の、唯一《ゆいいつ》の趣味だ。釣りに仲間は必要なく、ひとりでいることを恥じなくていい。静かに釣り糸を垂れ、魚との駆け引きを楽しむのは、無聊《ぶりょう》を大いに慰めてくれた。数名で連れ立ってやってくる釣り人たちを羨《うらや》ましく思うこともたまにはあったが、孤独の静けさを雅史は愛していた。

感情を爆発させたことは、自分でも驚くほどにストレスとなっていた。こんなにもくよくよしなければならないのかと呆《あき》れるほど、市瀬の胸倉を摑んだシーンを頭の中でリプレイしてしまう。いくら考えたところでしてしまったことを取り消せるわけもないのだが、まるで磁力で吸いつけられるように思考はその一点に固着していた。たまりかねて、釣り竿《ざお》を持って家を飛び出したのだった。

釣りは漫然と糸を垂れていればそれでいいというものではなく、潮の流れや風向き、時刻、狙《ねら》う棚など、常に気を配っていなければならない項目がたくさんある。だから釣りに没頭していさえすれば、己の軽率な行動をいっときでも忘れていられるだろうと期待したのだ。実際はそううまくいかず、やはり頭のどこかで無意味な繰り言をこねくり回していたのだろう。結局坊主《ぼうず》に終わってしまった。

雅史が夜釣りに行くポイントは、めったに他の釣り人がいない場所だった。それだけ釣れないポイントでもあるのだが、不用意に他の釣り人から話しかけられ、顔の痣にぎょっとされるような経験をしなくて済むのがありがたい。昨夜もまた、誰にも出会うことはなかった。

家を出たのが九時前のことで、竿を畳んだのが十一時過ぎだ。つまり、松井が尋ねる時刻に雅史が釣りをしていたと証言してくれる人はいないのである。このことを警察がどう受け取るかと想像すると、心臓を見えない手で握られるような不安を覚えた。

「……昨日の夜は、海で釣りをしていました」

「ほう」

声を発したのは、大柄な刑事の方だった。反射的にそちらに目をやると、気のせいか微笑んでいるように見える。それが怖くて、すぐに視線を逸らした。松井が質問を続ける。

「夜釣りですか。それを証明してくれる人はいますか」

「家族なら、私が家を出ていった時間を証言してくれると思います」

「それは、家を出ていった時間ですよね。釣りは友達と一緒にやっていたわけではなく、おひとりだったんですか」

「――そうです」

「海で知り合いと会ったりは？」

「誰にも会いませんでした。ふだんからそこは、私しかいないポイントなんです」

「なるほど」

松井は頷くと、大柄な刑事となにやら意味ありげに目を見交わした。その無言のやり取りが、今の雅史にはとてつもなく恐ろしいものに見える。何を考えているのか問い質《ただ》したかったが、そんなことはできるわけもなかった。

「ありがとうございました。ではお引き取りください。ついでに次の方を呼んでいただけますか」

松井の愛想のない声を受けて、雅史は一礼して立ち上がった。ふたりの刑事の視線は、疑いに満ちているように感じられる。自分は無実だと主張したくても、その機会を与えられていないのが残念だった。

4

自分は最有力容疑者なのかもしれない、と雅史が感じるまでには、さほど時間を必要としなかった。何しろ警察は、雅史を疑っていることを隠そうとしなかったのだ。会社での聞き取り調査があったその日から、警察は雅史の周辺を洗い始めた。雅史の言葉の裏づけを取りに自宅まで訪ねてきた警察は、母の話を聞いたその足で、近所の人に雅史の評判を訊いて回ったのだった。

「ねえ、あなたが疑われてるの？」

母は不安を顔いっぱいに浮かべて、雅史に尋ねた。疑われているかどうか、という問いならば、そのとおりと認めざるを得ない。だが雅史は、せめて母親相手には強く言わずにはいられなかった。

「おれじゃないよ。おれは絶対、人殺しなんかしてない」

「当たり前でしょ。そんなこと、母さんは言われなくてもわかってるわよ」

母は心外そうに眉を顰めた。その無条件の信頼が、今の雅史には嬉しかった。

そんな母とは対照的に、父の態度は曖昧だった。勤め先から帰宅した父は、雅史と目を合わせようとせずに「聞いたぞ」と言った。

「お前の上司が殺されたんだってな」

「そうなんだ」

父は夕刊に目を落としたまま、頑《かたく》なに顔を上げようとしない。それはどこか、犯罪者を恐れる人の態度に似ていた。父さんはおれを信用できないのか。雅史は怒りと衝撃を同時に覚えた。

「おれじゃないからね。おれが殺したんじゃないよ」

「昨日の夜、どこに行ってた」

父はぶっきらぼうに質問を向けてきた。そんなことを尋ねるのは、やはり疑っているからだ。身近で殺人事件が起きると、こうして身内からも疑われることになるのかと、愕然《がくぜん》とする。もう二度と軽率に感情を爆発させたりはしないと心に誓ったのに、雅史はたやすく激昂《げっこう》してしまった。

「釣りだよ！　そんなこと、父さんもわかってるだろう！」

「本当に釣りなんだな」

少し怯《ひる》む様子を見せながらも、父はなおも確認する。そんな父が、雅史は情けなかった。父はいかにも小心だ。息子を理屈抜きで信用することができないとは。

「本当だよ」

強調するのも馬鹿馬鹿しくなり、吐き捨てて自室に籠った。殺人事件という異常事態の恐ろしさを、まざまざと思い知らされた気がした。

翌日の職場の雰囲気は、重苦しいと同時に浮ついているという、なんとも奇妙なものだった。つい先日まで存在していた人が不意に消えた過酷な事実に、誰もが衝撃を受けている。だがその一方、死んだのが部下たちに好かれていない市瀬だから、故人を悼《いた》む気配はまるでなかった。まさにそれは対岸の火事と形容するのが似合いの心理状態で、大なり小なり皆、野次馬根性を抑えかねているのだった。

特に女性たちは、この事件のことを話題にしたくて仕方がないのに、不謹慎だから口を噤《つぐ》んでいるのがありありと窺えた。そのため、声高でなければかまわないだろうとばかりに、ふたりや三人といった単位でひそひそと言葉を交わしている。男性陣はそれに気づいていても、なんとなく苦笑して黙認していた。これが、浮ついた気配の正体だった。

「あんたも災難だったよねぇ」

雅史が書類のコピーを頼むと、このタイミングを待っていたとばかりにパートの中年女性が話しかけてきた。口許がむずむずしていたかのような表情である。

「よりによって、食ってかかったその日の夜に殺されなくたってねぇ」

「はあ」

災難といえば確かに災難だが、こんなふうに単なるゴシップレベルの話題にしてくれると深刻さが薄れる。他の男たちと同様、雅史も苦笑するしかなかった。

「警察は江木さんのこと疑ってるのかしらね」

「さあ、そうじゃないことを祈ってますが」

努めて軽い調子で応じた。難しい顔で答えて、いらぬ誤解を招くのは避けたかった。

「まあ、江木さんがそんなことするわけないのは、ここにいるみんながわかってるから。むしろ、あそこで食ってかからなきゃ男じゃないよ。あれは立派だったって、あたしたちの間じゃ評判よ」

「そうですか、どうも」

口べたな雅史は、女性たちと軽口を叩き合うような器用な真似はできない。話し相手として面白くないとこれまでは見做《みな》されていたはずだが、どうやらあの一件でずいぶんと株を上げたらしい。職場の人たちが雅史の潔白を信じてくれるのは、わかっていたことはいえ嬉しかった。

そうなると次に気になるのは、自宅の近隣住人たちが警察の聞き込みにどう答えたかだった。これまで自分がどんなふうに近所の人と接してきたか、改めて考えてしまう。団地の階段や敷地内で会えば会釈をしているが、決して愛想がいいとは言えない。むしろ表情に乏しく、何を考えているかわからないと思われているのではないだろうか。近隣住人の印象だけで逮捕されることはないにしても、警察に与える心証はいいはずがない。内に籠りがちな性格は、こんなところでも損をしているのだった。

心の中で案ずることしかできない雅史に対し、母は行動的だった。警察の疑いに憤り、どんなことを訊かれたか確かめて回ったのだ。警察は主に、雅史の人となりについて尋ねていた。やはり、雅史が殺人を犯しそうな人物かどうかが知りたいらしい。それに対して住人たちは、さほど悪い返答はしなかったそうだ。

「ちゃんとよく答えておいたって、みんな言ってたわよ」

母は誇らしげに報告した。自分の息子が近所で悪く言われているわけがないと、確信しきっている態度だった。

「おとなしいけどちゃんと挨拶《あいさつ》をするいい人だって、刑事には言ってくれたって。あんな真面目な人が人殺しなんてするわけない、ってはっきり言ってくれた人もいたわよ。ありがたいわよねぇ」

母は感じ入ったように自分の言葉に頷くが、雅史はそれを聞いてもあまり楽観できなかった。たとえ刑事の耳に悪い話を吹き込んだとしても、それを母に正直に言うわけがないと思ったからだ。顔を知っている近所の人たちを疑いたくはないものの、人間には裏と表がある。親しい人ならともかく、面識があるだけの相手の好意を期待するのは、いかにも気楽すぎた。

「まー、課長の胸倉を摑んだんだって？　まーも、怒るときは怒るのねぇ」

昨日は帰宅が遅かった姉は、事件の感想を初めて口にした。母と同じく、事態をいささか軽く考えているようだ。どうしても物事を悲観的に捉《とら》えてしまう雅史は、姉の太平楽な性格が羨ましい。

「怒った勢いで、課長のことを殴ったりしてないでしょうね。こんなときにまーが人殺しで捕まったりしたら、あたし破談よ。勘弁してよね」

そんな可能性は万にひとつもないと信じているからこそ言える、きつい冗談だった。姉の信頼は嬉しいが、縁起でもないことは言わないで欲しいと思う。

「姉さん、笑えないよ。やめてよ」

雅史がやんわりと抗議すると、姉は予想外だとばかりに眉を吊《つ》り上げた。

「あら、笑えないの？　まさか、冗談では済まないなんて言わないでしょうね。怒って上司の胸倉を摑んだだけでも意外なんだから、これ以上思いがけない告白をしないでよ。

あたしのか弱い心臓が破裂しちゃうからね」

あくまで姉は、冗談をやめないつもりのようだ。すべての不吉な影を笑い飛ばしてしまおうとする姉は、逞《たくま》しいとも言える。少しは見習うべきかなと考え直し、雅史は無理に笑ってみた。笑うと少しだけ、不安が薄らいだ。

5

信頼が嬉しいといえば、由梨恵の態度もそうだった。由梨恵は雅史を信じる信じない以前に、犯人は自分の知らない人だと頭から思い込んでいた。電話で話をしているときに、こんなふうに言った。

「課長、オヤジ狩りにでも遭《あ》ったのかな」

路上で殴られて死んだと聞けば、確かに若い男たちが面白半分に襲ったかのようにも思える。しかし噂では、違う話も聞こえていた。

「財布は盗まれてなかった、って誰かが言ってたぞ」

雅史が応じると、由梨恵は声を曇らせる。

「うん、それは私も聞いた。じゃあ、ただの喧嘩《けんか》なのかな。課長、ああいう性格だもんね」

あくまで由梨恵は、行きずりの犯行としか考えていない。恨みを持つ何者かが、市瀬当人を狙って襲ったとは想像もしていないようだ。由梨恵の言葉を聞いていると、事件は突発的なものだったと雅史にも思えてくる。肩が触れた程度の、ちょっとした諍いが元だったのではないか。市瀬の性格なら、大いにあり得ることだった。

「でも、警察にいろいろ訊かれるのって、不愉快ね」

続けて由梨恵は、ぽつりとそんなことを言った。同感だが、由梨恵の憂《うれ》いには単なる煩《わずら》わしさ以上の気がかりがあるようにも聞こえた。

「警察に何を訊かれたの？」

不安を感じて尋ねると、由梨恵はわずかに躊躇してから答えた。

「……雅史さんのこと」

やはり、と思った。意外なことではなかった。由梨恵と交際していることを話したのだから、その裏づけを取るのは警察としては当然の仕事だろう。特に恐れることはないと、自分に言い聞かせた。

「おれの、何を？」

「……どういう交際をしているかとか、どんな人かとか」

近所の人に尋ねたことと同じような内容だった。そんなことを訊いて回ってどうするのかと思うが、雅史にアリバイがないのだから、裏づけを取るためではなく心証を得るための聞き込みになるのかもしれない。

「もちろん、雅史さんの不利になるようなことは言ってないよ。すごくいい人で、人殺しどころか蟻《あり》も踏まないように歩くくらいだって説明したから」

由梨恵は慌てたようにつけ加える。雅史は「わかってるよ」と答えた。そんなことはわざわざ言うまでもないのだと伝えたかった。

「犯人、早く捕まるといいんだけどな」

事件発生を知ってから初めて、心底そう思った。殺人などという不幸な事件は、被害者と関わりのあった人すべての生活に暗い翳《かげ》を落とす。由梨恵の不安を打ち払うためにも、一日も早い犯人逮捕を願った。

しかし雅史のそんな願いをよそに、警察は的外れな動きをしているとしか思えなかった。事件発生から三日後にふたたび会社にやってくると、今度は雅史を名指しで呼びつけたのだ。

「お忙しいところ、申し訳ありませんね」

松井刑事はぜんぜん申し訳なさそうではなく、そう言って頭を下げる。一緒にいる大柄な刑事は、ただ無言で横に立っていた。

「ちょっとまたお時間をちょうだいできませんか。ほんの五分ほどでいいんですが」

求められても、雅史の一存で席を離れるわけにはいかない。市瀬の代わりに課長席に坐っている社長に目をやると、仕方ないとばかりに難しい顔で頷いた。

「はい」

短く応じて、立ち上がった。先日と同じようにパーティションに囲まれたスペースで話をするつもりでいたら、「ちょっと外で」などと松井は言う。他の者たちの耳を気にしなければならないような質問があるのか。自分だけが呼ばれたことといい、この場で訊けない質問といい、刑事たちの求めは雅史をひたすら不安にさせた。

刑事たちと連れ立って、事務所の外に出た。駐車場のトラックは出払っているので広々としているが、いつ出入りがあるかわからない。邪魔にならないように、事務所の裏側に回った。

立ち止まると、雅史の正面に松井が立ち、横を大柄な刑事が塞《ふさ》いだ。まるで、逃亡を恐れているかのような備えだ。それを不愉快に思いつつも、抗議することもできなかった。この立ち位置の何が悪いと言われれば、それまでのことでしかない。

「実は、江木さんに伺いたいことが出てきましてね。お時間を取らせては申し訳ないですから、ずばり伺いますよ。事件があった夜の釣りには、何を着て行きましたか？」

それがどういう意図の質問なのかはわからなかったが、雅史を怪しんでいることだけは間違いなかった。おれじゃない、と訴えたくても、あまりに唐突すぎてかえって不自然に思われそうで言えない。刑事に囲まれているこの状況を、物理的にも心理的にも息苦しく感じた。

「着ていたものですか？　ええと、釣りのときはいつもウィンドブレイカーを着てますけど」

肌寒く感じる季候になってからはずっと、釣りに行く際にはウィンドブレイカーをまとっている。動揺のあまりはっきり思い出せないが、あの日だけ変えた憶《おぼ》えがないのは確かだった。いつもの習慣で、ウィンドブレイカーを羽織ったはずだと考えた。

「ウィンドブレイカー。それは何色ですか」

松井はさりげなく確認しているつもりなのだろうが、色まで確かめようとするその姿勢に、雅史は警戒を覚えた。

「灰色ですが」

「灰色」

瞬間、松井の目が光ったように見えた。大柄な刑事も、なにやら鼻から息を吐き出すように、微《かす》かに反応する。灰色の何がいけないのか。

「そうですか。ありがとうございました。大変参考になりました。お仕事中、邪魔をしてすみませんでしたね。どうぞお引き取りください」

松井はあっさりと雅史を解放した。どうやら訊きたいことは本当にウィンドブレイカーの色だけだったらしい。しかしこの早い解放は、いっそう雅史の不安を煽《あお》り立てた。

刑事たちは雅史の返答に満足したからこそ、早々に質問を切り上げたのだ。

「服の色がどうしたんですか」

訊き返さずにはいられなかった。だが松井は、「いえ、なんでもありません」と受け流す。答える気がないのは明らかだった。

「では、我々は仕事があるので、これで」

断って、松井と大柄な刑事は早々に会社の敷地を出ていった。雅史はその後ろ姿を複雑な思いで見送ってから、事務所に戻った。

妙に感じたのは、室内に入った瞬間だった。事務所内の全員がいっせいに雅史に視線を向け、そして申し合わせたように目を逸らしたのだ。なんだ、これは？　雅史は思わず立ち止まり、しばし人々の顔を眺め回した。

同僚たちはなぜか、頑なに顔を上げようとしなかった。もの言いたげに雅史を見ているのは、由梨恵ひとりだけだった。由梨恵と目を見交わし、ようやくこの気配の意味を悟る。同僚たちは、雅史だけが刑事に呼び出された意味を取り沙汰《ざた》していたのだ。

誰も話しかけてこないので、室内は不自然に静まり返っていた。その静寂に、かつて感じたことのないよそよそしさを覚える。どうやら刑事たちの行動によって、これまでは存在しなかった〝疑惑〟が同僚たちの胸に芽生えたようだ。それは、事件が起きるまで会ったこともなかった刑事に疑われるよりも、ずっとショックだった。

「おれじゃない」

衝撃のあまり、思いが口から漏れ出ていた。それなのに、雅史の声に反応する人はいなかった。無視された雅史の言葉は、行き場もなく静寂の中に消える。自分が立っているこの事務所が、まるで見知らぬ世界のように思えた。

6

その日は、いつもとまったく変わらずに始まった。朝七時に鳴る目覚まし時計を止めた雅史は、ゆっくりと身を起こしてベッドから出て、洗面所で顔を洗った。一家の中で一番早く起きている母は、台所で朝食を作ってくれている。甘えていると思いつつも、雅史は母が作る朝食をただ食べるだけだった。

雅史より先にテーブルに着いていた父は、朝刊を読んでいた。すでに会社勤めを辞めている姉は、まだ惰眠を貪《むさぼ》っている。いい身分だと思うが、それも結婚するまでのことと思えば多少の怠惰も許容できる。姉もいずれ、母のように早起きをして家族の朝食を作るようになるのだろう。

電車のラッシュを避けるために、父は早く家を出ていく。だから雅史が食卓に着くのは、ほぼ父と入れ替わりだ。出発する父を見送ってから、雅史はトーストに齧《かじ》りついた。

起きたばかりで喉《のど》を通りにくくても、温かいコーヒーでなんとか流し込む。

歯を磨き、髪型を整えて、スーツを着た。ネクタイを締めると、気持ちが引き締まって仕事に向かう活力が湧いてくる。就職した際に祝いとして両親に買ってもらった革《かわ》鞄《かばん》を手にして、家を出た。

階段を下りきったときだった。どこからともなくふたつの人影が現れ、雅史の前に立ち塞がった。男たちの顔には見憶えがある。松井刑事とその相棒だった。

「朝早く、申し訳ない。ちょっと伺いたいことがあるので、署までご同行願えますか」

松井の口調は慇懃《いんぎん》だったが、目には有無を言わせぬ力があった。突然のことに、雅史は絶句する。何事なのかと、ふたりの顔を交互に眺めた。

「き、訊きたいことって、昨日の質問だけじゃ足りないんですか」

かろうじて、声を絞り出した。何も言わずに従うことなどできなかった。

「ここじゃあ、なんですから。署の方でゆっくりと」

松井は雅史の問いかけに直接答えようとはしなかった。ごまかされてますます用件が気になったが、気後れして追及できない。だからただ、現実的なことを口にした。

「今からと言われても、会社に行かなければならない時間なんですけど」

「おい、あんたはおれたちがなんでこんなに朝早く訪ねてきたか、まだわからないようだな。あんたはもう、会社に行くどころじゃないんだよ」

それまで黙っていた大柄な刑事が、ドスの利《き》いた声を発した。その声はまるでヤクザの恫喝《どうかつ》のようで、争い事とは無縁に生きてきた雅史を竦み上がらせるに充分だった。金縛りに遭ったように、体も口も動かなくなった。

「会社には、こちらから連絡を入れておくから。さあ、一緒に行こう」

松井はいっそ優しげにすら聞こえる口調で、雅史を促した。背中を押されると、逆らうこともできずに脚が勝手に動き出す。刑事たちは団地の敷地内に車を停めていた。大柄な刑事が運転席に着き、雅史は後部座席に押し込まれた。

続けて後部座席に坐った松井が、ドアを音を立てて閉めた。雅史はほとんど本能的に振り返り、長年住み続けてきた団地を視界に収めた。大柄な刑事が車を出し、団地はたちまち小さくなっていく。そのことが、耐えがたいほどに雅史の心を不安にさせた。

それが、雅史の平穏な生活の終わりだった。

第二章　検事

1

裁判官の第一声を聞いた瞬間、我が耳を疑った。それまでの余裕が一瞬にして消え失《う》せ、電気ショックを感じたように背筋が伸びる。目を見開いて裁判官の口の動きを見つめる自分はさぞや惚《ほう》けた顔をしているのだろうと頭の片隅で思うが、表情を繕っている余力はなかった。予想外の事態に直面するのは、三十三年に亘《わた》る谷沢憲一《やざわけんいち》の人生において数えるほどしかなかった。

裁判官は判決を言い渡す際、「被告人を懲役〇年に処す」と最初に告げる。しかし今日の裁判官は、「被告人は」と口を切ったのだ。「被告人を」ではなく、「は」。これに続く言葉は「無罪」だった。

無罪判決だ。それは検察官にとって、考え得る限り最悪の判決だった。被告人の有罪を確信して起訴したのに、裁判所でそれを真っ向から否定される。完膚なきまでの敗北。谷沢がかつて経験したことのない事態だった。

愚かな。激烈な怒りが込み上げ、谷沢は歯を食いしばった。あまりに愚かな裁判官に、憎悪《ぞうお》すら覚える。なぜこんな馬鹿《ばか》な人間が存在するのか、とても理解できないと思った。この裁判官は、存在してはいけない種類の人間だ。愚かさは、罪だ。

被告人の罪状は、疑うまでもなかった。満員電車の中で働いた痴漢行為。駅に着いてすぐに、被害者である女子高生に呼び止められ、駅員とともに駅員室に連れ込まれた。その際に被告人は、逃亡の意思を見せたという。それ自体がすでに、己の犯行を認めている証拠ではないか。被告人の容姿に特徴はなく、どこにでもいるごく普通のサラリーマンにしか見えないが、こうした男が痴漢行為で日頃の憂《う》さを晴らしていることを谷沢はよく知っている。極論すれば、顔を見ただけで被告人が実際に痴漢をしたとわかったほどだった。

手に付着していたはずの繊維を採取しなかったのは、警察の不手際《ふてぎわ》だ。だが被害者の証言に矛盾はなく、目撃者の証言も得られている。何より、被告人は一度は自白しているのだ。やってもいないことをやったと認める人はいない。自分の罪を認めている被告人を、なぜこの裁判官は無罪にするのか。思考回路が破綻《はたん》している。

被告人は法廷に出ると、自白を翻《ひるがえ》した。自分の罪を認めればすぐに釈放してくれると警察が言うから認めたのだと、責任を警察になすりつけた。自白偏重主義が非難されるようになってから、大勢の被告人が都合よく口にするようになった言い訳だ。そんなことは、どの裁判官でもわかっているはずではなかったのか。

裁判官は延々と無罪判決の判断理由を述べていた。被害者や目撃者の証言の枝葉末節《しようまっせつ》をあげつらい、本来は存在するはずのない矛盾点を無理に作り出している。加えて、右手で吊革《つりかわ》を摑《つか》み、左手で鞄《かばん》を抱えている状況で痴漢行為を働くのは不可能と断じているが、それはラッシュ時の混雑具合を知らない世間知らずの判断だ。すし詰め状態の車内では、鞄は手を離しても下に落ちない。現に被告人自身が、そのように証言していたのである。まさか裁判官は、そこを見落としているのではないだろうか。

閉廷までの時間は、谷沢のこれまでの人生で最も無駄な数分間だった。被告人はこれ見よがしにガッツポーズを取り、傍聴席にいた家族や支援者と喜びを分かち合っている。弁護士はしてやったりという顔をして、谷沢に優越感を誇示していた。こんな屈辱には、とても耐えられなかった。

被害者が来ていないのが、唯一《ゆいいつ》の救いだった。自分に痴漢を働いた男が浮かれている様など、絶対に見せられない。犯罪者に正当な罰を与えられずに申し訳ないと、ただ深謝したい思いだった。

谷沢は書類をまとめて、自分に屈辱を味わわせてくれた法廷を後にした。廊下に出る間際に、眼鏡のフレームの位置を直しながら、愚かな裁判官の顔に一瞥《いちべつ》をくれる。自分がしでかしたことの重大性にも気づかず、取り澄ました表情をしている愚鈍な男。〇点だ。谷沢は内心で採点した。

急いで検察庁庁舎に戻った。無罪判決が出てしまえば、やらなければならないことが大量に発生する。だが単に受け身的にそれらに着手するのではなく、今の谷沢は自ら進んで事後処理を行いたかった。このままでは済まさないという強い闘志が、谷沢を衝《つ》き動かしていた。

まず刑事部長室に向かい、無罪判決が出てしまった報告をした。すでに刑事部長は承知していて、渋い顔で頷《うなず》き続ける。無罪判決は、検察の権威を揺るがす大事件である。絶対にあってはならないことであり、万が一にも起きてしまった場合は担当検事だけでなく地検全体の恥辱となる。刑事部長の内心は、谷沢と同じく煮えくりかえっているはずだった。

「被告人の手に付着している繊維を採取しなかったことが、致命傷になるとは思わなかったのか」

報告を聞き終えた刑事部長は、仏頂面《ぶっちょうづら》のままそう言った。何をいまさら、と谷沢は気分を害する。起訴をする前にその事実は刑事部長の耳に入れたのに、何も言わなかったではないか。今になってそれを蒸し返すのは、単なる結果論に過ぎない。

「採取を怠ったのは警察のミスであり、私の失態ではありません」

胸を張って自己弁護した。なぜこんなことをわざわざ指摘してやらなければならないのかと、無駄なやり取りに腹が立った。

「君の目算を訊《き》いてるんだよ。物証がなければ、裁判官が無罪判決を出す危険性があると、どうして予測できなかった」

刑事部長もまた、苛立《いらだ》たしげだった。お互いにこんな言葉の応酬を不毛と感じている。馬鹿馬鹿しさの極みだった。

「同種のケースでは、有罪判決が出ています。今回に限って無罪を予想するのは不可能でした」

谷沢の反論には、曖昧《あいまい》さや誤謬《ごびゅう》は一点としてなかった。万事に亘って理路整然と己の考えを述べられること。それが検事としての最低限の資質であると考えている。だからこそ、このような無駄な問答は耐えがたかった。

いちいち口に出して確認せずにはいられないのが、部長という立場の窮屈さか。あるいは個人レベルの魯鈍《ろどん》さか。多少は頭が切れる人だとこれまでは評価していたが、点を下げざるを得ない。五十五点だ。合格点にはとうてい届かない。

部長は小さく舌打ちすると、人差し指で机の天板をこつこつと叩《たた》き始めた。谷沢の説明には正当性があると、いくら魯鈍でも理解でき、口を噤《つぐ》んだのだろう。さっさと善後策を講じたいという思いをこらえつつ、谷沢は部長が口を開くのを待った。

「……まあ、あの裁判官が特別にリベラルだという評判もなかったしな。どうして今回に限って無罪判決を出したのか、よくわからんな」

「後ろから追突された交通事故のようなものです」

谷沢の側に非がないことを、わかりやすく譬《たと》えてやった。日本における有罪率は、九十九パーセント以上にもなる。つまり、無罪判決はごくごくまれにしか出ないということだ。そのまれな出来事が、こともあろうに谷沢の担当公判において起きてしまった。自分の能力を超えた、不幸な事故としか言いようがなかった。

「わかった。で、高検の審査は通ると思うか」

部長はようやく、多少は実のあることを尋ねた。しかしこの質問にしたところで、谷沢に言わせれば愚問でしかない。

「当然、通します」

高検の審査とは、高等検察庁で控訴《こうそ》の是非を論じることだ。その審査を通らなければ、控訴はできない。だが谷沢にとってこれは、審査の問題ではなかった。犯罪者を野放しにするかどうかの、正義の問題だった。

「よし。だったらさっそく控訴審査の準備に取りかかれ」

「はい」

谷沢は小さく頷いて、部長席の前を離れた。こちらはすぐにでも書類作成に着手したかったのに、愚にもつかない質問で時間を無駄にしていたのは誰だ。そんな不満を覚えるが、胸の底に沈めておく。正論だけが常に認められるわけではないことを、谷沢も承知していた。すべての序列が頭のよさだけで決まればいいのにと、谷沢はいつも考える。

控訴は判決の言い渡し後二週間以内にしなければならない。その短い間に地検での控訴審査を通るだけの説得力のある資料を取り揃《そろ》え、さらに高検での審査を経る必要がある。加えて、通常の業務も山積していた。与えられた時間はあまりに少なかった。

今日から二日ばかり、検察庁庁舎に泊まり込まなければならないだろう。今後の仕事量を頭の中でざっと概算し、そう結論した。幸い今は、妻の香織《かおり》は仕事で海外に行っている。日本に戻ってくるのは二週間先だ。家に帰らないことをわざわざ報告する必要もなかった。

ただでさえ谷沢が激務なのに、香織もまた自分で事業を興《おこ》したために忙しく世界中を飛び回っている。夫婦といっても、一緒に過ごす時間は一年のうちのほんのわずかでしかない。なんのために結婚したのかという思いはあるが、しかし谷沢は専業主婦の妻など持ちたくはなかった。香織が自分と同程度の頭脳を持ち、誰にも負けない行動力でエネルギッシュに生きていることを、高く評価している。谷沢が九十五点もの高得点をつけている人は、男女を問わず香織しかいなかった。

香織が日本に戻ってくるまでに、こんな雑事は片づけておきたい。妻の存在を意識すると、たとえ互いの距離が大きく離れていようと、谷沢の体内から新たな力が湧《わ》いてきた。

2

予想どおり、控訴審査のための資料を作成するにはふた晩の徹夜を要した。さすがに二日続けての徹夜は体に応《こた》えたが、気力でカバーする。地検での控訴審査は、なんの問題もなく通過した。審査に参加した人全員が、「積極」つまり控訴相当と判断した。

続いて高検での審査を申請した。日程調整の必要があるので、ようやくひと息つける。谷沢は帰宅し、誰もいない閑散とした一軒家で束《つか》の間《ま》の睡眠を取った。充分な睡眠時間は確保できないが、それでも寝られるだけましだった。

翌日、定時に出勤すると、地検庁舎前になにやら人の群れがあった。たまに不当起訴を訴える市民団体が、こうして数を頼って無駄な声を上げることがある。これもその類《たぐい》の集まりだろうと、谷沢はさして意に留めなかった。

しかし、近づくにつれ他人事《ひとごと》ではないことが判明した。団体はなんと、先日の無罪判決を受けて検察の起訴を横暴だと訴えているのだった。どうやら団体は別の事件の被告を支援しているようだが、無罪が出たことで勢いづいているらしい。起訴そのものが間違いだと書いた横断幕を広げ、庁舎に向かって大声を張り上げていた。

奥歯がぎりりと鳴った。込み上げる怒りには、歯を食いしばらなければ耐えられない。

を非難するとは、その尻馬《しりうま》に乗って検察の判断を非難するとは、なんという思慮の浅い者どもか。検察が判断を誤れば、日本はたちまち無法国家となる。そんな悪夢を実現させないために、検察は常に無謬《むびゅう》でいる努力を怠っていないのだ。それも知らずにただ非難するだけの輩《やから》は、社会の敵に等しい。なぜ直ちに警備員に追い払わせないのか、庁舎内にいる人たちの神経を疑った。

お前たちと私では、頭脳の出来が違うのだ。声に出してそう言ってやりたかった。地面に立っているだけでは見えない光景も、地上十階のビルに上ればよく見える。それと同じことが、頭脳の出来の差によって起きているのだ。愚民には真実が見えなくても、検察官である自分には見通せる。頭の悪い者は、賢い人をただ信じていればそれでいいと、なぜわからないのか。それもわからないからこそ、愚民なのか。

こうして一般の人の愚かさを目《ま》の当たりにするたび、正義とはなんなのかと谷沢は考える。彼らにとって正義は、どうやら非常に恣意《しい》的なものらしい。自分たちに都合のいい正義だけを受け入れ、そうでない正義は間違いだと糾弾する。しかし正義とは、立場によって違うものではないはずだと谷沢は信じていた。それぞれの正義が存在するなら、法も無力になる。検察が守る正義、それこそが唯一絶対の正しい「正義」なのだ。

団体の横を抜けて庁舎に入り、愚民たちを追い払うよう警備員に指示した。警備員は困惑を隠さなかったが、谷沢は強い口調で命じた。愚民たちもさすがに、検察庁前でいざこざを起こす気はないだろう。言い聞かせればすぐに消えるはずと谷沢は予想した。

そしてそれきり、団体のことは頭から追い払った。無駄なことを考えている余裕はない。今日もまた、スケジュールは分刻みで詰まっている。

執務室に入ると、事務官の樋口《ひぐち》はすでに来ていた。樋口は谷沢の二歳年下だが、事務官としては優秀である。時間に正確で、思考が論理的であり、仕事上でほとんどミスを犯さない。いずれは考査試験を受けて、副検事になればいいと谷沢は考えている。採点すれば、八十五点の人材だった。

「おはようございます」

樋口は必要最小限しか言葉を発しない。それもまた、谷沢が気に入っている点だった。お喋《しゃべ》り、などという行為は時間の無駄でしかない。無駄に使う時間は、正義のために奉仕している人間には与えられていない。

「おはよう」

言葉を返して、執務机を回り込んだ。机の上には、今日の仕事の資料が揃えられている。樋口が何時に登庁しているのか谷沢は知らないが、早めに来てこうして準備を整えてくれる仕事ぶりは本当に評価に値する。事務官が樋口でなければ、谷沢も現在の八十パーセントほどしか能力を発揮できていないだろう。

今日は、現在警察にて勾留《こうりゅう》中の被疑者の取り調べを予定していた。十時に警察から連れてこられるので、それまでにざっと事件の概要を復習しておく必要がある。むろん、担当中の事件のことはすべて頭に入っている。だが、正義を遂行する上で己の能力を過信するのは禁物だった。人間であるからには、間違いを犯す。あってはならない間違いを食い止めるためにも、わかっていることであっても再度確認する努力を怠るつもりはなかった。

一時間もあれば、すべての資料に目を通すことができた。十時に被疑者が連れてこられたときには、谷沢は空で細かい数字まで言える状態になっていた。後はただ、具体的に被疑者本人の口から事件のことを語ってもらうだけだった。

執務室に入ってきた被疑者は、四十七歳という実年齢より老《ふ》けて見えた。背を丸め、顔を伏せた歩き方が雰囲気を老けさせているのだろう。逮捕された被疑者には珍しいことでもないので、谷沢は特に驚かなかった。机の反対側に置かれた椅子《いす》を指し示し、「坐《すわ》ってください」と声をかけた。

勾留中の被疑者相手に、名を名乗る気はなかった。前置きもせず、いきなり本題に入る。

「逮捕された理由について、私に語ってください」

被疑者はいわゆる〝コンビニ強盗〟を働いて、逮捕された男だった。四日前の深夜一時過ぎにコンビニエンスストアに入った被疑者は、顔をガーゼマスクで覆《おお》った状態でレジの前に立ち、持ってきた包丁を店員に突きつけた。被疑者は金を要求し、店員が素直に差し出した一万円札五枚を鷲摑《わしづか》みにすると、そのまま逃走。店員はすぐに一一〇番通報をして、最寄りの交番から制服警官が駆けつけた。店員が強盗の服装を正確に証言できたお蔭《かげ》で、コンビニから百メートルほど離れた路上を歩いている男を見つけることができ、警官は職務質問をした。動揺していた男は警官の質問にまともに答えることができず、交番まで連れていかれると観念したように犯行を認めた。事実を争う余地のない、簡単な事件だった。

「はい、あのう、悪いことをしました。すみません」

男は蚊の鳴くような声で言うと、ぺこりと頭を下げた。質問の答えになっていない。谷沢はこうした非論理的な返答を訊くと苛立ちを覚えるのだが、さすがに何度も同じような経験を繰り返すことで耐性ができた。

「自分がしたことを、正確に私に教えてください」

辛抱強く繰り返す。男は「はあ」と応じて、のろのろと語り始めた。

男は警察での自供を翻すつもりはないようだった。職務質問時に包丁を持っていたので、誤認逮捕もあり得ない。となると後は、情状の確認だけだった。動機についても警察から報告が上がっているが、こればかりは調書を読むだけでは本当のところはわからない。

「どうしてこんなことをしてしまったのですか」

尋ねると、男は幾分恥ずかしがるように「仕事がなくて……」と答えた。

「もう持ってる金が百三十円しかなかったんです。悪いこととは思ったんですけど、強盗でもしないと生きていけなくて……」

「仕事がないというのは、今現在働いていないという意味ですか。それとも職探しをしても見つからないということですか」

「職探しはしました」

「具体的には、どのように職探しをしたのですか」

「職安に行ったり、拾った新聞の求人欄を見て連絡したり……」

「仕事を選ばなければ、まったく働き口がないなどということはなかったんじゃないですか」

犯罪を犯す者はたいてい、責任を他の何かに転嫁《てんか》する。自分ではなく社会が悪いと、この男も言いたいのではないだろうか。谷沢はそうした考え方が大嫌いだった。自分のしでかしたことの責任も取れないような輩には、谷沢たち正義の執行者が制裁を与えなければならない。

「そうですけど、でももうその日暮らしにも疲れて……」

予想どおり、男は言い訳をした。責任転嫁ができなければ、言い訳。どんな被疑者も、たいていそうだった。潔《いさぎよ》い人間は、めったに犯罪など犯さない。

その後は、男の職歴や家族との関係、金を借りられる相手の有無などを確認した。男はかつて結婚していて子供も儲《もう》けたが、今は別れて独り身だという。両親は地方に住み、金を借りられる友人はいない。職歴はかなり転々としていて、ひとつところに落ち着けない性格のようだ。根気がなく、ちょっとしたことですぐ仕事がいやになってしまう脆《ぜい》弱《じゃく》な人間なのだと、谷沢は理解した。

情状を聞いても、起訴を回避する理由には当たらなかった。起訴相当。内心で結論を下し、取り調べを切り上げることにした。

男の話を整理して、樋口に筆記させるために最初から語り直す。そしてできあがった供述調書を再度読み上げ、間違いがないことを男に確認した。頷く男に署名と指印をさせ、供述調書が完成した。取り調べの終了を宣言すると、男は頭をぺこぺこと下げながら警察官に引っ立てられて執務室を出ていった。

「起訴だ」

樋口はもう見当がついているだろうが、一応言葉にして告げた。樋口は「はい」とだけ答えて、上司に報告するための資料作成に取りかかる。谷沢もまた、取ったメモを元に事件概要を説明するためのレジュメを作り始めた。

午後に、作成した資料を携えて次席検事室に行った。そこで決裁をもらい、さらに検事正室で最終決裁を求める。この二重の手続きの間に資料の不備を指摘されることもあるそうだが、谷沢はそうした経験がなかった。上司はただ、決裁印を押すだけである。昼食も摂《と》らずに仕事に没頭していたので、さすがに腹が減ったし疲れも覚えている。外に出て食事をしつつ、しばしの休息を取った。

庁舎に戻ると、樋口が届いた郵便物を仕分けしていた。谷沢に目を向け、一通の封書を手にして立ち上がる。そして谷沢の執務机に、それを置いた。

「差出人不明の手紙です。私が開封しましたが、中身は怪文書でした」

「怪文書？」

樋口の説明が一度で理解できないのは珍しい。だが再度の説明を求めるより、封書の中身を見た方が早いと判断した。なんの変哲もない白い封筒には、確かに差出人の名がない。中に入っているのもまた、取り立てて特徴のない白い便箋《びんせん》だった。

そこにはワープロで、こんなことが印字されていた。

《お前のせいで人生を狂わされた。あれは冤罪《えんざい》だ。お前はこちらの言うことを何ひとつ信じてくれなかった。銀縁眼鏡の奥から、ゴミでも見るような目つきでこちらを見ていたお前の冷たい目が忘れられない。お前への恨みは、一生忘れない》

それだけで、便箋にも署名はなかった。谷沢はわずかに眉《まゆ》を動かし、便箋を封筒に戻した。席に戻らずにいた樋口が、声を発する。

「どうしますか」

「まあ、考えておく」

表面を取り繕ったのではなく、実際に恐れは感じなかった。こんなことでいちいち動じるほど暇ではない。ただ、煩《わずら》わしいことは避けたいという思いだけがあった。机の上に立ててあるファイルに封筒を挟み、元に戻した。そして次の瞬間には、意識は仕事に向かっていた。

3

夕方になって、来客があった。これまで幾度も一緒に捜査をしたことがある、県警捜査一課の山名《やまな》だった。

谷沢は現在、八十件ほどの継続事件を抱えている。そのうちのいくつかは、山名が担当した事件だった。勢い、顔を合わせる機会も頻繁になり、付き合いができた。山名は派手な実績こそないが、堅実で隙《すき》のない仕事をする刑事である。大勢いる一課刑事の中で、谷沢が最も評価している刑事のひとりだった。組織の中でしか仕事ができないという、どうにもならないマイナス点を勘案して、八十点というところか。

「この前の件、起訴できそうですか」

山名はソファに腰を下ろすと、丁寧な口調で訊いた。山名の方が二歳年上だが、谷沢に対して馴《な》れ馴れしい態度をとったりはしない。そんな点も、山名を評価する理由のひとつだった。刑事の中には、荒っぽい人間と接するうちに自分までもが下品になってしまう人もいる。谷沢を若いと見て、礼儀を忘れたように話す者も幾人かいた。そんな相手には、谷沢も事務的にしか対応できない。くだらない人間と関わるのは、人生の大きな損失だと考えている。

「まあ、公判を維持することはできると思います。ただ、さらにもうひとつ決め手があれば、かなり楽なんですけどね」

山名の言う「この前の件」とは、先日市内で発生した殺人事件のことだった。山名の属する捜査一課はひとりの被疑者を逮捕したが、当人は自供していなかった。凶器は発見されておらず、衣類についていた被害者の毛髪も別の機会についたものだと主張している。他の状況証拠や、「殺してやる」と被疑者が言っていたことを証言する証人もいるので、起訴自体は可能である。しかし、必ず有罪判決が下るかと言えば、断言は難しかった。

「やっぱり、そうですか。それで立ち寄ったんですけど、DNA鑑定をやってみますか」

樋口が出した日本茶をうまそうに啜《すす》り、山名は言う。一課刑事にしては穏和な外見の山名が日本茶など飲んでいると、三十五歳という年齢を忘れてしまうほど好々爺然《こうこうや》とした雰囲気になる。そのこと自体が、山名の武器なのだろうと谷沢は観察していた。

「ＤＮＡ鑑定。なんの？」

訊き返すと、山名は少し得意そうな顔になった。

「血がついてる衣服が見つかったんですよ。奴《やっこ》さん、隠してやがった」

「ほう。それは朗報ですね。ぜひやってください」

先日のことがあるので、手持ちの材料は多いに越したことはない。かつてはＤＮＡ鑑定の精度が争点になったこともあったが、今日では科学の進歩とともに確度がかなり高くなっている。鑑定の結果、被害者のＤＮＡと一致すれば、これほど有力な武器はない。万全の状態で臨まないで、また無罪判決を出されるのだけはごめんだった。

「わかりました。谷沢さんならわざわざＤＮＡ鑑定をしなくても有罪を取ってくれるかとも思ったんですけど、ちょっと慎重になってますか」

山名もまた、この前の無罪判決を念頭に置いたようなことを言う。しばらくこの汚名はついて回るのかもしれないと、谷沢は覚悟した。だからこそよけいに、控訴審《こうそしん》ではなんとしても有罪を勝ち取ってもらわなければならない。

「完璧《かんぺき》主義者なものでね」

負け惜しみに響かないことを願いながら、答えた。事実、自分は完璧主義者だと自認している。己の脚で捜査できず、警察が上げてきた資料だけで闘わなければならないのをもどかしく思うことも、再三だった。

「そうだ。そういえばこんなものが届いてるんですよ」

ふと思いついて、今日届いたばかりの怪文書を山名に見せることにした。もし山名が立ち寄ってくれなければ、わざわざ警察に届けたりはしなかっただろう。相手が気心の知れた山名だからこそ、見ておいて欲しいと考えたのだった。

封筒を受け取った山名は、便箋を引っ張り出して一読すると顔色を変えた。冷静な谷沢をなじるように、声を大きくする。

「なんですか、これは。脅迫状じゃないですか」

「正確には、脅迫する文言が含まれていないので、脅迫状とは認められませんがね」

「またそんな理屈を。どうしてそんなに落ち着いてるんですか。こういう手紙はよく来るものなんですか」

「よく、ってほどではないです」

「だったら、もう少し慌《あわ》てた方がいいんじゃないですか。誰かが谷沢さんのことを恨んでいるのは間違いないんですから」

「恨まれるのが怖かったら、検事なんかやってません。それは山名さんだって同じでしょう」

至極当然の指摘をしなければならないのは嫌いだったが、山名がこちらの身を案じてくれているのがわかるだけに、今は不愉快ではなかった。山名の方が逆に、不本意そうに眉を寄せる。

「そんなふうに言われればそうですけど、でもこれはただごとではないでしょう。警察官としての忠告ですが、身の回りの不審な気配には充分注意してください。特に庁舎に出入りする瞬間、自宅に帰った瞬間には気をつけてくださいよ。そういう一瞬の隙を狙《ねら》って、暴漢は襲ってきますから」

「わかりました。気をつけます」

「不審人物の存在を確認したら、すぐに私に知らせてください。携帯の番号はわかってますよね。いつでも電話してくださいよ」

「ありがとうございます」

この礼は、心からのものだった。まさかここまで真剣にこちらの身を案じてくれるとは思わなかった。山名との付き合いはあくまで仕事上のもので、個人的な感情の交流に発展するような種類の関係ではない。にもかかわらずここまで言ってくれたことに、谷沢は少なからず感銘を受けた。

その一方で、そうしたこちらの気持ちを伝える言葉を持っていないことに、ふと気づいて愕然《がくぜん》とした。法廷で弁護士と論争する際に言葉に詰まったことは一度もないが、それ以外の語彙《ごい》に極端に乏しい自分がいる。これが検事だと、せいぜい自嘲《じちょう》するだけだった。

山名は怪文書を強引に預かり、帰っていった。いつもなら客が執務室を出る前に次の書類に目を通し始める谷沢だが、そのときだけは山名の背中を最後まで見送った。

4

高等検察庁に向かう際は、ほとんど敵陣に乗り込むような心境だった。高検の控訴審査は厳しいと、噂《うわさ》で聞いている。地検の捜査や公判を、真っ向から批判されることも珍しくないという。そんな場に乗り込むのだから、勢い気持ちは引き締まらざるを得ない。論理では誰にも負けないという自負が谷沢にはあったが、おそらくそれは先方も同じだろう。どれだけの論客が審査の場に出てくるのかと考えると、真剣勝負を前にした武士の心境とはこのようなものかと思えてくる。

審査会場となる会議室には、五人の高検検事がいた。地検から出向いているのは、谷沢ひとりだ。谷沢はこれからこの五人を相手に、事件が控訴相当であることを納得させなければならない。彼ら高検検事は、優秀という言葉だけでは表現しきれないほどのエリートたちである。ある意味、裁判官よりも難敵と言えた。

原審の裁判記録一式を山のようにテーブルに積み上げ、まずは自己紹介をした。そしてすぐに、原審の概要を説明し始める。誤解の余地がないよう、ひとつひとつの事柄をくどいほど詳述した。少しでも要領を得ない部分があると厳しい質問が飛ぶそうだが、用意周到な谷沢の準備の前には彼らの舌鋒《ぜっぽう》もなかなか出番がなかった。

「繊維採取を怠ったことについて、君は所轄《しょかつ》署を咎《とが》めたかね」

初めて上がった声は、やはりその点についてだった。痴漢捜査に際し、被疑者の手に付着している繊維の採取は必須《ひっす》である。物証を得にくい痴漢事件の、唯一の証拠と言えるのが繊維なのだ。それを採取しなかった所轄署の怠慢は、谷沢にとっても理解しがたかった。

「咎めはしましたが、しかし私は彼らの上司ではありませんので、限界があります」

もし自分の部下がそんな初歩的なミスをしたなら、咎めどころでは済まさない。次に同じミスを繰り返すくらいなら仕事を辞めた方がまし、と思えるほどに論理で追いつめてやるところだ。だが実際には、検察官はほとんど現場に関われない。積極的に出向く者もいないではないが、それはまだ仕事が少ない新人くらいなものだ。公判を同時に七、八十、多いときには百件も抱える検事が、警察官の捜査状況をいちいち監督できるわけもなかった。

「我々検察官には、司法警察職員に対する一般的指示、指揮の規定が定められている。

警察の捜査が至らない場合、それを善導するのも我々の職務だということだ。その点について、君はどう考えているのか」

続けて別の高検検事が口を開いた。どう考えているも何も、「限界がある」のひと言で要を得ているはずだ。そんなことは高検検事であるからにはわかっているはずで、ならばこの問いには額面どおりではない別の意図が含まれていると解釈せざるを得ない。無意味な質問と腹を立てるのは、浅慮に過ぎる。

「警察の捜査の不足は不安材料でしたが、公判で補えると判断しました。事実、繊維の採取をせずに勝訴を得た公判もありました。あの時点では、公判は維持できると判断するのは妥当だったと自己評価しています」

わざと論点をずらして答えた。警察の手落ちを責められても知ったことではない、というのが本音だ。どこまで本音を言わずに応対できるかを試されているのかと思えてくる。ならば、ひたすら自分の判断の正当性を主張するだけのことだ。

「原判決が誤りであると見做《みな》す、君の論拠は？」

質問がようやく、建設的な方向に向かってくれた。谷沢は張り切って答えた。

「物証を重視しすぎた点が、原判決を誤りに導いた主要因と考えます。被害者、目撃者の証言と、被疑者の自白は一致していました。単に被疑者が自白を翻したからといって、被害者の証言に曖昧性を見いだすのは偏向した判断だと言わざるを得ません。被害者はむしろ、正確に被害状況を語っていると私は考えます」

「物証なし、自白なしで、控訴審を維持できるかね？」

「できるできないではなく、やらなければならないのです」谷沢は意図的に、声を大きくした。「ご存じのように、痴漢は非常に常習性の高い犯罪です。被疑者は無罪を勝ち取ったことで、また痴漢を繰り返すものと予想されます。つまり、新たな被害者が生まれてしまうのです。なんとしても我々検察官が、そんな事態は未然に防がなければなりません」

論理的でないという自覚はある。しかし、ときに感情で訴えなければ相手に言葉が届かないこともあるのを谷沢は経験から学んでいた。果たして、高検検事たちは谷沢の迫力に押されたかのように書類に視線を落とした。続けていくつか些末《さまつ》な質問は向けられたものの、そのトーンはもはや批判的ではなかった。

そして、評決となった。まず一番に答えた人は「消極」だったので谷沢は思わず表情を険しくしたが、続く四人は「積極」と発言した。これで、控訴することが確定した。さすがに谷沢も安堵《あんど》の息を吐き、「ありがとうございました」と一同に向かって低頭した。

だが、ここからが地獄の日々の始まりとも言えた。控訴に当たって、その理由を示す「控訴趣意書」を書かなければならないからだ。控訴趣意書では、原判決の誤りをつぶさに指摘する必要がある。原審の証拠を引用し詳細な検討を加えていくと、その分量はB5判の紙に最低百ページ、多ければ三百から五百ページにも及ぶのだ。ただでさえ日常の激務に追われている検察官にとって、この臨時仕事は重荷以外の何物でもない。休日返上はもちろんのこと、平日も深夜までかけて取り組まなければ間に合わない仕事量だった。

与えられた時間は、およそ三ヵ月。決して長くはないが、しかしやり抜かなければならない。谷沢の闘志は、まだ萎《な》えていなかった。正義のために己が身を粉にするのは、どんな娯楽にも代えがたい快感だった。

5

「……よって、被告人に懲役八年を求刑します」

谷沢が論告求刑を締め括《くく》った瞬間、静かであるべき法廷がざわめいた。ざわめきの意味には、想像がつく。被告人は飲酒運転による死亡事故で逮捕、起訴された。事故を起こした後に被害者の救命手段をなんら取ろうとせず、現場から逃走。時間が経《た》ってから己のしでかしたことが怖くなり、自ら警察に出頭したものの、その時点でも高濃度のアルコールが呼気から検出された。被害者である二十八歳のサラリーマン男性は死亡。車に撥《は》ねられた時点で頭部を強打しているため、仮に直ちに病院に搬送されても命が助かる可能性はほぼゼロだったという。事故原因は被告人の信号無視だった。

自動車事故は近年、業務上過失致死傷罪ではなく、自動車運転過失致死傷罪か危険運転致死傷罪を適用することになっている。前者ならば法定刑が七年以下の懲役もしくは禁錮《きんこ》または百万円以下の罰金となり、被害者がひとりだった場合はおおむね懲役二、三年に執行猶予《ゆうよ》がつくのが相場だ。飲酒運転であっても、危険運転とは見做されずに自動車運転過失致死傷罪で裁かれることが多い。つまり、最も重くても懲役七年が最長ということになるのだった。

しかし谷沢は、危険運転致死傷罪で懲役八年を求刑した。被告は飲酒運転の常習者で、これまで人身事故を起こしていなかったのは単に運がよかっただけだからだ。厳罰化を望む世論に迎合したわけではないが、このような人物の運転を危険運転と言わずして、どんな運転を危険と見るのか。次席検事は危険運転致死傷罪で起訴することに難色を示したものの、谷沢は強い意志で押し切った。この求刑こそが、罪に対する正当な罰だと確信していた。

法廷内のざわめきは、つまり相場に比べてあまりにも重い求刑に驚いているのだった。裁判官が「静粛に」と注意して、ようやく静かになる。続けて裁判官は、何事もなかったかのように次回の公判の日程を決めた。裁判官が提案した日を手帳で確認し、その日でかまわないと谷沢は返事をする。弁護士も同意したので公判日が決まり、閉廷となった。

たちまち、傍聴席で囁《ささや》き声が飛び交った。書類をまとめている谷沢はそれらに聞き耳を立てるつもりはなかったが、いくつかの会話はどうしても聞こえてくる。中でも注意を惹《ひ》かれたのは、谷沢の求刑に肯定的な意見だった。

「厳罰化はいいことだよ」

世間の声に一喜一憂するのは愚かしいとわかってはいたが、それでもやはり自分の仕事ぶりを評価されるのは気分がいい。八十点だ。声の主の方には顔を向けず、心の中で採点した。

書類を手にして、法廷を後にしようとしたときだった。傍聴席に坐っていた女性が、思い詰めた表情で近づいてきた。

「すみません、検事さん。あたしは小金井《こがねい》慎二《しんじ》の母です」

小金井慎二は被告人の名だ。この女性は傍聴席でただひとり、被告人の言葉に頷いていた人だった。その様子からして、母親だろうと見当はついていた。続く言葉も、谷沢には予想できた。

「このたびは慎二がとんでもないことをしでかしまして、本当に申し訳ありません。本人も深く反省していると思います。ですが、こういう事故の場合は懲役二年くらいで済むものだと聞いてました。いくらなんでも、八年は重すぎるんじゃないでしょうか。そんな残酷なことは言わないで、もう一度考え直してもらえませんか」

この母親が取り乱していることはよくわかる。被害者の遺族も来ているというのに、「二年くらいで済む」などと大声で言ってしまうのはやはり我を失っているからだろう。しかし、そんな訴えに耳を貸すわけにはいかない。求刑に情を絡《から》めたりはしないが、もし情で判断するなら、谷沢は常に被害者の側に立つ。

「ちょっと」

被告人を法廷外に連れ出していた警備員に声をかけ、注意を惹く。警備員は慌てて戻ってきて、谷沢から母親を引き剥《は》がした。それきり谷沢は、母親に一瞥もくれずに法廷を出た。

常日頃から思っていることだが、このように傍聴人がたやすく検察官に声をかけることができる状態は、あまりにセキュリティーレベルが低い。いつか万が一のことが起きるのではないかと、懸念《けねん》されてならない。法廷の建築構造上の問題だから、一朝一夕で解決できることではないが、改善に向けてなんらかの努力をすべき事項だった。やらなければならないことは、まさに山積している。

セキュリティーという言葉で、ふと思い出した。怪文書はあれ以来届かないが、送り手の気は晴れたのだろうか。正義の遂行者である検察官に逆恨みを抱く者は、決して少なくない。それを思えば、やはり山名が言うとおりもう少し身の回りを警戒すべきかもしれなかった。

地検庁舎の執務室に戻ると、樋口が妙な顔をしていた。以前にもこんな表情を見たことがある。またか、と内心で思った。

「見せてくれ」

樋口が言葉に出す前に、谷沢から求めた。谷沢の察しがいいのは今に始まったことではないので、樋口も特に驚かない。言われるままに、封書を差し出してきた。

受け取り、表裏を確認した。同じ封筒、定規を使って書いたらしき、角張った字体の宛名《あてな》。前回の怪文書の差出人と同一人物のようだった。

すでに封は樋口が切ってある。中に入っている一枚だけの紙片を取り出し、開いた。

《おれの人生は、お前にずたずたにされた。冤罪は人の一生を台なしにする。仕事を失い、妻子に逃げられ、今は自宅から一歩も出ずに、ただ空《むな》しく生きているだけだ。全部、お前のせいだ。おれは絶対にお前を許さない》

文面だけは、以前と違っていた。こいつの目的は何かと、改めて考えてみる。逆恨みをしているのは間違いない。そしてその思いをこうしてこちらに向けることで、憂さ晴らしをしているのかもしれない。だが、この先はどうだ。怪文書を送る程度しかできない小心者なのか。あるいはこれは、続く行動の予告なのか。

「県警の山名さんに知らせるべきだと思います」

谷沢が読み終わる頃合いを見計らっていたように、樋口が声を発した。谷沢は紙面から顔を上げて、樋口を見る。いつも機械のような正確さで仕事をしている樋口が、珍しく不安を顔に浮かべていた。

「ただの脅しで済んでいるうちはいいですが、これがエスカレートしないという保証はありません。正義を守る職務のためにも、ご自分の身の安全をもう少し考えてみてください」

樋口の口調は真摯《しんし》だった。先日の山名といい、他人がこうまで谷沢の身を気にかけてくれることに驚く。自分が人に好かれる性格でないという自覚が、谷沢にはあった。周囲と仲良くすることで社会秩序が保たれるなら、人間関係にも配慮しよう。だが谷沢には、そんなことにまで気を使う余裕はなかった。正義を守るためなら、他人に嫌われようとかまわない。人からどう思われるかは、まったくの些事《さじ》に過ぎないと考えてきた。

樋口との関係も、事務上のものに過ぎなかった。樋口がいなくなれば悲しいが、それは単に自分の仕事に滞りが出るからである。樋口に高得点をつけているのはその能力に対してであり、人間性は採点項目に入っていなかった。まったく同じ仕事ができるなら、人間ではなくロボットでもかまわなかったのだ。

それなのに樋口は、谷沢を心配してくれる。おざなりでなく、本心からの言葉であることが伝わってくる。樋口の気持ちを無にするわけにはいかないと思った。

「わかった。山名さんに連絡する」

よけいな仕事を増やすのは望ましくない。山名に負担をかけるのも心苦しい。しかし今は、電話の受話器を手にすることに躊躇《ちゅうちょ》しなかった。山名と話し始める谷沢を見て、樋口はようやく安堵の表情を浮かべた。谷沢は初めて、怪文書の送り主に怒りを覚えた。

6

自宅に帰り着いたのは、深夜一時過ぎのことだった。いくら激務の検察官とはいえ、深夜一時の帰宅はやはり遅い。しかし当分は、こんな時刻になってしまうのは避けがたいだろう。控訴趣意書は、一度出た判決を覆《くつがえ》すためのものである。あらゆる証拠を取り揃えて綿密に検証した上で、万全の論理を組み立てなければならない。そんな書類を作成するのは、さすがにそう簡単ではなかった。零時過ぎまで起草に時間を割いても、作業は遅々として進まない。やはり三ヵ月近くかかってしまうだろうと覚悟を決めた。

駐車場に車を停め、玄関前に立ったときだった。鍵《かぎ》を取り出そうとしていると、不意に後ろから声をかけられた。背後に誰かがいるとは予期していなかったので、不覚にも驚いてしまう。慌てて振り返り、そこにひとりの男がいるのを目にした。

見憶《みおぼ》えのない顔だった。とっさに、怪文書の送り手ではないかと考えた。だがその表情に、敵意は見られない。谷沢は襲撃に備えて身構えつつ、誰何《すいか》した。

「どなたですか」

「突然に失礼しました。わたくし、小金井慎二の兄です」

それを聞いて、思わず眉を顰《ひそ》めてしまった。母親だけでなく、兄も求刑が重すぎると文句を言いに来たのか。しかし、なぜ谷沢の自宅がわかったのか。

「なんですか、こんな夜分に」

不快感をはっきりと込めて、問い返した。深夜一時まで、いつ帰るかわからない者を待ち伏せているとは尋常でない。親族が交通事故を起こして動転しているのだとしても、非常識極まりなかった。

「失礼とは思いましたが、検察庁を訪ねていってもお会いできないと思ったので」

男は一歩近づいてきて、頭を下げた。その物腰は丁寧だが、目にはこちらの様子を窺《うかが》うような隙のない光がある。常夜灯の明かりの中に男が入ってきたことで、おおよその年格好に見当がついた。四十前後か。押しが強そうな四角い顔は、交渉事に慣れていそうな雰囲気を漂わせていた。

男の勝手な言い分に、谷沢は沈黙で応えた。検察庁まで訪ねてきても会えないなら、自宅でだって会うわけにはいかないのだ。無理を平気で押し通そうとする男の振る舞いに腹が立った。

「このたびは弟がとんだことをしでかしまして、大変ご迷惑をおかけしました。まずは、そのことを幾重にもお詫《わ》びいたします」

男はまた頭を下げる。少なくとも、腰だけは低い。しかしそれは、こんな場面ではそうすることが得策だと知っているからこその態度に思えた。谷沢は別の意味で警戒心を覚えた。

「今日はわたくし、どうしても外せない用がありまして、傍聴には行けませんでした。ですので母に話を聞いたのですが、なんでもかなり重い求刑であったとか」

「それだけ重い罪を犯したということですよ」

話の向かう先は明らかだったので、最初に釘《くぎ》を刺した。この男も、母親と同じことを訴えようとしているのだ。そんな訴えは無駄だと、はっきりわからせなければならない。

「よくわかっております」しかし男は、慇懃《いんぎん》な姿勢を崩さなかった。「恥ずかしながら、弟はあのとおりの大変な愚か者ですから、先生の判断に異を唱えるつもりは毛頭ございません。先生の判断に間違いがあろうはずもありませんので、それが弟には当然の罰なのだろうと思います」

あくまで男は下手《したて》に出てくる。求刑の軽減を願い出るために待ち伏せていたのではないのか。男の真意が掴めなくなった。

「では、なんなのですか」

苛立って、問い返した。仕事から解放され、疲れきって帰ってきたのである。そこを待ち伏せされて、また仕事に関する話を持ち出されれば、悪い印象しか持ち得ない。男が何を言わんとしているのか知らないが、決してうまいやり方とは言えなかった。

「求刑どおりでなくても、弟には重い刑が言い渡されるものと思います」

それでも男は、わかりきったことをくどくどと言い募るだけだった。警察を呼ぼうか。埒《らち》が明かない話の流れに、谷沢は最後の手段も考え始めた。

「私は疲れているのです。さっさと用件を言ってくれないのなら、これ以上話を聞くわけにはいきませんが」

「判決が求刑より軽くても、控訴しないでください」

男の声から、いきなり謙虚さが消えた。自分の意見をごり押しすることに慣れた物言い。男の言いたいことは、これだったのか。

「何を言ってるんですか」

谷沢も検察官になってからそれなりの経験を積んできたが、被告の親族からこんなことを頼まれたのは初めてだった。どうやら、有罪判決は免れられないと諦《あきら》めているようだ。谷沢の性格も、もしかしたら評判でも聞いて承知しているのかもしれない。その上で男は、現実的な最善の道を探しているのだ。たとえ有罪判決が出ても、執行猶予さえつけば勝ちとでも考えているのではないか。したたかな男だ。

「控訴するかどうかは、検察が決めることです。被告の親族の意見には、耳を貸せません」

正論で、男の依頼を退《しりぞ》けた。当たり前のことだ。検討にも値しないことを、男は頼んでいるのだった。

「でもそれは、先生の気持ちひとつなんでしょう。だからこうしてお願いに上がったのですよ」

男はしつこく食い下がる。交渉事に慣れていそうだという第一印象は、間違っていなかったようだ。それでも谷沢の返事はひとつしかなかった。

「お引き取りください。どのような希望も、検察は聞くわけにはいきません」

「もちろん、便宜を図っていただくにはこちらもそれ相応のお礼を準備しております。こういうことに相場があるのかどうか、不勉強で知らないのですが、今日はひとまずこれくらいを包んできましたので……」

男はそんなことを言って、懐《ふところ》から封筒を取り出した。中身が紙切れ一枚や二枚でないことを物語るように、厚く膨らんでいる。それを見た瞬間、谷沢は頭に血を上らせた。

「何を言ってるんだ、あなたは！　それはいったいなんですか！　金ですか！　検察官を買収できるなどと考えたら、大きな間違いだ。わかってますか？　それは犯罪ですよ。

その封筒の中身が金なら、私はあなたを起訴しなければならない。中身はなんですか。金ですか」

谷沢の剣幕に驚いたらしく、男は慌てて封筒をしまった。そして道化《どうけ》た仕種《しぐさ》で、顔の前で手を振る。

「いえいえ、めっそうもない。これは先生へのお願いを書きました、ただの手紙ですが、ご不快でしたら引っ込めます。どうぞお忘れください」

男の説明が嘘《うそ》なのは見え透いているが、追及するのも今は面倒だった。ともかく、早く帰って欲しいという気持ちでいっぱいだった。もともと体の奥に居座っていた疲労感が、倍にもなったように感じた。

「お引き取りください。もう二度と、直接訪ねてくるような真似《まね》はしないでください。もし次に来たら、法的措置を取ります」

「いやぁ、怒らせてしまいましたかな。私の不徳の致すところです。ですがこれも弟を思う肉親の情故《ゆえ》の愚かさと、どうぞお許しください。なにとぞ、なにとぞ弟をよろしくお願いします」

男は何度も頭を下げ、ようやく立ち去ろうとした。だがそれを、谷沢は呼び止めた。

「待ってください。ひとつ、訊きたいことがある」

「は？　なんでしょうか」

男は怪訝《けげん》そうな顔で振り返った。谷沢はその顔を睨《にら》みつけて問うた。

「私の自宅の住所を、どうやって知ったのですか」

是が非でも確かめなければならないことだった。それを知らずには、枕《まくら》を高くして寝られない心境になっている。

「あー、ここの住所ですか」男はとぼけた口調で答えると、何を思ったかにやりと笑った。「魚心あれば水心と言いまして、どんな世界にもそれなりに裏の道というものがあるのですよ。少しお金を積めば、調べられないことなんて世の中にはないんです」

「私の周辺の人間を買収したのか」

半ば驚きつつ、同時に半ば男の言葉を疑いながら、尋ね返した。男はわざとらしい表情で首を振る。

「とんでもない。そんな大それたことを考えたりはしません」つい最前、谷沢を買収しようとしたことなど忘れ果てたように、男は白々しいことを言った。「名簿屋とかそういった類《たぐい》の、情報を売り買いすることを生業《なりわい》にしている人物がいるんですよ。そういう人にかかれば、検事先生のご自宅だって掌《たなごころ》を指すようにわかるというわけです。では、お騒がせしました」

最後に大袈裟《おおげさ》なくらい低く頭を下げ、男は去っていった。谷沢はどこか馬鹿にされたように感じ、家の中に入ると荒々しくドアを閉めた。

7

風呂《ふろ》に入る活力すら残っていなかったが、そのままベッドに倒れ込みたいのをこらえ、メールをチェックした。すると予想どおり、妻の香織からメールが届いていた。わずかに最前の不快感が和らぐのを感じつつ、メールを開く。ベルギーでの取引はうまくいきそうな気配で、来週には帰国できるだろうとのことだった。

メールを読み、谷沢はひとつの決意をした。香織が帰ってくるまでに、厄介事は片づけておかなければならない。小金井慎二の兄が言うように、調べれば簡単に自宅住所がわかってしまうなら、例の匿名《とくめい》の脅迫状がただの嫌がらせでは済まなくなるかもしれないという不安があった。自分だけのことであれば、まだ許容できる。しかし香織の身にまで危害が及ぶようなことがあれば、谷沢は相手を絶対に許さないだろう。検察官としての誇りも忘れ、自分の手で制裁を加えることすら辞さないかもしれない。そんな事態を避け、香織が静かにこの家で暮らせるよう、身辺を綺麗《きれい》に掃除しておきたかった。

翌日、登庁すると三通目の匿名文書が届いていた。もの言いたげな樋口を視界の端に捉《とら》えつつ、文書に目を通す。今度はこんな文面だった。

《お前に受けた屈辱を、おれは絶対に忘れない。おれはお前のせいで、他人から変態でも見るような目で見られるようになってしまった。そのためにおれは、長年住んだ土地を離れなければならなかった。おれの人生の転落は、あのときから始まったんだ。全部、お前のせいだ。おれは絶対にお前を許さない》

読み終えて、頭の中でカチリとパーツが嵌《はま》る音がした。これで、文書の送り主を特定できるかもしれない。ファイルに綴《と》じ込んであった過去二通の文書のコピーを取り出し、机の上に並べた。

念のために、封筒自体のコピーも取ってあった。切手の消印を確認すると、すべて同一である。もしかしたら差出人は、投函《とうかん》する場所をその都度変えるという知恵もない人物なのかもしれない。ただ、同じ場所から封書を出していること自体が攪乱《かくらん》かもしれないので、断定はしないでおく。

一通目の文書を読んだときに、気になっていた点があった。「銀縁眼鏡の奥から」という一文だ。谷沢が今使っている銀縁眼鏡は昨年の八月に作った物で、それまでは黒縁の眼鏡だったのだ。つまり差出人は、昨年八月以降の公判で有罪をもらった人物ということになる。まず、これがひとつ目の絞り込みの材料だ。

次に着目すべきは、二通目の文書だ。「今は自宅から一歩も出ずに」と書いている。最も遡《さかのぼ》っても昨年の八月に判決が出たのなら、すでに刑期を終えて家にいるというより、執行猶予がついたと考えた方が妥当だろう。これも、絞り込みの材料になる。

二通目は書くときに感情が高ぶっていたのか、材料が多かった。「仕事を失い」自宅にいるということは、現在は無職かアルバイトをしているのだろう。「妻子に逃げられ」たのなら、少なくとも公判の時点では妻子がいたわけだ。妻子に逃げられたのに自宅から一歩も出ずに生活していられるのだから、親と同居している可能性が高い。身許《みもと》特定のための材料が次々と拾える。

谷沢に手応えを与えたのは、なんと言っても最新の三通目だ。「他人から変態でも見るような目で見られるようになってしまった」のは、罪状が痴漢や強姦《ごうかん》、買春などの性犯罪であったと推測される。これは印象論だが、文面からもそうした卑怯《ひきょう》な犯罪に手を染めた人物の気配が漂っているように感じられた。

そして現在は、「長年住んだ土地を離れ」ている。ここまで材料が揃えば、差出人候補は数人に絞れるのではないかと考えた。執務机の上に置いてあるパソコンのキーボードに手を置き、自作のデータベースに条件を打ち込む。何度か絞り込みを繰り返した結果、該当する人物はひとりだけになった。

谷沢はその男のことをよく憶えていた。日々の憂さを、罪もない女子中学生や高校生の体を触ることで晴らしていた卑怯者。先日無罪判決が出た被告とは違い、痴漢として突き出された直後の検査で、掌《てのひら》からはしっかりと被害者の衣服の繊維が検出されていた。あれほど明確な証拠が出ていながら、「冤罪だった」と言い張る神経は、まさに盗《ぬす》っ人《と》猛々《たけだけ》しい。執行猶予がついた判決にすら、谷沢は不満だった。

被告が控訴しなかったことは聞いていた。つまり、己の罪を認めたということではないか。その一方でこうして怪文書を送り、谷沢の生活を脅《おびや》かしている。逆恨みするような人物には潔さなどかけらもないだろうと思ってはいたが、正体がわかってみればまさにそんな人物像どおりの男だった。

男は現在、三十七歳になっている。この年で職と妻子をいっぺんに失うのは、さぞかし辛《つら》い経験だっただろう。執行猶予がついたことは残念だったが、社会的制裁は充分に受けたことになる。多少は溜飲《りゅういん》が下がった。

しかし、だからといって容赦するつもりはなかった。谷沢は電話の受話器を取り上げ、山名にかけた。留守番電話だったので、話がしたいとメッセージを残しておく。十分後に、向こうからかかってきた。挨拶《あいさつ》もそこそこに、谷沢は切り出す。

「忙しいところ、申し訳ありません。先日から私に届いている、怪文書のことなのです」

互いに多忙なので、よけいな前置きはしなかった。山名は「ああ、はい」と言うだけで、話の続きを待つ。こういうところも、山名とは相性がいいと感じる理由のひとつだった。谷沢は順を追って、自分の推理を話した。

「……というわけなので、この男が判決が出た後に引っ越していれば、まず間違いないと思うのです。手間をかけてしまい本当に心苦しいのですが、調べてみていただけますか」

「それはもちろん」山名は力強く請け合った。「調べるだけじゃなく、しょっ引いてやりますよ。執行猶予中にそんなことをすれば、今度こそムショに叩き込んでやれる。それでいいですよね」

「はい、ぜひそうしてください」

谷沢は淡々と答えたので、内心で激しい怒りを抱えているとは誰にもわからないだろう。香織との生活を脅かす者は、誰であろうと許すわけにはいかない。相応の報いを与え、己の愚かさを後悔させてやらなければならなかった。

「それにしても、さすが谷沢さんですね」

山名は不意に口調を変えて、そんなことを言った。いかにも感に堪えないといった調子で、言葉を続ける。

「有罪判決を逆恨みして検事に嫌がらせの文書を送るなんて、呆《あき》れた馬鹿野郎ですが、具体的なことは何ひとつ書いてないのに身許を割り出されるとは、夢にも思わなかったんでしょう。谷沢さんでなければできない芸当ですよ。いや、感服しました」

ふだんは無駄口を叩かない山名だが、よほど感銘を受けたようだ。谷沢はそれでもにこりともせず、「不愉快だったものでね」と冷静に答える。山名が谷沢の言葉の意味を理解した様子はなかった。

その日の午後には、男を任意同行で引っ張ったとの連絡が山名から入った。男は呆然《ぼうぜん》としていてまだ自白はしていないというが、谷沢は自分の推理が間違っていなかったと確信した。男の引っ越し先は、切手の消印の地域内だったからだ。やはり男は、ただの馬鹿者だったようだ。くだらない。谷沢は吐き捨て、一瞬後には別の仕事に意識を向けていた。谷沢の前には、処理すべき仕事が山積しているのだった。

8

夕方に、怪文書の差出人を威力業務妨害罪の疑いで逮捕したと、山名が知らせてくれた。谷沢は当事者なのでこの件を扱うことはないが、同僚検事はまったく手心など加えずに厳しい態度で起訴するだろう。執行猶予中の犯罪であるだけに、今度こそ実刑は免れられない。谷沢の身辺から、憂《うれ》いがひとつ消えたことは確実だった。

これで後は、無罪判決の控訴審で逆転有罪さえ得られれば、すべての煩わしい事案が片づくことになる。控訴趣意書を書かなければならないので肩の荷が下りたとまでは言えないが、安心して妻の帰国を待てるようになったのが嬉《うれ》しかった。

その夜もまた、帰宅は午前一時を過ぎていた。昨夜のように誰かが待っていたらと恐れる気持ちがあったが、案ずるまでもなく人影はなかった。張り詰めていた警戒心を解き、玄関を解錠して中に入った。

照明を点《つ》けようと、壁のスイッチに手を伸ばしたときだった。暗闇《くらやみ》の中で何かが動く気配がしたかと思うと、次の瞬間には胸に冷たい感触が走った。自分の身に何が起きたのか、とっさにはわからない。ひとまず照明を点けようと、指を動かそうとした。

しかし、なぜか指は思うように動かなかった。いつもならば目を瞑《つぶ》っていても探り当てられるスイッチの位置が、今はどうしてもわからない。体からすっと力が抜けていき、気づくと三和土《たたき》に膝《ひざ》をついていた。

刺されたのだ。遅ればせながら、ようやく理解した。胸には鋭利な刃物が突き立っている。位置からして、心臓に達しているかもしれない。ならば、無理に抜いてしまうのは危険だ。恐怖よりも先に、そんな冷静な判断が頭をよぎった。

衣擦《きぬず》れの音がした。刃物を刺した者が、暗闇の中に潜んでいる。いったい誰なんだ。相手の顔を見ようと目を凝らしたが、いっこうに焦点が結ばなかった。

誰がこんなことを？　思い当たる相手を求めて、必死で頭を働かせた。頭を使うことには自信がある。少し考えただけで、たちどころにいくつかの可能性に思い至るはずだった。それなのにどうしたことか、脳から何か大事なものが逃げ出していくように、思考スピードが落ちていた。こんな経験は初めてだ。ついぞ覚えたことのない焦《あせ》りが、心中に生じる。どうしてだ。なぜ推理を組み立てられない？　おれは馬鹿になってしまったのか。谷沢自身が嫌悪《けんお》してやまない馬鹿に、成り果てようとしているのか。

胸に当てた手には、温かい液体の感触を覚えていた。血がどんどん流れ出していく。なぜだ。なぜ自分がこんな目に遭《あ》わなければならない。おれは社会平和を守るために、必要不可欠な人材なのだ。おれのように己を捨て、正義のために奉仕できる人物が社会には必要だ。おれはこんなところで死んでいい人間ではないはずだ。

額が、音を立てて床にぶつかった。まるで何かに祈りを捧《ささ》げるように、身を折り曲げて蹲《うずくま》っていた。谷沢の脳から、思考を紡ぐ力が奪われていく。もはや筋道だった考えを組み上げるのは難しい。自負も、矜持《きょうじ》も、谷沢を支え続けた悪への怒りも、もどかしいほどに手の中から逃げていく。そして最後に残ったのは、香織に対しての思慕だった。

香織、逃げろ。それが、谷沢が意識できた最後の言葉だった。

9

腹痛をこらえて身を屈《かが》めているようだ。谷沢の姿を見て、山名省吾《しょうご》はそう思った。いつもりゅうとした佇《たたず》まいを崩さず、狼狽《ろうばい》や動揺など生まれてこの方一度も経験したことがないような谷沢を、山名は悲しく思い出す。あの谷沢が、こともあろうにこんな不様な死に様を曝《さら》すとは、たとえ一瞬でも想像したことはなかった。

谷沢の死亡は、すでに確認済みだ。しかしそれでも、こうして実際に自分の目で見ていてすら、山名は信じられずにいた。谷沢とはつい十数時間前に、電話で話をしたばかりなのだ。谷沢はいつもどおり口調に感情を滲《にじ》ませなかったが、それでも怪文書の差出人を逮捕できたことを喜んでいたはずだ。誰だってあんな脅迫めいた手紙を受け取れば、不安になる。まして谷沢は、有名な愛妻家だ。家族にまで害が及ぶことを考えたら、とても平静ではいられなかっただろう。その不安は、解消されたはずだったではないか。それなのに谷沢は、今こうして物言わぬ姿になっている。人の生き死には紙一重の運の差で決まると仕事柄知っている山名でも、理不尽な運命と思わざるを得なかった。

鑑識課の者たちが、遺体周辺を検分している。だから山名は近寄れず、遠目から見ることしかできない。谷沢は微動だにせず、何者かに祈りを捧げている。死の瞬間、谷沢は何を祈ったのだろうかと山名は想像してみた。

「庭に出る窓が、ガラス切りで破られてる。こりゃあ、物取りの犯行かな」

顔馴染《かおなじ》みの機動捜査隊員が、半ばひとりごちるように声をかけてきた。山名は自失から立ち直り、そちらに顔を向ける。四十絡《がら》みの機動捜査隊員は、山名が谷沢と懇意と知ってか、痛ましげに顔を歪《ゆが》めた。

「空き巣に入られてるところに、マルヒは運悪く戻ってきちまったみたいだな。で、出会い頭に刺されてしまった。空き巣の奴《やつ》も、何も命まで取らなくてもいいのにな。そのまま逃げ出せば、それで済んだことなのに」

機動捜査隊員が言うとおり、犯行現場となった谷沢の自宅は、物取りの犯行を思わせて荒れていた。クローゼットや小物入れはひっくり返され、中身が飛び出している。家族が不在のようなので確認できないが、金品が発見されないところを見ると、犯人が持ち去ったのだろう。最近はこの手の、粗暴な窃盗犯が増えた。時代の流れなのだろうが、そんな簡単な言葉で片づける気にはどうしてもなれなかった。

現在は初動捜査なので、所轄署と機動捜査隊が現場検証を行っている。県警捜査一課の刑事である山名は、本来ならば出番ではない。しかし被害者が知人だった縁で、今は現場に臨場している。せいぜい邪魔にならないよう、部屋の隅に立っているだけだった。懇意にしていたとはいえ、谷沢と個人的付き合いがあったわけではない。だから、自宅を訪れたこともなかった。見渡したところ、何者かの手によって荒らされてはいるものの、元はこざっぱりと片づいていたようだ。家具調度がいちいち品がよく、隙のない谷沢の私生活に似つかわしい。やはり谷沢は自宅でも、乱れたりせず己を律して生きていたのだろうか。

谷沢に子供がいないことは知っていた。妻が会社を興《おこ》して、忙しくあちこち飛び回っているという話も聞いている。おそらく今日も、妻は外出していて奇禍を免れたのだろう。被害者が谷沢ひとりだけだったのは、不幸中の幸いなのかもしれない。

「遺族の連絡先、まだわからんのか」

所轄署の刑事課長が、苛立たしげに部下たちに向かって言った。遺族がいなければ、何が盗まれたかの確認すらできない。時刻は今、午前十時を回っている。登庁時刻を過ぎても谷沢が現れないのを不審に思った事務官の樋口が、異変を予感して自宅を訪れ、変わり果てた姿を発見したのだった。そのときにも、谷沢の妻は不在だった。どうやら昨晩から帰ってきていないらしい。山名は谷沢の妻の仕事を知っているから不思議に思わないが、刑事課長は妻の犯行を疑っていてもおかしくない。ひょっとすると、県警捜査一課には渡さずに自分たちで解決してみせるという意固地な考えでも持っているのかもしれなかった。

「なあ、山名さん。あんた、マルヒと親しかったんだろ。奥さんの行き先、聞いてないか？」

刑事課長はこちらにまで目を向け、問いかけてきた。谷沢は嫌われがちな性格なので、警察官でも敬遠している者が多い。そんな中、山名は普通に接しているだけに過ぎなかったが、傍目には親しくしていると映っていたようだ。しかし山名は、妻の顔すら知らない。その行き先など、聞いているわけがなかった。

「知らないですね。でも、貿易関係の仕事をしているらしいですから、外国にでも行っているのかもしれませんよ」

「外国？　それだ！」

何か思い当たることがあったらしく、刑事課長は慌てて二階に駆け上がっていった。そしてすぐに、「誰か英語できないのか！」と怒鳴る声が響いてくる。外国のアドレスかホテル名が、どこかに書き残されていたのか。英語ができたら所轄にいないよなと冷ややかに山名が考えていたところ、案の定誰も名乗り出なかった。

鑑識の検分が終わり、遺体が運び出されようとしていた。蹲った姿勢で死後硬直してしまったので、谷沢はそのまま担架に乗せられる。それが死体だとわかっていなければ、滑稽《こっけい》な眺めだ。いついかなるときも隙を見せなかった谷沢には、とうてい似つかわしくない退場の仕方だった。山名には憐《あわ》れに感じられてならなかった。

谷沢の死に顔をひと目見たくて押しかけてきただけなので、遺体が運び出されてしまえばもう用はなかった。山名は背を丸め、凄惨《せいさん》な犯行現場となってしまった谷沢の自宅を後にした。

その日のうちに、捜査本部が設置された。強盗殺人と判断されたのだ。あいにく、受け持ちは山名の班ではなかった。谷沢の敵《かたき》を取ってやれないのは残念だが、個人的情が絡む事件を担当せずに済んで胸を撫《な》で下ろしている自分もいる。弔い合戦に熱く燃えるほど、谷沢に友情を感じていたわけではない。事件を担当してしまえば、そんな薄情な己に否応《いやおう》なく直面しなくてはならなかった。今はただ、静かに谷沢の冥福《めいふく》を祈っていたかった。

翌日、ベルギーに行っていたという妻の香織が帰国した。出入国に不自然なところはないので、アリバイが成立したことになる。所轄の刑事課長の憶測は、早くも外れたわけだ。谷沢香織の無実が証明されたことを、山名は喜んだ。

谷沢香織に会うつもりなどなかったが、驚いたことに向こうから県警本部を訪ねてきた。山名にぜひとも会いたいと、本人が言っているのだという。なぜなのかその意図がわからないままに、山名は香織と応接室で面会した。空港に到着してから一度も帰宅していないらしい香織は、未亡人らしからぬ華やかな色合いの服を着ていた。

気配を感じて、俯《うつむ》いていた香織が顔を上げた。その瞬間、山名は意外な感に打たれた。事前にイメージしていた姿と、香織はあまりに違っていたからだ。

谷沢が妻を大事にしていることは、言葉の端々から窺えた。謙遜《けんそん》して妻を貶《おとし》めるのは人権意識の低い輩がすることだと、谷沢は常々公言していた。だから谷沢は妻を誉《ほ》めるのに遠慮も含羞《がんしゅう》もなく、堂々としていた。谷沢が妻を一個の人間として認め、高く評価している様子は、微笑《ほほえ》ましいのと同時にすがすがしくもあった。

そのため山名は、谷沢香織のことを完璧《かんぺき》な女性だと勝手に想像していた。頭が切れ、仕事ができ、いつまでも美しい容貌《ようぼう》を保ち続ける女性。それ以外の姿は、谷沢の話からは思い描けなかった。

しかし実際には、谷沢香織は美しいとは形容しかねた。不美人とまでは言えないが、せいぜい十人並みである。少なくとも、外見だけなら非凡なところはない女性だった。泣き腫《は》らしたのか、今は瞼《まぶた》が赤くむくんでいる。美人であればそんな姿も愁《うれ》いを含んだ風情《ふぜい》となるのだろうが、香織の場合は残酷にも単に器量を損なっているだけだった。見た目にも涼しげだった谷沢と並べば、いかにも不釣り合いの容貌だと思えた。

とはいえ、そんな意外な事実は胸が締めつけられるほどの感銘を山名に与えた。谷沢はこの女性の外見だけを見ていたのではない。内面をしっかりと評価し、誰よりも大切な人としていたのだ。死者の思いがけない一面を目の当たりにして、山名は言葉を失った。事件発生の報を聞いて以来初めて、谷沢がもうこの世にはいないことに激しいまでの欠落感を覚えた。

「谷沢です。主人が生前、大変お世話になったと聞いております」

谷沢香織は立ち上がると、気丈にも丁寧に頭を下げた。声は震えていない。そんな振る舞いだけで、この女性が強靭《きょうじん》な意志を持っていることが窺い知れた。なるほど、谷沢が愛した女性だけのことはあると、山名は深く納得した。

「山名です。このたびはとんでもないことになり、お悔やみの言葉もありません」

山名はといえば、そんな台詞《せりふ》をかろうじて捻《ひね》り出しただけだった。互いに頭を下げてから、ソファに腰を下ろす。谷沢香織は、山名によけいな気は使わせなかった。

「ご存じのように、主人は人に誤解されやすい性格なので、友人と言える友人がいませんでした。他人とうまく付き合うという発想が、そもそも欠けている人だったのです。ですから仕事の話はしてくれましたが、検察庁の人の名前はぜんぜん聞きませんでした。かろうじて主人がたまに口にするのは、事務官の樋口さんと、それから山名さんだけでした」

「そう……でしたか」

谷沢が自宅で妻に向かって自分の名前を出していたとは、意外だった。谷沢は常に、人間を有能か無能かという観点で区別しているような節があった。ということは、山名は一応有能と評価されていたのだろう。喜びたいところではあるが、それが死者の話かと思うと笑顔も凍りつく。泣き笑いとは、こんなときに浮かべる表情なのだと思った。

「いつだったか、主人が風邪を押して出勤しているとき、山名さんはこんなことを言ってくださったそうですね。奥さん、つまり私が気づかないうちに妊娠していたら、風邪をうつすと大変だと。だから無理はしないで、こじらせないうちに治した方がいいと。主人にとっては考えもしなかったことらしく、すごく感心してました。山名さんは思いもかけないところにまで気が回る人だと、誉めていたんです」

「ああ」

そういえばそんなこともあった。谷沢は他人に厳しい一方、自分にも厳しい。風邪くらいでは休めないと、熱で顔を赤らめながらも執務机に齧《かじ》りついていた。ちょうどそこに訪ねていったので、思いつきで忠告したのだった。言われてみれば、谷沢には珍しくぽかんとした顔をしていたような気がする。常に機械のように正確で完璧だった谷沢の、数少ない人間的なエピソードなのかもしれなかった。

「すみません、私だけ喋っちゃって」香織は俯き、わずかに間をおいた。「私、主人がこのまま忘れられちゃうのがいやなんです。いなくなってせいせいしたとか、そんなふうに悪く言われるのがいやなんです。もちろん、主人は性格に欠点の多い人だと私もわかっています。嫌われるにはそれ相応の理由があると、近くにいるからよけいに理解できました。でも、主人は私にとっては最高の夫でした。あんな人は他にいないんです。だから、主人がいたことを忘れて欲しくなくて、それで、主人と普通にお付き合いいただいたお礼を言うためにお邪魔したんです……」

さすがの香織も、ついに口許《くちもと》にハンカチを当てた。山名は未亡人になったばかりの人を慰める言葉ひとつ見つけられず、ただ「忘れませんよ」とだけ短く言った。実際、もうこれで谷沢のことは忘れられないだろうと思った。

人ひとり殺すとは、つまりはこういうことなのだ。一生閉じることのない大きな穴を、遺族や周囲の人間の心に穿《うが》つ。捜査本部が犯人逮捕に漕《こ》ぎ着けた暁には、殺人犯にこの香織の姿を見せてやりたかった。

お忙しいところ、私事で失礼しました。そんな詫びを最後に残して、香織は去っていった。おそらく香織は、持ち前の気丈さで夫の死を乗り越えていくだろう。その点に関しては、山名はあまり心配していなかった。しかし心に空いた穴は、香織がこれから浮かべるであろう笑顔に、わずかな翳《かげ》りを与え続けるに違いない。屈託なく笑う香織を一度見てみたかったと、山名は残念に感じた。

つい先日も、所轄署の刑事が事故で亡《な》くなったという話を聞いた。人の生き死には、紙一重の運に左右される。無常、という言葉が山名の胸にふいと浮かんだ——。

PAST 2　2002-2003

7

本物の取調室の様子は、江木雅史が抱いていたイメージとは微妙に違った。刑事ドラマなどで見る取調室には、机の上に電気スタンドや灰皿が置いてあった。刑事が被疑者の髪の毛を掴《つか》み、電気スタンドの明かりを顔に浴びせて自白を迫るようなシーンを見た憶《おぼ》えがある。しかし実際には、机の上には何もなかった。ボールペン一本、紙一枚すら置いてない。逮捕されたわけではなく、ただの任意の取り調べだから何も置いていないのだろうかと考えた。

「さて」

大柄な刑事が雅史の肩を押し、奥の椅子《いす》に坐《すわ》らせた。椅子の向こうには格子《こうし》つきの窓がある。その窓を背にする格好で雅史が椅子に坐り、窓と雅史の間に松井刑事が立った。大柄な刑事は、机を挟んで正面に腰かけた。どうやらここでの質問係は、この刑事らしい。

「ここまで連れてくれば、こっちのものだ。もうお前は、自白しなけりゃここから二度と出られないから、覚悟しろよ」

大柄な刑事は、舌なめずりでもしそうな笑顔でそんなことを言った。それはあまりに予想外の言葉だったので、雅史は愕然《がくぜん》とする。思わず、背後の松井を振り返った。

だが、松井の表情を見て雅史はさらに驚愕した。この部屋に入るまで、松井はどちらかといえば丁寧な態度をとり続けていた。礼儀をわきまえ、表情には人間味が見て取れた。しかし今の松井は、まるで能面をつけているようだった。皮膚の下に表情筋があるとは思えない、冷ややかな面貌《めんぼう》。これがこの刑事の本当の顔なのだと、恐怖とともに雅史は悟った。

「ま、待ってください。自白しなければ二度と出られないなんて、そんなのおかしいじゃないですか。ぼくは逮捕されたわけじゃないんでしょ。任意の取り調べなんだから、好きなときに出ていく権利があるんじゃないんですか」

いくら訥弁《とつべん》の雅史でも、ここは主張をしなければならない局面だと瞬時に理解した。刑事の言っていることはおかしい。市民の味方であるはずの警察官が、まさかこんな前近代的なことを言うとは思いもしなかった。

「殺《や》ったのはお前だろうが。白を切ったって、もう警察は何もかもお見通しなんだよ。偉そうに、何が権利だ。いいか、ひとつ法則を教えてやるよ。悪い野郎ほど、やたらと権利を主張するんだ。おれは今、お前がホンボシだと確信したよ」

「そんな――」

理屈にもなんにもなっていない、無茶苦茶な決めつけだと思った。それなのに、反論の言葉がうまく出てこない。自分の思いを口にせずに生きてきた雅史には、こんな際に的確に反論する能力がなかった。失語症に陥ったように、口をぱくぱくと開閉するだけだった。

「頼むから、あんまりおれたちに面倒をかけさせないでくれよ。自分がやりました、とひと言言えばそれでみんな片づくんだ。なっ。お互い不愉快な思いをしないように、認めちまえよ」

大柄な刑事は、依然としてにやにや笑いを顔に浮かべながら、馴《な》れ馴れしく言う。雅史はかろうじて、最も言わなければならないことを喉《のど》の奥から絞り出した。

「ぼ、ぼくじゃありません。ぼくはやってません」

次の瞬間、雅史はびくりと体を震わせた。刑事が大きな掌《てのひら》で、机の天板を叩《たた》いたからだ。

「だから！　手間をかけさせるなっつーの。こっちが優しく言ってるうちに素直になった方が、身のためだぞ」

大柄な刑事は風貌《ふうぼう》からして威圧的だったが、実際にこうして声を荒らげられると、その迫力は有無を言わさぬものだった。暴力や犯罪とはいっさい縁のない生活を送ってきた雅史は、こんな粗暴な気配を真っ向からぶつけられたことがなかった。体が竦《すく》み上がるという状態を、初めて経験した。

「往生際《おうじょうぎわ》が悪いにもほどがある。いいか、ネタは挙がってるんだよ。お前は犯行があった夜、灰色のウィンドブレイカーを着て家を出たと言ったな。お前のその姿は、犯行現場のすぐそばで目撃されてるんだ」

「えっ」

刑事の言葉に、雅史は耳を疑った。自分が目撃されている？　そんなことはあり得ないのに、刑事は何を勘違いしているのだろうか。

「ぼ、ぼくじゃありません」

同じことを繰り返すしかなかった。事件現場と雅史が釣りをしていた場所は、まるで近くない。灰色のウィンドブレイカーを着ていた人が目撃されたとしても、それは雅史ではない。

「ふざけんな、おら！」

刑事は、今度は両手を天板についた。バン、という音とともに、机が押し出されて雅史の腹に当たる。思わず呻《うめ》きが漏れて、背を丸めた。たまたま机が当たってしまったのか、それともわざとなのか、どちらなのだろうかと考えた。

「自分じゃないと言い張ってれば通用すると思ったら、大間違いだからな。お前以外に動機のある奴《やつ》はいないんだよ。お前は彼女のことを馬鹿《ばか》にされて、殺してやりたいほど課長に腹が立った。そういう怒りは、頭が冷えて収まるどころか、時間が経《た》つほどにムカムカしてくるものなんだよ。だから気持ちを抑えられず、夜に家を飛び出して課長に謝れと迫った。でも向こうは頭を下げない。カッとなって、殴りつけたんだろ。そうしたら相手は倒れて死んじまった。どうだ。白を切ったって、こっちはもう全部わかってるんだよ」

大音量で喚《わめ》かれ、刑事の声が頭の中でがんがん響くようだった。違うと言いたいが、言えばまたさらなる勢いで怒鳴られると思うと言えない。無駄とわかっていても、藁《わら》にも縋《すが》る思いで背後の松井を見てしまった。

だが、松井の表情は先ほどと変わっていなかった。それどころか、顎《あご》をしゃくって大柄な刑事を指し示し、言った。

「あいつはこれでもまだ優しく言ってるんだぜ。怒らせない方が、あんたのためだよ」

なんと、これが優しいのか。大柄な刑事が本気で怒ったらどうなるのか、想像するのも恐ろしかった。

松井は雅史の斜め前に回り込んできて、机の上にいくつかの物を置いた。紙と、スタンプ台のような物である。松井はそれの蓋《ふた》を開けて、促した。

「あんたの指紋を取らせてもらうよ。全部の指にこの黒いのをつけて、ここに押すんだ」

スタンプ台の中には、黒いスポンジに見えるものが入っていた。雅史はためらい、松井の顔を見上げた。指紋を取られるなど、まるで犯罪者扱いである。できるなら拒否したかったが、そんなことが言える雰囲気ではなかった。やむを得ず、素直に指示どおりにした。

松井は十個の指紋を確認し、満足げに頷《うなず》いた。そしてそれを持って、取調室を出ていく。なんのための指紋なのかと、雅史は不安になった。

「警察の科学捜査力を舐《な》めるなよ」残った大柄な刑事が、楽しげにすら聞こえる口振りで言う。「証拠をずらりと並べてやるからな。早くゲロした方が、お前のためだぜ。素直だったら、いい被疑者だから穏便に取りはからってくれと検事さんに根回ししてやるからよ。突っ張れば突っ張るだけ、お前の損になるだけなんだよ」

雅史は答えず、ただ小さく首を振った。これは単なる間違いなのだからいずれ解放されるという望みが、まだ心の中に残っていた。

「どうなんだよ！」

数秒の沈黙の後に、ふたたび怒声が響いた。あまりに唐突だったので、鼓膜が痺《しび》れるほどだった。つい両手で耳を塞《ふさ》いだら、手首を刑事に摑まれた。まるで万力に締めつけられるような痛みが、脳天まで突き抜けた。

「なんだ、その態度は。おれの言うことなんか聞けねえって意味か。あン？　上等じゃねえか。お前がどんな反抗的態度をとったか、全部検事さんに報告するからな」

「す、すみません。そんなつもりじゃなかったんです。ただ、びっくりしたので……」

なんとか詫《わ》びの言葉を口にした。少しでも刑事の心証をよくしなければならないと、媚《こ》びる気持ちになっていた。

「すみませんで済んだら警察はいらねえんだよ」

刑事は厳《いか》つい顔を近づけてきて、わざとゆっくりと言った。その形相の迫力に、雅史は目を瞑《つぶ》ってしまう。すると次の瞬間、耳許《みみもと》で爆音がした。

「警察を舐めるな！」

左耳から右耳に、長い金串《かなぐし》を突き通されたような痛みが走った。キイイン、という金属音めいた残響がして、しばし何も聞こえなくなる。音が聞こえないのに呼応して、脳裏まで空白になった。ほんの一瞬、気絶していたのかもしれなかった。

気づけば、いつの間にか松井が部屋に戻ってきていた。大柄な刑事に、なにやら耳打ちしている。頷いている大柄な刑事は、最後にまたいやな笑みを浮かべた。

「被害者の服に残っていた指紋が、お前のものと一致した」

雅史の耳にはまだ残響がしていたので、刑事の言葉が聞き取りにくかった。うまく反応できないでいると、刑事はさらに続ける。

「服にも指紋が残ることを、お前、知らなかったな。でもな、警察の科学捜査力にかかりゃ、今やなんでもわかっちまうんだよ。動かぬ証拠ってやつだな」

ちりぢりになっていた思考力も、ようやくまた戻ってこようとしていた。雅史は力なく首を振り、なんとか反論する。

「違います。それはきっと、昼間に会社で課長に摑みかかったときの指紋です。ぼくは夜には課長と会ってません」

「往生際が悪いんだよ！」

またしても怒声。わかっていても、体が反応して竦んでしまう。

「こうして物的証拠まで挙がってるっていうのに、よくもまあ白を切り続けられるもんだよ。お前、けっこういい根性してるな。それは認めてやるぜ。だがな」

刑事はいったん言葉を切ると、不意に手を伸ばしてきた。何をするのかと怯《おび》えている雅史の髪を、そのまま乱暴に鷲《わし》摑みにする。引っ張られ、腰が椅子から浮いた。

「さっきも松井さんが言ってたよなぁ。おれを怒らせない方がいいって。おれもそう思うぜぇ。こう見えてもおれは、仏の伊佐山で通ってるんだ。お前が素直にしていりゃ、いくらでも優しくしてやるよ。ただし、この調子だとちょっと腹立っちゃうかもしれないぜ」

刑事は雅史の髪を引っ張ると、自分の口許に近づけて不気味に囁《ささや》いた。ぶちぶちぶち、と何本もの髪が抜ける感触がある。こんな乱暴な真似《まね》をされたのは、生まれて初めてだった。

「痛い、痛い、痛い、痛い」

たまらず呻いたが、伊佐山と名乗った刑事は手を緩めてくれなかった。

「痛いか。ほう。痛いのか。でもな、殺された人はもっと痛かったんだぞ。お前、申し訳ないとは思わないのか。顔を殴られ、後頭部を地面に叩きつけられたんだ。どれだけ痛いか、想像がつくか？　お前のやったことは、そういうことなんだよ。ひどいことをしてしまったと思うだろう、ええ？」

髪を左右に引っ張られて問われると、伊佐山の言葉を肯定するつもりがなくても、痛みから逃れるために頷いてしまう。伊佐山はようやく雅史の髪から手を離し、自分の手に残っていた抜け毛をこれ見よがしに雅史の目の前で払った。

「そうかそうか。ひどいことをしたと思うのか。そうやって素直になればいいんだよ。つまり、お前が殺ったと認めるんだな」

「あ、いえ、そういう意味ではありません……」

「往生際が悪いんだよ！」

そしてまた大音量の怒声。こう何度も頭ごなしに怒鳴りつけられると、本当に自分が悪いことをしたかのような気になってきてしまう。おれはいったい、何をしでかしてしまったのか。警察でこんなふうに怒鳴られるほど、ひどい過《あやま》ちを犯してしまったのではないか。

「腹が立つ野郎だ」

伊佐山は吐き捨てると、松井に目で合図をして取調室を出ていった。代わりに松井が、伊佐山の坐っていた席に着く。松井はたばこを取り出すと、それに火を点《つ》けようともせずに手の中で弄《もてあそ》びながら、おもむろに言った。

「まあ、ひと息入れるか」

その口調は伊佐山のものとはまるで違ったので、先ほどの冷ややかな表情を憶《おぼ》えていても、地獄に仏を見た心地だった。伊佐山よりは話が通じると信じ、ここぞと雅史は自分の無実を主張する。

「聞いてください、刑事さん。これは何かの間違いなんです。ぼくはあの晩、課長とは会ってません。本当に釣りをしていたんです。信じてください」

「夜釣りは前からの趣味なの？」

松井の質問は、こちらの主張を受けて発せられている。それが嬉《うれ》しく、雅史は意気込んで答えた。

「そうです。そうなんです。あそこはよく行くポイントなんですよ。あの晩はたまたま誰にも会いませんでしたが、ぼくがいつもあそこで夜釣りをしていることを証言してくれる人が必ずいるはずです」

「で、あの晩の釣果《ちょうか》は？」

さりげなく訊《き》かれ、雅史は返事に窮した。しかし嘘《うそ》をつくわけにもいかないので、正直に答える。声から力が抜けたことが、自分でもわかった。

「――坊主《ぼうず》でした」

「ってことは、あんたが本当に釣りをしてきたのかどうか、親御さんですらわからないわけだな。手ぶらで帰ってきたんだから」

「あそこはそんなに釣れるところじゃないんです。だから、坊主で帰ることも珍しくないんですよ」

「そんな釣れない場所に、よく行ってたの？」

松井の問いかけは穏当なようでいて、どこかじわじわと息苦しくなっていくような感覚があった。雅史の胸の裡《うち》に、ようやく警戒心が湧《わ》いてくる。どこかに陥穽《かんせい》があるかもしれないと恐れながら、質問に答えた。

「他の人にいろいろ話しかけられるのがいやだったので、釣れないとわかっていてもひとりでいられるポイントに行ってたんです」

「ひとりでいられるポイントだから行ってた？ ということは、犯行があった夜も当然、誰にも会わないと予想できたわけだね」

やはり、そうだ。この松井刑事も、雅史の主張は下手なアリバイ工作だと疑ってかかっている。どうして信じてくれないのか。信じてくれる人は警察内にいないのか。

「すみません、両親に連絡をとりたいんです。電話してもいいですか」

逮捕されたわけではないのだから、電話くらいかけられるだろうと思っていた。ところが松井は、とんでもない願いを持ち出されたとばかりに大袈裟《おおげさ》に眉《まゆ》を吊《つ》り上げる。

「何を言ってるんだ。まだ話は終わってないんだよ。電話なんて駄目に決まってるじゃないか」

「駄目なんですか？　じゃあ、ぼくがここにいることはどうやって両親に伝えたらいいんですか」

「こっちから伝えておくから」

松井がこともなげに言うので、かえって雅史は不安になった。

「本当ですか。本当に伝えてくれますね。だったら、弁護士さんにも相談したいんですけど。両親に、弁護士に連絡をとるよう伝えてくれますか」

「弁護士ねぇ。弁護士なんてのは、裁判になったら頼めばいいんだよ」

松井は左手にたばこを持ったまま、右手の小指で耳の穴をほじりだした。人を小馬鹿にした態度である。わざとやっているのだ、と雅史は思った。

「まあ、こっちも別にあなたを逮捕したわけじゃなし、弁護士なんてまだ呼ぶ必要ないよ」

松井のこの発言がやり取りの最初にあったら、雅史は心底安堵《あんど》していただろう。だが今は、現在の状況は逮捕されたも同然だと思っていた。これは不当な捜査ではないのか。なぜこんな強引な捜査が罷《まか》り通っているのか。

「信じてください。ぼくは何もやってません。本当です」

不意に感情が大きく動き、涙がぼろぼろとこぼれ始めた。一度崩れると、自分でも感情が抑えられなかった。松井は机の上に身を乗り出すと、雅史の肩を親しげにぽんぽんと叩く。

「まあ、泣くな。そりゃあこんなところに連れてこられて、伊佐山みたいな強面《こわもて》の刑事にがんがん怒鳴りつけられたら、怖くてたまらないよなぁ。気持ちはわかるよ。でもな、おれたちだって鬼や悪魔の集団じゃないんだから、あんたさえ正直に話してくれれば悪いようにはしないよ。なっ、どんな世界だってそうじゃないか。嘘をつく人間は信用されないで嫌われる。好かれるのは、正直な人間だ。そういう人が最後には得をするんだよ」

懇々と言われ、雅史はつい頷いた。自分が頼るべき相手はやはり松井だと、心の一部で考え始めていた。

そこに、またドアが開いて伊佐山が入ってきた。もはやその大きな体を見ただけで、雅史の心は金縛りにあったように固まってしまう。伊佐山は立ち上がった松井に、小声で何かを説明している。頷いた松井の顔は、一瞬険しくなった。

松井はそのまま、取調室を出ていった。唯一《ゆいいつ》の頼れる相手が行ってしまった。雅史は親に捨てられた子供のような気分になった。

「さてと、ちょっといい話が聞けたんだ」

伊佐山はなにやら上機嫌だった。虎《とら》が笑っているような、言いしれぬ不気味さがある。伊佐山のいい話とは、雅史にとっての悪い話に違いない。その内容を聞く前から、どす黒い絶望感が胸を侵食し始めていた。

「そこの鏡、マジックミラーになってるってのは今どき素人《しろうと》でも知ってるよな」

伊佐山は右手の壁に向かって顎をしゃくった。確かにそこには大きな鏡がある。しかしそんなことを気に留めている余裕は、雅史には米粒ほどもなかった。マジックミラーだったのかと、言われてようやく理解した。

「で、向こうから事件当夜の目撃者に、お前の顔を確認してもらったんだよ。灰色のウインドブレイカーを着ていた男は、この人かと。そうしたら、どうだ、お前に間違いないと断言してくれたぞ」

嘘だ！　と叫べたのは心の中でだけだった。実際には、声らしい声は出なかった。今や自分は、抜け出せない蟻地獄《ありじごく》に落ちている。そのことをはっきりと認識し、絶望のあまり放心していたのだった。

「悪いことはできないもんだなぁ。こうやって必ず、誰かが見てるものなんだよ。いい加減、往生際悪く白を切るのはやめた方が身のためだぞ。これだけ証拠が揃《そろ》ってたら、お前の親だってお前を疑うよ。お前の言うことなんか、世界中の誰ひとり信じないぞ。わかってるのか、誰ひとりだぞ？　お前は嘘つきなんだよ。誰も信じない嘘を、しつこく言い張ろうとしてるんだよ」

そうなのか。おれは嘘つきなのか。おれの言うことは、父さんも母さんも信じてくれないのか。課長を殺してないと思っているのは、おれが嘘つきだからなのか。やっぱり課長はおれが殺したのか。

何が事実で何がそうでないのか、もはや判然としなくなってきた。自分の記憶にすら、自信が持てなくなっている。伊佐山の言うとおり、雅史が市瀬を殴ったのかもしれない。そもそも、怒りのあまり市瀬の胸倉を摑むような振る舞い自体が、雅史の中に恐ろしい衝動が眠っていた証拠ではないか。おれは本当に、人殺しをしない人間なのか。実は我を忘れて、市瀬を殴りつけていたのではないのか。

本当はどうなんだ！　また伊佐山に怒鳴られる。ぐらぐらと揺れ動く自我。感情の波が大きくなり、いきなり泣き出したかと思うと、唐突に収まって放心する。薄い金属は何度も折り曲げているうちに、いずれふたつに割れる。雅史の心はまさに、強い力で折り曲げられている状態だった。割れる、割れる、割れる、割れる。その瞬間が来ることに強い恐怖を覚えながらも、雅史自身にはそれをとめるすべがなかった。そして、ついに心が折れた。

「すみません、ぼくがやりました」

うなだれてそう認めた瞬間には、えも言われぬ解放感があった。これで伊佐山に怒鳴られなくて済むかと思うと、ただただ純粋に嬉しかった。自分が口にしたことの重大さなど、今はとうてい認識できなかった。

伊佐山は満面の笑みを浮かべて取調室を出ていき、以後は署内全体が慌《あわ》ただしい雰囲気の中にあった。その日のうちに裁判所から逮捕状が発付され、雅史はついに警察に逮捕されたのだった。

8

初めて一夜を過ごすことになった留置場は、まさに寒々しいとしか言いようがなかった。廊下との境は鉄格子《てつごうし》のみで、壁はコンクリートの打ちっ放しだから、暖を取る手段は毛布にくるまること以外にない。自分がこんな環境に置かれているという現実の過酷さに打ちのめされ、雅史はただ泣くことしかできなかった。

翌日になれば事態が好転するかもしれないという淡い期待が、胸の底にあった。なんと言ってもこの逮捕は間違いであり、優秀と言われる日本の警察がこんな手ひどい過ちを犯すはずがないと、未《いま》だに頭の一部が考えている。今日にも真犯人が逮捕されて、釈放されるはずだと心が信じたがっていた。

動きは、確かにあった。粗末な朝食を食べ終えてしばらくしたら、弁護士が接見に来たのだ。昨日は呼んでもらえなかった弁護士が、とうとう来た。これでこんな寒々しい場所から解放されると、味わった絶望と等量の期待で胸がはち切れそうになった。

面会室に連れていかれ、そこで待っていた人物と対面した。きちんとスーツを着た三十半ばくらいの男性は、名刺を差し出して弁護士の綾部《あやべ》と名乗った。

「江木さんのご両親から連絡を受けまして、当番弁護士としてやってきました」

そうなのか、父母が弁護士に連絡をしてくれたのか。霧が晴れて朝日が差し込むように、前向きな気分が甦《よみがえ》った。松井は昨日はあんなことを言いながらも、ちゃんと両親に雅史の現状を知らせてくれたのだ。やはり伊佐山とは違う。松井に感謝しなければならないと考えた。

「ぼくはやってないんです」

挨拶《あいさつ》も忘れ、衝動のままに口走っていた。綾部弁護士は小さく数回頷くと、「まあ、お坐りください」と促した。

「江木さんに対して逮捕状が執行されたことは、ご存じですよね。つまりあなたは任意でここにいるのではなく、警察に逮捕されて留置されているのです。おわかりですか」

「わかってます」

過酷な状況は、いやと言うほど認識している。わざわざ事改めて説明してもらうまでもなかった。それでも綾部弁護士は、淡々と続ける。

「この後のことを説明しますと、あなたの身柄は検察庁に送られます。いわゆる送検です。そこで検察官の取り調べを受け、起訴か不起訴かが決定します。もし起訴ということになれば、裁判です。話を聞いた限りでは、人ひとりが死んでいますから不起訴はあり得ないでしょう。起訴され、法廷で罪状を問われることになります」

「ぼくはやってないんです」

同じことを繰り返した。それ以外に、言える言葉はなかった。綾部はまたしても、小刻みに何度も頷く。この動作が癖なのだろうか。

綾部は筋肉質と小太りの、ちょうど中間のような体格をしていた。昔スポーツをやっていた人が、やめたら太ってしまったといった体型だ。顔にも肉がついているので、あまり鋭い感じはない。気のない頷き方と相まって、切れそうな人には見えなかった。目も心なしか、どんよりと濁っている。こんな弁護士で大丈夫なのだろうかと、雅史は一抹の不安を覚えた。

「ええと、先ほど刑事さんに聞いたところでは、あなたは犯行を自白したとのことでしたが」

怪訝《けげん》そうに、綾部は首を傾《かし》げる。それを見て、雅史は慌てて否定した。

「違うんです。それは事実じゃありません」

「自白した覚えはない、と？」

「いえ、そうじゃないんです」

どう説明すればいいのかと、一瞬困惑した。後ろに制服警官が立っているので、刑事に無理矢理言わされたとは訴えにくい。しかしそんな雅史に、綾部は観察するような目を向けている。それを見て、必死さが戻ってきた。

「自分がやったとは言ってしまいました。でもそれは違うんです。ぼくはあの晩、確かに夜釣りをしていたんです。課長とは会ってません」

「ではどうして、自分がやったと認めたのですか」

「警察に連れてこられたのがショックだったし、何度も何度もお前がやったんだろうと言われて、そのうち頭がぼうっとしてきてしまって、なんだかよくわからないうちに、つい……」

「そうですか」

綾部の返事はあっさりしたものだった。本当にこの人は、おれの味方になってくれる気があるのだろうか。先ほどの不安が、不信に成長した。

「あのう、ぼくの両親が先生に依頼したのですか」

どんな人でも普通の生活を送っている限り、弁護士とはなかなか縁がないだろう。雅史の両親もまた、当然知人に弁護士などいないはずだった。それなのにどうやって、この綾部を探し出したのか。単に電話帳で調べたのだろうか。

「いえ、最初に申しましたとおり、私は当番弁護士です。弁護士会から派遣されてきました。なお、当番弁護士はボランティアですので、この接見は無料です」

綾部は淡々とした口調で説明する。なるほど、そんなシステムがあったのかと雅史は納得したものの、一方で無料という言葉が気にかかった。ただだからやる気がないとは思いたくないが、そう思われても仕方のない綾部の無気力な態度だった。

「両親は面会に来ないのでしょうか」

弁護士を行かせるだけで自分たちが来ないとは、父はともかく母らしくないと思った。今は弁護士しか接見できない状態なのだろうか。

「刑事施設に移送されたら、弁護士以外の人とも接見が可能になります。それまでお待ちください」

刑事施設とはなんなのかわからなかったが、そんなことを訊いている場合ではなかった。警察の留置場には、酔っぱらいもぶち込まれる。起訴された者まで留置場に入れていては場所が足りなくなるから、どこか別の施設に移されるのだろう。問題は、今は目の前の弁護士の力に縋るしかないという点だった。ともかく、雅史が無罪であることを理解してもらうしかない。

「わかりました。でも、ぼくは本当に課長を殺してないんです。それなのに逮捕なんて、信じられません。警察は間違っています。真犯人は他にいるんです！」

もはや、背後の制服警官を気にしている余裕はなかった。警察にどう思われようと、弁護士に納得してもらえればそれでいい。ここから雅史を連れ出してくれるのは、弁護士以外にはいないのだった。

「私がここに来た目的は、あなたに法的助言を与えることと、あなたの主張を警察に対して代弁するためです。ですのでまず助言をしますが、警察には正直な話をした方がいいですよ」

綾部はそんなことを言った。それはいったい、どういう意味か？　無実を主張したりしないで、警察が描く構図にただ頷けということか。それともきちんと無罪を主張しろと言っているのだろうか。

「自分がやったと言ってしまったことは後悔してます。だから、次に取り調べがあったら本当のことを言います」

きっぱり宣言すると、綾部は「うん」と「ふん」の間のような音を発した。そしてなにやら、ノートにメモを取っている。何を書き込んでいるのか、ノートを覗《のぞ》き込みたかった。

「ではあくまで、これは誤認逮捕だというのがあなたの主張ですね。後で主張を変えたりしませんね」

念押しが不快だったが、弁護士に腹を立てるわけにはいかなかった。大きく頷いて、「変えません」と答えるだけに留めておいた。

「ではこの後、担当の刑事さんにその旨《むね》を話しておきます。何か他にご質問はありませんか」

これで終わりなのか。あまりにあっさりした接見に、ちょっと待ってくれと言いたくなった。頼みたいことなら山のようにある。しかし、ここから出して欲しいという願いはとうてい叶《かな》えられそうにない。ならば、今は情報が欲しかった。

「ぼくはこれから、どうなるんですか。会社に行かなければならないんですけど」

「残念ながら、逮捕された時点で解雇されてしまう例がたくさんあります。江木さんの会社がどう対応するかはわかりませんが」

「そんな。解雇……」

最悪馘《くび》になることは考えていたが、弁護士の口から告げられると衝撃が大きかった。何もしていないのに、どうして首を切られなければならないのか。あまりに理不尽だと思った。

「もしかして、新聞やテレビにぼくの名前が出ているんですか」

「ええ。逮捕されたのですから」

綾部はこともなげに頷いた。しかしその事実は、ごく普通の人生を送ってきた雅史にとって悪夢以外の何物でもなかった。自分の名が殺人者として世間に出た。たとえ裁判で無罪を勝ち取ったところで、偏見の目を向けられるのは避けがたいだろう。信じられないと言うより、他に言葉がなかった。

「何かご質問はありますか。なければ私はこれで失礼します。困ったことがありましたら、その名刺の電話番号までご連絡ください」

放心している雅史を置いて、綾部は立ち上がった。見捨てられてしまう！　そんな恐怖が、雅史を衝《つ》き動かした。

「待ってください！」

呼び止めたものの、何を言えばいいのかわからなかった。綾部はドアの前で立ち止まり、「なんでしょう？」と振り返る。雅史は口を二、三度開閉させてから、「いえ」と力なく首を振った。綾部が出ていきドアが閉まると、心を絞り上げて出てきたような涙が頬を伝った。

9

午後に、ふたたび刑事から呼び出しを受けた。取調室で待っていたのは、またしても伊佐山である。雅史は伊佐山の大きな体を見ただけで、吐き気を覚えた。学校に行くのがいやになった子供は、仮病ではなく本当に具合が悪くなるという。自分の体に起きている現象は、おそらくそれと同じなのだろうと考えた。

「供述調書を作成するからな。お前はよけいなことを考えず、こちらの言ったことに素直に頷いていればいいんだ。間違っても、今になって否認したりするなよ」

伊佐山は最初にそう宣言して、雅史を睨《にら》みつけた。雅史の主張を、綾部が伝えてくれたらしい。しかし、否認するなどと言って睨むようでは、綾部がなんの役にも立たなかったことになる。いざ裁判となったら、やはり弁護士は別の人に頼みたいと思った。

「じゃあ、始めるぞ。わたくし、江木雅史は」

伊佐山はボールペンを手にして、机の上の紙に向かった。自分の言葉を、意外に達者な字で書き留める。

「平成十四年十一月十三日、勤め先である花丸《はなまる》運送株式会社の事務所にて、総務課長の市瀬孝幸に恋人、河本由梨恵を侮辱され、カッとなってその胸元を摑みました。その場は別の社員の仲裁が入ったので引き下がりましたが、市瀬に対する恨みは消えず、ひと言弁解の言葉が聞きたいと思い、一度帰宅した後に市瀬に会いに出かけました」

「違います！」

伊佐山の要約の、前半はいい。事実に即していると言っていいだろう。しかし後半は、ほとんどでたらめである。ひと言弁解の言葉が聞きたくて、などとは似たようなことすら口にしていない。なぜ勝手に雅史の心の動きを創作するのかと、唖然《あぜん》とした。

「よけいなことは言うな！　調書作成をなんだと思ってるんだ」

案の定、伊佐山はたやすく怒声を張り上げた。昨日の責め苦を思い出し、身が竦む。

まるで催眠術にかかったように、言葉が出てこなくなった。

「お前、被害者にひと言謝ってもらいたいとは思わなかったのか。そんなことまで否定するなら、お前は間違いなく嘘つきだ。裁判官は絶対お前の言うことを信じないぞ。裁判官はな、お前が考えるよりずっと頭がいい人たちなんだ。お前が下手な嘘をついても、全部お見通しなんだよ」

謝ってもらいたい気持ちは、確かにあった。だからそんなふうに言われると、否定をすること自体がおかしい気がしてきた。反論をしない雅史に満足したのか、伊佐山は「よし」と頷いてボールペンを握り直す。

「市瀬が退社後に酒を飲みに行くのは知っていました。ですので上町《かみまち》の飲み屋街を歩き回り、市瀬を捜しました。そして午後十時過ぎに、ようやく市瀬を見つけました」

このくだりは、昨日の取り調べで言われるままに頷いてしまった部分である。実際、市瀬が酒を飲みに行くなら犯行現場近辺だということは知っていた。市瀬がどの辺りで飲むか知っていたのか、と問われれば、知っていたと答えるしかない。そこを伊佐山は、うまく供述に組み込んでいるのだった。

「私は市瀬に声をかけ、路地に呼び込みました。人目のないところで話をしたかったからです。市瀬は話し合いに応じましたが、すでに酔っぱらっていました。もともと市瀬と私は反りが合わず、これまでも腹に据えかねることがありましたが、ぐっとこらえていました」

また創作が始まった。しかし伊佐山に対してそんなことを言っていないだけで、事実なのが悔しい。確かに雅史は、市瀬に対する怒りをずっとこらえていたのだ。否定したくても、伊佐山は巧妙に雅史の心を読み取り、断片的な事実を繋《つな》ぎ合わせる。次々に退路を断たれ、追いつめられていく気分だった。

「酔った市瀬とは、まともな話ができませんでした。謝罪どころか、市瀬はさらに河本由梨恵を侮辱したのです。私は昼間と同様、怒りを抑えられませんでした。市瀬を殺してやりたいと、その瞬間にはっきり思いました」

雅史は思わず首を振った。怒りの衝動に衝き動かされることまでは否定できないが、他人に対して明確な殺意を持つなど考えられない。この点もまた、昨日の朦朧《もうろう》とした意識の中で頷いてしまったのだろうか。頷いたのだとしたら、心のどこかに市瀬を殺してやりたい気持ちがあったのかもしれないと自分が疑わしくなってくる。

「なんだ？　違うとでも言うのか？」

伊佐山は不愉快そうに顔を上げた。その厳つい面相を見ただけで、反論する気がなくなった。ともかく、この強面の刑事とはまともな話ができない。綾部弁護士の言葉によれば、この後で検察官による取り調べがあるとのことだった。検察官ならば、難関の司法試験に受かった日本有数の頭脳の持ち主である。こんな粗暴な男とは違い、理性的にこちらの話を聞いてくれるはずだ。そう期待して、今はただやり過ごすことにした。

「私は両手で市瀬の胸倉を摑み、突き飛ばしました。そして右の拳《こぶし》で、市瀬の頰を殴りました。酔っている市瀬は、バランスを崩してそのまま背後に倒れました。受け身も取れず、後頭部をまともに地面に打ちつけました。いやな音がしたので致命的な怪我《けが》をしたかもしれないと思いましたが、私は助ける気などありませんでした。そのまま死ねばいいと考え、市瀬を残して路地を立ち去りました」

見てきたような嘘を、よくもすらすらと口にできるものだと雅史は思ったが、おそらくこれがひと晩かけて練り上げたストーリーなのだろう。市瀬の服に指紋が残った過程まで、きちんと織り込まれている。警察は捜査力ではなく、創作能力にも恵まれているようだと、皮肉に考えた。

伊佐山はその後、いかに雅史が稚拙なアリバイ工作をしたかを語って聞かせた。雅史が否定しないので、作文はどんどんできあがっていく。書き上げると伊佐山は、満足げにいやな笑みを浮かべた。

「よーし。これでできあがりだ。もう一度最初から読み上げるから、しっかり聞けよ」

そう断り、再度冒頭から読み始める。自分が語ったことになっている、自分がやっていない殺人の物語。違和感だけが雅史を支配した。

「これで間違いないな。間違いなければ、最後にここに指印を押せ。ほら」

スタンプ台を持ち出し、伊佐山は促す。さすがにそのときばかりは抵抗を覚えたものの、いまさら逆らうことなどできなかった。雅史は震える手で、供述調書を認める指印を押してしまった。

10

その日のうちに、検察庁庁舎に移送された。検察官の取り調べを受けるためである。ようやく警察を出られたと、雅史は安堵の吐息をついた。これまで雅史は、警察は市民の味方だと思っていた。犯罪から善良な市民を守ってくれる、法の番人。それなのに今は、その警察が雅史の敵となった。やってもいない罪を押しつけ、雅史を犯罪者に仕立て上げようとしている。雅史にとって警察署は、悪夢の象徴のような場所になった。

今から向かう検察庁では、そんなことにはならないはずと期待した。勘と見込みに頼って誤認逮捕をした警察の捜査を、むしろ批判してくれるのではないか。無実の人が罪に陥《おとし》いれられることなどあり得ないのだから、誰かが間違いを正すとしたらそれは検察官に違いないと思う。雅史を犯人とする根拠が薄弱なことを、検察官は直ちに見抜いてくれるだろう。

そう考えていたから、検察官の尋問をむしろ楽しみにしていた。これで間違いが正されるかと思うと、一秒でも早く検察官に会いたかった。しかしそんな胸膨らむ思いは、検察官の執務室に入ったとたんにわずかに翳《かげ》った。執務机の向こうに坐っていた人物は、ひどく酷薄そうに見えたからだった。

いや、人を見かけで判断してはいけない。自分が感じた悪い予感を、雅史は精一杯振り払った。検察官は黒縁の眼鏡をかけ、髪をきちんと七三に分けていた。細面なので顎が尖《とが》り、目が幾分吊り気味である。いかにも頭がよさそうだが、笑顔が想像できない風貌でもあった。

「こちらにおかけください」

検察官は手を差し伸べて、執務机の反対側を示した。付き添いの警察官に誘導され、言われた席に腰を下ろす。執務机の上には、《谷沢憲一》と書いてあるネームプレートがあった。

「逮捕された理由を、お聞かせください」

谷沢という名前の検察官は、自己紹介もせずにいきなり尋ねてきた。雅史はいささか怯《ひる》む思いだったが、今こそ無実を主張するときだと考え、前のめりになって訴えた。

「ぼくには逮捕される理由なんてないんです。これは間違いなんです。ぼくは人殺しなんてしてません。警察は間違ってるんです！」

「ほう」

谷沢は大して心が動かされた様子もなく、冷ややかに相槌《あいづち》を打った。手にしていた書類に目を落とすと、怪訝そうに首を傾《かし》げる。

「警察からの員面調書によると、あなたは自分の犯行であると認めていることになっていますが。つまりあなたは、嘘の供述をしたということですか」

当然訊かれることだと予想していた。ここは言葉に気をつけなければならない。

「嘘、というか、無理矢理言わされてしまったのです」

「事実と違うことを言うよう、警察が強いたという意味ですか」

谷沢の表情はまったく変わらない。だから雅史の主張をどう思っているか、見当がつかなかった。反感を買わないよう、慎重に答える。

「ぼくはやってないと、いくら言っても信じてもらえませんでした。ぼくがやったと頭から決めつけて、それ以外の返事は許してくれなかったんです」

「供述は警察が許すとか許さないとかに左右されることではなく、あくまで自分ですることですが」

まるで雅史がおかしなことを言っているかのような、谷沢の反応である。まさか、わかってもらえないのか。そんな冷や水を浴びせられるような思いを味わいつつ、それでもなんとか谷沢の理解を得るために言い募った。

「そうですよね。それが本来の捜査のはずですよね。それなのに警察は、証拠もないのにぼくがやったと決めつけているんです。こんなおかしなことがあっていいのでしょうか」

「証拠がない？　そんなことはありませんよ。被害者の衣服には、あなたの指紋が残っていたのですから」

「それは、日中に揉《も》み合いになったときについた指紋です。ぼくは夜には課長に会っていませんから」

「日中に。それを証明できますか」

冷静に問われ、雅史は言葉に窮した。そんなことを訊かれるとは、思いもしなかった。指紋がいつついたかなど、証明できるはずがない。それは自分で証明しなければならないことなのか。

「ぼくが課長に掴みかかったことは、社内の人たちが見ています。その人たちの証言で、裏づけにはならないのですか」

「あなたが被害者に掴みかかったことは、事実として認定されます。しかし被害者の衣服に指紋がついた時刻が日中だけと証明されるわけではありません」

「そんな——」

この検察官は、事実を徹底的に吟味しようとしているだけなのだろう。だから雅史の言葉を鵜呑《うの》みにせず、正確性にこだわっているのだ。そうに違いない。雅史は自分に言い聞かせたが、しかし心の隅からどす黒い絶望感が忍び寄り始めていることは否定できなかった。検察官までが雅史を犯人と思っているなんて、信じたくない。雅史は意識せぬままに、必死に現実逃避した。

「それだけではなく、あなたは犯行時刻に現場付近で目撃されています」

谷沢は淡々と続けた。これは雅史本人の反論を求めているのか。ならば、言わせてもらう。

「その人は本当に、ぼくで間違いないと言ったのでしょうか。単に灰色のウィンドブレイカーを着た人が現場近くにいたと証言しているだけなんじゃないですか」

「証言によると、目撃者はあなたを見たと言っているようですが」

「違います！　もし本当に目撃者がそう言っているなら、あの刑事に誘導されたからなんだ。だって、ぼくは釣りをやっていたんですから。課長が死んだ現場とは、まるで違う場所にいたんです」

「しかし、あなたのアリバイを証言する人はいない。その一方、あなたを目撃した人がいる。どちらが正しいのでしょうね」

「ですから、その目撃証言は間違いなんです！　会わせてください。その目撃者と会わせてください。もう一度ちゃんと確認してもらえれば、ぼくじゃないとその人もわかるはずなんです」

「それは無理です。証言は正規の手続きを踏んで得られています。過程に特に問題はありません」

「でも、間違いなんです……」

自分の言葉を裏づける何物も存在しないことが、大きく高い壁となって雅史の主張を跳ね返した。この検察官もまた、雅史がやったと決めつけているのか。警察の捜査を、検察は疑いもしないのか。検察官は正義の執行者ではなかったのか。谷沢の冷たげな顔が、血の通わない作り物のように見えてきた。

「状況を整理しましょう。あなたには被害者を恨む動機がある。実際にカッとなって被害者の胸倉を摑む場面を、複数の人が目撃している。そしてその夜、被害者は何者かの暴力によって死亡している。同時刻、あなたにはアリバイがなく、あなたの姿を現場付近で見たという目撃者が存在している。これだけの材料が揃っていてなお、あなたは自分の犯行ではないと主張するのですか」

「そうです。だって本当にやっていませんから……」

「あなたは私のことをなんだと思っていますか」

唐突に、谷沢は妙な問いを発した。意味がわからず、雅史はまじまじと谷沢の顔を見つめる。谷沢はわずかに苛立《いらだ》ったように、同じ質問を繰り返した。

「あなたは私のことをなんだと思っていますか」

「け、検察官です」

そう答えるより他になかった。これはなんのテストなのか。

「そう、検察官です。検察官ですから、情や見込みで状況を判断したりはしません。あくまで物証と論理で、事実を見極めます。この事件には物証と状況証拠が揃い、それが導く論理的帰結としてあなたは逮捕されています。いくら白を切っても、悪足《わるあ》掻《が》きとしか言いようがありません。法廷でも無罪を主張するなら、裁判官の心証を著しく損ねるだろうと忠告しておきます」

「そんな……。どうしてわかってくれないんですか。これは間違いなんですよ。本当にぼくは犯人じゃないんです」

あまりに大きすぎる絶望が、雅史の心を潰《つぶ》しかけていた。悔しいことに、涙が留めようもなく流れてしまう。しかしそんな姿も、谷沢にはわざとらしい演技としか映らなかったのかもしれない。辟易《へきえき》したような声で、冷然と言った。

「私はこれまで、否認を繰り返す被疑者と何人も対面してきました。そして学んだことがあります。世の中には嘘がうまい人間が、驚くほどいるということです」

「嘘じゃ……ないんです」

「では、否認を貫きますか。そういうことであれば、警察でもう一度員面調書を作り直してもらわなければなりません。供述調書が警察と検察で違っていては、法廷で混乱しますからね。このまま警察に差し戻すことにします」

つまりこの二日に亘《わた》る苦行を、再度繰り返せと谷沢は言っているのだ。伊佐山の顔を思い出すだけで、雅史はまた吐き気を覚える。頭で考えるより先に、心が竦み上がっているのだった。差し戻されたら、意識が朦朧とするまで怒鳴り続けられる悪夢を再現することになってしまう。一度屈してしまえば、次には主張を貫けるという自信など微塵《みじん》も持てない。あんな経験を避けるためには、ここでも認めるしかないのだった。

「いや、いやです。それはいやです」

力なく首を振って、拒絶の意を示した。谷沢は機械的な厳密さで、雅史の意思を確認する。

「いやとは、警察で員面調書を作り直してもらうのがいやだという意味ですか」

「……はい」

「では、自分の犯行だと認めるということですね」

この念押しには、言葉で応じたくなかった。ほとんど揺らす程度に、頭を縦に振る。すると谷沢の声に、ようやく感情が滲《にじ》んだ。それは満足の色だった。

「よろしい。ひとつ私の経験から言いますと、無実の人は間違っても自分の犯行だと認めたりしないものです。一度認めておいて、後で自白を翻《ひるがえ》しても無駄ですよ。警察も検察も、それほど馬鹿ではありません」

あなたは現実を知らないんだ！　そんな叫びが心の奥から発せられたが、声にはならなかった。谷沢は「検面調書を作成するために、事件内容を整理します」と宣言すると、手許《てもと》の書類を見ながら状況を振り返り始める。雅史にはもう、その作り話を否定する気力は残っていなかった。

11

覚悟はしていたが、正式に起訴されると精神的ダメージは大きかった。ヤクザまがいの刑事は信じてくれなくても、インテリの検事なら雅史の主張に耳を傾けてくれるのではないかという期待は、ものの見事に裏切られたのである。社会の片隅でつましく生きてきた雅史にとって、警察に逮捕されるだけでも大事件だ。まして起訴ともなれば、自分でも己が罪人なのではないかと錯覚してしまう衝撃だった。

雅史はこれまで、逮捕された人イコール犯人だと考えていた。テレビニュースに映る、警察に連行される被疑者を見ては、いかにも悪いことをしそうな顔だと思ったことが何度もあった。その中に無実の人が混じっている可能性は、頭の片隅すらよぎらなかった。

自分がいかに無知だったか、今になって痛感する。世間の人が雅史のことを、警察に逮捕されたのだから犯人に違いないと考えているかと思うと、苛立ちともどかしさで叫び出したくなる。警察だって間違いを犯すのだと、声を大にして言いたい。どんな杜撰《ずさん》な捜査が行われているのか、世間の人に実態を知ってもらいたい。しかしそう望んでも、今の雅史は無力だった。起訴に応じて、警察署内の留置場から拘置所へと、おとなしく移送されるだけであった。

弁護士の綾部が言っていた刑事施設というのが、どうやら拘置所のことだったようだ。つまり、ここでは弁護士以外の人とも面会できるのだ。ようやく両親に会える。父や母に会えたら、まず己の潔白を主張し、有能な弁護士をつけてもらわなければならない。警察も検事も雅史の無実を信じてくれなかったのだから、残る砦《とりで》は裁判しかないのだ。裁判ではなんとしても、無罪を勝ち取りたい。そうでなければ、日本はとても法治国家とは言えないとまで考えた。

留置場を出ると、取り上げられていた私物を渡された。バッグに入った私物を抱えたまま地方検察庁まで連れていかれ、そこで昼食。その後、拘置所に移送される他の人たちと腰縄で繋がれた状態で再度マイクロバスに乗った。

さほど時間がかからずに着いた場所が、拘置所だった。点呼の後に個室に入れられ、何もすることがないままただじっと呼び出しを待つ。時間の経過もわからなくなった頃にようやく名前を呼ばれると、肛門《こうもん》の中まで覗《のぞ》かれる屈辱的な身体検査があった。検査の後に渡されたのは私服ではなく、灰色の味気ない服だった。

入れられたのは独居房だった。その中で『入所の心得』という小冊子を読み、ここでの暮らし方について学ぶ。犯人でもないのにこんなことを強いられる自分が憐《あわ》れでならず、雅史は声を殺して泣いた。

その翌日、多すぎる朝食を摂《と》った後に、面会の申し出があることを知らされた。逮捕以降初めて、胸が弾んだ。刑務官によると、面会人は両親と由梨恵だという。由梨恵まで来てくれたのか。絶望に塗り潰されていた心に、さっと明るい光が差した心地だった。

面会室の入り口には、ガラスが嵌《はま》っていた。そこから中を覗き込むと、確かに両親と由梨恵がいる。間違いないかと念を押す刑務官に頷くと、ようやく面会室に入れた。待っていた三人は、雅史の姿を見て立ち上がった。

母と由梨恵は、感極まったように目に涙を浮かべていた。父は対照的に、どんな顔をすればいいのかわからないらしく眉根《まゆね》を寄せている。雅史は彼らの前に進み出て、まず頭を下げた。

「心配かけて、ごめん」

アクリルの板越しではあったが、しっかり声は伝わったようだ。父は頷き、由梨恵は首を振り、母はアクリルの板に手をついた。母は何度も雅史の全身に視線を往復させ、「窶《やつ》れたねぇ」と言った。

「辛《つら》くないかい。何か欲しい物はないの？」

欲しい物か。それならたくさんあるはずだが、とっさには思いつかない。すべてを失ってしまうと、必要な物の優先順位をつけることすら難しかった。考えた挙げ句、思いつかないので次の面会のときにお願いすると答えた。

「雅史、本当にお前がやったのか」

父の第一声は、こうだった。相変わらず、雅史の目を直視しようとしない。父の小心さはよくわかっているので、いまさらショックは受けなかった。父だけでなく、三人に向かってはっきり言い切った。

「おれじゃない。おれはやってない。警察は間違えてるんだ」

「しかし、警察が間違えることなんてあるのか」

父は素朴な反論をする。おそらくこれは、大多数の一般市民の実感だろう。警察は間違いを犯さない。しかしその信用こそが間違いなのだと、今の雅史ならわかる。

「あるんだよ。警察は思い込みで捜査をしてた。おれが課長に食ってかかった日の夜に事件が起きたから、最初からおれが犯人だと決めつけてたんだよ」

「お母さんはまーくんのことを信じるからね」

横から母が割って入った。母は父とは逆に、雅史をじっと見つめて目を逸《そ》らさなかった。

「まーくんが人殺しなんてするわけない。そんなこと、お母さんが一番よくわかってるから」

由梨恵の前で「まーくん」と呼ばれるのは気恥ずかしかったが、そんなことよりも母の全面的な信頼が嬉しかった。鼻の奥がつんとなり、思わず右手で両目を覆《おお》った。

「私も信じてるわ」続いた声は、由梨恵のものだった。「私は最初からぜんぜん疑ってなかった。何が起こったとしても、雅史さんが人を殺すなんてあり得ないってわかってた。きっと、職場の人ならみんなわかってると思う。だから、やけになったりしないで」

「由梨……」

顔を上げ、恋人の姿を網膜に焼きつけようと直視した。由梨恵はその視線を受け止め、大きく頷く。由梨恵の励ましはありがたかったが、しかし少し異論があった。職場の同僚たちが由梨恵と同じように雅史を信頼してくれているとは、どうしても確信できなかった。

由梨恵の言葉とは逆に、ほとんどの者は雅史が犯人だと考えているだろう。それが、ごく一般的な人の反応なのだ。「あのおとなしい江木さんがねぇ」などと、したり顔で噂《うわさ》している様がありありと想像できる。雅史を滅入《めい》らせる、悲しい想像だった。ただ、そんな考えを告げたところで、由梨恵を悲しませるだけなのもわかっていた。だから雅史は反論せず、由梨恵の励ましを素直に受け取っている振りをした。「ありがとう」と答えると、由梨恵は泣き笑いのような顔をした。

「ともかく、これは間違いなんだ」改めて、強調した。「あってはならないことなんだよ。それなのに警察も検事も、おれの言うことをぜんぜん信じてくれなかった。こうなったら、裁判で無実を訴えるしかないんだ。そのためにも、いい弁護士に助けてもらわなきゃならないんだよ」

「わかってるわ。だから弁護士会に相談して、先生を紹介してもらったのよ。綾部先生がまーくんに会いに来てくれたでしょ」

何が不服なのかと言わんばかりの、母の口振りだった。母は綾部本人に会っていないのだろうか。

「あの人じゃ駄目だよ。ぜんぜんやる気がないみたいなんだ。おれの言うことをまるで信じてくれなかった」

「そんなはずはないだろう」横合いから口を挟んだのは、父だった。「捕まった人の言うことを信じない弁護士なんて、いるわけがない。むしろお前の方こそ、逮捕されて気が動転して、先生のことを信じられないんじゃないのか」

「違うよ。父さんはあの弁護士に会ったの？　明らかにやる気ないよ、あの人」

「会ったよ。ちゃんとした、いい先生だと思った。あの人で駄目なら、他の人だって同じだぞ」

「母さんは？　母さんはどう思った？」

父では埒《らち》が明かないと考え、母に視線を向けた。だが母も、父と似たような反応しか示さなかった。

「どうしてって、綾部先生じゃ駄目なの？　いい先生だと思ったけど……」

「どうしてって、だからおれの言うことを信じてくれないから――」

「いまさら、綾部先生では駄目だから他の人を紹介してくれなんて、弁護士会には言えないぞ。弁護士に知り合いなんていないし、お前は簡単に言うが、弁護士会を通さないで他の人なんてどうやって探せばいいんだ」

父は雅史の言い分が不服のようだった。息子が殺人の容疑で逮捕され、近所でも会社でも肩身の狭い思いを味わっているのだろう。その上さらに、当人からは弁護士への不満を口にされて、腹を立てているのだ。弁護士費用の不安も、胸にはあるのかもしれない。

「大丈夫よ、きっと」母は夫と息子の間の険悪な気配を払拭《ふっしょく》するように、わざとらしいほど大きな声を出した。「だって、まーくんはやってないんでしょ。やってもいないことで有罪になるなんて、そんなおかしなことがこの日本で起きるわけないわ。まーくんが綾部先生のことを頼りないと思うのは残念だけど、あたしたちに弁護士を選んでいる余裕なんてないのよ。弁護士会が紹介してくれた人なんだから、優秀な先生なのは間違いないわ。だから信じましょう」

弁護士を選んでいる余裕はない、と言われてしまえば、それ以上言葉を重ねることも難しかった。もし逆の立場なら、雅史も優秀な弁護士を探し出せる当てなどない。自分が置かれた状況に取り乱し、わざわざ面会に来てくれた両親に無理を言ってしまったことを反省した。

「わかった。ごめん。あの先生を信じることにするよ。ともかく、みんながおれのことを信じてくれて嬉しかった。姉さんはどうなのかな」

姉が来てくれないことは、面会室に入ったときから気にかかっていた。もし雅史が罪を犯していたら破談だ、と冗談めかして言っていたが、冗談では済まなくなったのかもしれない。そう考えると、父母の返事を聞くのが恐ろしかった。

「心配しないで。お姉ちゃんもまーくんのことは信じてるから」母は少し早口だった。

「今日は大勢で押しかけるのもよくないと思って、留守番に回っただけ。次は一緒に来るわ」

「私がついてきちゃったから、お姉さんにご迷惑をかけちゃったの。私のせいなのよ」

由梨恵が補足する。由梨恵らしい気遣いだと思ったが、その気遣いが発揮された意味は深く考えたくなかった。できることなら、姉の婚約者の許に行って釈明をしたかったが、自由を奪われた身には夢物語でしかない。

あっという間に三十分間の面会時間は終わり、面会室から出るよう刑務官に促された。

「がんばるのよ」という母の声が追ってきたが、それに頷き返すのも今は辛かった。

12

両親が正式に依頼をしたらしく、綾部は翌日に面会にやってきた。相変わらず、どんよりと濁った目をしている。前回は無料相談だからやる気がなかったのであって、正式に依頼されて弁護するようになれば変わるのではないかと期待していたが、どうやら少なくとも目つきに変化はないようだった。この上は、闘志を裡に秘めるタイプであることとを期待するしかなかった。

「改めまして、正式に江木さんの弁護を担当させていただくことになりました、綾部です。よろしくお願いします」

アクリル板の向こうで、綾部はちょこんと頭を下げた。いくら頼りなさそうでも、雅史はこの人を頼るしかない。縋る思いで、深々と低頭した。

「こちらこそ、よろしくお願いします」

雅史は応じたが、それを聞いているのかいないのか、綾部は鞄《かばん》の中を漁《あさ》るのに意識を向けている様子で、何も反応しなかった。数枚の紙片を取り出すと、それをざっと眺めてから質問してくる。

「ええと、まず最初に確認しておきたいことがあります。先日お目にかかった際には容疑を否認していらっしゃいましたが、お考えは変わりましたか?」

「いえ、変わってません。ぼくはやってません」

雅史はここぞと言葉に力を込めた。だが綾部は、怪訝そうに首を傾げる。

「おかしいですね。江木さんは検察官に対しても容疑を認めたことになっていますが。違うんですか?」

「認めたつもりはありません。ぼくじゃないと言っても、検事は取り合ってくれなかったんです」

「しかし、検面調書にサインをしたんじゃないんですか。サインをしたということは、認めたということですよ」

「サインをしないと、もう一度警察で取り調べを受けると言うものですから……」

「いいじゃないですか。本当に無実なら、もう一度ちゃんと取り調べてもらった方がよかったんじゃないですか」

雅史が奇妙な主張をしているとばかりに、綾部は言い返す。綾部は弁護士のくせして、警察の取り調べの実態を知らないのだろうか。一度は胸の底に押し込めようとした不安が、また頭をもたげた。

「警察はぜんぜんぼくの言うことを信じてくれないんですよ！　あんな取り調べを受けても同じことを繰り返すだけだから、いやだったんです」

「いやでは済まないでしょう。江木さん自身の人生がかかってるんですよ。本気で無罪を主張したいんですか」

あろうことか、綾部は雅史の心底を疑うようなことを言った。冗談ではない。雅史がこの場だけの都合のいい主張をしていると、綾部は考えているのだろうか。

「……本気も何も、ぼくは本当にやってないんです。刑事も検事も、それを信じてくれないんです」

自分でも、言葉に説得力がないと思った。どうすれば信じてもらえるのか、どんな表現なら真実を理解してもらえるのか、コミュニケーションの方法が根本からわからなくなっていた。

綾部はまた書類に目を落とし、淡々と読み上げた。

「江木さんは事件当夜、ひとりで夜釣りをしていたと主張なさっていますね。しかしそれを証言してくれる人はいない。その一方、江木さんを現場近くで目撃したという証言者は見つかっている。被害者の衣服からは、江木さんの指紋も検出されている。加えて、事件のあった日には被害者と江木さんが言い争っているのを、大勢の人が見ている。動機があり、アリバイはなく、逆に物証と目撃者が見つかっている。率直に申し上げますが、これで無実を主張するのはかなり無理がありますよ」

「指紋は、昼間の諍《いさか》いのときについたものです。目撃者のことはよくわかりませんが、ぼくは現場近くになんか行ってないんだから明らかな間違いです。それでぼくを犯人だと断定するなんて、あまりに根拠が薄弱じゃないですか」

「では、あくまで法廷でも無罪を主張すると？」

「もちろんです」

きっぱり頷くと、綾部は小さく吐息を漏らしたように見えた。

「現実的な話をしますと、罪状を認めて情状酌量を求めた方がいいと思いますよ。被害者はふだんから、女性社員や江木さんに対して侮蔑《ぶべつ》的な言動があったそうじゃないですか。恋人を侮辱されて衝動的に殺してしまったのならば、計画性はないし、充分に情状酌量の余地があります。下手に無罪を主張すれば、かえって重い量刑判断をされてしまうだけですよ」

やはり綾部は、雅史の無実を信じていない。こんな弁護士ではとても法廷で闘えないと思ったが、解任を言い渡す勇気もなかった。どうすればいいのかわからず、雅史は冷静さを失った。

「あなたまでぼくがやったと思ってるんですか！　ぼくはやってません！　無実の罪でこんなところに入れられているんですよ！　それを救い出すのが弁護士の仕事じゃないんですか。そんなことでよく、弁護士なんかやってますね！」

ふだんなら絶対に口にしない、非難の言葉だった。綾部は雅史の剣幕に面食らったようにわずかに仰《の》け反《ぞ》ると、「わかりました」と頷いた。

「江木さんの主張は理解できました。江木さんがそう希望されるなら、その線でいきましょう。そのためにも、順を追って状況を把握しておく必要があります。時間がありませんので、駆け足でいきます」

綾部は腕時計を見ると、事件当日の雅史の行動を確認し始めた。目の色が変わったように見える。これで少しは頼れるようになったかもしれないと思い、雅史は胸を撫《な》で下ろした。

13

公判の初日を迎え、法廷に入っていくときは、膝《ひざ》の震えを抑えられなかった。傍聴席は満員と言うほどではないものの、人の数は多く、とても目を向けられない。両親と由梨恵は来ているはずだが、姉もいるかどうかはわからなかった。姉は結局、一度も面会に来なかったのだ。傍聴席を直視できないのは、姉の不在を知りたくないからでもあった。

被告人席まで行くと、刑務官に腰縄を解かれた。腰縄をつけた状態で人前に出ること自体が、耐えがたい屈辱だった。このまま消え入りたい思いで、うなだれる。傍聴席だけでなく、検事や裁判官の顔も見られなかった。

裁判長が開廷を宣言し、いよいよ裁判が始まった。裁判長は雅史に話しかけ、氏名、生年月日、本籍、住所、職業などを尋ねる。いわゆる人定質問である。そのときになってようやく顔を見ると、裁判長は四十歳前後の、少し髪が薄い真面目《まじめ》そうな男性だった。いかにも堅物といった雰囲気だが、検事の谷沢のように冷たげではない。それだけで安心するほど雅史はもう人を信じられなくなっていたものの、頑固そうな年寄りでなかっただけましだと考えた。

次に、検事の谷沢が起訴状を読み上げた。谷沢は相変わらず、人間ではなく物でも見るような冷酷な視線を雅史に向けてくる。己の頭のよさを誇り、絶対に間違いは犯さないと確信しきっている目だ。谷沢は雅史が被害者である市瀬孝幸を口論の末に殴り殺し、それが刑法一九九条の殺人罪に当たることを、早口に告げた。まったく身に憶えのない、完全な創作である。しかしそれは嘘だと叫ぶ権利は、雅史に与えられていなかった。悔しさをこらえて、ただじっと黙り続けるしかなかった。

続いて裁判長による黙秘権の説明があり、起訴状の内容を認めるかどうか尋ねられた。罪状認否である。ようやく巡ってきた機会に、雅史は昂然《こうぜん》と顔を上げた。

「すべて間違いです。私は人殺しなどしていません」

とたんに、法廷内がざわめいた。三人の裁判官は感情を表に出してはいけないことになっているのか、ポーカーフェイスを保っている。検事の谷沢は弁護士の綾部と事前に連絡をとり合い、争うべき点を明確にしているため、雅史が無罪を主張してもまるで動じていない。しかし傍聴人の中には、なんの利害関係もないのに単なる物見遊山《ゆさん》で見物に来ている人もいる。そうした人たちにとって、雅史が完全否認したことは大きな驚きなのだ。単純な殺人、あるいは傷害致死に過ぎなかった事件が、雅史のひと言で見応《みごた》えのあるショーに早変わりしたというわけだった。

「静粛に」

裁判長が注意し、私語を交わす傍聴人たちを黙らせた。そして今度は綾部に向かい、起訴状に関する意見を求める。綾部はのっそりと立ち上がり、発言した。

「お聞きのとおり、本起訴状に関して、被告人は無罪を主張しております。弁護人もその考えを支持するものであります。否認事件ですので、よりいっそうの慎重な審理を希望します」

言葉で切りつけるような谷沢に対し、綾部の口調には覇気が感じられなかった。眠いのではないかと、思わず顔を見てしまったほどである。これも戦術のひとつなのだろうと信じて、不安を押し殺すしかなかった。

ここまでで、冒頭手続きは終わりだった。引き続き、公判は証拠調べに入った。検察官は起訴内容を裏づけるために、証拠を提示しなければならない。検察官が用意した証拠となり得る物を、裁判官に証拠として採用してもらうための手続きが証拠調べであると、綾部から教わった。雅史たちは、証拠を認めない、すなわち不同意を表明することができる。雅史の自白を文書化した供述調書も当然のことながら証拠として提出されるので、それは是が非でも不同意にしなければならなかった。

証拠調べに当たって、検察官はまず証拠によって証明する事実関係を明らかにしなければならない。谷沢は立ち上がると、書類を見ながら雅史の生い立ち、家族構成、学歴、職歴、人間関係に至るまで、まるで丸裸にするように滔々《とうとう》と語った。そんなことまで事件に関係するのかと雅史は疑問に思ったが、騒ぎ立てて裁判官の心証を悪くするわけにはいかない。何もかも明かされてしまう恥辱と恐怖に、じっと耐えた。

「……このように被告人は、日頃から市瀬さんに対する恨みを募らせていました。自分への暴言ならまだしも、恋人への侮辱は耐えられなかったからです。そして十一月十三日、被告人の我慢は限界に達しました。怒りのあまり自制を失い、市瀬さんの胸倉を職場で摑んだのです。そのときは同席した人たちの制止によって市瀬さんを解放しましたが、被告人の胸は晴れませんでした。そのため、市瀬さんが退社した後に接触を試み、謝罪を迫りました」

微妙に事実に沿いつつも、肝心なところでは脚色を交えたストーリーだった。しかしそれだけに、説得力はある。当人の雅史だからどこが事実と違うか指摘できるが、まっさらな状態で聞かされればすべて事実として感じられそうだった。谷沢の頭のよさを改めて認識し、とんでもない人を相手にしているのだと痛感した。

「被告人は市瀬さんの胸倉を摑み、締め上げました。しかし市瀬さんは謝罪しなかったので、被告人の怒りは頂点に達しました。被告人は相手を殺してやりたいとの意思を持ち、市瀬さんを殴りました。市瀬さんはバランスを崩し、地面に後頭部を打ちつけました。普通ではない倒れ方をしたのは被告人もわかっていましたが、死んでもかまわないとの気持ちがあったので、その場に放置して立ち去りました」

このくだりは完全に、刑事の伊佐山の創作に沿っている。雅史が実際に経験したわけではない架空の描写なのだから、谷沢も全面的に供述調書に依拠するしかないのだろう。

「以上の事実及び情状を立証するため、証拠等関係カード記載の各証拠の取り調べを請求します」

谷沢はそう締め括《くく》り、腰を下ろした。それを受けて裁判長が綾部に、証拠についての意見を訊いた。綾部は供述調書と、目撃者の証言調書、被害者の衣服に残っていた指紋の三つに不同意を告げた。谷沢は代わりに、供述調書を取った伊佐山と、目撃者、指紋を照合した鑑識官の証人尋問を請求した。

そこまでで二時間ほどかかった。今日のところはもう閉廷らしく、裁判長が谷沢と綾部の予定を訊いて次回公判の日程を決める。雅史は初めての裁判に気持ちがいっぱいいっぱいになり、時間の経過もわからなくなっていた。刑務官に促されてようやく、法廷を退出しなければならないのだとわかった。

傍聴席に目をやると、父母と由梨恵の姿があった。しかし、姉はいない。三人とも、雅史と目が合うと励ますように大きく頷いた。雅史もまた、頷き返すことで答えた。三人のためにも、負けるわけにはいかないと思った。

完全に自由を奪われた、囚人同然の生活を何日も送って、第二回の公判の日を迎えた。今回は刑事の伊佐山が検察側の証人として出廷する。伊佐山は証言台まで進み出ると、雅史にちらりと視線を向けた。伊佐山は表情を変えなかったが、目には嘲《あざけ》りの色が浮いているように雅史には見えた。

伊佐山は真実のみを告げると宣誓してから、谷沢の方に体を向けた。谷沢は立ち上がり、伊佐山に問いかけた。

「あなたの職業はなんですか」

「神代署刑事課に所属する刑事です」

「被告人の顔に見憶《みおぼ》えはありますか」

「あります」

「いつ見かけましたか」

「私が担当した殴殺《おうさつ》事件の容疑者が、この人でした」

「あなたが被告人を取り調べたのですね」

「そうです」

「被告人の供述調書を取ったのも、あなたであると？」

「そのとおりです」

伊佐山の態度に、悪びれた様子はまったくなかった。自分の捜査に絶対の自信を持っているのが、傍聴人にも伝わっただろう。雅史も何も知らなければ、頼もしい刑事だと思ったかもしれない。しかし伊佐山にしろ谷沢にしろ、その自信が雅史を故《ゆえ》なき罪に陥れているのだ。伊佐山の堂々とした態度には、嫌悪《けんお》しか覚えなかった。

「被告人は取り調べに、従順に応じていましたか」

「はい、それはもう」谷沢の質問に即座に応じてから、伊佐山はすぐに言い換えた。

「いえ、正確に言いますと、最初から従順だったわけではありません。逮捕直後は、自分の犯行だとは認めませんでした。でもそれは、誰でもそうなのです。あっさり観念する犯人もいますが、取りあえず白を切る人も珍しくありません」

「白を切る容疑者には、どのように本当のことを語らせるのですか」

「いろいろです。ときには強い態度に出る必要もあります。ですがたいていは、理詰めで攻めればすべてを知られているのだと悟って、正直に喋《しゃべ》ります。情で容疑者の口を割らせる刑事もいますが」

嘘をつくな！　雅史は立ち上がってそう叫びたかった。あの取り調べの、どこが理詰めだったのか。間断なくずっと怒鳴り続け、雅史の心を挫《くじ》いただけではないか。あのときの雅史は、この辛い状況から抜け出せるならなんでも認めるという心境にまで追い込まれていた。物理的暴力を振るっていないだけで、あれはまさしく拷問《ごうもん》だった。

「被告人も、証拠を突きつけられて正直になったのですか」

「そうです。動機、機会、物証、目撃者、すべてが過不足なく揃っている状況ですから、白を切ったって無駄です。被告人もそれがわかったのでしょう」

「つまり、被告人が自主的に自白をしたわけですね」

「そのとおりです」

伊佐山は堂々と言ってのけた。嘘を言わないと宣誓したその口で、真っ赤な嘘をついている。伊佐山こそが犯罪者だと、雅史は思った。

谷沢は伊佐山への質問を終えると、最後に自分の意見をつけ加えた。

「被告人は当検察官に対しても、従順に取り調べに応じ、自らの罪を認めています。もし本当に無実であるなら、二度に亘って素直に犯行を認めたりするでしょうか。この期《ご》に及んで無罪を主張するのは、いささか奇異に思われます」

谷沢の言葉に、もっともだとばかりに頷いている傍聴人が何人かいる。裁判官たちもそうではないかと焦《あせ》り、壇上に目を向けたが、三人の裁判官は無表情を保っていた。どうか、自白に追い込まれる容疑者の気持ちをわかって欲しいと、切実に祈った。

綾部による反対尋問は、それだけかと文句をつけたいほどあっさりしていた。綾部は立ち上がると、手にした書類を見ながら伊佐山に尋ねた。

「被告人は刑事に脅されて、やってもいないのにやったと言わされたと主張していますが、それは本当ですか」

「いいえ、違います」

心外だとばかりに、伊佐山は目を大きく見開いて首を振る。無骨そうな外見の割に、演技はいやになるほどうまかった。

「ではあなたは、容疑者を怒鳴りつけたことはありますか」

「まったくない、と言えば嘘になります。やはりひと筋縄ではいかない輩《やから》が、世の中にはいますので。しかしこの被告人の場合は、そんなに怒鳴る必要はありませんでした」

「ならば、被告人が今、無罪を主張しているのは意外ですか」

「そうですね、意外です。なぜ急に自白を翻したのか、私にはわかりません」

伊佐山は首を傾げる。雅史に言わせれば猿芝居だが、しかしこの場の誰もそうとは思っていないのが悔しかった。

伊佐山の退廷後には、県警鑑識課の担当者が証言台に立った。まず谷沢が、鑑定結果の精度について質問する。担当者は専門用語を交え、精度はかなり高いことを説明した。続けて、検出された指紋が雅史のものであり、胸倉を摑み上げるように残っていたと証言する。谷沢は満足げに質問を終えた。

綾部の反対尋問は、指紋がついた時間を問題にした。しかし担当者は、指紋がその日の昼についたか夜についたかは、鑑定で割り出すことはできないと言うだけだった。綾部は指紋が昼についたものであることを示唆《しさ》しようとしていたが、印象としては白とも黒ともつかず、グレーのままだった。

14

第三回の法廷で、目撃者である雨宮健《あめみやたけし》が出廷した。雨宮は二十代後半くらいの、サラリーマンにしては少しおしゃれすぎる嫌いのある男だった。だがそう見えるのは雅史が同年代の男の中でも野暮ったい人間だからであり、雨宮くらいのセンスは普通なのかもしれない。流行の服に流行の髪型、ほどほどに整った顔かたちは、雅史とは別世界の住人に思えた。雨宮は雅史に目を向けると、少し驚いたような顔をした。その表情の意味はよくわからなかった。

まずは検察側尋問なので、谷沢が立ち上がる。一般人が相手だからか、谷沢の口調も心なしか柔らかかった。

「十一月十三日の夜十時頃、あなたはどこで何をしていましたか」

「会社の同僚と、上町で飲んでいました」

雨宮は緊張した様子もなく、はきはきと答えた。その堂々とした態度が、雅史は恨めしかった。自分の発言が雅史の運命をどう変えるかなど、まるで想像していない態度だった。

「全部で何名でしたか」

「四人です。上司と、私を含めた部下三人です」

「何時から飲み始めましたか」

「九時頃ですかね。残業で遅くなったので、飲んで帰るかということになったんです」

「九時から飲み始めたとしたら、十時頃は一時間経過したことになりますが、そのときはどれくらい酔っていましたか」

「ぜんぜん酔ってません。というのも、そのとき私は少し風邪気味で、飲むのを抑えていたからです。中生を二杯飲んだだけでした」

「中サイズのビールジョッキで二杯という意味ですね。あなたはふだん、それくらいの量では酔いませんか」

「はい。どちらかというと強い方だと思うので」

この質問は、雨宮の証言の信頼性を確保しようとしているのだろう。後で綾部がその点をつつくと思うが、確かに中生二杯では通常は酩酊《めいてい》しないだろう。酔っぱらいの証言だから信用できない、という論展開は難しそうだった。

「わかりました。では、そのお店では何時まで飲んでいましたか」

「十時半過ぎにはお開きにしました。次の日も仕事がありますので」

「他の方たちとはどこで別れましたか」

「店の前です。ちょっとコンビニに寄りたかったのですが、バス停とは逆方向でしたから」

「コンビニエンスストアに行く途中で、今この場にいる誰かを見かけましたか」

「はい」

「それは誰ですか」

谷沢の質問に、雨宮はゆっくりと首を振り向けた。

「この人です」

雨宮は真っ直《す》ぐに雅史を指差す。その迷いのなさに、雅史は絶望感を覚えた。

「間違いありませんか」

「間違いありません」

「被告人はそのとき、何をしていましたか」

「急いでいるようでした。早足で歩いてきて、私とすれ違うときに肩がぶつかったのです」

「そのとき、言葉を交わしましたか」

「いえ。『痛いな』と文句を言ったのですが、この人は振り返りもせずに行ってしまいました」

「急いでいるのは、なぜだと思いましたか」

「なんだか、何かから逃げているようだなと思いました」

「逃げている。そういう印象だったわけですね。その人の着ている服は憶えていますか」

「はい。灰色のウィンドブレイカーを着ていました」

「それは、これですか」

証拠品として押収した雅史のウィンドブレイカーを、谷沢は掲げた。雨宮は一瞥《いちべつ》して、頷いた。

「それだと思います。そういう色でした」

以上で主尋問は終わりだった。雅史に言わせれば、なぜその男が雅史だと断言できるのかわからない、曖昧《あいまい》な供述だった。綾部も当然、証言のあやふやさを突いてくれるはずと考えた。綾部が反対尋問のために立ち上がる。

「事件当夜、あなたは風邪をひいているとのことでしたが、風邪薬は服《の》みましたか」

「いえ、酒を飲むつもりだったので、薬は服みませんでした」

綾部の質問は、風邪薬とアルコールを一緒に飲めば、少量でも酩酊状態に陥ると指摘したかったのだろう。だがその狙《ねら》いは、簡単に外されてしまった。

「ではあなたは、歩いているときいつも、前方から来る人の顔を記憶するように見ているのですか」

「それは、相手によると思います。漠然と見ているだけですが、印象が強ければ記憶に残ります」

「ということは、被告人の印象は強かったのですね。なぜ印象が強かったのでしょうか」

「歩く勢いが、周りの人たちと違っていたからです。早足で歩いている人が自分に向かってきたら、そりゃあ顔を見るでしょう」

なるほど確かにそのとおり、と頷きたくなってしまう雨宮の切り返しだった。反対尋問どころか、目撃者の証言を補強してやっているようなものである。何をしているのかと、雅史は綾部の顔を見た。だが綾部は依然として、覇気の感じられない態度で尋問を続ける。

「あなたは視力はいくつですか」

「裸眼では〇・一を切りますが、コンタクトレンズを嵌《は》めていれば一・〇くらいです」

「夜間でもそれは変わりませんか」

「暗いところでは見づらい、なんてことはありません」

「しかし相手は早足で歩いていた。そんな人の顔に焦点を合わせるのは、難しいのではないですか」

「どうでしょうね。意識したことはないのでわかりません」

「あなたは見かけた人を被告人だと断言していますが、単なる似た人の可能性はないですか」

「うーん、ないと思います」

「ないと思います？」

「あ、いえ、ないです。その人で間違いありません」

「今、被告人を見て、何か気づきませんか」

綾部は雨宮に、雅史の顔を見るよう促した。雨宮はしばらく雅史を見つめてから、言いにくそうに答える。

「顔の痣《あざ》、ですか」

「そうです。このように被告人には、目立つ痣が顔にあります。にもかかわらずあなたは、似た人の可能性はないと思います、などと曖昧な表現をしました。これほどはっきりとした特徴がある顔を憶えているなら、そんな曖昧な表現にはならないのではないでしょうか」

思わず雅史は、顔を上げて綾部を見た。なるほど、それはいい切り返しだ。目撃者の証言は、事実ではない。事実でないなら、あやふやなのも当然なのだ。そこは、ぜひとも追及して欲しいポイントだった。

しばし、緊張に満ちた沈黙が法廷内に満ちた。雅史にとっては、緊張を強いられる沈黙だった。雨宮は再度、じっくりと雅史の顔を見ている。自分が見た人間には痣がなかったのではないかと、記憶を疑っているのか。ならば今からでもいい、証言を翻して欲しかった。

だが雨宮の返事は、雅史の期待を真っ向から裏切るものだった。

「思い出しました。あのときすれ違った人には、顔に目立つ痣がありました。間違いなくこの人です」

どういうことだ！　立ち上がって文句を言いたかった。今のやり取りは明らかにおかしいではないか。痣が記憶に残っているなら、最初からもっと自信のある証言をするはずだ。それなのに雨宮は、今思い出したと言う。曖昧な記憶を、後から仕入れた知識で補強しているとしか思えなかった。

雅史は雨宮と面識がない。つまり利害関係もないわけで、雨宮は悪意があって雅史を陥れようとしているのではないのだ。悪意どころか、ひょっとすると純粋な正義感なのかもしれない。おそらく雨宮は、雅史が殺人犯だと信じて疑っていないのだろう。

思い込みほど怖いものはない。皮相な正義感が今、無実の人を罪に陥れようとしている。にもかかわらず、その矛盾に誰も気づいていない。この瞬間、本当の意味で自分が孤立無援なのだと雅史は知った。

15

雨宮が退廷した後、綾部が弁護側の冒頭陳述を行《おこな》った。しかし綾部の主張は雅史の言葉に従っているだけで、新証拠を提示できるわけではなかった。雅史のアリバイを裏づけてくれる人は、見つかっていないのである。綾部も説得力がないと思っているのか、今ひとつ言葉に力が籠《こも》っていないように雅史には感じられた。

そして、被告人質問となった。ようやく雅史に、存分に無罪を主張できる場が与えられたのだ。まずは綾部が、雅史に質問をした。

「被害者の市瀬さんに対して、事件以前はどのような感情を抱いていましたか」

このやり取りに関しては、事前に打ち合わせをしてある。雅史は軽く息を吸ってから、なるべくはきはきとした口調で答えた。

「好きではありませんでしたが、上司と部下の関係としてはうまくいっていたと思います」

「つまり、特にトラブルめいたことはなかったわけですか」

「まったくありません」

「市瀬さんの暴言を、ずっと我慢していたと？」

「我慢と言いますか、そういう人だとわかっていたので、聞き流していたという感じです」

「怒りや恨みを溜《た》めていたわけではないんですね」

「そうです」

「では、事件のあった日に市瀬さんの胸倉を摑み上げたのは、あくまで突発的な出来事だったのですか」

「そのとおりです。自分でもびっくりしました」

「びっくりしたというのは、そんなふうに怒りを爆発させたことがこれまでなかったからですか」

「はい。人の胸倉を摑んだのなんて、初めてでした」

「そんなにも怒ったのは、なぜですか」

「私の恋人を侮辱されたからです」

そう答えるときだけ、雅史は言いにくさを感じた。今日も傍聴席には由梨恵がいる。この返答が、由梨恵に精神的負担をかけてしまうのは避けられないはずだった。だが、事実は事実として答えるしかない。裁判官に真実を知ってもらうことこそ、無罪への近道だと考えていた。

「あなたはそのとき、何を目的としていましたか」

「侮辱をやめて欲しかったんだと思います」

「謝って欲しいとは思いましたか」

「おそらく」

「おそらく、というのは？」

「カッとしてましたから、ちゃんとした考えがあったわけではありません」

「では、その場が収まった後はどうでしたか。謝って欲しかったですか」

「いえ、もう二度と侮辱的なことを言わなければ、それで充分でした」

「つまり、改めて個人的に会う必要性は覚えなかったわけですね」

「そのとおりです」

「事件当夜、あなたは夜釣りに行っていたと主張していますね。夜釣りは以前からの趣味ですか」

「そうです。夜釣りはひとりでいられますから」

「ひとりでいられるから好き？　それはどうしてですか」

「私はこのとおり、顔に痣があるので、知らない人に話しかけられるのが苦手なのです。だから、話しかけられる機会が少ない夜釣りの方が好きなんです」

「なるほど。では事件当夜に釣りに行ったのは、いつもの行動なのですね」

「はい」

「そのとき、誰かに会いましたか」

「いいえ、誰にも会いませんでした」

「それも普通のことですか」

「そうです。いつも誰にも会いません」

「その日の釣果は？」

「残念ながら、一匹も釣れませんでした」

「あなたはあまり釣りが上手ではないんですか」

「そうかもしれません」

「釣りを切り上げたのは、何時頃ですか」

「十一時にはやめました」

「その後はどこかに行きましたか」

「いいえ、真っ直ぐ家に帰りました」

「では、事件現場である上町二丁目の近くは通りましたか」

「通ってません」

「ならば、目撃証言と矛盾しますね」

「おそらく、目撃者は人違いをしているのだと思います」

これは声を大にして言いたいことだった。たったひとりの目撃者の単なる思い込みで、人生を狂わされたくはなかった。

言うべきことは言ったと思った。自分は掛け値なしの真実しか口にしていない。真実なのだから、必ず理解してもらえると信じたい。だが、そう確信できない自分がいることを、雅史は自覚していた。

続く谷沢からの質問は、まるで人間味の感じられない厳しいもので、気持ちが萎縮《いしゅく》した。だが、もう言い負かされるわけにはいかないと耐え、なんとか無実を主張しとおした。質問を終えて席に着く谷沢は、雅史に冷たい一瞥をくれた。あたかもそれは、抵抗しても無駄だと見下しているかのようだった。

そして、第四回の法廷で最終弁論の手続きに移った。谷沢は立ち上がると、これまでの淡々とした態度から一変して熱弁を振るった。まるで、このときのために力を温存してあったかのようですらあった。

「……被告人は、恋人を侮辱されたから市瀬さんの胸倉を摑んだと、あたかも市瀬さんは殺されて当然であるかのような物言いをしますが、そんなことがあっていいでしょうか。市瀬さんの発言は確かに誉《ほ》められたものではありませんが、日常的にどの会社でも口にされているようなレベルのことです。そんなことでいちいち殺されていては、日本からあっという間に壮年男性が姿を消してしまいます。あくまで市瀬さんは被害者であり、被告人の身勝手な主張はとうてい容認できません」

谷沢は拳を握って、法廷内にいる人々に訴えるように語った。こんなことを言うからには、どうせ谷沢は男尊女卑的発想しかできない男なのだろう。雅史は改めて、谷沢に対する嫌悪を覚えた。

「恋人への謝罪を求めるのは、常識の範囲内で理解できます。しかし被告人は、その際の手段として暴力を選びました。被告人は自らも認めたように、心の中に思いもかけない暴力衝動を眠らせている人間です。日頃はそれを押し隠していても、上司を待ち伏せて暴力を振るうのに躊躇《ちゅうちょ》をしない男なのです。被告人は市瀬さんを殴るとき、殺してもかまわないつもりでいたと自白しています。そして実際に、市瀬さんが後頭部から地面に倒れた後も、その場に放置して立ち去りました。このような行為は過失でも傷害致死でもなく、殺人以外の何物でもありません。繰り返し強調しますが、被告人は殺意をもって市瀬さんを殴り倒しているのです。凶悪極まりない事件であると断ぜざるを得ません」

自分の上にどんどんセメントを塗られ、まったく別の外見が作り出されていくようだと、雅史は感じた。谷沢の言葉を聞いていると、雅史が無罪である可能性などとうてい考えられなくなる。警察と検察が作り出したストーリーの中だけに存在する、架空の雅史。しかし現実に逮捕され法廷に引きずり出されているのは、架空の雅史ではなく今ここにいる本物の雅史なのだった。

「以上のように、被告人の攻撃的性向は顕著であり、その上一度己の罪を認めておきながら法廷においてそれを翻すという態度には、反省のかけらも見られません。よって、恋人のための犯行であるという同情すべき点を鑑《かんが》みたとしても、被告人に懲役八年を求刑するのが適当であると判断します」

懲役八年。それが殺人の報いとして長いのか短いのか、今の雅史には判断がつかないが、無実の罪にはあまりに長い年月だった。予想はしていても、実際に谷沢の口から告げられると、視界が歪《ゆが》むような衝撃を覚える。雅史は目を瞑《つぶ》り、眩暈《めまい》にも似た揺らぎに耐えた。

代わって、綾部が最終陳述に立った。綾部はこれまで繰り返してきた主張を、最後にもう一度繰り広げる。だが谷沢に比べて口調に力がないのは誰の目にも明らかで、無罪を主張すること自体が本意ではないと態度で語っているかのようだった。結局綾部は、最後まで雅史の無実を信じていなかったのだ。

「では被告人、判決の前に何か言いたいことはありますか」

裁判長が雅史にも発言の機会を与えた。雅史は言葉の無力さに徒労感を覚えながらも、訴えずにはいられなかった。

「私は逮捕されるまで、社会の片隅で誰にも迷惑をかけずに静かに暮らしていました。それなのにある日突然濡《ぬ》れ衣《ぎぬ》を着せられ、生活のすべてを奪われてしまったのです。私はやっていません。やってもいないことを認めてしまったのは間違いだったと、今は深く後悔しています。嘘ではありません。私は誰も殺したりしていません」

最後は裁判官ではなく、傍聴席にいる両親と由梨恵に向けて語っていた。母と由梨恵は目に涙を浮かべながらも、食い入るように雅史を見つめ、何度も頷いている。だが他の傍聴人たちの表情は硬く、この法廷内にいる人の中で雅史を信じているのは両親と由梨恵だけなのだと絶望したくなった。いや、法廷内に留まらない、世界中探しても信じてくれる人は他にいないのだった。

判決公判までの数日は、雅史にとって地獄の日々だった。警察の留置場での生活を地獄と感じたが、あれなどまだ生ぬるかったのだと身をもって知った。狭い空間に閉じ込められたまま、己の人生を左右する瞬間が来るのを待ち続ける時間。しかも近い将来訪れる瞬間に、希望はほとんど持てないのだった。夜は眠れず、日中はじっとしていることもできず、ただいたずらに独房内をうろうろしたかと思うと、絶望のあまり絶叫して刑務官に強く叱《しか》られた。心が脆《もろ》くなり、どんどん不安定になっていくのを実感する。発狂する恐怖と、いっそ発狂してしまいたいと望む破滅的衝動とが、雅史の裡でせめぎ合った。

そして、判決公判の日がやってきた。法廷の真ん中に立った雅史に、裁判長は判決を言い渡した。「被告人を懲役六年に処す」。淡々と告げる裁判長の声音は、雅史を貫き、打ちのめした。雅史は目を閉じなかったのに、突然照明を消したように視界が暗転した。

第三章　弁護士

1

携帯電話が振動した瞬間、綾部和久《かずひさ》の胸はとくんと跳ねた。この振動パターンに設定してあるのはひとりしかいないから、ディスプレイを見なくても誰からのメールかわかる。特に気にしていない振りをしてテレビを見続け、しばらくしてからトイレに立った。便器に坐《すわ》るのももどかしく、携帯電話を開いた。決定ボタンを何度も押し、届いたメールを開く。だが昂揚した気分はそこまでで、文面を読んだとたんに心は沈んだ。それは半ば、予想していた内容でもあった。

その日は友達と約束があるので、ゴメンナサイ。相手はそう書いていた。むろん、断られるのは覚悟の上だった。そんなに簡単にキャバクラの女の子を個人的に誘えるとは、綾部も思っていない。それでもこれまでの付き合いを思えば、可能性がゼロではないだろうと計算していた。何せ、綾部がこれまで使った金は、二百万円近くになるのだ。そこまで気持ちを示せば、向こうも多少は感謝の念を覚えるのではないかと考えていたのだった。

甘かったようだ。三十八にもなって、二十歳《はたち》そこその女の子に手玉に取られている。情けない思いと、相手に対する怒りとが渾然《こんぜん》となって込み上げてきて、うまく処理できなかった。感情にまかせて携帯電話を床に叩《たた》きつけたくても、新しい端末を買うのにいくらかかるかと考えてしまう。そんな小市民的感覚が、自分でもいやでならなかった。

あの女の容姿は、非日常を垣間見させてくれる美しさだった。中身ではなく、容姿だけを見ているという自覚は綾部にもある。しかし、それも仕方がないではないか。そこの容姿で満足できるくらいなら、わざわざ妻以外の女を求めたりはしない。日常の生活に倦《う》んでいたからこそ、非日常レベルの美しさに惹《ひ》かれたのだ。並外れて美しい女でなければ、金を使う意味はなかった。

しかし、そうした女は手強《てごわ》いという事実を、綾部はわかっていなかった。いや、わかってはいても無視していた。夢は最初から諦《あきら》めていては、見ることもできない。まずは夢見てみないことには、実現もしないのだ。だからこそ、成功の可能性が低いことには目を瞑《つぶ》って口説いた。自分の平凡な人生が一変するような奇跡が起きるかもしれないと信じて、二百万もの金を注《つ》ぎ込んだのだった。

その結果は、あまりに予想どおりだった。むろん、諦めるのはまだ早い。今後も金を使い続ければ、いつかはなびいてくれる可能性もゼロではない。いや、本当はゼロなのかもしれないが、綾部には判断がつかない。ゼロならゼロとはっきり言って欲しいけれど、女はいつもはぐらかすだけだった。だからこそずるずると、店に金を落とし続けてしまったのだ。

理性は、ここらが潮時だと告げていた。あんな芸能人顔負けの女が、腹が出た中年男になびくわけもない。あの女と並んで歩けば綾部は、どう見ても若い女の子相手に鼻の下を伸ばしている助平親父《おやじ》でしかないのだ。身の程をわきまえろと、心の声が非難していた。

思わず、自分の下っ腹を見てしまった。坐っているとよけいに、脂肪がいくつも折り重なっているのがよくわかる。これでも昔は、体型を維持しようと努力したこともあった。高い入会金を払ってスポーツクラブに入ったし、食事の量を減らしてもみた。だがスポーツクラブの会費は単に寄付したようなものだったし、食事を減らしてもビールが増えるだけだった。そうこうするうちに、何をしても無駄なほど腹に脂肪が溜《た》まってしまった。今や、自分に若い頃があったとは信じられないほど、自他ともに認める中年男となってしまった。

こんなはずではなかった、と綾部は思う。十代の頃は、もっと光り輝く将来を夢想していた。弁護士になればすべてが劇的に変わり、誰もが羨《うらや》む豪華な人生が送れると信じていた。金は使い放題、むろん美しい女も思いのまま、自分はいつまでも若い体型を保ち、高価な服や小物で身を飾り、休暇は海外のリゾート地でのんびりと過ごす。そんな目標があったからこそ、すべてを犠牲にして司法試験に打ち込むことができたのだ。弁護士にさえなれれば、その辺を歩いている平凡な人たちとはまるで違う夢の人生が開けると、頭から信じて疑わなかった。

しかし実際は、この下っ腹がすべてを物語っている。自分が醜く太ってしまっただけではない。妻もまた、今や綾部と並べば夫婦というより兄妹に見えるほどそっくりの体型をしている。経済的には海外旅行など夢物語で、自宅のローンと三人の息子たちの学費のための貯金で汲々《きゅうきゅう》としていた。薔薇色《ばらいろ》の人生は、絵空事でしかない。

こんなはずではなかった。綾部は繰り返さざるを得ない。まるで、どこかで大がかりな詐欺《さぎ》に遭《あ》ってしまった気分である。将来がこうだとわかっていたら、もっと違う道を歩んでいただろう。十代後半から二十代にかけての時間をすべて勉強に費やしたりはせず、人並みにいろいろ遊んでみたかった。そうすれば今頃は、諦めがついていたのではないかと思う。諦めきれずにキャバクラの女にうつつを抜かしたりするのは、青春と言える時間を過ごしていないからだ。綾部はそんなふうに自己分析している。

消沈している気持ちをなんとか押し隠せていると確信してから、トイレを出た。先ほどまで見ていたテレビ番組は、とうに子供向けのアニメに切り替えられている。そうだった、我が家ではちょっと油断するとチャンネル権を奪われてしまうのだった。もちろんパソコンや携帯電話のワンセグで見ることはできるが、せっかく買った大画面テレビで自分が見たい番組を見られないのは業腹《ごうはら》だ。といって、三人の息子たちを相手に争う気にはとうていなれない。静かにしていてくれるなら、テレビくらいは譲りたくなる。現に息子たちは、三人揃《そろ》ってぽかんと口を開け、画面に見入っている。その様子になんだかうんざりするものを覚え、綾部はダイニングチェアに坐った。

「ごめんね。さっきの番組、見たかった？」

キッチンから出てきた妻が、そう話しかけてくる。スリーサイズの差がほとんどなくなってしまった妻。たまに息子の授業参観に出ると、子供がまだ小さいのにどうしてこの人はこんなおばさんなのだろうとびっくりさせられる母親に出会う。しかしもはや、他人の妻に驚いている場合ではなかった。気づいてみれば、綾部の妻も堂々たるおばさんになっていたのだから。

「いや、別にいいよ。読んでおかなきゃいけない書類もあるし」

仕事が残っているのは事実である。三人の息子たちの進学を思えば、あまり遊んでいる暇はないのだ。実績がある弁護士事務所に雇われている状態、いわゆるイソ弁を卒業して独立した事務所を構えてから、綾部は実質自由業者となった。黙っていても給料がもらえる身分から、働かなければ一銭も入ってこない立場になったのだ。それはやり甲斐《がい》がある道ではあったが、反面、常に恐怖と背中合わせだった。いつ無収入になるかもしれない恐怖。綾部は余裕ある生活を送るどころか、恐怖に急き《せ》立てられるように馬車馬の如《ごと》く働いているのだった。十代の頃に夢見た生活は、何年かかっても決して実現しないと今では悟っている。

自分が特別不幸なわけでないことはわかっていた。むしろ、幸せな部類に入るのだろう。仕事以外で知り合った人はたいてい、綾部が弁護士と知ると褒め称《たた》える。優雅な生活を送っているものと勝手に想像する。実際、弁護士という肩書はキャバクラではもてた。女の子たちに「すごーい」と言われてちやほやされるのは、かなり気持ちがいい。しかし肩書で得するのは、そんなときだけだ。実際の収入は同世代のサラリーマンに比べて特別多いわけではないし、福利厚生がないことを考えればむしろ少ないと言えるかもしれない。それでも、一応のところ事務所が軌道に乗り、少なくとも明日の生活に困ることがないのは幸せなのだろう。何度も己にそう言い聞かせたことはあった。

だがそれはあくまで、小市民的幸せだ。人は皆、どこかで諦めて小市民的幸せを追求するようになるのか。だったら諦めきれずにまだ足掻《あが》いている綾部は、客観的にはみっともない中年親父でしかないのだろうか。家族の幸せが自分の幸せ、などと臆面《おくめん》もなく言えたらどんなに楽だろうと思う。そんな立派な家庭人は、キャバクラの女の子に振り回されて一喜一憂したりせず、平らかな気持ちで日々を過ごしているのだ。そうした境地を羨ましいと思いつつも、脂《あぶら》ぎっていたい気持ちはどうしても捨てられない。脂っ気が抜けたら男として終わりだと、綾部は頑《かたく》なに思い込んでいた。

だからこそ、貯金が目減りする恐怖に耐えながら、二百万円も使ってしまったのだ。それを妻に告白すれば、他の女に目をやっていたことよりも、二百万円を無駄に使ってしまった愚かさを怒るだろう。綾部の家庭にとって、二百万円は決して小さい額ではない。もしいっぺんに使うのだったら、躊躇《ちゅうちょ》するどころか決して払いはしない金額だった。先日計算してみてついに浪費が二百万円に達したことを知ったとき、綾部は心の奥底で鈍く深い衝撃を受けた。そして、元《もと》を取ろうと女をデートに誘ったのだった。

あえなく撃沈されてみれば、手許《てもと》に残ったのは空《むな》しさだけだった。あのレベルの女を落とせると思った自分が馬鹿《ばか》なのだという認識が、堤防が決壊したように押し寄せてくる。子供の頃から図抜けて成績がよかった綾部は、己の愚かさを直視することに慣れていない。ほとんどそれは失恋の痛みに似ていたが、面《おもて》に出せずになんでもない振りをしなければならないのがいっそう辛《つら》かった。

アニメ番組が終わったとたん、息子たちは喧嘩《けんか》を始めた。妻は金切り声で、うるさい息子たちを叱《しか》りつける。うんざりだ、綾部は心の中で吐き捨てた。

2

当番弁護を引き受けているのは、いつ仕事がなくなるかわからないという恐怖に背中を押されたからだ。当番弁護とは、言わばボランティア活動である。警察に逮捕された被疑者が、個人的につてを辿《たど》って弁護士を呼べない場合に、当番弁護士が駆けつける。そして法律上のアドバイスをして、被疑者が取り調べの際に不利益を被《こうむ》らないよう手助けする。弁護士会によるボランティアだから、報酬は微々たるものだ。だが当番弁護をすれば、起訴後にそのまま弁護を依頼されることが大半である。口コミ以外になかなか宣伝のすべがない弁護士にとっては、最大の営業手段だった。

その日も綾部は、所属する弁護士会からの連絡を受けて、警察署に駆けつけた。当番弁護に頼るのはたいてい、これまで警察や犯罪とはなんの関わりもなく生きてきた一市民である。仕事上の問題で逮捕された人や、もともと裏稼業《うらかぎょう》で生きているような人は、バックに控えている組織が弁護士をつけてくれるので当番弁護士を呼ぶ必要はないのだ。だから綾部も、取調室にいるのは当然人畜無害な人だと思い込んでいた。

しかし、室内に入って立ち竦《すく》んだ。机の向こうに坐っていたのは、ただならぬ暴力的な気配を放つ男だったからだ。

ヤクザだ。ひと目でわかった。顔に傷があったわけではない。髪型が独特だったわけでもない。しかしそげた頬と険しい目つきは、とてもまともな人のそれではなかった。男は綾部を睨《にら》みつけたりはしなかったが、それでもちらりと一瞥《いちべつ》されただけで、その場で固まってしまった。

「弁護士なんか呼んでねえぞ」

低い声で、男はぼそりと言った。そのひと言でようやく金縛りが解け、綾部は慌《あわ》てて名刺を差し出した。

「わたくし、弁護士会から紹介されて来ました綾部と申します。弁護士会には、お母様が相談されました」

「お袋が？」

男は一瞬、眉《まゆ》をぴくりと動かすと、それきり黙り込んだ。母親の気遣いと思えば、綾部を邪険にもできなかったのだろう。相手が黙っているうちにと、机を挟んで正面の椅《い》子《す》に坐った。

「お母様は秋成《あきなり》さんのことを大変心配なさっていました。どうしてこんなことになってしまったのかと、心を痛めておられましたよ」

どのように接すればいいのかわからなかったので、ともかくまずは情に訴えることにした。母親の心配が伝われば、男もむやみにこちらを威嚇《いかく》したりはしないだろうと計算したのだった。

果たして、男は沈黙を続けた。綾部を追い返そうとしないのは、話をする余地があるということだろう。ならば、仕事になるかもしれない。わざわざ時間を費やして足を運んだのだから、手ぶらで帰りたくはなかった。

男の名は秋成良治《りょうじ》といった。自宅で妻を包丁で刺し殺し、この警察署に自首して逮捕された。殺した理由を秋成は、喧嘩としか言っていなかった。喧嘩の内容や原因には、いっさい口を閉ざしているという。

どう見てもヤクザなのに、組織の顧問弁護士がやってこないのは、本当に夫婦間の諍《いさか》いによる事件だからなのだろう。綾部はそう推測した。弁護士を呼ぼうとしなかったのだから、おとなしく刑に服する気があるのだ。ならば、裁判も国選弁護人で済ませるかもしれない。

しかし母親を口説けば、私選弁護人でということに話を持っていけないだろうか。そんなふうに綾部は企《たくら》んでいる。ヤクザの犯行ならば執行猶予《ゆうよ》を勝ち取ることも難しいが、逆に誰が弁護しても結果は同じという気楽さもある。ともかく、本人の話くらいは聞いてみたかった。

「秋成さんは口論の末に奥さんを刺してしまったと聞いています。それに間違いはありませんか」

「……ないよ」

ぶっきらぼうにだが、秋成は答えてくれた。会話が成立するなら、弁護活動も可能だ。少し身を乗り出し、親身になっている振りをして問いかけた。

「口論の理由、教えていただけませんか」

　だが秋成は、心のガードを解いたわけではなかった。

「言わねえよ。おれは臭い飯を食うつもりで、自首したんだ。いまさら弁護してもらう気はない」

「いや、しかし、口論の理由を明らかにしないままで裁判を終わらせるわけにはいきませんよ」

「女房が死んだんだ。その結果だけで充分じゃねえか。あれこれほじくり出さないでくれ」

「はあ、そうですか。でしたら仕方ないですが、お母様が悲しむでしょうねぇ」

　なんの気なしに言った言葉だったが、秋成は過剰に反応した。

「お袋のことは言うな」

　ドスの利《き》いた声で綾部を威嚇すると、針のような視線を突き刺してきた。やはりヤクザはヤクザか。ふたたび身を竦み上がらせながら、綾部は再認識した。

「では、警察の取り調べで何か困ったこととか不満なことはありませんか。なんでもお力になれますが」

「警察のやり口は、あんたよりもよっぽどわかってるよ」

　秋成は口許を歪《ゆが》めて、冷笑した。まあ、確かにそうだろう。ならば綾部が関与できる事件ではないということだ。仕事の合間を縫ってやってきたのに無駄足に終わったのは腹立たしいが、ヤクザ絡《がら》みの事件に関わらなかったのはよかったかもしれない。そう自分を慰め、最小限の必要なことを口にしてから腰を上げた。さっさと事務所に帰って、金になる仕事を始めたかった。

3

それきり秋成のことは忘れたつもりでいたが、弁護士会から再度の連絡があった。秋成の母親が、ぜひとも弁護を頼みたいと言っているそうだ。依頼人がいるなら、拒むつもりはない。雀《すずめ》の涙ほどの報酬しか得られない国選弁護をやらされるより、よほどやる気が出た。

弁護士会からの連絡があったその日に、秋成の母親は事務所にやってきた。母親は四十過ぎの息子がいるとは思えぬほど、若々しく見えた。この母親自身もヤクザの情婦だったのではないかと推測したが、どうでもいいことなのでわざわざ確認はしない。母親は目許にハンカチを当てながら、今回のことがいかに考えられない出来事か、切々と訴えた。

「良治はヤクザなんてやってますが、本当は心の優しい子なんです。愛美《まなみ》さんとも仲良くしてて、今度のことは何かの間違いとしか思えません」

心が優しかったら、ヤクザになんてなるわけないでしょ。綾部は心の中で反論したが、口には出さなかった。親がまったく子供のことを理解していない事例は、これまでたくさん見てきた。親は自分にとって望ましいイメージを勝手に作り上げ、現実を直視しないものである。子供がヤクザになったという事実があっても、やはり現実から目を逸《そ》らしていられるようだ。

「では、こんな事件が起きた原因に心当たりはありませんか」

本人が語らないのでは、動機の探りようがない。せめて周辺の人々に訊《き》いて、外堀を埋めていくしかなかった。

「良治と愛美さんは、本当に仲が良かったんですよ。そりゃあ年は離れてましたけど、だからよけいに良治も愛美さんを大事にしてました。そのせいで少し愛美さんが我《わ》が儘《まま》になっていましたが、そんなところも良治にしてみればかわいかったはずなんです」

母親の観察がどの程度当てになるかなどわかったものではないが、被害者が我が儘だったという証言は参考になる。大方、その辺りに原因が存在するのだろう。

「おふたりの間にお子さんはいらっしゃらなかったのですね」

「ええ。結婚して二年になりますけど、まだ子供はいませんでした。良治には前の人との間に子供がふたりいますが、子供は前の人が引き取ってますので」

母親が語る情報を総合すると、以下のとおりだった。まず、秋成良治は四十二歳、妻の愛美は二十五歳。愛美は現在無職だが、前職は水商売だったようだ。秋成が前妻と離婚したのは五年前で、その時点では愛美と知り合っていない。つまり、最初の結婚が破《は》綻《たん》したことに、愛美は関係していないことになる。

ふたりの関係は、秋成の方がのめり込んで愛美を口説き落としたことから始まったらしい。そのため、愛美はいささか我が儘で、金遣いも荒かったそうだ。秋成は組の中で若頭のポジションにいるので、金もそれなりに使える。そうでなければ愛美の要求には応じきれなかっただろうというのが、母親の見解だった。

いくら年下の妻がかわいいといっても、物事には限度がある。我が儘に振り回され続けた末に、ついに堪忍袋《かんにんぶくろ》の緒が切れてしまったのではないか。そんな図式を、綾部は思い描いた。

ならば、情状酌量を訴えるのが常識的な方針となるだろう。愛美がいかに悪い妻だったかを強調し、量刑の軽減を図る。前科があればどれだけ情状酌量してもらえるか心許ないが、もし力及ばずともそれは綾部のせいではない。簡単な仕事になりそうだと、綾部は踏んだ。

どうせ母親は秋成の人間関係を知らないだろうと思ったが、訊いてみたら意外にも組関係者の名前が何人か挙がった。もしもの場合の連絡先として、携帯電話の番号まで教わっていたのだ。それはありがたいと、さっそく会う約束を取りつけてもらった。ヤクザの組事務所まで乗り込んでいかなければならないのかと、そこだけが憂鬱《ゆううつ》だったのだ。

何度も頭を下げる母親を送り出してから、約束した相手と会うために事務所を後にした。小泉《こいずみ》という名の男は、秋成の下にいる立場らしい。顔はむろん知らなかったが、相手が待ち合わせの喫茶店に入ってきた瞬間に見分けることができた。典型的なチンピラふうの外見をしていたからだ。

手を挙げて注意を惹《ひ》くと、わざと肩を怒らせて近づいてきた。だが綾部に対しては低姿勢で、首を突き出すようにしてお辞儀をした。「兄貴がお世話になります」と、尋常な挨拶《あいさつ》もできる。言葉が通じない相手ではないらしいと、胸を撫《な》で下ろした。

「今回のことについて、小泉さんはどのように感じていますか」

コーヒーを注文してから、そう切り出した。小泉は訊かれるのを待っていたとばかりに、一気に語り出す。

「どうもこうもないッスよ。おれはまったく納得してないですね」

「納得してない？　それはどうしてですか」

「だって、兄貴が愛美さんを殺すわけないですよ」

これは思いもかけない発言だった。まさか小泉は、他に犯人がいると考えているのか。

「殺すわけないとは、秋成さんが濡《ぬ》れ衣《ぎぬ》を着せられていると考えているのですか」

「あ、いや、そういうことじゃなくって……。兄貴はそんな間抜けじゃないッスよ。なんて言ったらいいかなぁ」

小泉は困ったように頭を掻《か》く。すると、眉を剃《そ》った悪相に、少しかわいげが出てくる。小泉の年齢は二十代半ばくらいか。派手な開襟《かいきん》シャツにごてごてとアクセサリーをあしらい、まともでないことを強調した装《よそお》いではあるが、よく見れば年相応の幼さも残っている。秋成の身を案じる気持ちも、嘘《うそ》ではないようだ。

「ええと、もし本当に兄貴が愛美さんを殺したんだとしたら、どうしようもない理由があったはずだと言いたいんです」

さんざん頭を絞った末か、小泉はうまくまとまった説明をした。殺すにはよほどのわけがあると考えるなら、その根拠を語ってもらわなくてはならない。

「それはつまり、秋成さんと愛美さんの関係は悪くなかったという意味ですか」

「うーん、そういうのもちょっと違うんだよなぁ。なんというか、こういうときだから思い切って正直に言いますけどね、愛美さんの我が儘はおれが聞いてても腹が立つことがあったんですよ。だからすごく仲がいい夫婦だったかと訊かれると、違うんですよねえ」

また我が儘という言葉が出てきた。周辺の人が口を揃えて言うのならば、おそらく間違いはないのだろう。これは好感触だと、綾部は密《ひそ》かに手応《てごた》えを感じた。

「秋成さんは愛美さんの我が儘にうんざりしてたんですか」

「いやいや、そんなことはないッス」小泉は慌てた様子で首を振った。「それはないッスよ。兄貴は女の我が儘を受け入れるくらいの度量はありましたから。ただね、兄貴だから受け入れられるんだと、おれなんかは思いましたけどね」

「例えば、どんな我が儘を言うんですか？」

ここが肝心なところだ。度が過ぎた我が儘ぶりであったなら、大いに情状酌量の余地がある。

「そうですねぇ。例えば、限定もののブランドバッグを、売り切れた後に愛美さんが欲しがったことがあるんですよ。ただ、売り切れた後なら、よくても新古品しか手に入らないでしょ。それなのに、愛美さんは新古品でも満足しないんです。で、手に入らないのは愛情が足りないからだって兄貴を責めるんですよ。無茶苦茶でしょ」

「新古品でも駄目なんですか」

それは確かに、我が儘以外の何物でもない。ヤクザならどんな物でも簡単に手に入るとでも考えていたのか。

「駄目なんですよ。まあ結局、新古品を新品を売ってる店で見つけたってことにして、黙らせたんですけどね。ともかくそんな感じで、あれが欲しいこれが欲しいってのはほぼ毎日でしたね。それからおれが見てて呆《あき》れるのは、嫉妬《しっと》深いことでした」

「嫉妬深い」

「ええ。女の焼《や》き餅《もち》も少しならかわいいですけどね、あそこまで行くと面倒臭いだけッスよ。おれらみたいな仕事してると、シノギで女と話をすることだってあるわけですよ。キャバクラで人と会うこともありますし。で、そういうところで女の匂《にお》いが体について家に帰ると、大騒ぎになるらしいッス。いくら仕事だと言っても、ぜんぜん収まらなかったそうッスよ」

「なるほど」

好材料が次々に集まってくる。これで本人の証言が得られれば、刑期の一年や二年は軽く短縮できるのだが。

「では、どうして秋成さんが愛美さんを殺してしまったのだと思いますか」

肝心な点を質《ただ》した。すると小泉は、腕組みをして「うーん」と唸《うな》った。

「だから、それがおかしいんですよ。兄貴はそんなに簡単にキレるタイプじゃないんです。いちいちキレるような奴《やつ》は、しょせん小物なんですよ。兄貴は大物だから、愛美さんの我が儘も『よしよし』って許してたんですけどねぇ」

「よほど腹に据えかねることがあったに違いない、と?」

「そう考えるしかないッスよねぇ」

納得してないと自分で言うとおり、小泉は釈然としないようだった。綾部はさらに具体的な返事を求めて、尋ねる。

「我慢強い秋成さんが腹を立てるには、どんなことが考えられますか」

「そうだなぁ。愛美さんの浮気とか」

「愛美さんが浮気した可能性があるんですか」

「いやいや、違いますよ」また小泉は、激しく首を振る。「それも絶対にないと思います。だって、愛美さんは我が儘を言ってても、兄貴以外の男は眼中になかったはずですから。兄貴に我が儘を言うのも、甘えてるつもりだったんだと思うんですよねぇ。あんまりかわいくない甘え方でしたけど」

「では、他に秋成さんが怒る理由は思いつきますか」

「どうでしょうねぇ。プライドを傷つけられたらかなぁ。でも、さすがに愛美さんもその辺はわかってたはずだと思いますけどね。そこまで馬鹿なら、兄貴も最初から惚《ほ》れないし」

「となると、秋成さんが愛美さんを殺す理由がないようですが」

「そうなんですよ。だから不思議なんです。兄貴は何も言わないって、ホントですか？」

逆に訊き返されてしまった。それほどに、この事件は理解不能ということだろう。話を聞く綾部にも、いささか不可解な感触が残った。どうやらこれは、単純な痴情の縺《もつ》れが原因ではないようだ。手こずりそうな予感が、逆に綾部のやる気を引き出した。

4

やはり本人に語ってもらわないことには、どうにもならない。そう考えた綾部は、起訴されて拘置所に移送された秋成と面会した。秋成は面会を拒むことなく、アクリル板の向こうに姿を見せる。だが椅子に腰を下ろしても、自分から口を開こうとはしなかった。いささか気圧《けお》されながらも、綾部は平静を装って語りかけた。

「このたび、お母様の依頼で正式に秋成さんの弁護を担当することになりました。改めまして、よろしくお願いします」

「無駄なことだ」

秋成はぼそりと吐き捨てた。秋成の言う無駄が、弁護費用を意味しているのか、それとも弁護すること自体についてなのか、判然としない。聞こえなかった振りをして、話を進めた。

「お母様からもお話を聞きました。秋成さんは奥さんと非常に仲が良かったそうですね」

この質問には、沈黙で応じられた。予想していたので、一方的に続ける。

「お母様も小泉さんも、秋成さんが奥さんを殺したことには首を傾《かし》げていました。よほどの理由があったに違いないと、おふたりとも言っています。理由をおっしゃらないことにも何か事情があるのでしょうが、どうか私を信じて打ち明けていただけませんか」

「小泉のところにまで行ったのか。よけいなことを……」

秋成は顔を歪めて舌打ちをする。もしこれがアクリル板越しのやり取りでなければ、肝が縮み上がっていたところだ。しかし今は、ひとりの被告人と弁護士に過ぎない。綾部は軽く身を乗り出して、アクリル板に顔を近づけた。

「何があったんですか？　場合によっては情状酌量の余地があるかもしれませんよ」

「おれはムショに行くつもりで自首したんだ。よけいなことはしないでくれ」

秋成は腹を立てたわけではないようだが、いかにも煩《わずら》わしげだった。打つ手がなくなり、綾部は途方に暮れる。母親を持ち出せば怒り出すだけなのだから、もはや秋成に口を割らせる手段はなかった。

しばし沈黙が落ちた。会話がなければ、面会が打ち切りになってしまう。どうすればいいのかと綾部が焦《あせ》りだしたところ、秋成は退屈したように左耳の後ろを右手で掻いた。

その動きに、綾部は奇妙な印象を抱いた。なぜわざわざ体を捻《ひね》って、左耳の後ろを右手で掻かなければならないのか。素直に左手で掻いた方が自然ではないか。

そう考えたとき、天啓のようにある閃《ひらめ》きが頭の中を走った。先ほどから秋成は、左手をまったく動かしていない。頑なに体につけ、むしろ固定しているかのように見える。

綾部は秋成の左の二の腕をまじまじと見つめてから、顔に視線を転じた。

「秋成さん、腕を怪我《けが》してませんか」

指摘すると、秋成は一瞬、感情を剝《む》き出しにしたような目で綾部を睨んだ。そんな反応は肯定したも同然だと気づいたか、すぐに目を逸らしたが、綾部にはそれで充分だった。

「怪我してるんですね。奥さんにやられた傷ですか」

確認しても、秋成はもう反応を示さなかった。だが綾部は、返事がなくても事件のあらましがおおよそ見えてきていた。

殺意を抱いたのは秋成ではなく、愛美の方だ。その理由まではわからないが、逆上して刃物を持ち出したのは愛美だろう。秋成はその攻撃を避け、弾みで愛美を殺してしまったのではないか。つまり、情状酌量の余地があるどころか、これは正当防衛なのだ。

そう考えれば、秋成が口を噤《つぐ》み続ける理由にも見当がつく。おそらく秋成は、弾みで妻を殺してしまったことに自責の念を覚えているのだ。たとえ正当防衛とはいえ、自分の手で妻の命を断ってしまったことに変わりはない。ならば何も語らず、黙って刑に服そうと考えたのではないか。秋成が愛美を大事にしていたという話を聞けばなおさら、この推測には妥当性がありそうに思えた。

たわいないことではあるが、綾部は秋成の沈黙に感動してしまった。幼稚な物言いをすれば、かっこいいと思ってしまったのだ。だから野暮なことは言いたくなく、ただ感情が高ぶるままにひと言だけ口にした。

「お気持ち、お察しします」

それ以上は何も言えず、低頭して面会を打ち切った。ヤクザの中にはこんな男もいるのだと、感に堪えない思いだった。

翌日、拘置所に出直してみると、秋成の態度が少し変わっていた。面会室に先に入って待っていた綾部に、丁寧に頭を下げたのだ。おや、と思い顔を見上げたが、表情は相変わらず厳しい。今日も口を開きそうにないなと、半ば諦めながら予想した。

「秋成さん、私は弁護士です。弁護士は、依頼人のために最善を尽くすのが仕事です。秋成さんが何もかも胸の裡《うち》にしまっておきたいとお考えなら、そのお気持ちを尊重します。私は何も知らないまま裁判に臨むことになりますが、それでいいですね」

今日はこれを言うためだけに訪ねてきたのだった。おそらくは実刑判決が下り、秋成は短からぬ刑期を務めなければならないだろう。しかし、本人が望むならそれもやむを得ない。弁護士ができることには限度があると、綾部も諦念《ていねん》を抱いてやってきたのだ。

秋成は何も言わなかった。また例によってだんまりか。いささか徒労感を覚えたが、覚悟していたことではあるので特に落胆はしない。頭を下げ、面会を打ち切ろうとした。

「……先生」

それを引き留めたのは、秋成の声だった。小声だったが、アクリル板に空いた穴を通してはっきりと聞こえた。綾部は驚き、中腰のまま秋成の顔を見直した。

「まあ、待ってください。もうちょっと付き合ってくださいよ」

秋成は手振りで、もう一度坐るよう促す。何かを語る気になったのか。期待にわずかに胸を弾ませながら、綾部は坐り直した。

「お袋がわざわざ先生にお願いをしたのに、無愛想で失礼しました。何しろこちらは、人を信じるのに慣れてないもんですから」

目つきは険しいままに、秋成はそんなことを言った。まさに豹変《ひょうへん》と言ってもいい、態度の変化である。その理由はいったいなんなのかと戸惑ったが、さほど珍しいことではないので簡単に受け入れた。留置されている被告人は精神が不安定で、急に態度を変えるのはよくあることなのである。

「相手の言葉だけでは信用できないのは、私にもわかりますよ。ですのでこれから、行動で秋成さんの信頼を勝ち取るつもりです。どうかその機会をください」

ふだんはここまで熱意を込めた物言いはしないのだが、何しろ相手はヤクザなので、丁寧であるに越したことはないと考えた。何かの弾みで怒らせ、逆恨みでもされたら大損である。態度が軟化しているうちに、せいぜい媚《こ》びておこうと決めた。

「先生が察してくださったとおりですよ」

秋成は綾部の言葉に直接は答えず、唐突にそんなことを言った。察した？ 何を言われたのかわからずに困惑していると、秋成が説明してくれた。

「おれの気持ちを察すると、昨日おっしゃってたでしょ。この腕の怪我を見抜いた先生だ、何が起きたか、うすうすわかっていらっしゃるんじゃないんですか」

「やはり、正当防衛なんですか」

ようやく秋成が態度を変えた理由を理解したが、最初からわかっていた振りをした。こちらが何もかも見通していると思ったからこそ、秋成は口を開いたのだろう。ならばこのまま、すべてを語ってもらった方がよさそうだった。

「おれは、悪い夫だったんですよ」

ふと秋成は、胸の底に溜まっていた異物を吐き出すように、ほろりと言った。視線は力なく、伏せられている。そんな姿は、ヤクザではなくひとりの疲れた男だった。

「あいつを甘やかしすぎたんです。きっとおれがきちんと躾《しつ》けてれば、こんなことにはならなかったんです。犬だって、もともと頭がよくても躾ができてなければ馬鹿犬になっちまうでしょ。おれがあいつを駄目な女にしちまったんです」

女を犬に譬《たと》えるところがいかにもヤクザ的発想だと綾部は思ったが、秋成はすぐにこう続けた。

「でもおれは、あいつを犬みたいに扱いたくはなかったんですよ。殴って言うことを聞かせるような、そんな付き合い方はしたくなかったんです。とはいえ、おれはヤクザです。女は商品としか思わずに生きてきましたから、いまさら人間らしく扱おうとしても、そのやり方がわからなかったんですよ。甘やかしてる自覚はあったんですが、他の扱い方を知らなかったんです」

秋成の述懐は、綾部がこれまで耳にしたことのない種類のものだった。にもかかわらず、綾部には納得できた。秋成の悲しみが、言葉を介して充分に伝わってきていると感じた。

「あいつは寂しかったんでしょうね。おれと結婚して仕事を辞めて、一日家にいる状態でしたから。ヤクザと結婚したからと親には縁を切られ、友達も離れていき、あいつにはおれしかいなかったんです。少しくらいおれに無茶な要求をしたって、聞いてやらなきゃ男じゃないじゃないですか。頼る相手も、我が儘を言える相手も、おれだけだったんですから」

秋成は淡々と語るだけで、声を震わせたりはしなかったが、深い悔恨が滲《にじ》んでいるのは明らかだった。愛美が死んだのは、不幸な事故だったのだ。綾部ははっきりと確信した。ならば、全力で弁護してやらなければならない。秋成の気持ちを代弁できるのは自分だけなのだと、奮い立つ思いだった。

「だからおれは、もっとあいつの気持ちを考えてやらなきゃいけなかったんです。おれがシノギで女と会うのも、あいつはいやがっていました。でも、別に浮気じゃなく仕事なんだからしょうがねえだろと、軽く考えていたんですよ。おれひとりの力でどうにかなることとならなんでも聞いてやりたかったですけど、仕事のことにまでとやかく言うなという気持ちもありました。そんなおれの態度が、あいつを追いつめてたようです」

秋成は初めて、一瞬顔を歪めた。だがすぐに、気持ちがうっかりこぼれ出てしまったのを糊塗《こと》するように、無表情に戻る。

「誰かの香水が服についていたようです。あの日あいつは、その匂いを嗅《か》ぐと逆上しました。どこの女と会っていたのかと、おれを問い詰めたんです。いつものことだからと、おれは『仕事だ』としか説明しませんでした。気がついたらあいつは、包丁を持ち出しておれに後ろから斬《き》りかかってきました」

秋成は自分の左の二の腕を、右手で押さえた。斬りかかられたときの痛みが、今甦《よみがえ》ったかのように見えた。

「おれも修羅場はくぐってますから、そういうときには体が勝手に反応しちまうんです。少し腕を切られましたが、なんとかあいつの手首を押さえ込みました。でもあいつは完全に逆上していたので、とても女の力じゃないんです。おれも本気を出さなきゃ、包丁を奪い取れそうにありませんでした。何度も揉《も》み合ううちに、いきなりあいつの肘《ひじ》ががくんと曲がって、刃先があいつに向いたんです。あっと思ったときには、もう遅かったんですよ」

綾部はメモも取らずに聞いていたが、内容を後で完全に再現できるほど、しっかりと頭に刻み込んだ。これならばいける。そんな手応えが、綾部の胸には芽生えていた。

「よく、わかりました。よくお話しくださいました。心からお悔やみ申し上げます。秋成さんの胸中、改めてお察しします」

これは社交辞令ではなく、本心からの言葉だった。秋成はただ、軽く頭を下げてそれを受け止める。綾部は身を乗り出し、秋成に問いかけた。あまり面会時間は残されていない。最優先で確認すべきことは、ひとつだった。

「その腕は、服の上から切られたのですか」

「ええ、そうです」

質問の意図がわからないらしく、秋成は怪訝《けげん》そうな顔をする。だが綾部はかまわずに続けた。

「では、服も切られたわけですね。その服はどうしましたか」

「血がついたので、始末しておくように小泉に言いつけておきました。たぶん、今頃は捨てられているでしょう」

「小泉さんにですね」

綾部は大きく頷《うなず》いた。小泉の行動が、法廷の行方を大きく左右すると予感した。

5

罪状認否で秋成が公訴事実を否定すると、検察官は一瞬、驚きを顔に上《のぼ》せた。まさか公訴事実を争うとは思っていなかったのだろう。ヤクザが自首した場合、覚悟が決まっているものである。法廷で自白を翻《ひるがえ》すような人は、めったにいないのだった。

「殺したのではない、のですね」

裁判長も意表を衝《つ》かれたらしく、目を丸くしている。秋成は重々しく頷き、言った。

「はい。あれは事故です」

言い切る秋成の姿を見て、弁護人席にいる綾部は胸を撫で下ろした。この期《ご》に及んで考えを変えることはないとは思っていたが、妻を死なせてしまった悔悟の念がある限り、やはり刑に服する気になる可能性はゼロではなかった。秋成が己の無実を宣言してくれれば、次は綾部の出番である。派手な逆転劇の主役を演じられるかと思うと、胸が躍った。

続いて裁判長は、起訴状に対する意見を綾部に求めてきた。当然綾部は、秋成の無罪を主張した。

「被告人の言うとおり、これは殺人事件ではなく不幸な事故と考えます」

傍聴席がざわめいた。詭弁《きべん》を弄《ろう》して、ヤクザに罪を逃れさせようとしていると思われたようだ。裁判長の「静粛に」のひと言で、ようやく静まる。

「弁護人は事故だと考えるのですね。ではその論拠を聞かせてください」

裁判長が綾部の方に顔を戻して、促す。綾部は張り切って、実際に起こったことを語り始めた。

「検察官は先ほど、被告人が逆上した末に被害者を刺し殺したとおっしゃいましたが、それはすべて表面上の事実を継《つ》ぎ接《は》ぎして取り繕った創作です」

断定すると、検察官の顔色が明らかに変わった。検察官にはプライドが高い人が多い。こうまで真っ向から主張を否定されると、自分自身を否定されたかのようにいきり立つ人も少なくなかった。だが綾部は、それには気づかない振りをして、堂々と続けた。

「事実をお教えしましょう。実際に逆上したのは、被告人ではなく被害者の方でした。むろん、キッチンから包丁を持ち出したのも、被害者です。包丁には被害者の指紋が、凶器として使うために持った形で残っているはずです。私は後ほど、包丁の指紋の証拠調べを請求するつもりです」

綾部の言葉を聞いて、検察官が慌てたように書類を捲《めく》り始めた。指紋のつき方までは気にしていなかったようだ。家庭の主婦の指紋が、常用している包丁についていたとしても、誰も奇妙には思わない。検討材料として扱われていなかったのは明らかだった。

「先に斬りかかったのは、ですから被告人ではなく被害者でした。現に被告人は、左の二の腕に切り傷を負っています。医師による診断書も、私たちは用意しています。これは後ほど証拠として提出し、証拠調べを請求します」

被告人席に坐る秋成は、綾部の陳述を聞いても微動だにしなかった。すべてを綾部に任せるつもりになっているのだろう。秋成の苦しみを救ってやるためにも、綾部はさらに言葉に力を込めて続けた。

「そのとき被告人は長袖《ながそで》のシャツを着ていましたから、そのシャツもまた、包丁によって切り裂かれました。シャツには被告人の血もついています。シャツは私たちが保管しています。これを三つ目の証拠として、提出する予定です」

事件当夜に秋成が着ていたシャツが、綾部たちの切り札だった。始末を命じられていた小泉は、シャツを捨てずに取ってあったのだ。こうなることを見通していたわけではなく、なんとなく捨てそびれていたのだそうだ。だがその躊躇が、大手柄となった。シャツについている血が秋成当人のものであり、なおかつごく新しいことが科学鑑定で証明されれば、正当防衛である大きな証拠となる。材料は、ほぼ万全と言ってもいいほど揃っていた。

検察官にとっては、すべて寝耳に水のことのようだ。何しろ秋成は、取り調べの際には自分が殺したと自供していたのだ。加えて、血がついたシャツなど、警察の家宅捜索では見つかっていなかった。検察官が内心で、警察の捜査の不充分さに舌打ちしているのが、手に取るようにわかった。

次に、検察官による証拠調べの請求が行われた。検察官が提示する証拠物に対して、ひとつひとつ同意か不同意かを示していく。供述調書を不同意としたときは、検察官はいかにも不本意そうに顔を歪めた。弁護士としては、なかなか痛快なことだった。

検察官は綾部が同意した証拠について、なぜこれが証拠になり得るのか、それが犯罪をどのように構成するのか、ひとつひとつ説明をした。しかしこれらは事実でないと綾部はわかっているから、聞いていても退屈でしかなかった。ふと気が緩んであくびをしそうになってしまったが、そんなことをすれば裁判官の心証が悪くなる。なんとかこらえて、真剣に検察官の説明を聞いている振りをした。

そこまでで、第一回の公判は終了した。裁判長が次回の日程を決めて閉廷を宣言すると、たちまちざわめきが法廷内に満ちる。野次馬根性で傍聴していた人たちにとっては、予想もしない展開で充分に楽しめたはずだ。対照的に被害者の遺族たちは、呆然《ぼうぜん》としたように坐り込んでいる。ヤクザに殺されたと思っていた娘が、実は刃物を振り回した当人だと聞かされたのだから、衝撃を受けるのも無理はなかった。綾部はそちらの方には目を向けないようにして、ごく事務的に書類をまとめて法廷を出た。

第二回公判では、綾部が提出した証拠が事件の様相を一変させた。検察官は血がついた服を、自作自演の捏造《ねつぞう》証拠と決めつけた。だが綾部は、検察官が何を主張するかなどすでに予想していた。

「同じく証拠として提出しました科学鑑定の結果を見ていただければ明らかなとおり、服に付着している血痕《けっこん》は新しいものです。つまり、今回の事件とは無関係にたまたま血がついていた服を証拠品と主張しているわけではないのであります」

自明なことを、あえて綾部は言った。検察官は、綾部が何を言おうとしているのか見当がつかないようだ。目を細めて、怪しむように綾部を見ている。綾部は裁判官に向かって、胸を張って続けた。

「被告人が事件を否認し始めたのはいつでしょうか。検察官も驚いておられたとおり、公的には先日の第一回法廷において初めて、殺人ではなく事故だったという主張をしました。つまりそれ以前、警察署に自首した際にはまだ、被告人は罪を背負うつもりでいたわけです。そして逮捕後はずっと、留置場と拘置所に勾留《こうりゅう》されていました。自首した後で心変わりし、嘘の主張を考え出したとしても、そのときになって血のついた服という証拠を捏造するのは不可能なわけです。それでもなお、証拠が捏造であると検察官がお考えになるなら、警察内部に証拠捏造に協力した人がいるという結論になってしまいますが、それが検察官の推理なのでしょうか」

いささか調子に乗って、検察官を揶揄《やゆ》する物言いをしてしまった。だが裁判長は咎《とが》めず、検察官はまさに苦虫を嚙《か》み潰《つぶ》したような渋い表情をするだけだった。傍聴人たちの目には、もはや勝負あったと映っていることだろう。込み上げてきそうな会心の笑みをなんとかこらえ、綾部は陳述を終えた。

その後も起訴状の内容に沿う証言をする証人が法廷に呼ばれたりしたものの、正当防衛という主張を覆《くつがえ》す新証拠は現れなかった。検察側の最終弁論は、あくまで秋成が殺意をもって愛美を殺したというストーリーに固執していたが、もはや説得力に欠けるのは当の検察官ですらわかっていたのではないだろうか。検察官が喋《しゃべ》っている間は、白けた気配が法廷内に漂っていた。

逆に綾部の弁論は、多大な興味を持って迎えられているのが肌で感じられた。傍聴人の大半は食い入るように綾部の言葉に耳を傾け、中には何度も頷いている人もいた。それは裁判官たちも同じで、目が合った瞬間に手応えをはっきりと覚えた。裁判官の目の中には、もはや綾部の説明を疑う気持ちは微塵《みじん》も見られなかったからだ。

そしていよいよ、判決公判を迎えた。秋成はすっかり無口になっているが、それは綾部にすべてを任せた信頼感の表れだった。綾部は充実感を抱え、出廷した。

「被告人は無罪」

裁判長は判決の冒頭で、そう高らかに宣告した。法廷内がどよめく。めったに味わえない、弁護士としての至福の瞬間だった。この達成感を、できるだけ長く味わい続けたいと綾部は望んだ。

6

無罪判決が出た翌日に、綾部は秋成の呼び出しを受けた。場所は、市内でも指折りの高級料亭である。世間的には高収入と思われている弁護士だが、実際には事務所の維持に汲々とする一自営業者に過ぎない。まして綾部は、育ち盛りの三人の男の子を抱えている身である。贅沢《ぜいたく》と言えばキャバクラの女の子に入れ揚げる程度がせいぜいであり、高級料亭などとは無縁の暮らしをしてきた。それだけに、レベルの違う接待を受けることに心が弾んだ。

物々しいことはやめてくれ、と頼んであったお蔭《かげ》か、玄関先で舎弟たちがずらりと並んで出迎えるような、そんなステレオタイプな風景は見られなかった。ごく普通に、料亭の仲居が座敷まで案内してくれただけである。その座敷の中には、秋成も含めて三人しかいなかった。秋成は下座に坐り、残りふたりは和室の入り口に近いふたつの隅で正座している。秋成は坐っていた座布団《ざぶとん》から下りると、きっちり両手をついて頭を下げた。

「お忙しい中、ご足労いただきありがとうございます」

「あ、いえいえ。こちらこそこんなところにお招きいただいて、恐縮ですよ」

こうした際に躊躇なく上座に坐れるほど、場慣れしているわけではない。どうしていいかわからずに立ち竦んでいると、秋成は立ち上がって「どうぞ」と手を差し伸べた。

「どうぞ、こちらに」

秋成は口数こそ少ないが、その挙措には綾部に対する敬意がはっきりと感じられた。下にも置かぬ扱い、とはまさにこれか。ヤクザにこのように遇してもらうことに、綾部はいささか居心地の悪さを覚えた。高級料亭での接待を能天気に喜んでいる場合ではなかった、と今になってようやく思う。

「まずは、このたびのお礼を申し上げます」

綾部が腰を下ろすと、秋成は堅苦しく切り出した。綾部は胡座《あぐら》をかいていたが、なんとなくいけない気がして正座をする。だが秋成は、「どうぞお楽に」とそれを押しとどめた。

「どうぞ、先生はお好きになさってください。我々が正座しているのは、人として当然のこと。それだけのことを先生はしてくださったのですから、どうか大きく構えていてください」

「そ、そうですか」

秋成の言葉に逆らう気にはなれなかったので、一度は正座した脚を言われるままに崩した。強面《こわもて》の秋成が正座をし、自分は偉そうに胡座をかいている状態は、やはり居心地が悪い。今日は酒を飲んでも酔えそうにないなと思った。

「改めまして、ありがとうございました。一度は捨て鉢になった私ですが、先生のお蔭で気が変わりました。ムショに入るのではなく、娑婆《しゃば》できちんと愛美の冥福《めいふく》を祈ってやるのが自分のすべきことだと、教えていただきました。感謝しております」

「いや、そんな。私は自分の仕事をしたまでのことです」

謙遜《けんそん》ではなく、本心だった。ヤクザに教育するような、そんな熱意はさらさらない。勝てる裁判と踏んだからこそ乗り気になっただけで、もしそうでないならヤクザと関わることに積極的にはならなかっただろう。ことさらに感謝されても、微妙に違和感があった。

「それがなかなかできないことだと思います」秋成はあくまで生真面目《きまじめ》に応じる。「私が先生に助けていただいたのは事実です。このご恩は一生をかけてお返しするつもりです」

一生をかけて、とはまた大袈裟《おおげさ》な物言いだ。そういう言い方をする人がこれまでいなかったわけではないので、今の時点で本気で感謝していることは理解できるが、しょせんはヤクザの言葉である。「一生」がいつまで続くものやら、眉唾物《まゆつばもの》だと思った。

「そうですか」

素っ気ない返事をしたつもりはなかったが、秋成は勘がいいのかもしれない。しばし綾部の顔を見つめてから、背後に控える男に顎《あご》をしゃくった。

「いきなり堅苦しい話で失礼しました。喉《のど》もお渇きになっているのではないかと思いますので、そろそろ始めさせていただきます。ご恩をどのようにお返ししていくかは、食事をしながら追い追いに」

秋成は慇懃《いんぎん》に、そんなことを言う。少しこちらの態度が偉そうだったかなと心配になったが、秋成は表情をまるで変えないので内心が推し量れなかった。

まずはビールをもらい、グラスを合わせた。舎弟ふたりは、相伴にも与《あずか》らずにじっと控えている。ヤクザもなかなか大変だなと、声に出さずにひとりごちた。

運ばれてくる料理は、なるほど格が違うと思わせてくれる品ばかりだった。めったに口にできるものではないので、存分に味わう。軽く緊張しているせいか、酒もどんどん進んでしまった。ただ、失言だけは絶対に避けなければならないと肝に銘じているため、あまり酔いは回らない。

「ご恩の返し方についてですが」

三皿目が出てきたところで、秋成がおもむろに切り出した。恩返しなんて、今日のこの席だけで充分なんだがなと思いながらも、箸《はし》を休めて聞く態勢を取る。秋成は正面から綾部の目を見て、淡々と言った。

「わかりやすいご恩返しとしては、うちのお仕事をしていただくのが本当は一番だと思うのですが、残念ながら顧問の先生もすでにいらっしゃるので、そう簡単にはいかないのです」

「まあ、それはそうでしょうね」

ヤクザ事務所の顧問弁護士にして欲しいなどとは、露ほども考えていなかった。そうか、そういう発想もあり得たのかと、今になって気づく。それが実現しないのが惜しいのかどうか、とっさには判断がつかなかった。

「ですが、こんな言い方も失礼に当たるとは思うのですけど、大きな仕事ではなくちょっとしたご相談でしたら今後させていただきたいと考えているのです。むろん、報酬面でできる限りのことをさせていただくつもりです。まずはそんな形で、こちらの感謝の念を示していきたいと考えています」

「ああ、そうですか」

なるほど、それならばこちらも受け入れやすい。弁護士の仕事が不安定なのは、なんといっても顧客の継続性がないことが大きな原因である。だから誰もが、企業のクライアントを摑《つか》むことを望むのだ。ヤクザは一般企業とはとうてい言えないが、少なくとも継続性のある客であることに間違いはない。むしろ、相談案件は一般企業より遥《はる》かに多いのではないか。たった一時間二時間の相談で、多少色をつけた料金をもらえるならば、こんなおいしい仕事はない。悪くない話だと、心の中で小刻みに頷いた。

「うちには血の気が多い若い野郎どもがいるものですから、先生のお力添えを乞《こ》う機会も少なくないと思います。どうぞ今後とも、ご昵懇《じっこん》に願いたく存じます」

秋成が頭を下げると、何も聞こえていないような顔をしていた舎弟ふたりも揃って低頭した。そこに一般社会には見られない絶対上下関係を垣間見、これがヤクザの依頼であることを綾部に改めて認識させた。どうやら、簡単には断ち切れないヤクザとの縁ができてしまったようである。そのことに常識的な気後れを感じはしたが、しかし綾部は同時に、これまで手にできなかった新しい力を得た気分も味わっていた。それは、自分の人生が変わるかもしれないという予感だったのか。先が見えかけた人生に降って湧《わ》いた変化の予兆は、綾部に軽い身震いを強いた。

7

秋成の感謝の念が本物であったことは、すぐに証明された。接待を受けた三日後に、秋成からの電話があったのだ。秋成は低姿勢で、こう切り出した。

「つまらないことで先生をお煩わせするのは本当に恐縮なのですが、お出ましいただくわけにはいかないでしょうか」

「何かあったのですか」

これが金になる連絡だということには、疑いを持っていなかった。問題は、どの程度の手間がかかるかだ。

「私の部下が街中で小競《こぜ》り合いを起こしまして、警察署に連れていかれてしまったのです」

「小競り合い？ どの程度の？」

ヤクザの言う小競り合いの規模が、綾部には見当がつかなかった。小競り合いと言いつつ、刃物で相手を刺したとかではないだろうかと不安になる。

「肩が触れたせいで怒鳴り合いになりまして、警察官の仲裁も聞かなかったものですから、連れていかれたそうです。ただ、手は出していません」

なんだ、その程度のことか。密かに胸を撫で下ろす。手を出していないなら、最寄りの交番ででも説諭すれば済むことである。それをわざわざ警察署まで連行したのは、よほど態度が悪かったからか。いずれにしろ、罪になるような話でないのは明らかだった。

「すぐに行きます」

どこの警察署かを確認し、事務所を飛び出した。タクシーで駆けつけると、料亭で秋成の背後に控えていた男が待っていた。受付で身分を名乗り、奥に通される。問題の若い男は、取調室に入れられていた。

暴力を振るったわけでもないのに、取調室に入れるのは不当だろう。そう思ったから、刑事にひと言文句を言った。中年の刑事は肩を竦めて、悪びれずに言い返す。

「公務執行妨害をつけてやってもよかったんですよ。街角で怒鳴り合いの喧嘩をしてりゃ、しょっ引くのは当たり前です。それがいやだってんなら、お宅できちんと教育してくださいよ」

お宅、という呼びかけに、綾部もヤクザの一味と刑事が見做《みな》していることが窺《うかが》えた。そこを不本意に感じつつも、自分の仕事はきちんとこなす。刑事の面子《メンツ》が立つ程度に詫《わ》びを入れ、なおかつ卑屈にはならないように権利は主張し、若い男を引き取った。取調室では虚勢を張っていた男も、警察署を出て車に乗ると、とたんにしおらしくなった。

「申し訳ありません。こんなことで弁護士の先生にいらしていただいて」

秋成にこっぴどく叱られることに、ようやく思い至ったらしい。綾部の隣に坐る秋成の片腕らしき男に、「秋成さんへのお詫びの仕方を考えておけよ」と釘《くぎ》を刺されると、悄然《しょうぜん》としてなにやらぶつぶつ呟《つぶや》き始めた。詫びの練習をしているようだ。

組事務所に着くと、若い男は奥の部屋に連れていかれた。何をされるのか、綾部は想像しないことにした。応接室で向かい合った秋成は、先日とまったく変わらぬ態度で丁寧に頭を下げた。

「こんなつまらないことで先生にお出ましいただき、申し訳なく思っています」

「いえ、仕事をいただき、こちらこそお礼を言わなければなりません」

ここでふんぞり返れるほど、まだ綾部の肝は据わっていなかった。実際、あの程度のことで報酬がもらえるなら、感謝したくなるほど簡単な仕事だ。お礼を言いたいという言葉は、何もへりくだったわけではなかった。

「先生は本当に人間ができていらっしゃる」

それなのに秋成は、本音か皮肉かわからないことを言う。受け止めかねて、綾部は曖《あい》昧《まい》に「いやいや」と応じておいた。

「これは、些少《さしょう》ではありますが、お礼です」

秋成は懐《ふところ》から封筒を取り出し、テーブルの上を滑らせた。こちらが請求書を渡したわけではないので、いくら入っているのか見当がつかない。「では失礼して」と断り、中身を改めたところ、なんと相場の四倍もの金額が入っていた。

「こんなにたくさん。いいんですか？」

秋成もヤクザだから、こうした場合の報酬がいくらか知っているはずだ。にもかかわらずこんなに包むのは、先日言っていた「できる限りのこと」をしているからだろう。これからもこんな割のいい仕事を回してもらえるなら、よい金づるを摑んだと言えそうだった。

「もちろんです。今後ともどうぞよろしくお願いします」

きっちりと頭を下げる秋成に、綾部は慌てて「こちらこそ」と返した。今後とも、という秋成の挨拶が、無性に嬉《うれ》しかった。

「ところで先生、今晩はお忙しいですか」

不意に秋成が、話を変えた。また食事にでも連れていってくれるのかと予想しつつ、

「まあ、そこそこに」と見栄を張っておく。秋成は堅苦しい顔つきをそのままに、意外なことを言った。

「もしよろしければ、先日とは違う趣向で先生をおもてなししたいと考えているのです。女がいる店はお嫌いですか」

女がいる店と聞いて、すぐにキャバクラを思い浮かべた。嫌いなはずがない。金さえあるなら、毎晩でも通い詰めたいほどにあの雰囲気が好きだった。

「たまに行きますが」

それでも、気取ってそんな答え方をした。秋成はにこりともせず、「では、ご招待します」と続ける。

「何時でもかまいませんので、ご都合のよろしい時間にお電話ください」

そう言って、あらかじめ用意してあったらしきメモ片を差し出してきた。そこに書いてある携帯電話の番号に連絡すればいいのだろう。とっさに、今日じゅうにやらなければならない仕事を頭の中で思い浮かべる。少なくない雑事が自分を待っていることがわかり、綾部はげんなりした。かくなる上は、一分でも早く事務所に戻って仕事を片づけ

たかった。

組の車で一度事務所に送り届けてもらい、現在抱えている訴訟の準備をした。集中力はあるつもりなので、いったん仕事を始めてしまえば時間を忘れる。一段落した頃には八時を過ぎていて、夕食はいらないと自宅に連絡するのを忘れていたことに気づいた。慌てて電話をすると、妻はさして訝《いぶか》る様子もなく「そう」と素っ気なく応じただけだった。綾部の分の食事だけ余ってしまうのも、珍しいことではない。おそらく冷蔵庫に入れておいて、明日の昼食にするのだろう。余り物を食べさせてしまうことを申し訳なく感じたが、だからといって今夜の誘いを断って自宅に帰る気はさらさらなかった。

秋成に渡された番号にかけてみると、二十分ほどで車はやってきた。呼びに来た若い男の後ろについてビルを出ると、黒塗りの車の傍らに秋成が立っている。ドアを開けた秋成は、「さあ、どうぞ」と乗るよう促した。ヤクザの若頭にそこまでしてもらうことはいささか重たかったものの、胸弾む気分の方が遥かに大きかった。車が発進してから、「待たせちゃいましたかねぇ」と秋成に話しかける余裕すら生じていた。

車はネオン街に向かい、路上駐車している車の横に強引に二重停車して、綾部と秋成を降ろした。ハンドルを握っていた若い男は、「いってらっしゃいませ」と丁寧に頭を下げる。そのメリハリの利いた挙措を見て、世間の若造よりヤクザの方がよっぽど礼儀を教育されているなと感心した。

正面にあるビルの中に、目指す店は入っているようだった。エレベーターに向かう秋成を追って、ケージに乗る。秋成が五階のボタンを押したので店の案内表示を見上げると、《スプリーム・タイム》という店名が書かれていた。最高の時間か。綾部はその名に憶《おぼ》えがあった。確か、この界隈《かいわい》では最高級の店として知られていたと記憶している。むろん、綾部が自腹で行く気になる店ではなかった。

店内は予想どおり豪華な内装で、わずかに気後れした。豪壮なシャンデリア、毛足の長い絨毯《じゅうたん》、黒光りする本革張りのソファ、隙《すき》なく黒服を身にまとったボーイたち、そして光り輝くばかりのオーラを発散する女の群れ。綾部はそのオーラに当てられ、女たちの品定めをすることすら忘れていた。

秋成を見て「お待ちしておりました」と応じたボーイが、そのままフロアに案内した。店は混んでいて、左手に見えるカウンターでは席が空くのを待っている客もいるのに、綾部たちは別扱いのようだ。そのもてなしぶりに、心地よさを覚える。つい先日まで通っていた店では、トータルで二百万円も注ぎ込んだにもかかわらず、一度としてこんな扱いを受けたことはなかった。社員教育のレベルが違うのだなと、負け惜しみ気味に考えた。

見通しの利くフロアとは別の、ドアで隔てられた一室に導かれた。VIP室だった。『うわっ、VIP室かよ』と内心で声を上げたものの、表面上は平静を装う。こんなことなら、もっと高いスーツを着てくればよかったと後悔した。こういう店の女の子は、服や靴の値段をひと目で見抜くだろう。初手から舐《な》められたくはなかったが、いまさらどうしようもない。

深く沈み込むソファに腰を下ろすと、一歩遅れて華やかな女の子が三人やってきた。落ち着いた口調で、「いらっしゃいませ」と口々に言う。舌足らずな喋り方をする今どきの若い子も綾部は決して嫌いではないが、大人の雰囲気ももちろん好きである。しかも、今度こそとじっくり観察すると、三人三様に驚くほどの美人だった。大袈裟でなく、これまで綾部の人生にはまったく関わり合いを持たなかったレベルの美女が、まとめて三人も目の前にいる。この信じがたい状況に、綾部は意識の半分が蒸発するほど陶然とした。

「こちらは弁護士の先生だ。大切なお客様だから、心しておもてなししろ」

秋成は女の子たちに向かって、命令口調で言った。ドスの利いた低い声はかなり怖かったが、女の子たちは恐れる様子もない。平然と綾部にお絞りを差し出すと、「弁護士の先生ですか」「頭がいいんですね」「すごいわ」などと、それぞれにこちらのプライドをくすぐることを言った。どこのキャバクラでも同じような台詞《せりふ》を聞かされるが、この美女たちの口から賞賛の言葉が出てくるとそれだけで別格の心地よさを覚える。「まあねぇ」と応じた綾部は、自分の顔がどうしようもなく弛緩《しかん》しているのを自覚した。これこそまさに、現代の桃源郷だ。この降って湧いた幸運を、思い切り満喫しようと心に決めた。

8

二度目の呼び出しを受けたときには、もうヤクザと付き合うことをためらう気持ちはなくなっていた。待ってましたとばかりにいそいそと出かけていき、警察署で案内を乞う。出てきたのは先日と同じ刑事で、ようやく綾部に興味を覚えたとばかりに上から下まで眺め回した。

「あんたが新しい顧問？　前の先生はどうしたの」

前回はヤクザの走狗《そうく》と見做されることに抵抗があったものだが、今はなんとも思わない。これも弁護士の仕事のうちだと、開き直る気分が確かにある。

「別に顧問ってわけじゃないですよ。単に依頼されたから駆けつけただけです」

「ふうん」

綾部が言い返しても、頭が薄くなった刑事は信じた様子もなかった。どうでもいい。刑事の存在など無視できるほどに、綾部は気が大きくなっていた。

今回は、酔っぱらって飲み屋で暴れた男を引き取るのが仕事だった。なぜそんなくだらない悶着《もんちゃく》を起こすのかと綾部は呆れるが、ヤクザの下っ端《ぱ》などその程度のチンピラなのだろう。それを束ねる秋成は苦労が絶えないなと、同情を覚えた。簡単に呼び出しに応じる弁護士が必要なわけだと、改めて納得する。

厳密に言えば、チンピラのしでかしたことは器物損壊罪に当たる。警察が杓子《しゃくし》定規に対応するなら、逮捕は免れないだろう。だから前回とは違い、綾部も低姿勢で接することにした。お目こぼしを乞う立場であるからには、極力腰を低くしなければならない。

二度とさせません、上司にこってり叱ってもらいます、とまるで腕白小僧を引き取りに来た親のようなことを言って、なんとか勘弁してもらった。警察とて、チンピラがちょっと騒いだ程度でいちいち逮捕していたら雑務が増えて面倒なだけなのだ。刑事は渋い顔をし続けたが、すぐに突っぱねないということは単なるポーズでしかないのである。チンピラにも何度も頭を下げさせ、警察署を後にした。

迎えの車で組事務所まで戻り、秋成と会った。ヤクザの事務所に身を置く居心地の悪さも、もはやさほど感じない。秋成が差し出してくれた報酬を、「どうもどうも」と軽い返事で受け取った。

「ところで、今夜もこの前の店に連れていってもらえますかね」

催促することを、図々しいとも思わなかった。当然の権利を行使しているだけだという感覚がある。秋成は態度が大きくなった綾部に腹を立てるでもなく、「気に入っていただけましたか」と静かに応じた。

「先生がお望みなら、もちろんお連れします。ただ今夜はどうしても外せない用があるので、私はご一緒できません。話は通しておきますから、どうぞお好きに飲み食いしてください」

「ああ、秋成さんは忙しいの？　私だけなんて、なんだか悪いなぁ」

ちっとも悪いなどとは思わず、頭を掻いた。秋成は表情を変えずに、「お気遣いなく」と短く言う。

先日と同じように、一度自分の事務所に戻ってから、迎えに来てもらった。運転手とも今や顔馴染《かおなじ》みなので、「ご苦労様」と鷹揚《おうよう》に声をかける。車の中では、勝手に保冷庫からウーロン茶を出して飲んだ。

店で綾部を出迎えたボーイはこの前と違う人だったが、秋成から連絡が入っていたのか、顔パスでＶＩＰ室に案内された。フロアにいる他の客が、何者だとこちらに視線を向けているのを感じる。優越感が強烈に込み上げ、気を緩めればにやにや笑ってしまいそうだった。なんとか真顔を保って、ソファに落ち着く。

ボーイと入れ替わりに現れた女の子たちは、ひとりを除いて前回とは別の子だった。だが、質はまったく劣っていない。この店のレベルの高さに、改めて感心した。中でも綾部は、ひとりの子に目を奪われた。好みのど真ん中と言ってもいい容姿だったのである。目はかなり吊《つ》り気味で、輪郭も鋭く、かわいいと形容するには気が引けるきつい顔立ちだった。だがその整い方は尋常ではなく、目の大きさ、鼻の高さ、唇の厚さなどが計算して配置したかのような精妙さだ。髪は肩にかからない程度の短さで、スレンダーなスタイルだということもあって、少し少年のような雰囲気もある。その一方、ドレスの胸元に見える谷間は意外なほど深く、そのアンバランスさが妖《あや》しい魅力を醸《かも》し出していた。

「キミ、この前はいなかったよね。名前はなんていうの？」

他の子を差し置いて、真っ先に尋ねた。教育が行き届いていることを窺わせて、他のふたりはわざとらしく拗《す》ねたりもしない。吊り目の女は「レイです」と答えて、名刺を差し出した。

〃怜〃と書いてある。その素っ気なさは、容姿に似合っていると感じた。

「怜か。かっこいい名前だね」

誉《ほ》めてみたが、怜はうっすらと笑うだけだった。そんな反応も、綾部の興味を刺激した。

「私にも自己紹介させてください」

もうひとりの新顔が割って入ってきたので、ひとまず怜からは注意を逸らした。飲み物は、先日入れた焼酎《しょうちゅう》のボトルが置いてある。女たちが求めるままに、適当に食べ物を注文した。

怜は特に愛想を振りまくでもなく、さして面白くもなさそうな表情で焼酎のロックを作った。それを、グラスに紙ナプキンを巻いて差し出してくる。受け取り、綾部はふと疑問を覚えた。

「あれ？ どうしておれの飲み方を知ってるの？ 別にロックでとは言ってないのに」

「綾部さんの好みは、あらかじめ聞いておきました」

やはり愛想笑いもなく、怜は淡々と答える。もうひとりの新顔の方が、大きな反応を示した。

「えーっ、そうなの？ 差をつけられたなぁ」

つまり、店が女の子たちにまとめてレクチャーしたわけではなく、単に怜が用意周到だったということのようだ。プロの仕事だなと感心する。素人《しろうと》っぽさを留めている子が好きな男は世の中に多いが、綾部は断然、プロ意識のしっかりした女の子が好きだった。そういう子とは、安心して言葉を交わせる。

綾部はこれでも、こうした場に来るとちやほやされる方だった。弁護士という仕事がまずアドバンテージだし、見聞きしたことを差し障《さわ》りのない程度に話すと受ける。先日も入れ替わり立ち替わりやってくる女の子たちを相手に、あれこれエピソードを披露して大いに盛り上がった。今日もまた、怜以外のふたりが適宜《てきぎ》心地よい反応を示してくれるので、興に乗るままに喋り続けた。

三十分もした頃に、怜は断ってＶＩＰ室を出ていった。交代のようだ。綾部はその後ろ姿を目で追ってから、残った子に尋ねた。

「怜ちゃんは、ここでは人気あるの？」

するとふたりは顔を見合わせ、「うーん」と困ったような声を出した。

「まあまあですかね。一応、上から数えた方が早い成績ですよ。何しろ美人だから、リピーターのお客様は何人かいらっしゃいます。ただ、愛想がないので、上位には入ってないですね」

「なるほどね」

予想された答えだったので、綾部もつい苦笑した。では綾部に対してだけではなく、いつもあんな態度なのか。それはそれで立派と言えた。

「怜ちゃんを気に入ったんですか」

もうひとりに訊かれてしまった。綾部は一瞬考え、正直なところを口にした。

「あれだけ無愛想にされれば、かえって気になるよね。ちょっと印象強いな」

「逆療法みたいなものですね。私もこれから、少し素っ気なくしてみようかな」

女の子がそんなふうに言うので、三人で笑った。笑いながらも、また怜が戻ってきてくれないかなと綾部は内心で望んでいた。

9

仕事帰りのことだった。

事務所を閉めたときには、十時半を回っていた。公判が近づいてくると、どうしても書類仕事が増える。事務員を残業させると残業代がもったいないので、夜七時過ぎはひとりで働き続けることにしていた。そのせいでよけいに帰りは遅くなるのだが、事務所維持のためにはやむを得なかった。生活を優先してみみっちい判断をしてしまう状況は、やはり情けない。高級キャバクラで好きに飲み食いするような経験をしてしまった後ではなおさら、地道に働くことが馬鹿馬鹿しく感じられてきていた。

自宅までの距離は、バスの停留所五つ分だった。疲れていればバスを使うが、歩いて歩けない距離ではない。すぐにバスが来るようなら乗ろうと思っていたところ、あいにくと次のバスは十五分後だった。十五分も待つくらいなら、歩いているうちに自宅に着いてしまう。諦めて、夜道を歩き出した。

バスは大通りを通らざるを得ないが、徒歩ならば裏道を使える。大通りを逸れ、細い路地に入れば、かかる時間もかなり短縮できるのだった。綾部は判断するまでもなく、ほとんど習慣で路地へと進路を取っていた。

後方から足音が聞こえるのには気づいていた。夜遅いとはいえ、この時刻に家路を急ぐ人は珍しくない。だから綾部は、特に意識を背後に向けたりはしていなかった。

一連のことが起きたのは、ほぼ一瞬だった。おそらくはまず、背後の足音が不意に近く感じられたことを意識したはずだった。驚いて振り返った瞬間、街灯の明かりに光る刃物の青い色を認識した。それとほとんど同時に、左手にある民家のドアが開いた。「ひっ」と息を呑《の》む音がしたかと思うと、肝が縮み上がるほどの悲鳴が夜の静寂を突き破る。刃物を頭上に振りかぶっていた人物は、まったくためらうことなく踵《きびす》を返すと、そのまま走り去っていった。綾部は相手の顔を見る暇すらなかった。

「ひ、人殺しぃぃぃ」

腰を抜かしたのか、民家から出てきた中年女性は地べたにへたり込んでいた。何者かが消えていった方角を、震えながらずっと指差している。襲われそうになった当人である綾部が、女性の心配をしてやらなければならなかった。

「大丈夫ですか？　びっくりしただけですか」

女性の悲鳴を受けて、周りの家から住人がわらわらと表に出てきた。「何があったんだ」「どうしたんですか」と、それぞれに口にしながら近づいてくる。成り行き上、綾部が説明しなければならなかったが、「私が襲われそうになったんです」としか答えようがなかった。

中年女性の家からは、夫らしき男性も姿を見せた。その夫に引きずられるように、中年女性は家の中に戻っていく。不安や困惑を顔に浮かべた近隣住人たちは、「一一〇番した方がいいんじゃないですか」と綾部に勧めた。だが今から警察を呼んでは、解放されるまでにどれだけの時間を取られるかわかったものではない。家に帰って早く風呂《ふろ》に入りたい気持ちが強かったので、綾部はその場を逃げることにした。

「お騒がせしました。ちょっと急ぎますので」

そう断り、なおも何か言いたそうにしている住人たちを振り切って歩き出した。もう、後を追ってくる足音は聞こえなかった。

家に帰り着くと、不可解さよりも恐怖が強くなってきた。背後から忍び寄っていた人物は、明らかに綾部を襲おうとしていた。鈍く光る刃物には、殺意が込められていた。もしあの瞬間に中年女性が出てこなければ、刃物は綾部の背中に振り下ろされていただろう。風呂に入って緊張が解けると、とたんに胴震いが始まって抑えられなくなった。命拾いしたという実感は、殺されかけた恐怖と表裏一体だった。

何者だったのだろう。考えてみても、思い当たる相手はいなかった。だがそれは、心当たりが皆無という意味ではない。弁護士などという仕事をしていれば、いつどこで逆恨みを買うかわかったものではないという覚悟はあった。おそらく、これまでの仕事で関わりができた人が、謂《い》われのない恨みを抱いて凶行に及ぼうとしたのだろう。そこまでの恨みを気づかぬうちに買っていた事実がまた、綾部を歯の根が合わないほどに震え上がらせた。

どうすればいいのかと考えたとたん、解決策はすぐに浮かんだ。こんなときのための格好の人脈が、今はできているではないか。敵に回せば怖いが、味方になってくれればこれ以上頼もしい存在もないと、特に最近はしみじみ実感している。綾部に恩を感じているなら、今こそそれを返してもらうときだった。

現金にも、秋成の顔を思い出したとたんに震えは止まった。そんな反応で、自分が心底ヤクザに依存している現実を認識する。だが、それのどこが悪いと自己正当化を図る気持ちが胸の中央に居座っていた。事務員の残業代が惜しくて夜遅くまで働き続けるようなせせこましい生活には、もううんざりしているのだ。世の中には高級キャバクラで芸能人並みに綺麗《きれい》な女に囲まれてちやほやされる男も、確かに存在する。どうしてこのおれがそういう人生を送ってはいけないのだ。青春時代のすべてを犠牲にしてようやく手にした、弁護士という身分である。最大限に利用しない方が馬鹿なのだと、今ならはっきり言い切れた。

翌日。自分の方から秋成に連絡し、時間を作ってもらった。秋成はまた《スプリーム・タイム》のVIP室を押さえると言ってくれたが、組事務所で話したいと応じる。周りの耳を気にしなければならないような環境では、とても話せることではなかった。

夕方に組事務所を訪ねると、秋成は気を利かせて応接室から他の者たちを追い出した。出された茶を前に、綾部は相談を持ちかけた。

「秋成さん、実は昨日、ちょっと怖い目に遭ったんだよ」

「なんですか」

秋成は例によって、顔の筋ひとつ動かさずに訊き返してきた。何者かに襲われかけたこと、相手に心当たりがないこと、仕事柄逆恨みされる危険性もあることを、切々と訴える。腕組みをしてじっと耳を傾けていた秋成は、聞き終えて「わかりました」と頷いた。

「そういうことでしたら、私が力になれると思います。相手を捕まえて、どういうつもりなのか吐かせればいいんですね」

「あ、いや、そこまでしてもらわなくても……」

綾部としては、ボディーガードをつけて欲しいだけだったのだ。運よく暴漢を捕まえられたら、警察に突き出せばいいのである。何も口を割らせるところまでやってもらう必要はないのだった。

「しばらく私の身辺に目を光らせてくれれば、それで充分なんだけどな。ほら、警察は事件が起きてからじゃないと動いてくれないでしょ。こんなときに頼れるのは、秋成さんしかいないんだよ」

「嬉しいですよ、先生」秋成はわずかに口角を吊り上げた。「先生に頼っていただけるなんて、男冥利《おとこみょうり》に尽きるというものです。この程度のことでご恩返しできるとは思っちゃいませんが、できる限りのことはさせてもらいますよ」

秋成は「おい」と部屋の外に呼びかけた。すると間髪《かんぱつ》を容《い》れず、ドアが外側から開く。「なんでしょう」と顔を出した男は、最初に料亭に行ったときに同席したふたりのうちの一方だった。

「川北《かわきた》か。ちょうどいい、お前にやらせよう。ちょっとこっちに来い」

男の名は川北というらしい。秋成は川北を傍らに呼びつけると、「大事な仕事だ」と低い声で言った。

「先生が何者かに襲われかけた。先生は怖がっていらっしゃるので、お前をつけることにした。お前が信頼する若い者を、ひとりふたり使っていい。二十四時間、ずっと先生をお護《まも》りするんだ。しくじったらただじゃ置かねえぞ」

「はい」

秋成の横で直立している川北は、小さく頭を下げて頷いた。川北は三十前後の、異様に鋭い目つきを持つ男だった。よけいなことを口にしない寡黙《かもく》さが、どこか秋成に似ている。秋成もそこを気に入って、身辺に置いているのかもしれないと推察した。鞭《むち》のように細い体はボディーガード向きではないが、剣呑《けんのん》な気配がそれを補って余りある。声を荒らげて凄《すご》むことなく、相手を威圧できる雰囲気が川北にはあった。

「精一杯務めさせていただきます。よろしくお願いいたします」

川北は綾部に向き直ると、きっちりと身を折って挨拶した。ヤクザの上下関係が軍隊も顔負けなほど厳しいことは、すでに綾部も承知している。一般社会で川北のような人間と関わりができるのは避けたいが、ボディーガードとしてならこれ以上は望めない人材だった。秋成の命令を忠実に遂行すべく、自分の身を削ってでも綾部を護ってくれることだろう。

この組事務所を後にするときから、川北は身辺警護を始めてくれるという。またしても新たな力を手にした気分になり、綾部は満足だった。

10

《スプリーム・タイム》には、秋成に誘われなくても通い続けた。むろん、飲食代は組持ちである。好きなときに遊びに行ってかまわないと、秋成が言ってくれたのだ。そんなありがたい提案を、辞退する気はさらさらなかった。

目当ては怜だった。二度続けて指名した時点で、綾部が怜に執心だということは店で認識された。怜は相変わらず愛想笑いのひとつも浮かべないので、綾部のことをどう思っているのかよくわからないが、固定客がつくのは決して悪い話ではないはずだ。それが証拠に、メールアドレスを訊いたらあっさり教えてくれた。それだけでなく、同伴出勤まで承諾してくれた。上客なのだからこの辺りまでは簡単だと頭ではわかっていても、怜とふたりだけで食事ができるのは単純に嬉しかった。

怜は愛想に欠けるが、決して無口というわけではなかった。話を振ればきちんと答えてくれるし、綾部が弁護士になるまでのプロセスに興味があるようにも見えた。司法試験に合格したことは、素直にすごいと認めてくれた。

「勉強は、いくつになっても大切ですよね」

怜は真剣な顔で、自分に言い聞かせるように呟く。女性は笑顔を浮かべることで印象が三十パーセントはアップするものだと綾部は考えているが、怜は真顔でも驚くほどに美しかった。笑わないでもこうなのだから、笑ったらどれだけ魅力的になるのか。ただ怜の笑顔が見たいがために、《スプリーム・タイム》に通っているような気すらしていた。

「何か、勉強したいことがあるの？」

向学心がある人は、綾部も好きだった。キャバクラで働く女の子の中には、遊ぶためではなく勉強の金を得るために水商売を始めた人も少なくない。怜もそうなのかと推察した。

「貿易に興味があります。自分で海外に買い付けに行って、それを日本で売るような仕事をしてみたいですね」

怜の返答は、少し思いがけなかった。勉強と言っても、英会話やネイルアート、服飾デザインなどだろうと予想していたのだ。自分で事業を始めてみたいとは、骨太なことを考えている。もともとは単に怜の容姿にだけ興味を覚えていた綾部だが、何度も会話を交わすうちに怜本人にも惹かれていくのを自覚した。また同じ失敗を繰り返すのかと頭の中で警告する自分がいたものの、前回とは状況が違うと内なる声を圧殺した。

「貿易か、いいね。扱うのは服？　それとも雑貨？」

「まずは雑貨を。それで少し体力がついたら、家具も手がけてみたいです」

単なる思いつきを口にしているわけではなく、きちんとしたビジョンを怜は持っているようだ。ここで援助の手を差し伸べてやれば、怜はこちらになびいてくれるだろうか。そう思いはしたものの、あまり金を注ぎ込む気にはなれなかった。そもそも今は、怜に金を使いたくても先立つものがないのだ。怜を口説くにも、なるべくなら金を使わずに済ませたい。そんなケチくさい根性が、いつの間にか胸の中に居座っていた。

「法律関係で何か困ったことがあったら、力になれるよ」

だから、そんなことを言ってお茶を濁した。実際、法律相談だって本来は有料なのである。それをただで引き受けてやろうと言っているのだから、怜も当然感謝しているだろうと考えた。

レストランを出ると、外で川北が待っていた。忠実な番犬が控えているのは、かなり自尊心をくすぐられる。川北には軽く頷きかけ、怜と並んで《スプリーム・タイム》に向かった。

そんな生活を送っているうちに、秋成から正式な弁護の仕事も回ってきた。組の構成員の弟が、振り込め詐欺をやって捕まったのだそうだ。構成員が逮捕されたのであれば、綾部の出番はない。だが今回は弟ということで、秋成が気を利かせてくれたのだった。

秋成との関わりができて以来、収入面でかなり潤《うるお》うようになった。とはいえ、まだ裕福な生活を送れるまでになったわけではない。いつかは顧問弁護士の座を射止め、湯水のように金を使える身分になりたいという野望が、綾部の胸には芽生えていた。そのためにも、この仕事では目覚ましい働きぶりを見せなければならなかった。

構成員の弟が振り込め詐欺に手を染めたことは、疑いようのない事実だった。本人も犯行を認めている。だから事実を争うのではなく、どれだけ軽い刑に留められるかが綾部の腕の見せ所だった。

被告人の年齢は二十六歳だった。高校を卒業して以来、派遣やアルバイトで職場を転々としてきたが、長くても半年程度しか居着いていない。こらえ性がなく、上司や同僚とトラブルを起こしては飛び出すといったことを繰り返してきたようだ。景気がいいときはそんな生活態度でも生きていけただろうが、不況下ではもはやアルバイトでも働き口が見つけにくくなった。切羽詰まった挙げ句、振り込め詐欺に手を染めたとのことだった。

本人から話を聞いてみれば、呆れたと言う以外に言葉がない経歴だった。真面目に働くという感覚が、先天的に欠落しているとしか思えない浮き草生活ぶりである。二十六という年齢にそぐわない、甘ったれの子供めいた童顔が覚悟のなさを物語っている。こんな人間を弁護することになんの意味があるのかと、以前の綾部なら考えただろう。だが今は、童顔の背後に秋成の姿が透けて見える。割のいい仕事を今後も回してもらうためと思えば、心にもない励ましの言葉が口からするすると出た。しょげかえっていた被告人の表情も、やがて徐々に明るくなっていった。

幸か不幸か、被告人の顔には荒《すさ》んだ生活の翳《かげ》りはまったく表れていなかった。本人の告白を聞いていなければ、甘ったれの童顔も世間知らずのおぼっちゃんのように見える。この第一印象を最大限に生かし、つい出来心で罪を犯してしまったというストーリーを押し出していくのが最善と方針を決めた。実際、被告人に前科はないので、執行猶予を勝ち取るのも不可能ではないと踏んだ。

他の依頼を断って、この仕事に全力を注ぎ込んだ。執行猶予が取れなければ、自分の今後の人生は閉ざされるとまで思い詰めた。こんなにも根を詰めて陳述内容を練ったのは、イソ弁の頃に上司に認めてもらおうと張り切っていたとき以来である。その甲斐あって、被告人は社会の過酷さに押し潰されそうになった被害者であるかのように、綾部自身までもが錯覚する主張ができあがった。

数度の公判を経て、判決が下った。懲役一年、執行猶予二年の温情判決である。裁判長の言葉を聞いた瞬間、綾部は内心でガッツポーズを取った。もしかしたら被告人自身よりも喜んでいるかもしれないと思えるほど、天にも昇る心地を味わった。

「さすがです、先生」

ホテルのラウンジで落ち合った秋成は、開口一番そう言った。綾部も、秋成に誉めてもらうのを楽しみにしていた。

「よかったですよ、信頼に応えられて」

偽りのない本音だった。被告人の兄も、秋成の横で深々と頭を下げている。人の役に立つ仕事をしたという充実感が、綾部の心身に横溢《おういつ》していた。たとえ被告人がヤクザの親族であろうとも、全力で弁護するところに弁護士の存在意義があるのだ。これまでの生活を覆《おお》っていた灰色の薄膜が、今ようやく取り払われて明かりが差したように感じられた。

「先生から受けたご恩を、どのようにお返ししたらいいのかもう見当がつかないほどです。先生には一生、足を向けて寝られません」

秋成の感謝の言葉は、耳に心地よかった。秋成が恩に感じてくれればくれるほど、綾部の凡庸な人生も書き換えられていく。今回はどんなもてなしをしてくれるのかと、期待に胸が弾むのを抑えられなかった。

「ところで先生。《スプリーム・タイム》でお眼鏡に適《かな》った女がいるそうですね」

唐突に秋成はそんなことを言った。綾部は一瞬返答に詰まったが、白を切る意味もない。「まあ、けっこう気に入ってますね」と、気取った物言いをした。

「今夜も怜は出勤してます。因果を含めてありますから、ぜひアフターに誘ってください。怜はどこまでもお付き合いしますよ」

「えっ」

言われたことの意味が、すぐには呑み込めなかった。「どこまでもお付き合い」とは、いったいどこまでなのか。秋成は下卑た笑いなど浮かべない男なので、真意がよくわからない。

「それって、あのう……」

はっきり言葉に出して確かめるのが怖かった。こんなにもなんの障害もなくすべてがうまくいっていいのだろうかと、疑う気持ちがある。だが秋成の感謝に裏の意味などないのは間違いないし、綾部自身もこうした生活を目指してがんばってきたという自負がある。それが思いがけず早く実現することに、心の準備が追いつかないのだった。

「口説くなりなんなり、お好きにしていただいてかまいませんという意味です。怜は拒否しませんから」

秋成はなんでもないことのように言う。秋成にとって怜は、自分の意のままに動く駒《こま》のひとつに過ぎないのだろうか。

「因果を含めたというのは、金ですか」

確認せずにはいられなかった。あの怜が金に目が眩《くら》んだかと思うと、大切なものを汚されたような気分にもなる。しかしだからといって、このチャンスを遠慮する気はまったくなかった。自力で口説いて落とせないことは、前回のキャバクラ通いで身に染《し》みてわかっていた。

「まあ、そこは先生は知らなくていいことです」

秋成はきっぱりと言い切った。確かにそうだなと、綾部も納得する。ヤクザと付き合っていくには、知るべきでないことにまで首を突っ込まないことが肝要だと、改めて肝に銘じなければならない。

ホテルを出た後は、何も手につかなかった。本来なら片づけなければならない事務仕事が山積しているのだが、集中力が完全に失われてしまった。ある程度のところですっぱり諦め、早々に事務所を閉めた。《スプリーム・タイム》には、開店と同時に飛び込んだ。

秋成の言うとおり、怜はすでに出勤していた。他に客はいないので、独り占め状態である。なんだか照れ臭く、まともに怜の目を見られなかった。それなのに怜は、いつもと変わらずクールにこちらを直視してくる。

「あのさ、秋成さんを知ってるの？」

まず、そんなところから訊いてみた。怜は質問の意味がわかっているだろうに、まったく悪びれずに頷く。

「はい、知ってます」

「何か、言われた？」

好きな女の子に初めて告白をする高校生のように、心臓が高鳴った。にもかかわらず怜は、簡単に答える。

「はい」

それだけだった。よけいなことを言うのは野暮ということか。納得して、以後は他の女の子も呼んで気楽に酒を飲むことにした。アフターに誘うなら、八時や九時で上がりというわけにもいかない。怜を連れ出してもいい時間が来るのが、待ち遠しかった。

つい、いつもより飲みすぎてしまった。やはり緊張しているようだ。だがそれに気づいてからは、酒量を抑えた。肝心なときに酔っぱらって何もできない、などということになったら最悪だ。九時を過ぎてからは、ずっとウーロン茶を飲んでいた。

十時まで我慢して、何時に上がれるのかと怜に訊いた。すると、いつでもかまわないなどと言う。なんだそうだったのかと拍子抜けしたが、同時に心臓が激しく拍動し始めた。じゃあ帰ろうと怜を促し、店の斜め前にあるショットバーで、着替える怜を待つことにした。ショットバーでひとりカクテルを飲んでいるときは、やはりこれはすべて大がかりな冗談なのではないかという疑いが胸に兆《きざ》した。

しかし、怜はやってきた。店での華やかなドレスとは違い、カジュアルなジーンズ姿である。怜の私服は何度も目にしているが、それでもそのギャップはまだ新鮮だった。隣のストゥールに坐った怜に、「この後はホテルに行こう」と勇を鼓して話しかける。すると怜は、珍しく目を伏せたまま小さく頷いた。

怜はいやがっているのかもしれない。それは当然のことだ。だが、そんな女を無理矢理に従わせるのもまた、嗜虐《しぎゃく》的な喜びがあった。おれからさんざんに金を巻き上げておきながら、まったく応えようとしなかった女。あの女への復讐《ふくしゅう》が、今まさに成就《じょうじゅ》しようとしているのだと感じた。

「行こうか」

怜がカクテルを飲み終わるのを見計らって、立ち上がった。怜は黙ってストゥールを下りる。こんな美人が、おれのような太った中年男におとなしく従おうとしている。これが、〝力〟というものか。これこそ、おれが手に入れたいと望んでいた〝力〟か。

達成感はあまりにも大きく、脳をびりびりと痺《しび》れさせるかのようだった。腰に手を回して引き寄せても、怜はまったくいやがらなかった。

11

自宅に帰り着いても、罪悪感はまるで感じなかった。むしろ、怜と過ごした時間の昂揚感がそのまま残っていて、日常に戻ることを拒否したい気分だった。午前二時を回っているので、妻と息子たちは当然寝ている。自分で鍵《かぎ》を開けて暗い玄関で靴を脱いだが、それを侘《わ》びしいとも思わなかった。

シャワーは浴びてきているので、顔を洗っただけで床に就いた。先に寝ていた妻は、口を開けただらしない寝顔を曝《さら》している。体の脂肪が左右に流れたその寝姿に、綾部は嫌悪《けんお》すら覚えた。お前がそんなに醜くなってしまったから、おれは他の女を求めなければならなかったんだ。自然に浮かんできた自己正当化を疚《やま》しいとも感じず、むしろつい先ほどまで自由にしていた怜の肢体と比べてみれば、誰もが自分の意見に賛同してくれるだろうと考えただけだった。妻を視野から追い出したかったので、目を瞑《つぶ》ってさっさと寝た。

翌朝、もっと寝ていたい気持ちを押しやって、なんとかベッドから這《は》い出た。ダイニングテーブルには、三人の息子たちが群がっている。赤ん坊のときは天使のようにかわいらしかった息子たちも、今やただ粗雑で汚いだけの存在に成り下がった。彼らは毎朝の行事のように、パンに塗るマーガリンやジャムを奪い合っている。そのうるささに顔を顰《しか》めた瞬間、息子たちへの情愛が薄らいでいることを自覚した。仕方がないことだ、と簡単に割り切る。

もともと綾部は、息子たちになんでも与えてやろうなどとは考えていなかった。綾部がそうしたように、息子たちも手に入れたい物があるなら自力でどうにかすべきなのだ。社会において尊敬される職、高収入、そして美しい女。息子たちも男なら、父の現在をいずれ羨ましく思うことだろう。羨ましいなら、お前たちも父のような人生を切り開いてみろ。内心でそう呼びかけつつも、息子たちに怜を自慢できないことを残念に感じた。

事務所に行くと、所属している弁護士会から国選弁護の仕事が回ってきた。そのことを事務員から聞き、綾部は顔を歪めた。それはうんざりした気持ちの表れだった。

「いまさら国選かよ。馬鹿馬鹿しくてやってられないなぁ」

呟くと、内情を知っている事務員は「ご苦労様です」と同情してくれた。実際、国選弁護は使命感がなければやれない仕事だった。

世間の人は弁護士を高収入の職業だと思っている。それは必ずしも実情にそぐわないイメージというわけではないが、胸を張って自らを高収入と喧伝《けんでん》できる人はごく一部だろう。大きな事務所を構え、たくさんの企業の顧問弁護士になっている人は、数千万円の年収を得ることができる。だが大多数の弁護士は収入の少なさ故《ゆえ》にイソ弁の身分から独立することができず、仮にできたとしても東京で事務所を維持するのは難しいため、縁もゆかりもない地方にわざわざ居を移して開業することが多い。綾部自身、イソ弁当時に戯《たわむ》れに時給を計算してみたところ、なんと千五百円に過ぎなかったので愕然《がくぜん》としたことがある。残業が多い割には月給が少なく、そんな数字になってしまうのだ。事務所に勤めている事務員の時給が千二百円、アルバイトは千円だった。つまり、最難関の国家試験を突破して弁護士になっても、無資格の事務員との時給差はたった三百円でしかなかったのである。

独立しても、事情が大きく変わるわけではない。親が会社社長でもやっていて、経済界に大きなコネでもない限り、軌道に乗るのはかなり難しいと言わざるを得ない。勢い、収入源は弁護士会からの紹介に頼ることになるが、回ってくる仕事の報酬額が問題だった。国選弁護は、一件の報酬がたったの八万円強でしかないのだ。

国選だからといって、手を抜くわけにはいかない。真剣に取り組めばそれだけ拘束時間も増え、報酬は時給に換算するのも恐ろしい数字になってしまう。国選の仕事が年間に十件回ってきたとしても、報酬は百万円にも満たない。これでは、弁護士は高収入だと他人に吹聴《ふいちょう》するのは難しかった。

以前の綾部はそれでも、自分の中に確かにあるはずの使命感をなんとか鼓舞して、弁護に当たっていた。私選弁護人を雇えず、国選弁護人に頼らざるを得ない人ほど、本当に弁護士を必要としているのだと、何度も呪文《じゅもん》のように己に言い聞かせた。そして実際、それは功を奏していたのだった。

だが今は、そんな魔法の言葉も効力を失いかけていた。一度垣間見《かいまみ》てしまった、夢の生活。栓を捻ると水が出てくる水道のように、ちょっとお願いしただけで無尽蔵に金を吐き出す蛇口が世の中には存在するのだ。それを見つけてしまったからには、雀《すずめ》の涙ほどの報酬のために使命感を掻き立てるのは至難の業だった。

それでも、弁護士資格を剝奪《はくだつ》されるわけにはいかない。綾部はなんとか重い腰を上げ、被告人と面会するために拘置所に向かった。

起訴内容は、呆れるほどにくだらなかった。被告人は七十歳の女性で、罪状は窃盗だった。窃盗といっても多額の現金や貴金属を盗んだわけではなく、スーパーで日用品を万引きしただけである。だがこの女性は常習性が高く、何度も捕まっては説教されている経歴の持ち主だった。本来はこんな微罪で起訴までされることはないのだが、いっこうに収まらない盗癖を矯正するために罪を問うことにしたようだ。

面会室で向き合ってみると、被告人は背中を丸めて縮こまっていた。今どきの七十歳は老人とも言えない元気さを保っているものだが、眼前の女性はどう見ても老婆《ろうば》と形容するのがふさわしい外見だった。七十歳にもなって万引きを繰り返すからには同情すべき背景があるのだろうが、綾部はまるで興味を覚えなかった。一度刑務所に入れてやった方が本人のためだと考えた検察官に、心から同意したい気分だった。

「申し訳ありません。もうしません」

綾部の顔を見るなり、老婆は口の中でぶつぶつと詫びの言葉を唱え始めた。綾部がどういう立場の人間かもわかっていないようだ。説明するのも面倒だが、弁護士の役割についてひとつひとつ教えてやる。やる気が起きなくても、決まったことを話して聞かせるのは身に染みついた習慣になっていた。

「あたしは刑務所に行くんでしょうか。刑務所は怖いところじゃないんですか」

老婆はそんなことを心配した。刑務所は老人養護施設ではないのだから、決して優しく接してもらえる場所ではないだろう。だが万引きを繰り返すような心の病を抱えているなら、今の生活環境が良好であるとはとても思えない。比較すれば、刑務所はこの老婆にとって悪いところではないと綾部は考えた。

「おばあさんが刑務所に行くのは、仕方のないことなんですよ。だって悪いことをしたんだから。でもね、ちゃんと刑務所に入って、自分の罪を償った方がいいですよ。悪いことを繰り返した人生のまま、死にたくはないでしょう」

弁護士の立場としては、言っていいことではないかもしれなかった。しかし報酬がたった八万円かと思えば、自分の本音を押し殺すのも面倒臭い。被告人とのやり取りもおざなりになり、相手の言葉にただ細かく頷いた。仕事に身が入らないときの、綾部の癖だった。

やがて被告人が泣き出したので、面会を切り上げてさっさと引き揚げた。本来なら生い立ちや生活環境を事細かに聞き出し、裁判で情状を訴えるのが弁護士の役割だろうが、時間をかける気にもなれない。執行猶予が取れなくても綾部の経歴に傷はつかないし、何より温情判決は本人のためにもならないのだ。ここは手を抜いてやるのが慈悲だと考えた。

拘置所から外に出ると、我知らずため息が出た。なんとやり甲斐のない仕事かと、心の嘆きが吐息に籠《こも》っていた。秋成の弁護を引き受ける前は、こんな依頼ばかりだった。当番弁護で仕事が回ってきても、被告人本人が自白していれば報酬も安い。できれば一件につき五十万円はもらいたいところだが、自白案件ならばせいぜい半額、下手をすると二十万程度しか取れないこともある。しかもその二十万円も一括では払えず、月一万円ずつの分割払いを要求し、もっとひどいことにその程度の返済すらも滞《とどこお》らせてしまう人が少なくないのだ。やってられない、というのが綾部の正直な気持ちだった。

どうやって国選や当番弁護の仕事を減らそうか。綾部の思考は今、そんな方向にだけ向けられていた。端金《はしたがね》のための仕事はすべて切り捨て、組事務所の顧問弁護士の座を摑む。そうすることでようやく、学生時代から夢見ていた上流の生活を手にすることができるのだ。夢が射程圏内に入ってきたからには、足許になど注意を振り向けるのはただ馬鹿馬鹿しいだけだった。

12

怜はベッドの中で、決して綾部と目を合わせようとはしない。その一事に怜の本音が込められているようで、綾部は腹立たしさと申し訳なさを同時に感じる。怜は綾部と寝ることで、貿易会社を立ち上げる資金を手にしたのかもしれない。だとしたら、意に染まない中年男と寝ることくらい、甘受しなければならないだろう。ならば、綾部が申し訳なく思う必要もないのか。いっときの我慢で簡単に夢を実現できる女が、少し羨ましかった。

怜は今、綾部の腋《わき》の下に顔を突っ込むようにしている。ベッドに入る前に念入りに腋の下を洗ったから、臭くはないはずだ。だが仮に体を洗わずに事に及ぼうとしたら、それでも怜は拒否しないだろうかと考えてみる。この美しい顔が嫌悪に歪む様を想像すると、自分でも思いがけないほどの愉悦が込み上げてきて驚いた。いつか実行してみようと、心に決める。

体を重ねるうちに怜が心を開いてくれる、などという幻想は持っていなかった。あくまで怜は自分の利益のために綾部と寝ているのであって、死んでも心を開いたりはしないだろう。心を閉ざしながらも体を許す女が憎く、いっそ力ずくで犯してやりたい衝動が込み上げてくる。しかし暴力に訴えなくても、いやがる女を自由にできる現状に、綾部は倒錯的な満足感を覚えていた。

これが〝力〟なのだ。封建制度が崩壊し、民主主義の社会になっても、階級は厳然と存在する。身を粉《こ》にして働いても自分の家ひとつ持てない人々がいる一方、綾部のように芸能人並みの美女を愛人にできる人間もいる。これが階級差でなくて、なんだろう。どうせ階級があるなら、上のランクにいなければ意味がない。〝力〟があれば、金も女も思いのままなのだ。目を合わせようとしない怜は、綾部が確かに〝力〟を手にしたことを実感させてくれる。もっといやがって欲しいと、舌なめずりをする思いで望んだ。

ホテルではなく、ひとり暮らしをしている怜の部屋に押しかけたのも、怜が内心でいやがっているだろうと察したからだった。ホテルの無機質な部屋でならまだしも、好きでもない男に己のプライバシーを曝《さら》け出すのはかなり辛いことだろう。だからこそ綾部は、怜の部屋に行きたいと言ってみたのだ。怜はかなり逡巡《しゅんじゅん》していたが、少し掃除の時間をもらえればという条件をつけて承知した。

怜の住まいは小綺麗なワンルームマンションで、玄関の外で十分ほどしか待たされなかった割にはきちんと片づいていた。怜が毎日使っているベッドに潜り込むのはまた格別で、二度とホテルには行きたくないと綾部に思わせた。そもそもホテルでは、人目につく危険性があるのだ。怜の部屋なら金もかからないし、まさに一石三鳥だった。

できるだけ長く留まっていたかったが、妻への言い訳を考えるのが面倒なので、泊まるわけにはいかなかった。あんな醜く太ってしまった妻でも、世間体を考えると露骨に蔑《ないがし》ろにはできない。女ができたことを知られればひと波乱起きることは簡単に予想がつくので、厄介事を避けるためにもきちんと家に帰った方がいいのだった。

ベッドから出て身支度を始めると、怜も慌てて服を着た。綾部を見送るために衣類を身に着けているのではなく、情事の痕跡《こんせき》を一秒でも早く消してしまいたいのだろう。また来る、と言い残すと、いつもの無表情のまま怜はこくりと頷く。そんな無表情も、今は克己《こっき》心《しん》の賜物《たまもの》にしか見えなかった。

エレベーターで一階に下りて、エントランスを通り抜けた。住人に怪しまれないよう、川北は外で待機していたようだ。時刻は午前二時を回っているが、川北に車を呼ばせて自宅まで送り届けてもらえばいい。車の到着を待つ時間が無駄だから、次からはあらかじめ部屋にいるうちに川北に連絡を入れておこうと考えた。

外に出ると、五段ほどの短い階段がある。こちらの姿を目に留めたらしく、離れた電信柱の陰から川北が現れた。綾部が女の部屋で楽しんでいる間、じっと待ち続ける態度はまさに忠犬のようだ。川北の忠義もまた、綾部の自尊心を大いにくすぐってくれた。

軽く手を上げて、階段を下り始めたときだった。夜の静寂を破るように、川北とは反対の方向から誰かが駆けてくる音が響いた。何事だ、と目をやったのと、脇腹《わきばら》に鈍い衝撃を受けたのはほんの数瞬の差だった。若い男が、体を密着させるように立っている。顔の左半面を覆う、大きな痣《あざ》。目と目が合い、知っている男だという認識が頭蓋《ずがい》に走った。この大きな痣には、確かに見憶えがある。だが、相手の名前がとっさには思い出せない。

「野郎！」

ドスの利いた声とともに、川北が駆け寄ってきた。男は綾部を突き飛ばし、逃げ出す。川北は立ち止まらず、そのまま男を追っていった。尻餅《しりもち》をついた綾部は、駆け去っていくふたりの後ろ姿を呆然と眺めた。

腹に穴が開いていた。そこからどくどくと、驚くほど多量の血液が流れ出していく。あわわわわ、と声を発し、綾部は両手で穴を押さえた。痛みはまったく感じなかったが、流れ出す血の多さに心が竦み上がった。

なんだよ、なんなんだよ。綾部はどうしていいかわからず、左右に目を転じて救いを求めた。だが誰も助けに来てはくれず、ただタイルの冷たさがしんしんと尻から伝わってくるだけだった。その冷たさはあっという間に背骨を駆け上がり、全身に蔓延《まんえん》した。寒くて寒くて仕方なく、他者の温《ぬく》もりが恋しかった。たとえ肥え太った妻であっても、そばにいてくれれば邪険にしないのにと思った。

死、という単語がぽんと脳裏に浮かび上がり、思わず「嘘だろ」と呟いた。おれは死ぬのか。こんなことで死ぬのか。そんな話があるかよ。だっておれは、ようやく夢のような生活に駆け上がる階段に足をかけたばかりだったんだ。それがどうして、突然こんな落とし穴に嵌《はま》らなければならないんだ。階段を上がって上がって、頂上が見えてきたところで落とされるなんて、あまりに不条理だ。いったい誰が、穴なんて掘っていやがったんだ。

そんな恨み言がふつふつと込み上げてくる一方、自分は本当に階段を上がっていたのかという疑問もなぜか紛れ込んでいた。おれは階段を上がっていたつもりで、本当は奈《な》落《らく》に繋《つな》がっている階段を着実に下りていたのではないか。脚を動かしていたのではなく、ただ単に転がり落ち続けた末に、この穴に嵌り込んだのではないのか。これはもしかしたら、避けがたい結果だったのか……。

意識が混濁し始め、筋道だった思考を組み立てるのが難しくなってきた。血はいつまでも流れ続ける。誰にも気づいてもらえないままに意識が遠のいていくのは、譬えようもなく寂しかった。

13

捜査本部が設置された所轄《しょかつ》署に乗り込む前から、山名省吾は事件の概略を聞いていた。マンションから出てきた被害者が、何者かに腹部を刺されて死亡。加害者はすぐにその場から逃走して、未《いま》だ素性が特定できていない。財布は盗まれていなかったが、そのことが即、物取りの犯行を否定するわけではなく、目的を達しないままに逃走した可能性も残る。つまり強盗殺人、通り魔殺人、怨恨《えんこん》殺人の、いずれとも断定できていない。以上が、捜査本部入りする前の予備情報だった。

捜査本部は四十人強の人員から編成されていた。所轄の講堂に四十人以上もの男が群れ集うと、それだけで人いきれによって暑苦しくなる。だが山名はそんな雰囲気が嫌いではなく、むしろこの熱気がなければやる気が湧いてこないかもしれないとも考えている。やはり刑事は、猟犬の本能を忘れてはいけないのだ。猟犬たちの逸《はや》る気持ちは、刑事としての誇りの表れだった。

司会を務める係長の説明で、被害者が弁護士であったことを知った。三十八歳、妻と三人の息子持ち。奇妙なことに、現場となったマンションは被害者となんの関係もなく、なぜここを訪れていたのかは初動捜査でも不明だった。被害者の死亡直前の行動に、殺害の理由が潜んでいるかと思われた。

山名は鑑担当になった。組む相手は、所轄の小西《こにし》という四十代後半の刑事だ。面識はなかったので、捜査会議が終わった後に挨拶を交わす。小西は名前のとおり小柄な男だったが、広い額から顎の先に至るまで脂でつやつやと光り、エネルギッシュな気配を感じさせる。実際、山名が圧倒されるほどに多弁だった。

「いやぁ、やっぱり本部の人はスマートだね。おれみたいな脂ぎったオヤジとは違うね。もらってる給料の差かね」

長身の山名を爪先《つまさき》から顔まで遠慮なく眺め回し、そんな感想を漏らす。山名は苦笑して、「そんなに給料は違わないですよ」と応じた。

「いくら本部勤務だからって、一介の平刑事がそんなに高給もらってるわけないじゃないですか」

「そりゃそうだな。ってそんなこと知ってるけどさ。言ってみただけだよ。わっはは」

どうやら小西は、自分より年下の刑事をまず最初にからかってみるのが趣味らしい。所轄刑事の屈折なのかもしれないが、ぶっきらぼうにされるよりは付き合いやすそうだった。

鑑取りの割り振りを決めてから、署を発《た》った。小西は歩きながら、あれこれと山名の個人情報を尋ねてくる。これもコミュニケーションと思うので、ひとつひとつ素直に答えた。三十五歳、独身、二年前から本部の捜査一課にいる、といったことを話して聞かせると、小西は世にも不思議なことを聞いたとばかりに目を剝いた。

「なんだよ、独り身かい。どうしてだ。本部の刑事様なら、婦人警官選《よ》り取り見取りじゃないか」

「そんなわけないでしょ。向こうにだって選ぶ権利はあるんだから」

「あんた、もてそうに見えるんだけどね。なかなかいい男じゃないか」

山名が独身と知った人は、決まってこんなことを言う。もう慣れているので、返事も決まっていた。

「今どきの婦警は、同業者なんて相手にしないんですよ」

「そうなのか！　なんだ、世も末だな。婦警が理解してくれなきゃ、おれたちの仕事を理解してくれる女なんて他にいないじゃないか」

「そうですよ。だから独身なんです」

強引に結論に持っていくと、小西は頭を振って「気の毒になぁ」などと呟いている。少し軽薄なところがあるが、根はいい人らしいと見て取った。

「まあ、考えてみりゃおれたちの仕事は、いつ命を落としてもおかしくないんだから、家族なんていない方がいいのかもな。今回の被害者《マルヒ》も、三人の子持ちだっていうじゃないか。かわいそうに。実はおれ、マルヒとは会ったことあるんだよね」

「そうなんですか」

被害者は弁護士だから、刑事が顔を合わせることもあるだろう。だからそのこと自体は不思議ではないが、よけいなお喋りをする前にそういう大事なことは教えてくれと言いたかった。口数が多いのが、小西の欠点かもしれない。

「前に、殺しでちょっとね。簡単なヤマだったからすぐにホシが挙がって、けっこう簡単に自白も取れたんだ。そのホシについた弁護士が、今度のマルヒだったんだよ。自白つきだったから、あんまりやる気なさそうだったな、今から思えば」

被害者の仕事ぶりについては、鑑取りでおいおい明らかになっていくだろう。だが被疑者が自白しているせいでやる気がなくなるようでは、あまりいい弁護士ではなかったようだ。逆恨みの可能性を、頭の片隅に留めておいた。

「あー、思い出したわ。そういえばそのホシを落とした刑事も、ついこの前死んじまったんだ。酔っぱらった挙げ句に車に轢《ひ》かれたんで、あんまり同情できない死に方だったけどな」

「えっ」

思わず立ち止まってしまった。二歩ほど先に進んだ小西は、何事だとばかりに振り返る。山名はそんな小西の肘を摑み、揺すった。

「それ、本当ですか。先日事故で死んだ刑事のことですよね。あの人が、そのヤマの担当だったんですか」

「あ、ああ。そうだよ。それがどうかしたか」

「ひとつのヤマに関わった人の、ふたりまでが立て続けに死んでるんですよ。引っかかるじゃないですか」

「えーっ、そうか？　だってこっちは殺しで、伊佐《いさ》さんは事故死だぜ。偶然だろ」

「そうでしょうかね」

山名は納得できなかった。事故死した刑事の名前が伊佐山であったことを思い出す。同時に、あまり評判のいい刑事でなかったことも、記憶の底からほじくり出されてきた。強引な捜査手法が問題視されていた刑事と、やる気に欠ける弁護士。そのふたりが時をおかずして変死し、過去にはひとつの事件に関わっていた。偶然、のひと言で片づけていいこととは思えなかった。

「小西さん、そのヤマの詳細を教えてもらえますか」

山名は相棒に求めた。小西は戸惑いを隠せない様子で、何度も頷いた。

14

割り当てられた仕事をきちんと片づけ、深夜零時過ぎまで行われた捜査会議が終わった後、山名は県警本部に戻った。小西から聞いた話を確かめるためである。小西はあいにく、犯人の名前を憶えていなかった。事件が起きた時期と、場所から特定するしかない。

県警本部のデータベースで検索してみたところ、小西の言う事件はあっさり特定できた。犯人の名前は江木雅史。会社の上司を恨み、相手を殴りつけて死に至らしめている。傷害致死ではなく殺人の罪を問われたのは、殺意を認定されたからだった。記録を読む限り、特筆すべき点のない、ごくありふれた事件のようだった。だが最後の一文を読み、山名は愕然《がくぜん》として腰を浮かせた。

一審の担当検事は、谷沢だったのだ。

つまり、この事件を扱った刑事、検事、弁護士が短期間のうちに全員不審死を遂げているのである。これはもう、偶然であるはずがなかった。

谷沢の事件は、未だ犯人に至る手がかりひとつ得られず、継続捜査中だった。手口が荒っぽいことから外国人による犯罪との見方が強まっていたが、いっこうに犯人の目星がつけられないのは誤った方向に捜査が進んでいたからではないのか。あれは強盗殺人などではなく、怨恨による殺人だったのではないか。

連続殺人が行われていたのに、誰も気づかなかった。そのことに、山名は痛烈なまでの悔しさを覚えた。刑事にとって、事件を見逃してしまうことほど痛恨の失態はない。

ましてや山名にしてみれば、その中に知人が被害者となった事件も含まれているのだ。にもかかわらず、小西から話を聞くまで何も気づけずにいた。これほど悔しいことがあろうか。

申し訳ないことをしてしまったと、死んだ谷沢に謝りたい思いだった。もし谷沢が検事としての職務に忠実であったがために恨みを買ったのだとしたら、それは逆恨み以外の何物でもない。そんなことで殺された谷沢はさぞや無念であっただろうし、真の動機に気づかずにいた警察、中でもふだんから付き合いのあった山名のことは、その無能さを彼岸《ひがん》から糾弾しているに違いなかった。

江木雅史の現在を調べなくてはならない。警察のデータベースでは一審判決で有罪をもらったことまでしかわからず、以後の生活については記録されていないのだ。懲役六年とのことだから、仮に控訴《こうそ》をしてふたたび有罪判決を下されたとしても、すでに刑期は終えている計算になる。江木雅史は娑婆に戻ってきているのだ。

時刻が深夜時間帯に入っているのが、残念でならなかった。こんな時間では、もう何もできない。おとなしく家に帰って寝るしかないが、すぐに眠りに就けるかどうか自信がなかった。

結局、明け方に少しうとうとしただけで、捜査本部が置かれている所轄署に行った。朝の捜査会議は通常、その日の役割分担の確認をするだけでしかないが、山名はそこに爆弾を持ち込んだ。江木雅史と三件の不審死についての情報は、捜査方針を一変させる破壊力を有していたのだった。

「よし、山名。だったらお前が江木に当たれ。これはお前の手柄だ」

司会の係長は、そう指名した。むろん、山名も他の人に譲るつもりはない。捜査会議が終わるとともに、小西を伴って署を飛び出した。

まずは、記録に残っている江木の自宅を訪ねた。逮捕当時、江木は独身で、両親と同居していた。獄中結婚でもしていない限り、出所後は両親の許に戻るしかないだろう。今は別の場所で暮らしているにしても、親ならばその行く先を承知しているのではないかと考えた。

だが、その両親の所在すら、簡単には特定できなかった。記録上の住所には、すでに人がいなかったからだ。近所の住人に話を聞いたところ、事件発生後に家族はどこかに引っ越していったという。行く先も告げない、ほとんど夜逃げ同然の引っ越しだったそうだ。犯罪の加害者を出してしまった家庭では特に珍しいことでもないので、山名も予想はしていた。

市役所まで行き、住民票の移動先を調べた。その際に、世帯主が父親の治史《はるふみ》から母親の聡子《さとこ》に替わっていることがわかった。両親が離婚した可能性を考え、改めて父親の住民票を閲覧したところ、なんとすでに死亡していた。時期的に、江木が服役中のことである。江木は父親の死に目に会えなかったようだ。

現在の江木の住民票は、同じ市内だが事件当時の住所とはかなり離れた場所に置かれていた。近所の目を避け、知人がいない地域に越していったのだろう。江木が住民票がある住所におとなしく住んでいるとは思えないが、母親には会える可能性がある。山名たちは市役所を出ると、タクシーを拾って先を急いだ。

住所が該当する場所には、築年数の古いアパートが建っていた。外壁に罅《ひび》が入り、外廊下の手摺《てす》りも錆《さ》びているその様子は、江木一家の現状を雄弁に物語っているかのようだった。だが山名は小西相手に感想を漏らすことなく、目指す部屋の呼び鈴を押した。室内でチャイムが鳴っているのは聞こえるが、誰も出てこない。何度か鳴らしても人の気配がしないことを確かめ、留守だと結論した。

幸い、隣人は在宅していた。話を聞いたところ、隣には六十代くらいの女性がひとり住んでいるだけだという。おそらくそれが、江木の母親の聡子だろう。他に人が出入りしている様子はないかと尋ねたが、ほとんど客は来ないとのことだった。

「なんか、あんまり付き合いがいい人じゃないんですよ。すれ違っても会釈《えしやく》するだけで、立ち話なんてぜんぜんしませんし。なんかわけありだなと睨んでたんですけど、こうやって刑事さんが来るってことは当たりなんですね。お隣さん、何をやったんですか？」

中年女性は好奇心丸出しで、逆に訊いてくる。その質問を曖昧に流し、江木聡子の行く先に心当たりがないかと質問したところ、近所のスーパーマーケットでレジ打ちの仕事をしていると教えてくれた。

その足で、スーパーを訪ねた。スーパーはかなりの大型店舗で、レジが十台以上も並んでいる。小西と手分けしてレジをひとつひとつ見ていき、胸につけている名札に「江木」と書いてある女性を発見した。

山名はレジ横にあったガムを手に取り、客の列に並んだ。そして順番が回ってきたときに、他の客には見られないようにこっそりと警察バッジを示した。江木聡子は特に目立った反応を示さず、バッジから山名の顔にちらりと視線を移しただけである。山名は小声で語りかけた。

「県警の山名と申します。江木雅史さんのことで、少しお話を伺わせていただきたいのですが」

「今、仕事中です」

聡子の口調はぶっきらぼうだった。しかし、そんなことでたじろぐ山名ではない。相手の無愛想さを押し返すように、畳みかけた。

「休み時間はいつですか。お時間は取らせません。江木雅史さんの所在について、聞かせていただければいいのです」

もし聡子が息子のしていることを知っているなら、江木を庇《かば》うだろう。その場合、このスーパーに日参してでも口を割らせる。谷沢の敵《かたき》を取りたいという気持ちは、聡子に迷惑がかかることなど顧みさせないほど大きかった。

聡子は柱にかかっている時計をちらりと見た。そして素早く、「四時に休憩に入ります」と囁《ささや》く。

「このスーパーを出て左、二本目の角を右に曲がったところに、公園があります。そこでお会いします」

「わかりました。ご協力、感謝します」

「百三十五円です」

最後は事務的な声で言って、聡子はガムに店のテープを貼《は》った。山名は代金を払い、ガムを摑んで外に出た。

四時までは二十分近くあったが、他のことをして時間を潰す気にはなれなかった。先に公園に行って、様子を見ておくことにする。歩いて三分ほどの場所にあった公園には、ブランコと滑り台、それと四つのベンチがあった。ひとつのベンチだけがぽつんと離れた場所にあり、誰も坐っていない。好都合と、そこに腰を下ろして聡子を待つことにした。

小西は坐らず、離れた場所で暇そうにたばこを吸い始めた。黙っているのがいやなのか、「山名さんは吸わないの？」とあれこれ話しかけてくる。それにいい加減に答えながらも、スーパーの方角からは目を逸らさなかった。やがて四時過ぎに、スーパーの制服にジャケットを羽織っただけの聡子が姿を見せた。

「お仕事中、申し訳ありませんでした」

山名は立ち上がって出迎える。聡子は「いえ」とだけ短く答えて、山名に勧められるままにベンチに腰を下ろした。

江木聡子は現在五十八歳のはずだが、六十代後半と言われても信じてしまいそうなほど老《ふ》けていた。息子が殺人を犯したことで被《こうむ》った心労が、如実《にょじつ》に外見に表れたといった体《てい》だった。気の毒には思うが、深く同情はしない。加害者の家族よりも、被害者家族の方がもっと辛いのだと山名は知っている。谷沢の妻の香織が涙を流す様を、はっきりと脳裏に甦らせた。

「お時間を取らせるわけにはいかないので、単刀直入に伺います。我々は江木雅史さんの所在を知る必要があります。息子さんは今、どちらにいらっしゃいますか」

「息子が何をしたって言うんですか」

山名の問いかけに、聡子は質問で答えた。容疑者家族が、異口同音に口にする台詞だ。

山名は首を振って、答えられない旨《むね》を示した。

「何かの容疑がかかっているわけではありません。単に所在が知りたいのです。教えていただけますか」

「わかりません」

　聡子は短く答えた。無愛想なので、嘘をついているのかどうか判然としない。山名は引き下がらなかった。

「わからない？　出所後に、ご自宅には戻っていないのですか」

「一度戻ってきました。ですが、すぐに出ていって行方知れずです」

「行方知れず。江木さんのお父さん、つまりあなたの旦那《だんな》さんはすでに亡《な》くなっているのですよね。そうなると、あなたはひとりぼっちだ。ひとりになってしまった母親を置いて、江木さんはどこかに行ってしまったのですか」

「あの子だって、好きで姿を消したわけじゃないんです。あなたたち警察が雅史に濡れ衣を着せて、まともな暮らしを奪ったんじゃないですか」

「濡れ衣？」

　聡子の言いようは、聞き捨てならなかった。警察が誰かに濡れ衣を着せることなどあり得ない。息子が罪を犯したことを信じたくない母親の心情は理解できるが、それは単に現実を直視していないだけのことだ。現に江木は、自分を刑務所に送った人たちを逆恨みして殺して回っていると思われる。山名に言わせれば、凶悪な連続殺人犯でしかなかった。

「濡れ衣ですよ。あの子は人なんて殺してないんです。それなのに誰も信じてくれなくて、本当の犯人を野放しにしておいて、あの子から何もかも奪ったじゃないですか。あの子だけじゃない、あたしも全部を失ったんですよ。家族も、住む家も、何もかも」

聡子の声には憤《いきどお》りが籠っていた。充血した目で、山名を睨み据えてくる。その目はまるで、生涯の仇敵《きゅうてき》に向ける憎しみの眼差《まなざ》しのようだった。親がこの調子だから、子供が正当な捜査や裁判に逆恨みを抱くのだなと山名は理解した。

「裁判で有罪判決が出たのでしょう。だったら、濡れ衣だなんてことはない。あなたの息子さんは罪を犯したのですよ」

「違います。裁判が間違っていたんです。真実を誰も見ようとしない、ひどい裁判でした。そのせいであたしは、大事なものをすべてなくしてしまったんです。夫も、娘も、息子も」

江木雅史の父親の死因はまだ調べていないが、この言い種《ぐさ》からすると、心労が祟《たた》って健康を害したのだろう。だとしたら恨み言をぶつけるべきは警察ではなく、江木だ。江木が愚かなことをしたから、父親は死んだのではないのか。

「わかりました。ではあなたはあくまで、江木雅史さんの所在をご存じないとおっしゃるのですね。ならば仕方ありません。思い出したら、こちらまでご連絡いただけますか」

山名は携帯電話の番号を書いた名刺を差し出した。聡子は先ほどまでとは逆に、頑なに山名から目を逸らしたまま名刺を受け取る。そして立ち上がって一礼すると、足早に公園を出ていった。

「親の気持ちは、ありがたくも愚かしいねぇ」

その背中を見送りながら、小西が毒にも薬にもならないことを言った。山名は相槌《あいづち》を打つ気になれず、ただ小さく首を振った。

15

鑑取りの結果、被害者である綾部にはヤクザとの繋がりが浮かび上がってきた。暴力団幹部の弁護を引き受け、無罪を勝ち取ったのをきっかけに、強い繋がりができたらしい。以後の綾部の生活は派手になり、キャバクラに通い詰めた挙げ句にホステスを口説き落として愛人にしていた。犯行現場のマンションは、その愛人の住まいだったのだ。聞き込みによって、綾部にはここ最近、ボディーガードがついていたことも判明した。どうやら綾部は、身辺に迫る危険に気づいていたようだ。しかし現実には、ボディーガードが不意を衝かれたのか、綾部は殺されてしまっている。そうなると、面子を潰されたヤクザが弔い合戦など考えていないかが心配された。

ボディーガードの手抜かりによって綾部が殺されたのだとしても、犯行の瞬間を近くで目撃している可能性がある。重大な手がかりを握っていると思われるので、ボディーガードには直接質問をする必要があった。

綾部が通い詰めていたキャバクラの従業員は口が堅く、ボディーガードの姓名を特定するのは難航したが、別の店の従業員が外で待機しているボディーガードを見かけていた。お蔭で、川北という名前が判明した。組織犯罪対策部に照会したところ、綾部が弁護した暴力団幹部と川北は、確かに同じ組織に属していると回答があった。川北本人へ質問をする役割は、またしても山名が任されることになった。組織犯罪対策部の応援を要請し、昔で言うマル暴刑事の協力を得て、山名たちは組事務所に乗り込んだ。

先方には事前に、組織犯罪対策部を通じて訪問を予告しておいた。訪ねていったが川北は不在、などという無駄足は踏まなくて済むはずである。それでも川北が出てこないようなら、彼らが不穏なことを考えている傍証にもなる。どちらにしても、事前通告をしておいて損はなかった。

組事務所では、丁重に応接室まで案内された。ふだんは多弁な小西も、さすがに今は無口になっている。その一方、同行しているマル暴刑事の態度は横柄《おうへい》で、とても真似《まね》はできないなと山名は内心で苦笑した。知らない人が見れば、厳《いか》つい顔のマル暴刑事こそヤクザの大幹部だと間違えることだろう。

出迎えたヤクザの中で最も地位が高いと思われる男が、秋成と名乗った。これが、綾部が弁護をした幹部だ。秋成はごく真っ当な物腰の男で、一見するとヤクザには見えない。だが時折垣間見せる目つきの鋭さが、やはり堅気ではないことを窺わせた。山名はあまりヤクザ絡みの事件を扱ったことがないが、粗暴な輩《やから》よりもこういう男の方が剣呑なのだということは想像がついた。

「こちらが、お尋ねの川北です」

秋成は傍らに立つ男を紹介した。川北は秋成とは対照的に、抜き身のナイフのような鋭い気配を放っていた。もともと暴力的な雰囲気を漂わせる男ではあったのだろうが、今は裡に秘めた怒りがそれを助長しているようですらある。暴発しかねない危うさを、山名はひと目で見て取った。

「お伺いしたいことは、秋成さんの裁判の弁護をされた綾部さんについてです。綾部さんが何者かに殺害されたことはご存じですね」

山名は相手がヤクザだからといって、高圧的に出る気はなかった。普通の聞き込みと同じように、丁寧に尋ねる。マル暴刑事は何か言いたげに鼻を鳴らしたが、取り合わなかった。

「存じております。先生には大変お世話になりましたので、こんなことになって悔しく思っています」

秋成が沈鬱《ちんうつ》に答えた。ヤクザがこんな際に素直に本音を口にするとは、山名も思っていない。だが表情を変えようとしない秋成の姿は、かえって内心の悔しさを滲ませているようだった。

「ここ最近、綾部さんには川北さんがボディーガードのように付き添っていたとの話を聞いています。それは、何か具体的に綾部さんの身に迫る危険を察知していたからですか」

この質問は、秋成と川北の両方に向けて発した。しかし川北はなんら反応を示さず、答えるのは秋成だけだった。

「先生がチンピラみたいな男に襲われかけたとおっしゃるので、私が川北に命じて身辺をお護りさせていました」

「チンピラみたいな男？　綾部さん本人がそう言ったのですか」

山名は今日、江木雅史の写真を持参してきている。七年前の逮捕当時のものだが、その写真からは「チンピラみたいな男」という形容は出てきそうになかった。綾部を襲った男は、江木ではなかったのか。それとも秋成が嘘をついているのか。

「はい。先生がそうおっしゃいました」

秋成は淡々と認める。肚《はら》が据わったヤクザの言葉は、たとえ嘘が混じっているとしても見抜くのは難しかった。諦めて、別の質問をする。

「しかし身辺を護っていたのに、綾部さんはこんなことになってしまいました。綾部さんが襲われたとき、川北さんはどこにいらっしゃったんですか」

そう問いかけた瞬間、ぎりりと異音が鳴った。川北が奥歯を噛み締めたのだ。川北は顔を苦しげに歪めて、初めて言葉を発した。

「……身辺をお護りするといっても、二十四時間ずっとつきっきりだったわけじゃありません。先生が女のところに行ったときは、遠慮していたんです」

この説明は嘘だと、山名は即座に断じた。綾部が殺された瞬間、川北は間違いなくそばにいた。にもかかわらず殺されてしまったことに、川北は面子を潰され激しく憤っている。やはり川北は、自力で犯人を見つけ出して復讐《ふくしゅう》しようと考えているのではないか。

「綾部さんを殺した犯人は、ずっと犯行の機会を窺っていたものと思われます。つまり、綾部さんの周囲に何度か姿を現しているはずなんです。だとしたら、川北さんも見かけているかもしれませんよね。この男を、綾部さんのそばで見かけたことはありませんか」

言いながら、江木の写真を取り出した。それをテーブルを滑らせて、川北の前に差し出す。山名はただ、川北の表情だけを注視していた。

果たして、川北の顔色が変わった。表情を変えまいと努力はしていたが、一瞬両目を見開いたのを山名は見逃さなかった。川北はすぐに写真から目を逸らし、「知らない顔です」と白を切る。だが、川北の返事などもはやどうでもよかった。

やはり、犯人は江木だ。山名ははっきりと確信した。秋成も川北も、こちらの質問に素直に答える気がないのは明らかだ。警察より先に江木を捕まえ、闇《やみ》から闇に葬《ほうむ》ろうと考えているのかもしれない。だとしたら、江木を一刻も早く逮捕しなければならなかった。江木は綾部だけでなく、刑事と検事までも殺しているのだ。そんな重罪人を、ヤクザの私怨《しえん》で殺させるわけにはいかない。

川北の前から写真を引き取るとき、こちらを見ている秋成と目が合った。秋成はおそらく、山名が川北の嘘を見破ったことを悟っている。秋成の視線はヤクザにあるまじく静かだったが、こちらの心底まで見透かすような不気味さがあった。山名はあえて何も感じていない振りをして、辞去を告げた。

16

犯人は江木で間違いないとの心証を得ると、七年前の事件をもっと詳しく知りたくなった。同行してくれたマル暴刑事とは組事務所を出たところで別れ、小西とともに県警本部に向かう。小西もまた川北の反応を見逃していなかったらしく、「あいつの反応はヤバいなぁ」と案じていた。口ばかりが動くわけではなく、見るべきものはきちんと見ているのだなと、内心で小西を再評価した。

江木聡子が「濡れ衣だ」と主張していたことが、山名は気にかかっていた。むろん、身内の勝手な解釈なのだろうと思う。だが判決に憤り、その復讐のために関係者を順番に殺しているのなら、それはよほど強烈な恨みということになる。もし本当に罪を犯していたのなら、果たしてそこまで強く逆恨みするものだろうか。単なる逆恨みで殺人を重ねているのなら、もはや常人の感覚ではなく精神を病んでいるに違いない。果たして江木は心を病んでいるのか。過去の事件を調べ直すことで、そのことを確認してみたかった。

「江木の事件について、小西さんはどういう心証を持っていましたか」

歩きながら、問いかけた。小西は遠くを見るような目つきをしてから、「そうねぇ……」と自信なさげに口を開いた。

「心証って言ったら、そりゃクロだよ。動機があって、事件当日にトラブルを起こしてて、その上アリバイはないんだから。他に容疑者もいなかったし、誰が扱っても結論は一緒だったと思うよ」

「まあ、そうでしょうけれどもね」

山名は応じたが、死んだ伊佐山があまり評判のよくない刑事だったことが気にかかっていた。違法な捜査をしたとまでは思わないが、かなり強引な手法で自白を取ったのではないか。そんな気がして仕方がないのだった。

「亡くなった伊佐山さんは、どんな人でしたか」

小西は所轄で、伊佐山の仕事ぶりをつぶさに見ているはずである。小西はいったい、伊佐山をどのように見ていたのか。

「どんな、って訊かれてもねぇ。ひと言で言えば、昔気質《かたぎ》の刑事かな」

「昔気質」

そうした形容に山名は、いい印象と悪い印象の両方を抱いてしまう。刑事という仕事は専門性が高いだけに、経験がものを言う。その意味では昔気質の刑事が必要不可欠な存在であることは間違いないのだが、その一方で現代社会で一般的になった人権意識に乏しいという嫌いもなくはなかった。明治時代から連綿と受け継がれてきた「おいこら」式の捜査が未だに有効だと信じる、頑迷な刑事も少なくないのだ。取りあえず引っ張ってきて、吐かせてしまえばこっちの勝ちと、彼らは考えている。伊佐山もまた、そうしたやり方が唯一《ゆいいつ》正しい捜査方法と信じていた刑事ではなかったのか。

詳しいことが知りたい、と改めて思った。以前に県警本部のデータベースを検索したときは、伊佐山と綾部が関わった事件を発見することが目的でしかなく、その詳細までは調べなかった。しかし七年前の事件には間違いなく、三人の命を奪うほどの強烈な何かがあったのだ。それは逆恨みかもしれない、狂気かもしれない。あるいは江木聡子が言うように、冤罪《えんざい》だったのかもしれない。いずれにしても、七年前に何があったのかを正確に知ることこそが、今起きていることを明らかにする早道だと山名は考えた。

本部の捜査資料室で、江木の事件に関する紙資料のすべてを申請した。それを自分の机に積み上げ、最初から目を通し始める。当時の捜査本部にいた小西はいまさら昔の資料を読む気にはなれないらしく、「たばこ吸ってくる」と言い置いて廊下に出ていった。山名は返事をする暇も惜しんで、手書きの文字を目で追った。

三時間ほどかけて、資料を読破した。その結果、江木事件には思いの外《ほか》に物証が少ないことが判明した。被害者の衣服には、確かに江木の指紋が残っていた。しかし江木は、それは日中のトラブルの際についたものだと主張していた。公平に見て、その可能性は捨てきれない。つまり、物証と言える物証はないに等しいのだった。

もうひとつ、江木の有罪の根拠となったのが目撃証言だった。事件当夜、江木らしき男が現場付近で目撃されている。だがその証言にも、山名はおかしな点を見つけた。江木の最大の特徴である顔の痣に、目撃者は触れていないのだ。

江木の顔写真を見て、真っ先に目につくのが痣だった。小さい痣ではないので、顔立ちそのものよりも強い印象を残すと言ってもいい。にもかかわらず目撃者は、単に灰色のウィンドブレイカーを着ていた人がいたとしか証言していないのだ。灰色のウィンドブレイカーなど、珍しいものではない。その人物が江木であったという証拠にはならず、むしろ顔の痣について触れていないからには別人と考えるのが自然ではないか。

それでも江木は、有罪になった。山名は改めて、谷沢の仕事ぶりを思い出す。理論で相手を追いつめ、一歩も引かない峻烈《しゅんれつ》な態度。あれは検事の仕事に誇りを抱いているがためだったが、一般の人が容易に対抗しうるものではなかった。江木もまた、確固とした自信に裏づけられた谷沢の論理に押し切られてしまったのではないか。そしてそれは、法律のプロである裁判官も同じだったのかもしれない。

濡れ衣だ、と主張する江木聡子の言葉が、今になって重く感じられてきた。状況証拠は、ひととおり揃っている。確かに小西が言うとおり、これならばどんな刑事でも逮捕に踏み切るだろう。だが結局のところ、自白が江木の運命を決定づけたと言っても過言ではない。そして山名は、やってもいないのに己の犯行だと認めてしまう人も世の中にはいることを知っていた。江木はそうではなかったと、捜査資料から断定することはできなかった。

暗澹《あんたん》とした思いを抱えて、次に交通課に向かった。暇そうにしていた小西は、なんの用かと不思議そうな顔でついてくる。山名は交通課の婦警を摑まえ、伊佐山の事故の資料を求めた。しばらく待たされた末に出てきた資料は、なんら有益な情報をもたらしてくれなかった。

伊佐山の死に、何者かの意志が関与していた形跡はない。酔っていた伊佐山はよろけて車道に飛び出し、そこにやってきたトラックに轢かれたのだ。トラック運転手と伊佐山の間には接点がなく、伊佐山が車道に突き飛ばされたと証言する目撃者もいない。これならば事故として処理されるのは、至極当然だった。

「ちょっといいかねぇ」

交通課を出ると、小西が気まずそうに話しかけてきた。顔を向けると、口をへの字に曲げて続ける。

「あんた、本気であれが冤罪だったと思ってるの？　やってもいないことで有罪にされた人が、伊佐さんたちを殺して回ってると？」

「可能性はあると思います」

山名は慎重に答えた。小西は当時、江木事件の捜査本部にいたのだ。その捜査が間違っていたと指摘されれば、誰でも気分を害する。物言いには気をつけなければならなかった。

「あんた、警察官《サツカン》のくせに身内の捜査を疑うのか。おれはあれが冤罪だなんて思ってないよ。ホシを落とした伊佐さんの手柄だよ。あのホシが今度の事件のホンボシだとしても、逆恨みでしかないよ」

果たして小西は、山名の配慮にもかかわらず臍《へそ》を曲げてしまったようだ。腹立たしげに自分の顎を撫でると、唸るように言葉を継ぐ。

「仮に、一歩どころか百万歩譲って冤罪だったとしても、だからって復讐していいって道理はないだろ。おれたちが悪かったって言うのか？」

「とんでもない。小西さんが言うとおり、どんな理由があったとしても復讐なんて許されないですよ。だから私は、江木の行方を追おうとしてるんじゃないですか。こんな事件は、我々警察に対する挑戦ですよ」

あえて語調に力を込めた。小西は納得してくれたらしく、「そうだよなぁ」と頷いている。山名自身も、自分の言葉に同意したかった。だが、心の底から同意できるのかどうか、未だに自信が持てずにいた。

復讐という行為を、かつて山名は何度も考えたことがあった。毎日それだけを考えて生きていた時期があったと言ってもいいかもしれない。今でも山名は、あの当時のことを思い出すと頭が不意に重くなる。爆発しそうな感情を持て余し、気づけば視線が虚《うつ》ろになっていたあの日々。己の内なる欲求を封印してようやく、息をつくことができた。だから山名にとって、復讐という概念は禁忌だった。

五年前のことだ。山名には当時、結婚を考えている恋人がいた。誰が見ても美人、というほど整った顔立ちをしているわけではなかったが、山名にとっては笑顔がどんな美人よりも魅力的な女性だった。紹介してくれたのは、高校時代の友人だった。久しぶりに会って飲んだ際に、女性と知り合う機会が職業柄ほとんどないとぼやいたところ、本気で憐《あわ》れんで場をセッティングしてくれたのだ。妹の友達だというその女性は、名を幸《ゆき》菜《な》といった。大して期待もせずにいた山名は、幸菜が笑った際に口許からこぼれ出た八重歯に胸を射貫《いぬ》かれたようなものだった。幸菜の歯並びがもう少しよかったら運命が変わっていたかもしれないと、付き合い始めた後も冗談としてよく口にした。幸菜は歯並びがよくないことにコンプレックスを抱いていたらしく、そこを肯定してくれて嬉しいと言った。

　幸菜の方も悪くない印象を山名に対して抱いたらしく、驚くほどすんなりと交際が始まった。だからこそ、出会いは運命だったというのがふたりの理解だった。まさか、その先にあのような運命が待ちかまえているとは、神ならぬ身には知りようもなかった。

　幸菜は会社の帰り道に、男三人組の暴漢に襲われて死んだ。男たちの目的は幸菜の体ではなく、財布の中身だった。幸菜はそのとき、一万四千円しか持っていなかった。若い女性なのだから、大金を持ち歩いているはずがない。それがわかっていながら、男たちは幸菜を襲った。女なら大して抵抗を受けないと考えたから、というのが犠牲者を選ぶ際の理由だったそうだ。つまり幸菜は、たった一万四千円のために死んだのだった。

　生かして帰す気は最初からなかったと、犯人たちは告白した。顔を見られたからには、生かしておけない。男ふたりが幸菜の手足を押さえつけ、残るひとりが顔に石を叩きつけた。ひとりだけがやったのでは不公平だからと、交代で全員が幸菜の顔を石で殴った。遺体で発見された幸菜の面相は、完全に潰れて肉の塊になっていた。山名が魅力的だと感じた八重歯も、他の歯とともにすべて打ち砕かれていた。それが、たった一万四千円のために犯人たちが幸菜にした仕打ちだった。

山名は幸菜の死を受け入れられなかった。殺害の動機がそんなくだらないことであったのがなおさら、非現実感を強めていた。いっそ幸菜に横恋慕した男が、執着の末に殺したとでも言われた方が、よほど納得がいくと思った。蟻《あり》を踏み潰すように簡単に殺されてしまった事実が、幸菜の存在そのものを侮辱していた。幸菜の人生を丸ごと否定する、あまりにも浅薄な犯行動機。犯人の男たちを殺してやりたいと、心底望んだ。

だが最終的に山名を押しとどめたのは、警察官という職だった。警察官であるからには、法を犯す側には回れない。そんな矜持《きょうじ》が、心が本当に望むことを封じ込めた。血を吐く思いで警察官であることを選んだあのときの選択を、山名は後悔していない。だからこそ、復讐という行為には不寛容になる己を自覚していた。

江木、お前は復讐することで何を手にできると思っているんだ。山名はまだ見ぬ相手に、心の中で話しかけた。その答えは、もしかしたら山名の胸の中に存在するのかもしれない。だが山名はあえて、答えを探そうとはしなかった。復讐で得られるものなど何もないのだと、頑なに思い込もうとした。

PAST 3　2003-2007

16

判決が出てすぐ、綾部が面会を求めてきた。いまさら会ってどうなるという思いが強かったが、拒否するわけにもいかない。有罪判決の衝撃から立ち直れないまま、江木雅史は綾部と会うことにした。

「残念な結果になりました」

開口一番、綾部はそう言ったが、とても残念そうには見えなかった。不誠実を絵に描いたような姿だと思った。

雅史が特に返事をしないでいると、ふて腐れているとでも解釈したのか、綾部はかまわずに続ける。

「最初から難しい裁判でした。もっと違う戦略もありましたが、言わば大きな賭《か》けに負けたようなものです。これだから無罪の主張は怖い」

つまり、罪を認めて過失致死を主張すればよかったと、綾部は言っているのだ。あくまで無実を主張するからかえって重い判決が出たのだと、雅史に責任転嫁《てんか》しているのだろう。もし本当に雅史が殺したのなら、綾部の考えは弁護士として正しい。しかし無実の人に罪を認めろと迫るのは、単に冤罪《えんざい》を作り出す構図に荷担しているだけではないのか。雅史をこんな窮地に追いやった刑事や検事も憎いが、この綾部も同じくらい憎かった。

言葉を発する気になれなかった。自分でも正体不明の禍々《まがまが》しい塊のような感情が胸の底に生じつつあり、いささか戸惑っている。綾部に対する腹立ちであるのは間違いなかったが、ひと口に〝怒り〟と形容するのも難しい、得体の知れない感情。口を開けばそれが外に飛び出してしまいそうで、雅史はただ沈黙を保った。

「で、今後はどうしますか。もし控訴《こうそ》をする意思があるなら、今日から十四日以内に控訴申立書を提出しなければなりません。あまり時間はないので、よく考えておいてください」

控訴、という単語には、体が勝手に反応した。そうだ、まだ終わりではないのだ。無実の人間が罪を着せられるような、そんな不合理なことがあっていいはずがない。常に正義はなされると信じているからこそ、人は安心して生きていけるのではないか。こんな間違いが罷《まか》り通るようでは、法はなんのために存在するのか。罪を犯さず静かに生きている人を苦しめるために、法は作られたのか。

「……控訴するときには、弁護はまたあなたに頼まなければならないのですか」

考えるよりも先に出てきた質問だった。それを受けて綾部は、苦笑するように片頰を歪《ゆが》める。

「別に、私でなければならないという決まりはありません。別の人に頼んでもいいですし、国選にすることも可能です。もちろん、引き続き私にお任せいただければ、ベストを尽くしたいと思いますが」

綾部の答えは、ただ白々しいだけだった。あんたは本当に、自分のベストを尽くしたと誓えるのか。無実の人間に有罪判決が下ったことを、恥ずかしいと思っているのか。そう問い質《ただ》したかったが、何かが雅史を押しとどめた。その何かとは、空《むな》しさかもしれなかった。

「ひとつ、伺いたいことがあります」

代わりに、穏当な言葉が念頭に浮かんだ。こんな際でも感情を爆発させられない自分が、情けなく感じられた。

「先生は、私の無実を信じていましたか」

確認しないでもいいことなのかもしれない。どんな意図があって確認するのか、自分でもよくわからなかった。だが、これが大切な質問であることだけは理解していた。

綾部はすっと小さく息を吸うと、一気に答えた。

「控訴審でも無実を主張なさるおつもりなら、また厳しい闘いになるだろうと私は予想します」

正面から答えようとしない綾部を、もはや卑怯《ひきょう》とも思わなかった。やはり最初に直感したとおり、こんな弁護士に頼んだこと自体が間違いだったのだ。別の弁護士だったら有罪判決など出なかったかもしれないと考えると、身を切り裂くほどの悔恨の念が込み上げてくる。己の怠惰が人ひとりの人生をねじ曲げたのだと、眼前の男になんとしてもわからせてやりたかった。

だが雅史は、その狂おしい思いも胸の底に押し殺した。蠕動《ぜんどう》を始める禍々しい感情。これまでの自分の生き方とあまりに違う未知の感情を、雅史は厭《いと》おうとは思わなかった。

綾部が去っていった後も、控訴のことは考え続けた。控訴しないで、このまま甘んじて濡《ぬ》れ衣《ぎぬ》を着せられることなど選択肢の中にはなかった。真実が明らかになるまで、徹底して闘い抜く。それは動かせない決意だったが、そのためにはやはり助力が必要だった。

だから、翌日に拘置所まで面会にやってきた両親に、自分の意思を伝えた。母は当然だとばかりに、大きく頷《うなず》いた。

「もちろん、控訴すべきよ。昨日はショックで寝込んじゃったけど、今日になったら本当に腹が立ってきちゃった。検事も裁判官も、難しい司法試験を通ってるはずなのに大《おお》馬鹿《ばか》じゃない。まーくんが人を殺せるかどうかなんて、馬鹿でもわかることなのに」

母は自分でも言うとおり、有罪判決の衝撃はもう引きずっていないようだった。その威勢のよさに、雅史も思わず微笑《ほほえ》みたくなる。「馬鹿でもわかる」という論法が裁判で通るならこんな簡単なことはないのだが、そんな理屈にならない理屈も今はただ嬉《うれ》しかった。

「ありがとう。でもそのためには、新しい弁護士を頼まないと駄目だよ。あの綾部って人は結局、おれが犯人だと心の中では思ってたんだ。だからぜんぜん弁護に身が入らないで、こんな判決を許しちゃったんだよ」

雅史はただ事実を口にしただけのつもりだったが、母は悄然《しょうぜん》とした。

「本当、すまなかったと思ってる。あたしもあの先生があんな駄目だとは思わなかったのよ。弁護士先生はみんな立派な人だと、頭から信じちゃってたのね。まーくんが最初に言ったとおり、別の先生に頼んでればこんなことにはならなかったかもしれないのよね」

「いや、母さん。いまさらそんなことを言ってもしょうがないよ。弁護士に依頼するなんて初めてだったんだから、いい判断ができなかったのも仕方がない。次こそ、優秀な人を探してよ」

母に責任を感じて欲しくはなかった。悪いのは綾部であり、雅史を逮捕して起訴した刑事と検事であり、いい加減な証言をした目撃証人であり、そして思考停止したような判決を下した裁判官だった。決して母が悪いわけではなかった。

「わかった。今度こそ、無罪をいっぱい勝ち取ってるすごい弁護士さんを探すから。まーくんは安心して待ってて」

母は強い口調で請け合ってくれた。その強さは何よりも雅史の励ましになった。

しかしその一方、ろくに言葉を発しようとしない父の態度が気がかりだった。闘志満々の母とは対照的に、父は俯《うつむ》き加減だった。最初に雅史に声をかけた後は、ずっと視線を下に向けている。父は雅史以上に、有罪判決に衝撃を受けているのだろうか。

「父さん、こんなことになっちゃって、本当に申し訳なく思うよ。でも、是が非でも無罪を勝ち取ることが父さんに対しての詫《わ》びにもなると信じてる。おれは負けないから」

「……ああ」

父は一瞬だけ顔を上げたが、雅史と視線が交錯するとすぐに逸《そ》らした。もともと口が重い父ではあったが、今は過酷な現実に耐えかねて逃避しているようにも見えた。

おそらく父は、世間の目を恐れているのだ。実の父だからこそ、その心境は手に取るようにわかる。小心者の父は、後ろ指を差されることに怯《おび》えている。社会人として四十年近く、大過なく過ごしてきた末の蹉跌《さてつ》はとてつもなく大きく感じられるのだろう。しかもそれは、自分の犯した間違いではない。どうしてこんなことになってしまったのかという恨み言が、心の中で渦巻いているのではないか。

父はこういう人なのだから仕方がない。雅史は単純に割り切ることにした。近い将来に無罪を勝ち取れば、世間の目は改まる。むしろ冤罪を着せられたかわいそうな人と、掌《てのひら》を返したように同情の眼差《まなざ》しが向けられるだろう。それまでの短い期間、父には堪え忍んでもらうしかない。迷惑をかけておきながら開き直るようだが、息子の窮地より世間体を気にする父にいささか腹も立っていた。

「で、母さん。控訴するとなるとさらに弁護費用がかかるだろう。おれの貯金も使って欲しいんだけど、綾部にはいくら払ったんだ?」

父から視線を外し、母に現実的なことを尋ねた。弁護費用のことはずっと気にかかっていたのだが、「まーくんはそんなこと心配しなくていい」と母に突っぱねられていたのだ。しかし怯える父の姿を目の当たりにしては、やはり金銭的な問題は無視できない。雅史の貯金は結婚のために貯《た》めたものだが、ここで惜しんでいる場合ではなかった。

「お金の問題じゃないでしょ。お金なんて、真面目《まじめ》に働いてれば取り返せるのよ。だから今は、無実を証明することだけを考えてればいいの」

やはり母は、具体的な金額は教えてくれなかった。百万円くらいかかったのだろうか、と想像する。費用の件は綾部に確かめておけばよかったと、今になって気づいてほぞをかんだ。

17

心が弱くなっているのを自覚していた。これほどに他人に縋《すが》りたい心地になったのは、かつてないことだった。小心者の父でもいいから、また面会に来て欲しいと心が求めている。だから由梨恵が来てくれたときは、こんな幸せは二度と味わえないのではと思えるほど嬉しかった。むろん、そもそもこのような事態に追い込まれなければいつでも由梨恵に会えたのだという事実は、片時も頭の隅から離れなかったが。

「ショックだったでしょうけど、気落ちしないでね。控訴審では絶対に真実が明らかになると思うから」

由梨恵は雅史の目を見て、励ましてくれる。由梨恵の言葉は、乾ききったスポンジに吸い込まれる水のように、雅史の弱った心に染《し》み入った。挫《くじ》けそうになっていた雅史は、その言葉に縋った。

「そうかな。控訴審では勝てるかな」

「勝てるわよ。だって、雅史さんは何もしてないんでしょ。無実の人が刑務所に入れられちゃうなんて、そんなおかしなことがこの日本であるわけないわ」

「おれもそう思う。でも……」

そのおかしなことが、現実に起きている。刑務所に入れられたわけではなくても、自由を奪われたことに変わりはないのだ。法は、裁判は、本当に信頼しうるものなのか。雅史は確信できなくなっていた。

「もうおれは駄目かもしれない。逮捕されただけできっと、世間の人はおれを人殺しだと考えてるはずだ。まして一審で有罪判決が出ちゃえば、見る目は決まったようなものだ。たとえ二審で無罪になっても、もう帰れるところなんかないんじゃないかな」

勤めていた運送会社は、とっくに懲戒解雇になっていた。判決が確定するまでは保留にする、などという発想はまったくなかったようだ。おそらくそれは、雅史の会社だけのことではないだろう。日本の企業のほとんどが、同じ判断を下すのではないか。それが、父が恐れる世間の目というものだった。

「そんなことないよ」由梨恵は怒っているかのように反論した。「有罪か無罪かではぜんぜん違う。二審でちゃんと無実を認めてもらったら、雅史さんが犯人じゃないって誰だってわかってくれるよ。それでももし雅史さんが気になるなら、東京でもどこでも別の土地に行けばいいじゃない。雅史さんのことを知ってる人がいない土地に行って、やり直せばいいのよ。私はどこでもついていくから」

「由梨……」

それはシチュエーションさえ違えばとてつもなく嬉しい言葉であったはずなのだが、

由梨恵の剣幕に圧倒されたため、喜ぶのも忘れてしばし呆然《ぼうぜん》とした。言った後で由梨恵は恥ずかしくなったのか、顔を赤らめて俯く。雅史はかろうじて、「そうだな」と声を絞り出した。

「由梨の言うとおりだ。おれは自分の人生がめちゃくちゃになって、取り返しがつかないように感じてた。でも、そうじゃないんだな。由梨が言うように、いくらでもやり直しは利《き》くんだ。なんか、少し気が楽になったよ」

「そうよ。だから諦《あきら》めたりしないで」由梨恵はまた顔を上げ、雅史の目を直視した。「雅史さんが諦めたら、それこそ何もかも終わりなんだから。諦めない限り、きっといいことがある。そう信じて、がんばりましょう」

「うん」

自分にとって由梨恵はかけがえのない存在だと、事件が起きる前から考えていた。しかし今ほど、身に迫って感じたことはなかった。おれの人生は破滅したわけじゃない。なぜなら、由梨恵がいてくれるからだ。心底、そう感じることができた。

そんな充実した思いは、残念ながら長くは続かなかった。次の面会者が、雅史を絶望の淵《ふち》に叩《たた》き落としたからだ。その面会者は、長らく姿を見ていなかった姉だった。

姉は両親とではなく、ひとりでやってきた。姉の訪れに、雅史は不安を感じた。むろん、面会に来てくれるのは嬉しい。だがこれまで一度もやってこず、法廷にも現れなかったことは、姉の意思表示としか思えなかった。その姉が今になってやってきたからには、雅史に言いたいことがあるに違いないと予想した。

面会室で待っていた姉の姿を見て、雅史は絶句してしまった。それほどに、姉は面変わりしていたのだ。一瞥《いちべつ》して性格の明るさがわかるほどに潑剌《はつらつ》とした生気を発散していたのに、それが丸ごと暗いオーラに取って代わられている。頰が瘦け《こ》、目の下に痛々しい隈《くま》ができている姉の顔は、雅史からかける言葉を奪った。

「元気そうね」

姉は開口一番、そんなことを言った。無実の罪を着せられて拘置所に閉じ込められている人に向ける言葉ではなかった。だが雅史自身も、姉に比べればまだ自分の方が元気なのではないかと思わざるを得なかった。姉はまるで拒食症にでも罹《かか》ったかのように、無惨《むざん》に瘦《や》せこけていたのだ。

「姉さんは……、体の具合が悪いの？　おれの、事件のせいなのかな」

口にした直後に、尋ねたことを後悔した。訊《き》くまでもなく、事件が姉に消耗を強いたのは間違いなかった。何が起きたのか瞬時に想像がついたが、それを自分から確かめるのはとても怖くてできない。可能ならば、姉の口からも聞きたくなかった。

姉は雅史の問いかけに、視線を逸らして片頰を歪めた。笑ったようだ。それは冷笑と言うよりない乾いた笑みで、姉には似つかわしくなかった。姉がこんな笑みを顔に刻む様子など、目の当たりにしてさえ信じられなかった。

「体重が九キロ減った。これまでどんなダイエットをしてもあんまり効果がなかったのに、一気に減ったわ。ダイエットなら大成功ね」

姉は抑揚のない声で、淡々と言った。そんな喋《しゃべ》り方はしないでくれと、互いを隔てるアクリル板に縋りついて訴えたかった。

「姉さんには迷惑をかけてしまった。本当に、ごめんなさい……」

雅史は腰を浮かせ、机に両手をついて頭を下げた。一度頭を下げると、顔を上げる勇気がなかなか湧《わ》かなかった。

「まさか、こんなことになるとは思わなかったわ――」

姉の言葉が頭上から降ってきた。それはまるで、紙に書いてある台詞《せりふ》を棒読みしているような声だった。このような声を発する姉の顔を、しっかり見ないといけないと思った。雅史は義務感から、なんとか視線を持ち上げた。

姉は中空を見ていた。雅史に目を向けていても、その焦点はどこにも結ばれていなかった。遠くを見ているのでもない、ただの虚《うつ》ろな目。それはそのまま姉の心象風景を表しているように思え、雅史をぞっとさせた。

「あんたが人を殺して逮捕されるなんて、この世の終わり以上に信じられなかった。そんなことが起こるなんて、想像するのも難しかった。でも、あり得ないことなんてないのね。あんたみたいなおとなしい子も、カッとなったら何をするかわからないのね――」

姉は呟《つぶや》き続ける。思わず雅史は、大声を張り上げてしまった。

「違うよ、姉さん！　おれはやってない。おれは殺してないんだ。姉さんなら信じてくれると思ってたよ。おれが人殺しなんてするわけないって、姉さんならわかるだろ」

「あんたが本当に殺したかどうかなんて、もうそんなことはどうでもいいのよ」しかし姉は、投げやりに答えるだけだった。「カッとなって課長の胸倉を摑《つか》んだのは事実なんでしょ。そのせいで、逮捕されちゃったんでしょ。たとえ冤罪だとしても、それはあんたの馬鹿な行動が招いたことなのよ。あんたがそんな馬鹿なことをした事実に、あたしは悲しんでるの――」

悲しんでいると言いながら、姉の声はあくまで平板だった。たまらず、雅史は最も触れたくないことを確認した。

「姉さん、田端《たばた》さんとはどうなってるんだ……」

田端とは、姉の婚約者だった。姉がこのような虚ろな姿を曝《さら》すのは、婚約が破談になったせいとしか思えなかった。

「捨てられたわ」

姉の声に、初めて感情が甦《よみがえ》った。口の中の異物を吐き出すかのような、怒りと嫌悪《けんお》がない交ぜになった声。それもまた、かつての姉なら絶対に口にしない類《たぐい》の声だった。

「身内に人殺しがいるような女とは結婚できないって、向こうの両親から伯父伯母まで揃《そろ》って、破談を申し出てきた。あたし、人からあんな目で見られたのは初めて。まるであたしが人殺しをしたような目で、あの人たちは見てたわ。汚くて近寄りたくないものでも見るような、それでいて心の中では恐れているような態度だったわよ。親戚《しんせき》だけじゃなく、孝信《たかのぶ》本人もね。あたし、孝信が励ましてくれるものと思ってた。仮に弟が犯人だとしたって、親の反対を押し切ってでも結婚してくれると信じ込んでいたのよ。笑っちゃうでしょ。まさか孝信自身が率先して、あたしとの婚約をなかったことにしたがるとは、裏切られたなんてもんじゃないわ。幻滅もいいとこ。結婚する前にあんな男だってわかって、かえってよかったわよ」

耳を塞《ふさ》ぎたくなる、呪詛《じゅそ》のような毒々しい物言いだった。姉の心に注ぎ込まれた恨みは、生来の明るさを打ち消してしまうだけでは足りず、人生観を根底から覆《くつがえ》してしまったのではないか。将来はいざ知らず、今の姉は誰のことも信用できなくなっているのだろう。そして自分をそのように変えてしまった恨みをぶつける相手は、ひとりしかいないのだった。

「あんたのせいだから」

不意に、姉はまた口調を変えた。感情の籠《こも》らない、乾ききった声。その声で、姉は一生抜けない杭《くい》を、雅史の心に打ち込んだ。

「あたしはあんたを死ぬまで許さないから。もう弟だなんて思わない。あたしの一生をぶち壊した疫病神《やくびょうがみ》よ。あたしだけじゃない。あんたはうちにとっての疫病神なのよ。あんたの弁護料にいくらかかったか、わかってる? 弁護士さんに払う費用だけじゃなく、裁判記録のコピー代とか交通費とか通信費とか、必要経費も含めると全部で三百万円くらいかかってるんだからね。我が家の貯金も、これで吹っ飛んじゃったわよ。この上控訴審なんて、どうやって闘っていけるの? あんたはそういう現実をわかってるの? もううんざり。もうあたしとは関わらないで。あたしは家を出る。家を出て、何もかも捨ててやり直す。こんな愚かな弟なんていない、別人になるの。それでも、恨みは絶対に捨てないから」

姉は宣告すると、頭上から見えない糸で引っ張られたようにふわりと立ち上がった。そしてそのまま、体重を感じさせない足取りで面会室を出ていく。その姿が見えなくなっても、雅史はしばらく椅子《いす》から立ち上がれなかった。姉が心に打ち込んだ杭は、物理的な傷など比べものにならないくらいの激痛を雅史に与えていた。

18

　姉が注ぎ込んでいった毒は、着実に雅史の心を蝕《むしば》んでいた。何が辛《つら》いと個別に指摘できないほど、心のすべてが悲鳴を上げている。仲が良かった姉に絶縁を言い渡されたことが辛ければ、自分が姉の縁談を壊してしまったことも辛い。そして、思っていた以上に弁護費用がかかっていたことも、心に重くのしかかる事実だった。

　単に母が強がっているだけなのを見抜き、現実的な対応をしなければいけなかった。後悔すべきことはいくつもあるが、これは最たるものだ。姉には詫びても詫びきれない。できることなら何もかもを最初からやり直したいが、それは不可能である。ならば、今からでも改められる部分はそうすべきだろう。両親にこれ以上の負担をかけるわけにはいかなかった。

　迷う余地はなかった。控訴審は国選弁護人で闘うしかない。考えるまでもなく、そう結論した。私選の方が熱心ではないかと思うのは、素人《しろうと》考えだった。綾部の仕事ぶりを見れば、単に金の無駄だったと言うしかない。運を天に任せ、優秀な弁護士がついてくれることを祈るだけだった。

　裁判所にその意向を伝え、国選弁護人を紹介してもらった。日をおかず派遣されてきた弁護士は、四十代半ばほどの壮年男性だった。外見にこれといった特徴はないが、はきはきとした口調がバイタリティーを感じさせる。少なくとも、綾部のような無気力感は微塵《みじん》も見られなかった。

「資料を読みましたが、確かに状況証拠ばかりで、江木さんが真犯人だとする決定的証拠はないんですよねぇ」

自分は無実なんだと雅史が訴えると、弁護士は口をへの字にして腕を組んだ。雅史は我が意を得た思いで、大きく頷く。

「そうなんです。だって私はやってないんだから、当たり前です」

「ただ、それだけに目撃証言は痛いところです。江木さんの痣《あざ》の件を、はっきり証言しているのですから」

弁護士がきちんと資料を読み込んでいることが、雅史には嬉しかった。この人ならば信用していいのか。少し、希望を持った。

「でも、あの証言はおかしかったですよ。最初は痣のことなんか、何も言ってなかったんです。それなのに弁護士に追及されたら、後から思い出したんですから。私の顔を見て、痣のことを忘れてるなんてことがあり得ますか」

雅史は自分の顔を指差し、アクリル板に近づけた。弁護士は雅史の顔から目を逸らさず、じっくり観察する。

「遠慮なく言わせてもらえば、かなり印象に残る痣ですね。もし本当に現場近くで江木さんを見かけていたなら、服装よりもまず、痣のことを証言するはずだと私も思います」

「そうですよね」

司法関係者は誰も気にしなかったその矛盾を、眼前の弁護士が初めて認めてくれた。それだけで、綾部よりもよほど優秀であることの証明だった。この人に頼もう、雅史は心を決めた。

「ただ、正直なことを言えば、控訴審の見通しはそんなに楽観できないです」

だが弁護士は、雅史の希望に水を差すようなことを言った。なぜ楽観できないのか？

思いがけない言葉に唖然《あぜん》としていると、弁護士は心苦しげに続けた。

「手持ちの武器が一審と同じでは、同じ結論に辿《たど》り着くだけだからです。裁判官はそう簡単には一審判決を覆さないですよ。裁判所の威信に関わりますからね。逆転無罪を勝ち取るためには、新証拠が必要なんです」

「新証拠……」

そんなものがあるなら、とっくに一審で提出している。そもそも、証拠とは有罪を決定づけるために検察側が用意するものであって、被告側が無罪の証拠を探さなければならないとはおかしな話ではないのか。

そんな疑問を弁護士にぶつけると、相手はますます眉間《みけん》の皺《しわ》を深めた。

「そうなんです。推定無罪という言葉をご存じですか。裁判で有罪判決が出るまで、被告人は無罪と推定されるべきなんです。ところが実際には、無罪の証明を弁護側がしなければならない。日本の司法は基本的ルールを忘れているのです」

そのとおりだと、雅史も思う。しかし同意見の人を見つけたからといって、それで浮かれてはいられないのだ。弁護士が言うとおり、これから雅史は一審判決の厚い壁に挑まなければならない。その壁を打ち破った未来を、雅史はなかなか想像できなかった。

後日、面会に来た母に弁護士は国選にする旨《むね》を伝えた。母は驚き、怒りと困惑をないまぜにしたような表情を浮かべた。

「どうしてよ。あちこちに聞いて、いい先生を探していたのに。国選って、要は義務的に引き受けてるだけの人でしょ。親身になってくれるの?」

「少なくとも、綾部よりはずっとましな人だったよ」

弁護士がどんな人だったか、雅史はなるべく丁寧に説明した。雅史の無実を、最初から信用してくれたのだと話す。だが自分で語りながら、果たして本当にそうだったのだろうかと疑問に思えてきた。綾部のように露骨に態度に出さないだけで、心の中では雅史の主張などまるで信じていなかったのではないか。綾部との違いは、単に演技力の有無だったのでは。

疑ってしまう自分が、雅史は悲しかった。おれは誰のことも信用できなくなりかけているのかもしれない。身内ですら離れていく状況では、他人を信じるのはとてつもなく難しかった。

「そう。それならいいけど。でも弁護費用を気にして国選にしたんなら、そんな心配しなくていいのに」

母は無理矢理自分を納得させたように呟く。その横で無言を貫いている父に目を転じると、気のせいか安堵《あんど》しているように見えた。しかしこれも、雅史の僻目《ひがめ》なのかもしれない。

「気にしないわけにはいかないよ。三百万円もかかったんだろ。本当に申し訳なかった」

詫びると、母は目を丸くした。

「どうしてそんな金額を知ってるの？　綾部先生から聞いたの？」

「いや、姉さんから」

「杏ちゃんが来たの？」

どうやら母は、姉が面会に来たことを知らなかったようだ。あのときのことを思い出し、雅史の胸にまた鋭い痛みが甦る。姉に浴びせられた言葉の一言一句を、その口調に至るまで雅史は正確に思い出すことができた。

「姉さんには疫病神って言われたよ。そりゃそうだよな。姉さんの縁談、破談になっちゃったんだってね。おれは姉さんになんと言って詫びればいいのか、わからないよ……」

不覚にも声が震えてしまった。奥歯を噛《か》み締めて、込み上げてくる感情をぐっと押しとどめる。母もまた、姉の発言にはショックを受けたようだった。

「杏ちゃんは、本当にかわいそうなことになっちゃったわ。でもそれは田端さんの側が悪いんであって、まーくんが悪いんじゃないのよ。まーくんだって被害者なんだから。杏ちゃんがまーくんのことを疫病神呼ばわりしたのは、それは単に一時的に動転していたからよ。本心だなんて思わないで」

「――わかってる」

母を安心させるためだけに、そう答えた。あれが一時的な動転による暴言とは思えない。紛れもなく、姉の本心だったのだ。姉は宣言どおり、雅史のことを一生許さないだろう。遠い将来でも許してもらえる日が来るとは、とても思えなかった。

「姉さん、家を出ていったんだって？」

姉の現在が気になり、確かめた。母は苦い水を飲み干すようにして、小さく頷く。

「うん、ひとり暮らしするって、出ていった。ここには辛い思い出しかなくなっちゃったからって。それもそうかもしれないと思って、好きにさせてあげたのよ。でもお姉ちやんを恨んだりしないで、わかってあげてね」

「大丈夫だよ。わかってるから」

せめて姉だけでも新しい人生を楽しんで欲しいと、心から思う。雅史と縁を切ることでそれが叶《かな》うなら、喜んで送り出したかった。

「おれ、貯金が七十万円くらいあるんだ。少ないけど、五十万円は弁護費用の一部にして。残りの二十万円は、姉さんに送って欲しい」

考えていたことを口にした。たったそれだけの金で何かが変わるとは、雅史も思っていない。もっと貯金できなかったものかと、悔しい思いでいっぱいだった。だがそれでも、両親と姉に詫びの気持ちを示さずにはいられなかった。

「それ、結婚のために貯《た》めたお金でしょ。何を言ってるの」

母は貯蓄の意味を見抜いていたが、雅史もここは譲れなかった。こうなっては結婚資金も何もないと、母に納得させる。母は渋々頷き、二十万円を姉に送ることを承知した。それでも残り五十万円は、取りあえず預かっておくと言った。

「まーくんが無罪を勝ち取ってくれることが、あたしたちの一番の喜びなんだから。それだけを考えて、がんばってね」

母は最後にそう言い添えた。何があろうと揺るがない、母の確信が羨《うらや》ましかった。

19

拘置所での生活は、刑務所暮らしよりは自由があると聞く。だがそれはあくまで比較の話であり、拘置所が住みやすい場所という意味ではなかった。これでましな方なら、刑務所ではいったいどんな生活を送ることになるのかと、雅史は不安を覚える。

拘置所ではある程度、希望が叶う。手紙も出せるし、欲しい物も手に入る。だから雅史は、暇を持て余すと由梨恵に手紙を書いた。由梨恵もまた、律儀《りちぎ》に返事をくれた。それが辛い拘置所暮らしにおける、最大の支えとなった。

物品購入は、しかしままならない一面もあった。収入がゼロの身には、そもそも先立つものがないのだ。だから読書をしたくても、思うに任せない。せいぜい、父母が面会に来たときに差し入れを頼むくらいだ。だがそれも、弁護費用のことを聞いてからは控えることにした。

拘置所が物品を販売することもあるが、総じて高かった。ポテトチップスがひと袋二百円もしては、なかなか手が出ない。いい布団《ふとん》ですら購入できるが、四万円と言われては端《はな》から諦めるしかなかった。

運動の時間が短いのには閉口した。一日にせいぜい三、四十分しかないのだ。これが実質、日を浴びられる唯一《ゆいいつ》の時間帯だった。一日二日ならともかく、長期に亘《わた》って日光を一日三十分しか浴びられないと、体が不調を訴え始める。なんとなく体が重いし、歯が歯茎から浮いているような頼りない感覚になった。やはり生物には日の光が欠かせないのだと、初めて実感した。未決拘禁者は不健康に肥満している人が多いが、運動と日照時間の不足に起因しているのは明らかだった。

食事は不必要に多かった。質より量、という方針としか思えなかった。献立自体は悪くないが、味はお世辞にも旨《うま》いとは言えない。そんな食事が、昼も夜もこれでもかとばかりに出てくる。しかも夕食は、なんと午後三時半に供された。大量の昼食を食べたばかりだから、食欲などあろうはずもない。しかしここで無理にでも食べておかないと、夜中に腹が減ってしまう。規則的な生活ではあるが、健康維持の観点からは疑問があった。

そんな毎日を過ごしているうちに、年が明けた。拘置所で迎える、二度目の正月だった。一度目のときはまだ、一審判決が下る前だった。だから来年には自宅で正月を迎えたいと、強く願うことができた。だが二度目ともなると、希望は格段に小さくなっている。心に灯《とも》る火は消すまいと気を張っているが、その明かりは遥《はる》か遠くにぽつりと見えるだけだった。あそこに辿り着くまでには、果たして何年かかるのか。そもそも、辿り着く日が来るのだろうか。来年のことを考えると、底が知れない闇《やみ》の中に落ちていくような感覚を覚えて身が竦《すく》む。先のことを考えるのは、雅史にとって苦痛でしかなかった。

弁護士はがんばってくれているようだった。なんとか突破口を開こうと、一審資料を細かいところまで吟味しているらしい。そして母は、街頭に立ってビラ配りをしていると聞いた。雅史が犯行時刻に確かに夜釣りをしていたと証言してくれる人を探し出そうとしているのだ。しかし残念ながら、今のところ反応はなかった。雅史が好んで人気のない場所に行ったのだから、それも無理はないのだった。

結局新証拠は見つからずに、控訴審を迎えることになった。雅史は極力期待を持たないよう自分を戒めていたが、それでも心の片隅では今度こそ無罪を勝ち取れるのではないかと考えてしまっていた。もしかしたら弁護士が並外れて優秀かもしれない。検察官が起訴内容に疑問を感じてくれるかもしれない。裁判官が冷静に物事を判断できる公正な目の持ち主かもしれない。いずれも、決してあり得ない可能性ではなかった。だからこそ、雅史も一分の希望を捨てきれなかったのだった。

今度の検察官もまた、いかにも頭が切れそうな人だった。一審の谷沢と同じく、表情を冷徹に見せる眼鏡をかけている。その顔を見ただけで、雅史は闘志が萎《な》えるのを自覚した。この手の顔が決定的に苦手になっていることを、改めて痛感した。

裁判長はといえば、こちらは逆に凡庸な容姿の人だった。目を逸らしてしまえば、どんな顔だったか二度と思い出せなさそうな顔だ。あまり覇気が感じられず、だからこそいかにも、検察官の主張をそのまま鵜呑《うの》みにしてしまいそうだった。このふたりが逆だったならよかったのに、現実はままならない。かくなる上は、弁護士の熱弁に期待するしかなかった。

裁判の進行は、一審より早かった。控訴審は一審と違って事実認定をするのではなく、控訴理由の吟味が主になるからだ。難しいことはよくわからなかったが、弁護士が提出した控訴趣意書では、一審の理由不備を主張しているらしい。つまり、有罪判決を下す理由に不備があったという意味だ。無実の人を有罪にしたのだから、不備は大ありだと雅史は思う。

弁護士の弁舌は頼もしかった。一審判決を支えた証拠が単なる状況証拠に過ぎないことを、しつこいまでに指摘する。だがそれを聞く裁判官たちは皆揃って無表情なので、どのように受け止められているのか見当がつかなかった。感情がないかのような裁判官たちの顔つきが、雅史には恐ろしかった。

一方検察官も、舌鋒《ぜっぽう》では負けていなかった。検察官の言葉を聞いていると、検察側の主張に誤りなどあるわけがないと、雅史でさえ思い込みそうになる。内容はともかく、口調の説得力は驚くほどだった。依然として裁判官たちが無表情なのが、唯一の救いだった。

数度の審理を経て、結審に至った。状況を目覚ましく変えるような劇的なことはついに起こらず、雅史に覚悟を決めさせた。おそらく、今度も無理だろう。一審判決は覆らず、再度の有罪判決が下るに違いない。雅史にできるのは、せいぜい身構えて衝撃に耐えることくらいだった。

「控訴を棄却する」

裁判長は感情の籠《こも》らない声で言った。雅史はその瞬間、自衛意識から目を瞑《つぶ》った。わかっていたことだった。この蟻地獄《ありじごく》からはそう簡単に抜け出せない。甘い期待は抱いていなかったし、無罪を勝ち取った姿を夢想することもなかった。だから、この判決も冷静に受け止められるはずだった。

しかし、そんな予想自体が甘かった。覚悟していても、二度に亘る有罪判決は雅史の自我を押し潰《つぶ》す重圧だった。絶望という言葉だけではとうてい足りない、心の底に穴が開いたような諦念《ていねん》。自分の人生そのものを諦めるしかないと結論する辛さは、緩慢な死に等しかった。

この世には正義などないのだと、身を切り刻まれるようにして雅史は知った。

20

二審判決を、弁護士は悔しがってくれた。そんな姿も演技なのかもしれないが、演技してくれるだけ親切だと雅史は考えるようにした。他人の善意を信じるような感受性は、もう切り捨てたい。心の柔らかい部分など、単に自分を傷つけるだけだ。ならば心を硬くし、どんな衝撃にも耐えられるようにした方がいい。司法の良心を信じても、裏切られるのが落ちだとわかった。心が硬くなれば、誰にも傷つけられることはない。

「これはおかしいですよ。推定無罪の原則を、裁判所は完全に忘れている。日本の司法のためにも、こんなおかしな判決を認めちゃいけないんです。上告しましょう。上告して、間違いは正さなければ」

弁護士の言葉は、無実の雅史が有罪になったことをおかしいと言っているのではなく、推定無罪の原則が守られていないことに憤《いきどお》っているかのようだった。だとしたところで、どうでもいい。弁護士が内心で何を考えているかなど、気にする必要はないことだ。なぜなら、雅史はもう理解を求めていないからだ。雅史の無実を知るのは、雅史自身と母、由梨恵、そして真犯人の四人しかいないのだと悟っている。他の人間は父も含めて、敵になり得ると見ておくべきだ。そうすれば、裏切られたときも傷つかない。硬い心は、多くの味方を求めない。

「上告、ですか」

雅史はぼんやりと応じた。この上さらに、法廷での闘いを続けていこうという意欲が湧かない。二審判決は雅史から、能動的に行動する意欲を奪い去っていた。あらゆる努力が水泡に帰す空しさを二度に亘って体験すれば、どんな人でも無気力感に苛《さいな》まれる。上告など、現時点では考えられなかった。

「そうですよ。上告しなければ、刑が確定するんですよ。それでいいんですか。あなたには前科がついてしまうんですよ」

弁護士は熱い口調で、雅史に活を入れようとする。だが雅史は内心で、逮捕された時点で前科者になったようなものだと皮肉に考えた。たとえ最高裁で無罪判決を勝ち取ったとしても、ニュースになるのはほんの一瞬だろう。もしかしたら、マスコミではまったく取り上げられないかもしれない。だとしたら知人たちは、いつまでも雅史を殺人者だと見做《みな》すのではないか。たまたまいい弁護士がついたお蔭《かげ》で無罪になっただけで、本当は人を殺しているのでは。そうした疑いがずっとつきまとうことを、雅史は予想していた。

「考えておきます」

取りあえずそう答えて、弁護士には引き取ってもらった。弁護士の姿が視野から消えて初めて、国選なのによくやってくれたと評価する気持ちになる。にもかかわらず雅史は、ろくに礼も言えなかった。心が自分のものでなくなっていくような変化が、ただ悲しかった。

房に戻って、弁護士の提案を改めて吟味した。弁護士は第二審が始まる前から、新証拠がなければ逆転判決を得るのは難しいと言っていた。実際、そのとおりの結果になった。ならば上告したところで、同じことの繰り返しではないのか。どうせ無罪にならないなら、上告など無駄な努力としか思えない。

国選にしたので弁護士に払う費用が浮いたとはいえ、諸経費はやはりかかっている。父母がそれをどう捻出《ねんしゅつ》しているのか、雅史は怖くて訊けないでいた。たとえ訊いたところで、母は教えてくれないだろう。雅史には何も言わず、無理を重ねるだけなのだ。両親のためを思うなら、上告など諦めるべきではないかという考えに気持ちは傾いていった。

次に両親が面会に来たときに、自分の結論を語った。すると父は愕然《がくぜん》としたように目を剝《む》き、母は血相を変えた。

「何を言ってるの！ ここで諦めたら、自分が犯人だと認めるようなものじゃない。まーくんはそれでいいの？ やってもいないのに人殺しにされちゃうのよ」

「だから、上告したってそれは同じだよ」

雅史は冷静に答えた。母がそう言うのは、予想していたことだった。

「同じかどうかは、やってみなきゃわからないでしょ」

「わかるよ。無駄だよ」

「投げやりになっちゃ駄目。ここで刑が確定したらそれまでだけど、最高裁まで争ってたら、その間にまーくんのアリバイを証言してくれる人が出てくるかもしれないのよ。その可能性はゼロじゃないでしょ。でも諦めたら、もう終わりなのよ」

母の言葉に、雅史はわずかに顔を上げた。それは考えていなかった。いまさら雅史のアリバイが成立するとは思えなかったが、可能性を言うなら確かにゼロではない。諦めたら終わり、との言葉はまったくそのとおりだった。

「でも、これ以上裁判費用をかけるわけには……」

「そんなこと心配しなくていいって、何度も言ってるでしょ」母は雅史の言葉を途中で遮《さえぎ》った。「裁判費用くらい、借金でもなんでもして作るわよ。もしそれが心苦しいと思うなら、無罪になった後で働いて返してくれればいいわ。それだったら気楽でしょ」

「そうだけど……。父さんはそれでいいの？」

無口な父にも確認した。父は意外にきっぱりと、「ああ」と答えた。

「お前のためなら、金を惜しんでる場合じゃない。そんなこと、わざわざ言うまでもないことだ」

世間体を気にしていると思っていた父の力強い言葉に、雅史は心を動かされた。感受性を切り捨てたいと望んでも、そんなに簡単に心は切り替えられない。父に対する肉親の情が勃然《ぼつぜん》として湧き起こってきて、雅史の喉《のど》を詰まらせた。かろうじて、「ありがとう」とだけ答えることができた。

母はそれでもなお不安なのか、しつこいほどに上告の意思を確認した。雅史ははっきり頷き、まだ諦めないことを約束した。ようやく納得した母に、雅史は最後に尋ねた。

「由梨恵は二審判決について、何か言ってた？」

由梨恵もまた、ショックを受けているのは間違いない。自分のせいで由梨恵が悲しんでいるかと思うと、閉じ込められている現状がもどかしくなる。直接詫びを言い、たった今決意したことを伝えたい。信じて待っていてくれる由梨恵のためにも、是が非でも身の潔白を証明するのだと告げたかった。

「由梨恵さんはあのとき、すごく青い顔をして黙り込んでいたから、そのまま帰ってもらったの。それ以来、まだ連絡はとり合ってないのよ」

母も心配げに眉《まゆ》を寄せた。雅史としては、「そう」と頷くしかなかった。

21

時間はただ空しく流れていった。結論が出ずに宙吊《ちゅうづ》りにされている状況が、いかに人の精神を疲弊させるかを、雅史は実体験によって知った。完全な絶望ならば、狂ってしまうこともできたかもしれないと思う。だが今の状況は、まさに生殺しと言うにふさわしい。希望は限りなく少ないが、決してゼロではない。もしかしたら奇跡的な事態が起こり、雅史の潔白が証明されるかもしれない。そんな希望がわずかにでも残っている限り、発狂して現実逃避することもできないのだった。

しかし実際には、何も起きなかった。月日が単調な毎日の繰り返しのうちに過ぎていき、とうとう逮捕から五度目の正月を迎えた。四年以上もの間、無罪で釈放されるどころか、刑を執行されることすらなく、拘置所に閉じ込められているのだ。こんな無意味な人生があるだろうかと、雅史は最近よく考える。生きていても仕方のない人間がいるとしたら、それは自分ではないのか。有罪でも無罪でもない、灰色の人生。こんな中途半端《はんぱ》な状況がいつまでも続くなら、いっそ自らの手で生を終えたい。そんな衝動すら時に覚えるものの、しかし実行はできなかった。臆病《おくびょう》だから自決に踏み切れないのではなく、ここでも結論を先延ばしさせるのはわずかな希望だった。希望の存在は救いではなく、責め苦ではないかと雅史は疑い始めている。爪《つめ》の先ほどしかない希望が、雅史に終わりのない苦しみを与え続けているのだ。

時の経過は季節の移り変わりによって知ることができるが、それも雅史にとってはただ苦痛でしかなかった。季節の変化などない、常夏《とこなつ》や酷寒の国の方が、未決囚の気持ちはずっと楽だろうと思う。季節が変われば、空しく自分が年を取っていくのを否応《いやおう》なく知ってしまう。四季は残酷だと、雅史は自然現象をも呪《のろ》う気持ちになった。

というのも、自分は何も変わらないのに、確実に変わっていくものがあることを理解したからであった。控訴が棄却された直後も、由梨恵は面会に来てくれた。だが互いの会話はいつも同じことの繰り返しになり、茶番めいた気配が漂い始めた。決められた台詞を喋る劇を、毎度演じているようなものなのだ。やがて由梨恵も励ましの言葉が尽きたのか、雅史と付き合い始める前のように口数が少なくなっていった。そして、面会の頻度も落ちた。

最初は一週間に一回だったのが、二週間に一度になり、ひと月に一度になった。雅史の身を案じているから面会に来るのではなく、面倒な義務を背負ってしまったからそれを遂行しているかのようにも見えた。雅史は由梨恵の態度の変化に気づいてようやく、多大な負担をかけていたことに思い至った。せっかく由梨恵が会いに来てくれても、雅史は己の未来を悲観し、ただ嘆くだけだったのだ。それを励まし、希望を維持させようとするのは、さぞや辛かっただろう。由梨恵自身も裁判の行く末に絶望していれば、信じてもいない言葉を何度も繰り返さなければならないのは、苦痛でしかなかったに違いない。そんなことを雅史は、長年に亘って由梨恵に強いていたのだ。由梨恵の足が遠のいて初めて気づく己の愚鈍さが、恨めしかった。

そうした状況に置かれて、ともかく悪い結果でもいいからなんらかの進展が欲しいと思うようになった。もはや無罪など望まない。有罪でいいから、ここから出して欲しかった。たとえ拘置所から出たとしても、行く先はもっと辛い刑務所である。それがわかった。

っていながらも、雅史はただ変化を欲した。この地獄のような単調な日々から抜け出せるなら、どこにでも行こう。そして平穏だった過去をすっぱりと忘れ、罪人として生きていくのだ。それこそが、自分に与えられた唯一の幸せな道だと思えた。

灰色の日々は、しかし永遠ではなかった。その終わりを告げたのは、一通の封書だった。差出人の名義は最高裁判所。それを受け取り、雅史の鼓動は極限まで高鳴った。

最高裁は事実審ではない。事件の真相を明らかにする場ではなく、単に高等裁判所の判断の可否を論ずるだけの法廷なのだ。そのため、雅史はこれまでのように出廷する必要がなかった。判決も、法廷で聞かされるのではなく書面で告げられる。その判決が、ついに出たのだった。

すぐに封書を開けようとして、手が止まった。中身を見ることに対して、予測もしなかった恐怖心が頭をもたげたのだ。つい最前までは、早く引導を渡して欲しいとしか望んでいなかった。だが実際に判決文を手にしてみると、絶望的なことを告げているであろう文字列を見る勇気が湧かない。こんな紙切れ一枚に自分の人生が左右されるかと思うと、ただただ理不尽としか感じられなかった。

それでも、見ずに済ますわけにはいかない。できる限り期待を持たず、襲ってくるであろう衝撃に耐えられるよう心を硬くして、封書を開けた。

果たして、目に飛び込んできたのは〝棄却〟という単語だった。公文書らしく様々なことが書かれているのに、その中から〝棄却〟の文字だけが浮き上がって見えた。上告棄却。これによって、雅史の罪状は確定したのだった。

ついに人殺しになってしまった。それが、素朴な感慨だった。何もしていないのに、日本という法治国家のシステムが雅史を殺人者と認定した。これまで何度、日本の司法に絶望しようとも、心のどこかでは信頼を捨てきれないでいた。いつかは真実が明らかになるのではないかと、楽観ではなく身に染みついた社会への信頼が、雅史に思わせていた。法律そのものが敵になることなど、平和な日本で生まれ育った人間にはどうしても認識できなかったのだった。

しかし、現実は過酷だった。過酷という言葉だけでは足りない、己が歩んできた道そのものが音を立てて瓦解《がかい》するような、そんな根源的な恐怖があった。いくら力を込めて踏み締めようと壊れないはずの地面が、実は豆腐のように柔らかかったのだと知った恐怖。では自分はいったい、どこにしがみつけばいいのか。逃げ場はなく、ただ無力に足《あし》許《もと》の崩壊に呑まれていくしかないのだ。

両肩に重みを感じた。それは、雅史というちっぽけな一個人を押し潰そうとする、法の巨大な力だった。最初から勝てる見込みのない勝負を五年にも亘って続けた挙げ句、わかりきっていた結末を突きつけられた。雅史にはもう、その巨大な力に抗する気力がなかった。だから書面を握り締め、声を殺して啜《すす》り泣いた。

第四章　裁判官

第四章　夷酋

1

目覚まし時計が鳴る三分前に、目が覚めた。時計を見なくても、今が三分前であることがわかる。長年に亘《わた》って規則正しい生活を続けた結果、体内時計がクォーツ時計に匹敵するほど正確になったのだ。石嶺亮三《いしみねりょうぞう》はいつものように、その三分間を怠惰に布団《ふとん》の中で過ごした。一日二十四時間のうち、石嶺が自分に怠惰であることを許す唯一《ゆいいつ》の三分間だった。

七時に目覚まし時計が鳴り、石嶺は手を伸ばして止めた。身を起こし、布団から出る。隣に寝ていた妻の晴恵《はるえ》は、すでに起きて石嶺の弁当を作っている頃だ。晴恵もまた、規則正しい生活に馴染《なじ》んでいる。

使っていた枕《まくら》に目をやると、毛髪が三本付着していた。今朝は三本か。自分の頭部から抜けた髪に未練を残しながらも、それらを摘《つま》んでゴミ箱に捨てる。毎朝のことながら、もったいないと思う気持ちはいつも変わらなかった。

トイレに行って用を足し、洗面所に移動した。顔を洗ってから鏡に向かい、育毛剤を丹念に頭皮に馴染ませる。本当に効き目があるのかどうか疑わしいものの、だからといってやめる気にはなれなかった。ブラシで頭皮を刺激することで、脳が覚醒《かくせい》するという効果もあるのだった。

リビングルームに行き、晴恵に「おはよう」と声をかけてから、ダイニングテーブルに着く。そこには晴恵が玄関から取ってきた新聞が置いてある。一面にざっと目を通し終えた頃に、晴恵が朝食をテーブルに並べるのだった。ここまでの一連の決まり事にかかる時間は、十八分。平日のこのスケジュールは、転勤してこの地に来てから三年間、一度も狂っていない。

朝食を食べ終えるのに十分、歯磨きに二分使い、ふたたびリビングに戻って新聞を読む。新聞を読む時間は記事内容によって変わってしまうが、できる限り三十分以内に読むようにしている。それをオーバーしてしまった場合は、裁判所に持っていかざるを得ない。そうしたイレギュラーな事態が、石嶺は一番嫌いだった。だからいつも、予定時刻を超過しないように集中して記事に目を通す。

読む必要がある記事か否《いな》かを瞬時に見分けながら紙面を捲《めく》り続け、最後のテレビ欄に到達したときには二十八分が経過していた。上々のペースだ。石嶺は新聞を畳み、次に着替えを始める。着替えにかける時間は、二分三十秒。今日のワイシャツとネクタイは晴恵が選んでくれているから、それらを淡々と身に着けるだけでいい。スケジュールに狂いが生じる余地はなかった。

ネクタイを締め終えてから、髪型を整えた。薄くなった頭頂部を、左右の髪で念入りに覆《おお》う。額は年を追うごとに後退し、薄くなった頭頂部といつか繋《つな》がりそうだが、まだしばらく時間がかかるだろう。頭頂部を隠す努力は、決して無駄ではなかった。

髪を整え終えて窓の外に目を転じると、測っていたかのように官用車が迎えに来た。

「行ってくる」と晴恵に告げ、玄関を出る。運転手に挨拶《あいさつ》をしてから、後部座席に坐《すわ》った。裁判所までの道は特に渋滞することもないので、日によってかかる時間が違ったりはしない。裁判所に着いたときの時刻は、八時二十九分だった。数分の誤差は仕方がない。充分に予定内の到着だった。

本来ならば裁判官は、開廷時刻の午前十時までに登庁すればいい。だがそんな時刻ぎりぎりにやってくる者は、ひとりもいなかった。裁判官は仕事量が多すぎるのだ。午前十時から午後五時までの、決められた時間内だけで仕事をしていたら、未処理案件が山積していくだけである。ほとんど全員の裁判官が、最重要の仕事である判決起案を家に持ち帰り、深夜に書いている。そうした自己犠牲に耐えられる人間だけが、裁判官という崇高な職務に就くことができるのである。

石嶺は夜だけでなく、朝の時間も仕事に充《あ》てることにしていた。規則正しい生活を送っている石嶺にとって、早起きはまったく苦ではない。早く登庁してその日の仕事を開始するのは、身に染《し》みついた習慣であり、時間を有効に使う合理的方法でもあった。

ひと口に裁判官といっても、キャリアの違いによって立場も自《おの》ずと異なる。大雑把に分けて、キャリアが十年に満たない者は判事となる。満十年を迎えて最高裁判所から再任された者は判事となる。また判事補は、任官して五年未満の者は未特例判事補と呼ばれ、五年以上十年未満の特例判事補とは区別される。未特例判事補の間は、少年事件などの一部の事件を除いて、ひとりで事件を処理することはできない。三人の裁判官で事件を審理する際に左陪席として合議体に加わり、裁判長と右陪席の仕事ぶりを見ながら学んでいくことになる。

石嶺自身はすでに四十八歳になるので、判事だった。裁判官の任期は十年だから、来年には二度目の再任を受けることになる。石嶺の所属する裁判所はそれほど大きくないこともあって、立場はもはや支部長である。支部長に任命されたばかりの頃は、その責任の重さに目が眩《くら》む思いすらしたものだが、今は重圧にも慣れた。判事補たちの統括、指導だけでなく、一般職の部下も抱えて司法行政を担《にな》わなければならない。一分といえども、無駄にしている時間はなかった。

支部長室の石嶺の机の上には、未済書類が積まれている。椅子《いす》に腰を下ろしてすぐ、次々にそれらに目を通し始める。書類を読むのは、新聞を読む行為に通じるものがある。必要な部分とそうでない部分をひと目で見分け、熟読すべき箇所だけをピックアップする。そうすることで、効率よく決済印を押していける。

十時からは法廷が待っているので、担当する裁判の記録も読まなければならない。未済書類に費やした時間が、約三十分。これからおよそ二十分ほどかけて、裁判記録を頭に入れる。

石嶺のこうした仕事ぶりや生活態度を指して、同僚や部下が〝マシーン〟という渾名《あだな》で呼んでいるのは知っている。〝マシーン〟とはいかにも非人間的でいささか揶揄《やゆ》のニュアンスが籠《こも》っているのかもしれないが、石嶺は特に不愉快ではない。むしろ、光栄にすら思っている部分もある。裁判には情を挟んではならない。それこそマシーンと化し、精密に罪の重さを量って判決に反映させなければならないのだ。石嶺は若い頃から、裁判マシーンになりたいと念願してきた。そして努力の甲斐《かい》あって、人からそのように呼ばれるまでになった。自分の仕事と生活を、国民に対して誇りたい気分が石嶺の中には確かにある。

九時五十分に、裁判記録を読み終えた。席を立ち、法服に着替える。黒い法服は、何色にも染まらないという裁判官の意思表示である。偏《かたよ》った意見を持つことなく、事件や訴訟を精密に裁くマシーン。法服を着ることで意識が変わるわけではないが、気持ちが引き締まる思いは忘れまいと常々考えている。

法廷には裁判長として臨むことになる。右陪席は三十代半ばの、やる気に満ちた特例判事補。左陪席はまだ青年の気配が拭《ぬぐ》えない、緊張気味の未特例判事補だった。石嶺が司法試験に合格したのは二十七歳のときだったので、決して早いスタートではなかったが、それでもキャリアはふたりに比べて格段に長い。裁判ではイニシアチブを取り、ふたりを善導しなければならない立場である。

二時間ほどで裁判は閉廷した。昼休みには右陪席、左陪席を伴って外に昼食を摂《と》りに行く裁判長もいるが、石嶺には晴恵が作ってくれた弁当がある。若い裁判官たちとのコミュニケーションも大事、という意見も理解できるものの、一緒に昼飯を食べるような付き合いが必要とは思えない。人に合わせれば、それだけ予定が狂う。予定の狂いは判断の狂いに通じるというのが、石嶺の持論だった。

そもそも、支部長である石嶺には、ゆっくり寛《くつろ》ぐ昼休みなど存在しないのだ。支部長室で弁当を食べていると、裁判部の事務官がやってきた。事務官とは裁判所の事務を処理する職員のことで、国家試験を通った公務員である。四十代半ばの中堅事務官は、まだ食事中の石嶺に面倒な話を持ち込んできた。

「先ほどの裁判ですが」

石嶺が弁当を食べているところと知り、事務官は遠慮しようとしたが、用件を言うように命じたのだった。上から頭頂部を見下ろされるのは好きではないので、ソファに坐るよう促す。腰を下ろした事務官は、申し訳なさそうに切り出して続けた。

「次の公判期日について、やはり別の日にしてもらいたいと弁護士が言っています」

「またか」

石嶺は顔を歪《ゆが》めそうになった。一度決めたことを変えるのは、ほとんど苦痛に近い。今日の弁護士が予定変更を申し出るのも、これで二度目だ。石嶺の性格を知っていて、わざとやっているのではと疑いたくなる。

「あのじいさん、もう年ですから、自分のスケジュール管理もできなくなってるんですよ」

事務官は呆《あき》れたように肩を竦《すく》める。石嶺もこれまでに、問題の弁護士が法廷で何度も船を漕《こ》いでいるのを見たことがある。あんな弁護人に弁護される被告人はたまったものではないなと、石嶺は憤《いきどお》りを覚えていた。

「希望日はいつなんですか」

憤懣《ふんまん》を抑えて、尋ねた。事務官が告げる日時を、手帳を開いて確かめる。石嶺の予定は空いているが、一度書き込んだ予定を消さなければならないのが不愉快だ。次からはこの弁護士が担当する事件は、万年筆ではなく鉛筆で書き込もうと心に決める。

「私はけっこうですが、検察官にも確認をとってください」

「承知しています」

事務官は打てば響くような人材でなければ勤まらない。食事の邪魔をしたことを詫《わ》びて、事務官は退室しようとした。

「あ、ちょっと」

それを石嶺は、珍しく呼び止めた。石嶺が後から話をつけ加えるのは珍しい。事務官は怪訝《けげん》そうに振り返った。

「裁判所に迷惑をかけているのだと、あのじいさんにはきつく言い聞かせておいてください」

「わかりました」

今度は苦笑気味に、事務官は応じた。たいていのことでは感情を乱さない石嶺も、予定の狂いだけは我慢できないことを、事務官は知っているのだ。着任して三年にもなると、事務官や書記官が石嶺の性格を把握してくれるので仕事がしやすい。せっかく馴染んだのに、そろそろ転勤の時期だというのが残念だった。

午後にもまた別の法廷に出て、夕方五時に終わった。するとそれを待ちかまえていた書記官がやってきて、県警から逮捕状と勾留《こうりゅう》の請求が来ていると告げた。イレギュラーな事態だ。しかしこれは、裁判所の仕事のうちのひとつである。この突発事は特に不快には感じず、「わかりました」と応じて資料を支部長室に持ってくるよう命じた。今日はこれで帰りが遅くなる。だが、仕事に打ち込んでいる限りは充実感があった。日本の正義は自分たち裁判官が支えているという自負を、石嶺は強く抱いている。

警察からは、逮捕の根拠を説明する記録が届いている。裁判官の中には警察を完全に信頼しきっていて、ほとんど機械的に逮捕状を発行してしまう者もいるが、石嶺は律儀《りちぎ》に目を通すことにしていた。決まり事を破るのは、石嶺が最も憎むところである。裁判官自らがルールを守らないで、どうして人を裁けよう。

すぐに逮捕状を出さない石嶺を、県警の人間が面倒な男だと見ているのは知っていた。だが裁判所は、警察の下部組織ではない。お互いにきちんと仕事をして初めて、正当な裁判が成立するのだ。そのためには、せいぜい三十分程度の待機は甘受してもらわなければならない。

一連の事務処理を終えたときには、午後七時を回っていた。帰宅時刻を過ぎたので、もう退庁しなければならない。明日の裁判の記録に目を通すつもりでいたが、家に持ち帰らざるを得なかった。自宅では、晴恵が夕食を作って待っている。晴恵の予定を狂わせるわけにはいかなかった。

また官用車で帰宅し、晴恵とふたりで黙々と夕食を摂った。息子はすでに高校を卒業し、東京の大学に行っている。ほぼ二十年ぶりに晴恵とふたりだけの生活になったわけだが、改めて話すことは特になかった。普通の家庭なら仕事上のあれこれを夫が話すのかもしれないが、裁判官にはそんなことは許されない。晴恵もそれは承知しているので、仕事のことを訊《き》いてきたりはしない。勢い、話題はなくなり無言で食卓を囲むことになる。裁判官であれば仕方のないことだと、石嶺は割り切っている。

風呂《ふろ》に入ってから、自室で裁判記録を読み始めた。十一時を過ぎる頃に晴恵は寝るが、仕事の邪魔をしないように声はかけてこない。石嶺も集中しているので、晴恵の動静は念頭にない。静かな家の中だと、仕事の効率も上がる。

読み終えたときには、午前一時になっていた。ほぼ、いつもどおりの時刻だ。石嶺はひとつ頷《うなず》き、資料をまとめた。寝るための身支度を調えてから、二階の寝室に上がって晴恵の隣に横たわる。今日も一日、大きな逸脱もなく過ごすことができた。決めたスケジュールどおりに過ごすのは、この上ない達成感を与えてくれる。石嶺は満足して、目を閉じた。

2

綾部弁護士殺害事件の捜査に、若干の進展が見られた。犯行現場から逃走する男を目撃している人がいたのだ。殺害の瞬間を見ていたわけではないが、逃げる男とそれを追いかけるヤクザの姿をはっきりと視認している。逃げる男の顔には、目立つ痣《あざ》があったと目撃者は証言した。江木雅史の写真を見せると、間違いなくこの人だと断言する。この証言によって、犯人が江木であることはほぼ確定した。

江木は次に何をするのか。山名省吾は改めて考えてみた。刑事、検察官、弁護士の三人の死が江木の意思によるものだとして、これで江木は満足したのか。江木の復讐《ふくしゅう》は終わったのか。

とてもそうは思えなかった。裁判に関わった人は他にもいる。江木が納得するとしたら、それらの人すべてを殺した末のことではないのか。ならば、江木の犯行はまだ続くことになる。

それは恐ろしい考えだった。なぜなら、復讐の対象は少人数ではないからだ。一審の裁判官だけでも三人いるし、二審や三審の判決までも恨むなら、裁判に関わった人々の数は膨大になる。江木は全員を皆殺しにするつもりなのだろうか。そんな殺戮《さつりく》の果てにしか、江木は己の猛《たけ》る心を静めることはできないのか。

思いつくと、いても立ってもいられなかった。谷沢と綾部は、一審の際の検察官と弁護士だ。ならば江木が次に狙《ねら》う相手は、一審の裁判官である可能性が高い。三人の裁判官の安否を確認するのが、最優先事項だった。

警察に残る資料に裁判官たちの名前は記されているが、当然ながら現在の勤務地までは書かれていない。山名は最高裁に電話をし、裁判官たちの勤務地を問い合わせた。すぐには答えられないなどと悠長な返事を先方がするので、事は一刻を争うと脅す。命の危険が迫っているかもしれないのだと語気を強めると、慌《あわ》てて返答をファクスで寄越した。

それを読み、山名は軽い衝撃を受けた。三人の裁判官のうち、ひとりはすでに死亡していたのだ。死亡理由は事故とのことなのでいやな予感を覚えたが、死んだのは昨年だった。伊佐山の死より、四ヵ月も前のことになる。とはいえ、江木はすでに刑務所を出所している。果たしてこれは、江木の最初の犯行だったのだろうか。それとも、江木の意思とは無関係な事故だったのか。

死亡していた裁判官、岸本昭典《きしもとあきのり》の最終赴任地は富山だった。山名は事故の概要を知るために、富山県警に電話をかけた。こちらの事件に関係するかもしれないので、詳しいことが知りたいのだと説明する。先方も忙しいからすぐに対応してもらうのは難しいだろうと思いつつ、折り返しの電話を待った。返事が来るまでの時間を、山名は不安と恐れに苛《さいな》まれながら待ち続けることになった。

三十分ほどしてかかってきた電話の声は、切迫感に欠けていた。岸本昭典の死が事故として処理されたのなら、それが殺人、しかも日本の司法システムに挑戦するかのような連続殺人に関わっているなどとは、夢にも思っていないのだろう。相手のそんなのんびりした口調が、山名は少し羨《うらや》ましかった。

富山訛《なま》りの担当者に、一から説明した。最初は「はあ」などと気の抜けた相槌《あいづち》を打っていた担当者も、やがて無言になる。山名が説明を終えても、発する言葉がなかなか見つけられないようだった。

「……いやあ、驚きました。つまり山名さんは、岸本昭典さんの事故も仕組まれたものだと睨《にら》んでいるわけですか」

担当者はようやく、そう確認する。山名はそれに対し、歯切れの悪い返事しかできなかった。

「いえ、そういうわけでもないのです。こちらが把握していた三件の死はいずれもここ三ヵ月以内のことですので、岸本さんの事故だけ時期的に離れています。これだけは本当の事故である可能性もあります」

「そうだと思いますよ。何しろあの事故は、何者かが仕組むことなどできない状況でしたから」

担当者はそれを前置きにして、捜査資料を読み上げ始めた。岸本昭典の死亡状況はこうだった。裁判官官舎に住んでいた岸本は、毎朝官用車で通勤していた。その日はあいにく岸本の妻が風邪をひいたとかで、自宅で朝食を摂れなかった。仕方なく岸本は、途中でコンビニエンスストアに寄るよう運転手に指示した。運転手は駐車場で待ち、岸本だけが降りて朝食を買った。店から出てきた岸本は、店を左側に見る形で歩いて官用車に近づいた。ちょうどそこに、バックで駐車場に入ろうとしている車がやってきた。一度で駐車できなかった車は、切り返してから再度動き出す。その際に、なぜか急発進をした。

それは一瞬の出来事だったそうだ。車は暴走し、後部からそのまま店のガラスに突っ込んだ。車の暴走に巻き込まれた岸本は、ガラスの破片とともに店内になだれ込んだ。阿鼻叫喚《あびきょうかん》の渦の中、助け出された岸本はすでに息を引き取っていた。ガラスの破片が頸《けい》動脈《どうみゃく》を切り、大量の血を流しながら絶命していたのだった。

「暴走車の運転手は、今年で八十三になるじいさんでした」担当者は呆れたように言う。「アクセルとブレーキを踏み間違えたとかで、ただただ呆然《ぼうぜん》としていましたよ。自分がやってしまったことの重大さを受け止められず、逃げもせずに立ち尽くしていました。コンビニの店員も官用車の運転手も事故の瞬間は見ているので、事故を起こしたのがそのじいさんであることに疑いはありません」

しかも官用車の運転手の説明によれば、岸本がコンビニに寄るのは初めてのことだったらしい。つまり、岸本の行動は事前に予測できなかったのだ。仮に何者かが岸本の殺害を計画していたにしても、コンビニの駐車場を犯行現場と予定することは不可能だったことになる。

「その加害者が、依頼を受けて故意に岸本さんを轢《ひ》き殺した可能性はありませんか」

自分でもあり得ないことと思いつつも、山名は確認しないではいられなかった。担当者は半ば皮肉を込めたように言う。

「私も現場にすぐ駆けつけましたから見てますけど、じいさんのあの茫然《ぼうぜん》自失ぶりは演技とは思えませんよ。それに、じいさんは八十三歳ですからね。そりゃあ、じいさんがずっと被害者をつけ狙っていて、自分が逮捕されることも顧みずにコンビニに突っ込んだと考えれば謀殺の線もあり得ますけど、いくらなんでもねぇ。とっくに免許を返上してなきゃいけない年寄りが起こしてしまった、単純な事故で間違いないです。殺害依頼だのなんだの、そんな物騒な裏はないですよ」

「そうですか」

山名は一応のところ納得し、引き下がった。礼を言い、受話器を置く。本来ならば、岸本の事故が一連の事件と無関係と判断できるのは喜ばしいことだ。だが山名の心境は、いささか複雑だった。

現代社会において、行きずりではなく怨恨《えんこん》で人を殺害するのは大変な難事だ。警察は利害関係がある人物を、瞬《また》く間に割り出す。それを避けようとすれば、殺人を事故や病死、自殺に見せかけるしかない。現に江木は、伊佐山刑事を殺した際は事故に見せかけることに成功していた。

しかしそれも、二度三度と犯行を繰り返せばやがて発覚する。つまり、回を重ねるごとに殺人は難しくなっていくのだ。だからこそ、警察もついに江木の意図に気づいた。もう江木も、これまでのようにやすやすと復讐を遂げることはできないだろう。

そうした状況の中、江木の標的のひとりであるはずの岸本昭典がすでに死んでいた。江木の復讐は、労せずして完成に一歩近づいていたのである。江木が幸運な人間とはとても思えないが、その一方で悪運に恵まれていることも確かなようだ。そこに人知の及ばない運命めいたものを感じ、山名は単純に喜ぶことができなかったのだった。

気を取り直し、残るふたりの裁判官の勤務地を確認した。裁判官はふたりとも、遠方に赴任していた。裁判官が三、四年周期で地方を転々とするのは山名も知っていたが、実際に裁判官たちが遠く離れた地にいることが判明して、胸を撫《な》で下ろす気分があった。これまでの被害者三人は皆、同じ市内に住んでいた。遠方であれば安全という保証があるわけではないものの、すぐそばにいる人よりは江木も手を出しにくいのではないか。とはいえ、一度復讐を始めた江木が、遠いからという理由だけで諦《あきら》めるとは思えない。念のために、裁判官たちに警告をしておくべきだと判断した。

まずは、裁判長だった石嶺亮三という人物に連絡をとることにした。石嶺は今、地方の裁判所で支部長の地位にいる。電話をしてみると運よく在席していて繋がった。山名が自分の所属を述べると、石嶺は意外そうな声を出した。

「私になんのご用でしょうか」

以前の勤務地の警察から電話があっても、用件に見当がつかないのは無理もない。山名は言葉を選んで、慎重に切り出した。

「七年前に、殺人の罪で起訴された江木雅史という人物を憶《おぼ》えていらっしゃいますか」

「憶えています」

石嶺は即答した。山名はいささか意外に感じた。裁判官は皆、自分が扱った事件の被告人を憶えているものなのだろうか。

「失礼ですが、確認をさせていただいてよろしいですか。江木は二〇〇二年の十一月十三日、上町二丁目の路上で——」

「間違いありません。私の記憶している事件です」

最後まで聞く必要はないと判断したらしく、石嶺は途中で遮った。そういうことなら話は早い。なるべく驚かさないように気をつけて、本題に入った。

「江木の事件を扱った所轄《しょかつ》署の伊佐山、起訴した検察官の谷沢、弁護した弁護士の綾部、この三人の名前は憶えていらっしゃいますか」

「刑事の名前は憶えていませんが、谷沢さんと綾部さんは憶えています。彼らが何か？」

県警捜査一課の刑事が電話をしてきて、かつての事件に関わった人々の名前を挙げているのは、明らかに不穏な内容であるはずだ。にもかかわらず石嶺は、まったく語調を変えない。よほど肝が据わった人なのだろうと、山名は考えた。

「三人とも、亡《な》くなりました」

「なぜ？」

間髪を容《い》れず、問い返してきた。さすがに驚いたようだ。山名はできるだけ正確に状況を語ることにした。

「伊佐山刑事は、酔った末に車道に飛び出して、トラックに轢かれました。谷沢検事は、今のところ居直り強盗に殺されたと見られています。それから綾部弁護士は、路上で暴漢に襲われました」

「ばらばらですね。共通点は、同じ裁判に関わっていたということだけですか」

石嶺は山名の用件を理解したようだった。山名は肯定するしかなかった。

「はい」

「では伊佐山刑事の事故は単なる交通事故ではなく、殺人であると？　そしてそれら三件の事件の犯人が、江木雅史であると山名さんは考えているわけですか」

「まだ推測の段階ですが」

「ということは、物証は？」

「ありません」

「でしたら見込み捜査ですね」

断じられて、一瞬山名は絶句した。なるほど、これが裁判官の考え方か。こんな際でも杓子《しゃくし》定規なものの見方を崩さない態度に、皮肉でなく感心した。

「見込みと言われれば確かにそうですが、まずは目星をつけないことには捜査の方向性が決められません。これから起こるであろう事件を未然に防ぐことも、我々の仕事です」

相手が原則論を口にするなら、こちらもそれで答えるだけだ。その方が石嶺も納得するだろうと考えた。

しかし石嶺が山名の言葉を受け入れたのかどうか、声からは判然としなかった。石嶺は動揺を感じさせない声で、続ける。

「つまり、次に狙われるのは私だと、山名さんは推測したのですね」

「可能性は高いと思います」

「ボディーガードをつけてくださるのでしょうか」

話がいきなり飛んだ。現段階ではそこまではできない。多少慌てながらも、山名は答えた。

「いえ、管轄《かんかつ》外のことでもありますし、私の一存ではお答えできません。身辺に気をつけていただきたい、とお知らせするために電話をしました」

「なるほど、そうでしたか。ありがとうございます」

あくまで石嶺の口調は冷静だ。それはまさしく、法廷で聞く裁判官の声に他ならなかった。裁判官とは法廷外でもこのように喋《しゃべ》る人種だったのか。それとも今は、職務中だから感情を表に出さないようにしているだけなのか。電話だけでは、どちらともわからなかった。山名は質問を続けた。

「こちらも伺いたいのですが、身の回りに不審な人物が出没しているなどということはありませんんか。身の危険を感じたことがあるとか？」

「いいえ、幸いありません。私が鈍感なだけかもしれませんけど」

「では、外を歩くときはお気をつけください。江木の顔は憶えていますか。必要ならば、顔写真を送りますが」

「憶えているつもりです。ですが七年間で面変わりをしているなら、今の写真を送っていただけますか」

「あいにく、江木の今の写真は手に入っていません。七年前のでもよろしいですか」

「わかりました。では念のため、送ってください。送り先は裁判所でけっこうです」

動揺して取り乱したりしないのはありがたいが、どこまで山名の警告を真剣に受け取っているのか心許《こころもと》なかった。単なる事務手続きのひとつのように、淡々と対応しているのが気になる。だから最後に、もう一度繰り返した。

「しつこくて申し訳ありませんが、出歩かれる際にはくれぐれも身辺にお気をつけください。暗い場所にひとりで行かないようにして、日中でも背後を気にかけてください」

「大丈夫です。裁判所の行き帰りは、官用車に乗っていますから。それに、休日はほとんど家を出ません」

ようやく石嶺の声に、感情が滲《にじ》んだ。子供に言い聞かせるかのような山名の物言いに、苦笑したようだ。それを聞いて、なぜか山名も安心できた。仕事の邪魔をした詫びを口にして、受話器を置く。続けて、もうひとりの裁判官に電話をかけた。

3

受話器から手を放すと、掌《てのひら》が汗ばんでいた。珍しいことだと、石嶺は思う。口では平静を装《よそお》ったが、やはり自分が裁いた裁判の関係者が三人までも死んでいると聞けば動揺する。それを表に出さなかった己の克己心《こっきしん》を、石嶺は評価した。裁判官はいついかなるときも、感情を乱すところを他人に見せてはならないのだ。

江木雅史という被告人の名を、石嶺は誇張ではなく即座に思い出した。さすがにこれまで担当した裁判の被告人すべてを憶えているわけではないが、たった七年前ならまだ記憶も鮮明だ。裁判官は人ひとりの運命に大きな責任を持つ。それを思えば、あっさり顔を忘れることなど許されなかった。

江木は一見したところ、気が弱そうな線の細い男だった。だが人は見かけによらないという実例を、石嶺はいやというほど目《ま》の当たりにしてきた。外見でごまかされてはならない。とうてい罪など犯しそうにない人でも、平気で重犯罪に手を染めたりするのだ。現に江木は、判決を逆恨みして三人もの人間を殺したかもしれないというではないか。

江木の見かけに騙《だま》されなかった当時の判断は正しかったのだと、意を強くした。

思い出したのは外見だけでなく、裁判内容もだった。あれは確か、決定的な物証がなく状況証拠の積み重ねで有罪判決を出した事件だった。直接的に被告人の犯行に結びつく物証がない場合はできるだけ慎重に判断しなければならないが、状況証拠は充分すぎるほどあった。加えて被告人も自白をしていたとなると、判決に誤謬《ごびゅう》があった可能性はかなり低い。顧みて、反省する余地はまったくなかった。

裁判官や検察官は、確かに逆恨みされやすい職業と言える。己の犯した罪を直視せず、罰を与えた人を恨む輩《やから》は少なくないに違いない。だが実際に、裁判官や検察官が逆恨みの末に襲われたという話は聞かない。刑務所で反省の日々を過ごすことによって、刑期を終えたときにはまともな社会人に更生しているからだろう。だからこそ、裁判に関わった人が三人も変死しているという報《しら》せは、衝撃的だった。

暴力に屈してはならない。その思いは、裁判官としての誇りとともに強く持っている。しかしその一方で、命の危険がある可能性を告げられれば心が竦む。法を犯す者に毅然《きぜん》と対したい気持ちと、身に迫る危険への恐怖との間で、石嶺の心は揺らいだ。

ともかく、自分が襲われるだけならまだしも、家族に累《るい》が及ぶことだけは絶対に避けなければならないと考えた。あり得ないこととは思うが、晴恵が襲われる危険性もゼロではないかもしれない。念のために、ひと言警告しておくに越したことはないだろう。そう結論して、ふたたび受話器を取り上げた。

自宅の番号を押して、しばらく待つ。だがどうしたことか、呼び出し音が鳴り続けるだけで晴恵は出なかった。買い物にでも行っているのだろうか。留守番電話に繋がってしまったので、諦めて受話器を置いた。自宅に電話をかけて、晴恵がいないのは珍しい。少し気になったが、意識を仕事に戻した瞬間にそのことは忘れた。

仕事を終えて帰宅し、夕食の際に山名からの警告について晴恵に伝えた。晴恵は「まあ」と言って眉根《まゆね》を寄せたが、それ以上の感情は見せなかった。晴恵もまた、裁判官の妻として自分を抑制するすべを身につけている。その落ち着きぶりに、石嶺は満足した。

「ところで、そのことを昼に電話して言おうとしたんだが、いなかったな」

「えっ、そう?」晴恵は石嶺の方を見もせずに答える。「買い物に行ってたから、そのときかしら」

「ああ、そうなのか」

そんなことだろうとは思っていた。裁判官は何者にも干渉されず、独立した存在であらねばならないために、経済的に保証されている。妻が働く必要はなく、従って晴恵が外をみだりに出歩くこともないはずだった。妻といえども、実社会との接点を極力少なくしておかなければならないのは裁判官と一緒だった。

そのときの会話は、それで終わった。石嶺の心にも、特に引っかかることはなかった。だが数日とおかぬうちに、石嶺は改めてこの会話を思い出すことになる。それはこんなことがきっかけだった。

同じく夕食を摂っているときに、耳慣れない電子音が鳴った。何が鳴っているのかと部屋の中を見回すと、晴恵がテーブルの下で何かをしていた。すぐに電子音はやみ、静かになる。石嶺がテーブルの下を覗《のぞ》くと、晴恵が手にしているのは携帯電話だった。

「お前、携帯電話を持ってたのか」

妻が携帯電話を所有していることを、石嶺は今の今まで知らなかった。出歩く機会が少ない晴恵は、自分と同様携帯電話など必要ないだろうと考えていたのだ。なんのために携帯電話を持っているのかと、素朴に疑問に思った。

「ええ」

晴恵はいささか煩《わずら》わしそうに答える。石嶺は自分の疑問をぶつけた。

「どうして携帯電話なんて必要なんだ？　家の電話だけで充分だろう」

すると晴恵は、呆れたように眉を吊《つ》り上げた。

「何を言ってるの。今の携帯電話は電話をかけるだけじゃなく、メールとかネットとか、いろいろな使い方があるのよ。携帯電話の一台くらい、持ってたっていいでしょ」

「メール？ 誰とやり取りするんだ？」

通話もメールも、必要性がないという点では同じだとしか思えなかった。送る相手がいなければ、端末を持っていても仕方がない。

「誰とって、相手はいくらでもいるわよ。あたしの親だって、今はメールをやるくらいだし。友達とのやり取りも、全部メールよ」

「友達？ 裁判官の奥さん同士か」

それくらいしか、晴恵の交友関係は思いつかなかった。果たして晴恵は、口を尖《とが》らせて応じる。

「それもあるし、昔の友達とか。ともかく、携帯電話なんて今どき誰でも持ってるものよ。持ってない方がおかしいんだから。携帯電話を買っただけでいちいち驚く夫なんて、他にいないわ。あなたは世情に疎《うと》すぎよ」

そう言われてしまうと、黙らざるを得なかった。自分でも、世情に疎いという自覚はある。むしろ、意図的に世情に通じないようにしていると言ってもいい。裁判官は世間知らずだという批判が多いことは知っているが、世間に関わりすぎるのもよくないと石嶺は考えていた。付き合いが増えれば、思わぬ誘惑が生じる。避けられないしがらみも生まれる。それらが判決に悪影響を与えないと、誰が断言できようか。そのくらいならいっそ、世間知らずでいた方がずっとよかった。

そもそも裁判官は、裁判官だけが住む公務員住宅に住んでいるので、地域の住民と親しむ機会がない。土地の人と交わろうにも、仕事の量が多すぎてその暇がない。加えて、一泊以上の旅行をする際には支部長などに旅行届けを提出する義務がある。つまりそれだけ、私生活をも管理されているのだ。だから大半の裁判官は海外旅行の経験などないし、国内旅行ですら避ける傾向がある。世間を知る機会は、物理的に存在していないのだった。

とはいえ、携帯電話がひとり一台に近いほど普及している現実はさすがに知っている。晴恵が持つ必要性まではまだ納得できていないものの、使ったことがない石嶺にはわからないのだと言われればそうなのかもしれないと思えた。

そこまで考えて、ふと引っかかるものを覚えた。大した疑問ではないが、明らかでない点はできるだけ質《ただ》しておきたいという発想から、晴恵に尋ねた。

「それ、買ったのはいつだ？」

「ええと、ずいぶん前よ。わざと黙ってたわけじゃなく、単にあなたに教える必要がないと思ってただけなんだけど」

携帯電話を買ったことを夫婦の間で隠していたのには多少の疚《やま》しさを覚えるのか、晴恵は俯《うつむ》き加減で言葉を濁した。石嶺は続けて問う。

「この前、おれが電話したときに買い物に行ってただろ。そんなことが一度でもあったら、携帯電話を持ってるって教えてくれてもよかったじゃないか」

「ああ、そうね。うっかりしてたわ。番号を教えておく」

晴恵は言うと、自分の背後に手を伸ばしてボールペンを取り、テーブルの上にあったチラシの隅にさらさらと番号を書いた。それをちぎって、差し出してくる。受け取りながらも石嶺は、何か釈然としないものを感じていた。

4

「さあ、じゃあ出発しようか」

山名の電話が終わったのを見て取って、小西が話しかけてきた。山名がデスクに齧《かじ》りついている間、手持ち無沙汰《ぶさた》そうに待っていたのだ。もうひとりの裁判官は、年次休暇を取っていたので摑《つか》まらなかった。休み明けにまた電話するしかないだろう。山名は顔を上げて、待たせたことを詫びた。

「すみません。行きましょう」

以前に江木の母親に話を聞いたとき、夫も娘もなくしたと言っていた。それが山名はずっと気にかかっていた。山名たちはこれから、江木の家族の現状を詳しく調べる予定だった。

小西は改めて、これから確認すべきことを口にする。江木の動機が復讐《ふくしゅう》だったとしても、単なる逆恨みでこんなにも犯行を重ねられるとは思えない。何が江木をこんなにも追いつめたのか、知っておく必要があると山名は考えていた。小西は独白のように、自分の思考を漏らす。

「動機、か」

「こんな話、聞いたことないもんな。普通じゃ考えられないよ。いちいち逆恨みされてたら、刑事も検事も命がいくつあっても足りゃしない」

くわばらくわばら、とおどけ気味に小西は首を竦める。一見ふざけているようだが、一緒に働いたことのある伊佐山の死に小西が何も感じていないとは思えない。山名が谷沢の無念を晴らしたいと考えているように、小西もまた心に期するものがあるはずだと信じた。

七年前の事件が起きた当時に江木が住んでいた地域を、聞き込んで回ることになっていた。消息が摑める唯一の家族である江木聡子に話を聞ければ一番早いが、先日の態度からすると多くは望めない。ならばいつもの手法で、外堀から埋めていくしかなかった。運よく江木の友人にでも辿《たど》り着ければ、消息について何か情報が得られる可能性もある。

まずは、以前にも足を運んだことのある江木一家が住んでいた団地に向かった。すでに老朽化した団地は建て替えが検討されていてもおかしくなさそうだが、未《いま》だにその気配もなく使われている。江木一家が住んでいた部屋には別の入居者が入っているものの、他の住人は大半が残っていることは確認済みだ。ほんの七年前の話だから、当時の記憶もまだ生々しいことだろう。

玄関が向かい合う部屋の呼び鈴を押した。インターホンではないので、住人が直接出てくる。五十絡《がら》みの主婦は、山名たちの顔を見て「あら」と言った。以前に聞き込みに来たときのことを憶えているようだ。

「たびたびすみません。また少しお話を伺わせていただきたいのですが」

「あらぁ、熱心ねぇ。いいわよ。あたしなんかの話でよければ、どうぞどうぞ」

主婦は愛想よく言って、山名たちを請じ入れる。玄関先でいいと断ったが、寒いから中に入ってくれと言われて部屋に上がり込むことになった。

客が来たのが嬉《うれ》しいのか、それとも刑事が来たことに興奮しているのか、主婦は忙《せわ》しなく動き回ってお茶を淹《い》れた。ともかく湯飲み茶碗《ぢゃわん》を山名たちの前に置くまでは落ち着かないのだろうと思えたので、おとなしくじっと待つ。二分ほどしてようやく、座卓を挟んで向かい合うことができた。

「あまりお時間を取らせても申し訳ないですから、さっそく本題に入らせていただきます。七年前の事件の後、江木さん一家がどうなったのかご存じでしょうか」

「いやもう、それは知ってますよ。何しろお隣さんですから。いやでもいろいろ耳に入ってきますし」

噂話《うわさばなし》が耳に入ってくるのをこの主婦がいやがったとは思えないが、情報を持っているのはありがたい。この手のタイプは放っておいても喋ると経験上知っているので、まずは軽く水を向けてみた。

「江木の父親が亡くなったと聞いていますが、死因はご存じですか？」

「あー、江木さんの旦那《だんな》さんね」

主婦は眉根を寄せると、意外にも言葉を続けるのをためらった。そんなに外聞を憚《はばか》る病気だったのだろうか。

「実はあの旦那さん、自殺したんですよ」

「自殺」

それは意外な情報だった。心労が祟《たた》っての病気だとばかり思っていたのだ。自殺の原因は、やはり江木の事件なのだろうか。

「息子が犯した罪に思い悩んで、ですか」

「そうよー。世間様に顔向けできないとかなんとか、そういう遺書が残ってたそうよ。別に死んだ人のことを悪く言うわけじゃないんだけど、あの旦那さん、確かに気が弱そうな人ではあったのよ。挨拶するときでも目を合わせないで、ぼそぼそって喋るの。奥さんの方がよっぽど気丈で、事件のときもしっかりしてたわ。旦那さんはもうずっと落ち込んでるみたいだったけど」

「いつ頃亡くなったんでしょうか」

事件直後ならば、情報が警察の記録にも残っているはずだ。事件からかなり時間をおいていたからこそ、これまで山名の耳にも入らなかったのだと思われる。果たして主婦は、「二年前だったかしらねぇ」と言った。

「ほら、雅史くんは無実を主張して、最高裁まで争ったでしょ。でも、結局認められずに刑が確定したのよね。それがショックで、もう旦那さんは立ち直れなかったみたい。気の毒な話よねぇ」

自分は無実だという江木雅史の主張だけを、父親は心のよりどころにしていたのかもしれない。だがそれも、最高裁で上告が棄却されたことによって潰《つい》えた。支えを失った父親は、生きる気力をなくしてしまったのだろうか。

「自殺するほど、江木さん一家への風当たりは強かったのでしょうか」

この質問には、もしかしたら答えにくいかもしれなかった。主婦自身が、江木一家に冷たく当たったひとりであった可能性もあるからだ。しかし主婦は、他人事《ひとごと》の口調で「そうね」と応じる。

「そりゃあね、これまでどおりってわけにはいかないわよねぇ。だって、親に責任がないとは言えないでしょ。そういう子供に育てたのは、親なんだから。なんにもなかったみたいにニコニコしながら挨拶なんかしたら、被害者に申し訳ない気分になっちゃいますしねぇ」

主婦の言うことはわからないでもない。山名自身も、犯罪者の親にまったく責任がないとは思わない。しかしそれはゼロではないという程度のごく軽微な責任でしかなく、自殺するまで追いつめられなければならない悪行ではないはずだった。主婦に悪意はないのだろうが、この〝常識的な〟対応が何十人分ともなると、非難される側の重圧もただごとではなかったに違いない。どこにも悪意が存在しないが故《ゆえ》の救われなさに、山名はもどかしさを覚えた。

「仕事はどうだったんでしょう。職場にいづらくなって、辞めざるを得なくなったなんてことはないですか」

「あら、よく知ってるじゃない。そのとおりだったみたいよ。旦那さんの勤め先も地元の企業だから、そりゃあいづらくもなるわよね。噂はあっという間に駆け回っただろうし」

やはり、そうか。予想していたことではあっても、暗澹《あんたん》とした思いに囚《とら》われる。これが都会であれば、少しは事情も違うのだろうか。小さな地方都市の、社会の狭さが生む弊害を目の当たりにした思いだった。

「江木さん一家は引っ越されたんですよね。それは、ご主人が自殺した後でしょうか」

「そうそう。最高裁の判決が出るまではって、旦那さんも奥さんもここでがんばってたのよ。周囲の白い目に耐えるのは、かなり大変だったと思うわぁ。それでも特に奥さんは、自分たちがこそこそ生きてたら息子の罪を認めたようなものだって、胸を張ってたわよ。なんというか、ある意味立派よね」

息子の無実を心底信じていれば、そう振る舞うのが当然だったのだろう。居心地が悪いからと引っ越してしまうのは、息子に申し訳ないとでも考えていたのか。だからこそよけいに、上告棄却は父親の心を挫《くじ》いたのかもしれない。むしろ江木聡子の気丈さが、際立《きわだ》って感じられた。

「しかし旦那さんに死なれ、奥さんは引っ越していったのですね。そのとき、江木のお姉さんも一緒だったのですか」

「ううん。それがねぇ、杏子ちゃんこそ一番かわいそうだったわよ。親には子供を育てた責任があるかもしれないけど、姉にはないでしょ。それなのに杏子ちゃんまで辛《つら》い目に遭《あ》っちゃったんだから」

「どんなことがあったんでしょう」

江木聡子は、夫も娘もなくしたと言った。江木の父親が死んだのは住民票から判明していたが、姉が死亡した事実はないはずだ。娘もなくした、という江木聡子の言葉の意味はなんなのか。

「あの事件が起きたとき、杏子ちゃんは婚約中だったのよ。それがね、破談になっちゃったの」

ああ、と思わず声が漏れそうになった。第三者から見れば、ひどい話だと思う。しかし当事者にしてみれば、好きこのんで殺人者の身内と結婚しようとは考えないだろう。先方の親がふたりを引き裂いたのか、それとも婚約者自身の腰が引けたのかわからないが、他人が批判できることではない。それだけに、やり場のない怒りが山名の裡《うち》に堆積《たいせき》していった。

「詳しいことは知らないんだけど、噂《うわさ》では杏子ちゃんはすごく雅史くんのことを恨んだらしいわ。仲がいい姉弟だったのに、酷《むご》い話よね。でも、それもこれも雅史くんが悪いんだから、どうしようもないわねぇ。杏子ちゃんは雅史くんだけでなく、ご両親とも縁を切って、東京に出ていっちゃったのよ」

「両親とも縁を切って？」

「そう。そのときの言い争いが聞こえてきちゃったから知ってるんだけど、ともかく杏子ちゃんは奥さんが雅史くんの無実を信じているのが許せなかったみたい。どうして自分がこんな目に遭ってるのに雅史くんの言うことを信じるんだって、優しい杏子ちゃんとは思えないくらい怒鳴り声を上げて怒ってたわよ。一家の仲が良かった頃を知ってるだけに、お隣として本当に辛かったわぁ」

「つまり江木は、有罪判決を受けたことで父親に自殺され、姉には縁を切られたのだ。まさに一家離散の構図である。家族ですらそうなら、友人関係も推して知るべしだろう。事件は平穏な市民の人生を、一瞬にして破壊する。江木の家族に起きたことは、その典型例だった。

もし、その原因となった有罪判決が間違いだったとしたら。江木の怒りは、とても言葉で言い表せるレベルではないだろう。江木が人間社会そのものに絶望したとしても、決して不思議ではない。復讐に走ったその結論を認めることはできないが、凶行に至る背景は理解できた気がした。

充分な情報を得られたので、礼を言って辞去した。念のため、他の家も何軒か当たってみる。当時の江木家を知る人たちからは、やはり同じような話が聞けた。隣家の主婦の情報がかなり正確だったことが、これで証明された。

「あのさあ、山名さん」

聞き込みを切り上げることにすると、小西がなにやら目に暗い色を浮かべて話しかけてきた。小西が言いたいことは、だいたい察しがつく。山名は覚悟を決めて、応じた。

「なんでしょう」

「あんた、江木に同情してないか？」

「してないです」

意図的に即答した。一瞬でも逡巡《しゅんじゅん》する様子を見せれば、小西は山名に不信感を抱くだろう。自分が小西の側にいる人間だということを、ここではっきり示しておく必要があった。

「それならいいんだけどさ」小西はばつが悪そうに口を尖らせる。「なんとなく、あんたが江木に肩入れしているように思えたんでね」

「今日の聞き込みで、私はむしろ江木の動機の強さを確認しました。江木は強烈な怒りに衝《つ》き動かされています。しかし、どんな理由があろうと殺人は許されないことです」

前にも言ったことを、あえて繰り返した。自分では意識していないが、小西があえて確認したくなるような振る舞いがあったのだろう。だとしたらそれは、刑事として反省しなければならないことだった。江木に同情などしていないと、何度も自分の気持ちを確認した。

捜査本部が置かれている所轄署に戻る前に、もう一度江木聡子に会っておこうと考えた。今日仕入れた話をぶつけてみて、江木聡子の反応を窺《うかが》うのだ。それ次第で、聡子が息子を庇《かば》っているかどうか判明するかもしれない。江木の覚悟のほどを知れば、母親との接触はすでに断っていると見るべきだが、憶測で判断するわけにはいかなかった。

しかし、勤め先であるスーパーマーケットに江木聡子の姿はなかった。他の従業員に聡子が休みかどうかを確かめたいところだが、聞き込みで知った過去を思えば不用意なことはできない。刑事が訪ねてきたと職場で知れれば、また心ない噂が立つことだろう。ようやくにして手に入れたであろう聡子の平穏な生活を、山名たちが壊すわけにはいかなかった。

仕方なく、聡子が住むアパートに向かった。だがそこでも、聡子を摑まえることはできなかった。今日は無駄足を踏んだと諦め、また出直すことにした。

5

「あなたはそれまで、奥さんに暴力を振るったことは一度もなかったわけですね」

弁護人が声を大きくする。被告人は肩を窄《すぼ》めて、「はい」と答えた。

「ではなぜ、そのときに限って逆上してしまったのでしょうか」

弁護人が畳みかけた。被告人は顔を上げ、裁判官席に坐る石嶺に目を向けた。縋《すが》るような目だった。

「それは、妻が浮気していることを知ってしまったからです」

被告人は、自分の恥を語るようにぼそぼそと言った。実際、被告人は妻の不貞を恥と感じたのだろう。その事実を法廷で、複数の傍聴人たちの前で告げなければならないことに、かなり精神的苦痛を覚えているようだった。石嶺はこれまで、何度も同じような男を見てきた。

単純な事件だった。妻の浮気に逆上した男が、暴力に及んだ。自制できなかった男は、妻に全治一ヵ月の大怪我《おおけが》を負わせた。妻の目許《めもと》を拳《こぶし》で殴ったために、その部分の骨が陥没してしまったのだ。暴力に慣れていない人ほど、力の加減がわからずに相手に大怪我をさせてしまう。この事件も、その例に漏れなかった。

収まりがつかない妻が、夫を刑事告訴した。そもそもの原因を作ったのが妻なのだからほとんど居直りのようなものだが、現在の刑法に不貞罪はない。法廷に出てくれば、問われるのは夫の罪だけだった。

「あなたはどのように、奥さんの浮気を知ったのですか」

弁護人が質問を続ける。常識的な質問ばかりなので、検察官も異議を唱えようとはせずにおとなしくしていた。石嶺もただ、坦懐《たんかい》にやり取りに耳を傾ける。

「一番最初におかしいと思ったのは、家に電話して繋がらなかったときです」

それを聞いて石嶺は、表情を変えそうになってしまった。かろうじてそれを押しとどめ、何も感じていない体を装う。心臓がどきりと鳴った気がしたが、自分にしか聞こえていないはずだと考えた。

「出かけていても不思議ではないので、続けて携帯電話にもかけました。でも、それも繋がらなかったんです。ちょっとおかしいと思いました」

「それ以前は、電話して繋がらないことはなかったのですね」

「いえ、あの、一度もなかったというわけではないんですけど、そういうときは携帯にかければたいてい摑まったんで……。携帯にも出ないのは、そのときが初めてでした」

「それであなたは、浮気を疑ったんですか」

「すぐにそこまで考えたわけじゃありません。たまたま圏外にいたとか、充電が切れていたとか、何か事情があったんだろうと思いました。ですからその後も何度もかけ直したんですけど、やっぱりなかなか繋がらないんです。結局、二時間くらいしてようやく繋がったんだったかな。そのとき妻は、携帯を家に忘れて出かけてたと言いました。その言い訳を、私は変だと思ったんです」

「と、言いますと？」

「妻は携帯中毒で、風呂に入るときだって手放そうとしないくらいなんです。それなのに家に置いていったなんて、ちょっと考えられません。嘘《うそ》だと、ピンと来ました」

「なるほど。奥さんの言い訳がうまくなかったわけですね。それですぐに、問い詰めたんですか」

「いいえ、すぐに訊く勇気はありませんでした」

石嶺の中で徐々に、あまり感じたことのない種類の感情が育ちつつあった。それは言葉にするなら、〝不安〟だった。石嶺は常に、法や規則に則《のっと》って行動している。ルールに従って生きている限り、不安を感じることはない。それは対人関係においても同じで、自分が正しいという確信があれば不安が入り込む余地はなかった。特に配偶者には、裁判官の仕事に理解がある従順な女を選んだ。晴恵が心の中で何を考えているかなど、忖《そん》度《たく》する必要性はなかった。

だからこそ、胸中に芽生えた不安は石嶺を落ち着かなくさせた。冷静に考えれば、何も石嶺が不安を覚える必要はない。被告人が経験したことと、石嶺のシチュエーションに似た部分があるのは、ただの偶然に過ぎないのだ。晴恵が浮気をしているという証拠は、どこにもない。

冷静になれ。そう自分を叱責《しっせき》した。感情を排した裁判マシーンになること。証拠と理論のみによって、結論を導き出すこと。その鉄則に則っていれば、晴恵の不貞を疑わなければならない理由は見つからない。雑念を追いやり、進行中の裁判に意識を集中させた。

「では、その後に疑いを強めることが起きたのですか」

弁護人は先を促す。「はい」と被告人は応じた。

「それからも携帯に電話が繋がらないことが、何度もありました。他に、メールが来る回数が増えた気もしました。妻はメールが来るとすぐに見ずにはいられない人だったのに、私の前では携帯を開かなくなったんです。『メール来たんじゃない？』って促しても、『そうね』と答えるだけで見ようとしないんですよ。それもまた、おかしいと思うことでした」

「あなたの前では見られないメールが来ている、と考えたわけですね。で、そのメールを見てみたいとは思いませんでしたか」

「思いました。でも妻は風呂に入るときも携帯を持ち込むほどなので、盗み見る暇がないんです」

「でしたら、諦めたのですか」

「いえ、ちょっと策を弄《ろう》しました。妻を寝かせて、その隙《すき》に見ました」

「妻を寝かせた？　どうやって？」

「睡眠導入剤を服《の》ませたんです。こっそり。アイスコーヒーに入れて」

「なるほど。それで心置きなく携帯電話をチェックすることができたんですね」

「そうなんですけど、妻は携帯にロックをかけていたので、簡単にはいきませんでした」

「ロックを？　ではどうやってそのロックを解除したんですか」

「妻の携帯は指紋認証でロックできる機種だったんです。だから寝ている妻の手を摑んで、指を携帯に押し当ててロックを解除しました。妻が起きるんじゃないかとひやひやしましたけど、そうまでして携帯のデータを隠すからには何か疚しいことがあるのだろ

う と確信しました」

「そうでしたか。実際、奥さんが隠しておきたいようなメールがありましたか」

「ありました」

被告人は沈鬱《ちんうつ》に頷いた。その表情から、石嶺は無意識に目を逸《そ》らした。

「どんなメールでしたか」

「男とのやり取りでした」

「男。つまりそれは、浮気相手ですか」

「そうです。順番に読んでいけば、妻が浮気をしているのは明らかでした」

傍聴人がなにやらひそひそと言葉を交わし始めた。入廷したときから気づいていたが、被告人の親族のようだ。ひどい嫁だ、といったことを囁《ささや》き合っているのだろう。注意するほどではないので、そのまま放置した。

「あなたが怒りを抑えられなくなったのは、その瞬間ですか」

「まあ、そうです」

「で、奥さんを問い詰めたわけですね」

「はい。その夜は揺り起こそうとしても起きないので、諦めました。翌朝、ロックを解除してある携帯電話を突きつけて、どういうことかと訊いたんです。そうしたら、勝手に携帯電話を見るなんて卑怯《ひきょう》だとかなんとか、逆にこっちを責めるようなことばかり言うので、頭に血が上ってしまって……」

弁護人の誘導によって、被告人はそのときの心情を語っていく。話を聞く限り、情状酌量の余地はあると判断できた。おそらく、他のふたりの裁判官の意見も同じだろう。

そう冷静に考える一方で、一度芽生えた不安は消えずに心の底に残っていた。妻の不在、そして携帯電話。それはやはり、浮気の予兆の典型例なのだろうか。考えたくもない疑惑を植えつけた被告人を、石嶺は恨みたくなった。

その日の裁判を終え、事務仕事を片づけてから、いつもの時刻に帰宅した。「お帰りなさい」という妻の声には、なんの変化も感じられない。やはり考え過ぎなのだと、己の独り相撲を笑い飛ばそうとした。

玄関先まで出迎えに来た晴恵に、書類鞄《しょるいかばん》を渡した。その際に、三和土《たたき》に置いてあったサンダルに躓《つまず》き、少しよろけた。晴恵との距離が縮まり、ぶつかる前に踏みとどまる。瞬間、違和感を覚えた。

晴恵の体から、石鹼《せっけん》の匂《にお》いがしたのだ。愕然《がくぜん》として、晴恵の顔を正面から見つめる。だが石嶺は、なぜ妻の体から石鹼の匂いがするのか、そのわけを尋ねられなかった。予想できる最悪の事態を受け止める心の準備が、まだできていなかったのだ。だから内心の動揺を押し殺し、いつもどおりに行動した。本心を面に出さないのは、習い性になっているので難しくなかった。

この時刻に晴恵が風呂に入るようなことは、かつてなかった。夕食を摂ってから石嶺が風呂を使った後に、晴恵は入浴するのだ。だから石嶺の帰宅時に入浴を済ませているのは異例のことであり、そうする理由に見当がつかなかった。今は夏ではないので、例えば庭仕事などをしていて汗をかいたからシャワーを浴びた、という言い訳も成立しない。すると、想定しうる仮説は自ずと限られた。

黙々と食事をする妻を、石嶺は横目でこっそり見る。長年一緒にいるだけに、晴恵がまだ女性としての魅力を保っているのかどうかすらわからなくなっていた。だが、考えてみれば晴恵はまだ四十二歳なのだ。老《ふ》け込むには早く、世の中には三十代前半にしか見えない四十代女性が多いことも石嶺は知っている。そういう視点で見てみると、晴恵の年齢は不詳だった。少なくとも、大学生の息子がいるようには見えなかった。

石嶺は晴恵のことを、ごく平凡な女性としか思っていなかったが、若い頃はかわいい顔立ちをしていたのだ。晴恵と結婚したときは、同じ裁判官仲間にずいぶん冷やかされたことを今になって思い出す。晴恵の外見に惹《ひ》かれて結婚したわけではないが、容姿が結婚を決意させる大きな要因であったことは確かだ。それすらも忘れてしまうほど、すでに長い時間が経《た》っていた。

晴恵はまだ、女としての魅力で他の男を惹きつけることができるのか。石嶺には判断がつかない。晴恵は化粧気がないので地味な印象だが、それは家の中にいるからではないのか。外出するときは、きちんと化粧をして着飾るのか。もしかしたらそんな晴恵は、石嶺が見たこともない女に変貌《へんぼう》しているのかもしれない。妻に知らない一面があると想像するのは、足許が覚束《おぼつか》なくなるほど恐ろしかった。

今日の裁判を、否応《いやおう》なく思い出させられた。妻の浮気の予兆。あんな話を聞いてもなお、晴恵を疑わずにいるのは不可能だった。携帯電話を買ったことだけならまだしも、今日の石鹼の匂いは決定的だ。疑惑を抱えたまま、何食わぬ顔をして夫婦生活を続けていくことはできない。確かめなければならないと、石嶺は心に決めた。

携帯電話だ。するべきことはわかっていた。もしいきなりこんな疑惑を抱えたら、どうしていいかわからなかった。今日の被告人が、詳しい手順を教えてくれたようなものだ。感謝する気にはならないが、自分が幸運だったとは感じる。こんなことで運に恵まれたくはなかったが。

被告人は睡眠導入剤を使ったと言った。医師が処方する睡眠薬ではなく、もっと弱い薬が今は市販されているらしい。薬局になどついぞ行ったことがないから現物を見たことはないが、裁判を通して知識を得ることができる。人生の縮図である裁判にいくつも立ち会ってきた自分を、石嶺は特に世間知らずとは思っていなかった。

翌日、休憩時間に近くの薬局まで行って睡眠導入剤を買った。石嶺の異例の行動に事務官が驚くので、喉《のど》が痛いから薬を買ってきたと嘘の説明をした。睡眠導入剤を買ったと正直に言う手もあったが、内心の疚しさがそれを妨げた。

問題は、晴恵に睡眠導入剤を服ませる方法だった。石嶺はまったく料理をしない。食べ物に混ぜて、晴恵にだけ服ませるなどという芸当はできなかった。

考えても打開策がないので、夜間に晴恵が寝た後で冷蔵庫を開けてみた。すると、石嶺が口にしないものがいくつか見つかった。中でも、ヨーグルトは使えると判断した。晴恵は美容のためにでもヨーグルトを食べているのだろうか。まったく知らなかった。ヨーグルトに睡眠導入剤を入れるとして、次に確認しなければならないのは食べるタイミングだった。毎日昼食後に食べるのであれば、意味がない。風呂上がりがベストのタイミングなのだがと、石嶺は考えた。

次の日に、風呂から上がった晴恵の行動を素知らぬ顔で意識した。いつもなら書斎に籠って外には出ないのだが、そのときはあえてトイレに行った。そしてリビングに寄り、ダイニングテーブルに着いている晴恵の後ろ姿を見る。果たして、晴恵はヨーグルトを食べていた。

これでいい。石嶺は何かを成し遂げた気分になり、淡く微笑《ほほえ》んだ。なんのためにこんなことをしているのかを思い出すといささか暗い達成感ではあったが、石嶺は妻の〝素行調査〟に熱中していた。自らの手で調べるのがこれほどスリリングだったとは、今まで知らなかった。初めての体験に、子供のように興じていることを認めざるを得なかった。

そしてその次の日、晴恵が風呂に入っている間に、ヨーグルトに睡眠導入剤を仕込んだ。またしても、小暗い興奮を石嶺は覚えた。効き目は本当にあるのか。あの被告人が嘘をついていたのではないのか。不安と期待を胸に抱きながら、晴恵が寝るのを待った。いつになく集中力が落ちていて、読むべき書類の内容がなかなか頭に入ってこなかった。

念には念を入れて、深夜零時を過ぎるまで動かずにいた。じりじりする思いで時計の針が12に達するのを待ち、満を持して行動を開始した。まずは寝室に行き、晴恵が寝入っていることを確認する。晴恵は被告人の妻のように枕許《まくらもと》に携帯電話を置いているわけではないが、起きないことを確かめなければ部屋を漁《あさ》るわけにはいかない。布団の中にいる晴恵は、安らかな寝息を立てていた。その頰をあえてつついてみたが、まったく反応がない。思わず石嶺は笑みを浮かべた。

寝室を出て、晴恵の部屋に向かった。息子がひとり暮らしを始めたので空いた部屋を、晴恵は自分用に使っているのだ。携帯電話をすぐ見つけられるかどうかが不安だったが、鏡台の前に置いてあった。開いてみると、電源は入ったままだった。

自分では携帯を所有したことがないから、操作方法はまるで知らなかった。だから、事前に予習をしておいた。妻の使っている端末のメーカー名すらわからなかったので、まずはインターネットで根気よく画像を眺め、機種を特定した。機種が判明すれば、説明書をホームページからダウンロードすることができる。それを読み込み、受信メールの閲覧方法を会得《えとく》した。勉強をしてから事に当たるのは、昔から得意としていた。

だから、晴恵の携帯を手にして戸惑うことはなかった。晴恵は被告人の妻のように、指紋認証機能がある携帯端末を持っているわけではない。暗証番号でのロックすらかかっていなかったので、簡単にメールを見ることができた。世事に疎い石嶺には携帯など操作できないだろうと、晴恵は高を括《くく》っていたのか。舐《な》められたことが、石嶺は腹立たしかった。

メール一覧には、同じ名前がたくさん並んでいた。〝英〟の一文字だけでは、それが男からのメールか女からのものかは区別がつかない。最新のメールを開いてみるときには、さすがに手が震えた。今、引き返せない道に踏み出そうとしていることを、石嶺は強く感じた。

最新のメールは、《またね。お休み〜。》という短い内容だった。これだけでは何もわからない。わかるのはただ、今日もこの相手とやり取りをしていたということだけだ。

次のメールを開いた。

最新のメールから遡《さかのぼ》ったので、意味がよくわからなかった。いったん一覧画面に戻り、今日最初のメールを開き直す。すると、《今仕事終わったところ》という文章が目に入った。最後まで目を通して、相手が会社に勤めていること、つい先日も晴恵と会っていることが文面から読み取れた。しかし、〝英〟の性別はまだわからない。

これは女なのではないかという淡い期待を抱きながら、次のメールに進む。しかしそんな期待は、簡単に裏切られた。メールの主は〝おれ〟という一人称を使っていたのだ。《おれはいつだって会いたいよ》。誰に向かって出しているメールなのかと、現実を見失いそうになった。

次々とメールを見ていく。それは、妻の明らかな不貞を目の当たりにする作業だった。読んでも読んでも、それを否定する記述には行き当たらない。何か別の解釈ができるのではないかと必死に頭を働かせたが、どんなアクロバティックな仮説でも不貞以外の可能性を導き出すのは無理だった。

眼球が乾いているのに気づいて、自分が瞬《まばた》きしていなかったことを知った。人間は驚くと、瞬きすら忘れるのか。新たな事実の発見を新鮮と感じる自分は、明らかに現実逃避をしていた。何か違うことを考えて、精神の平衡を保とうとしているのだ。そうでなければ、今すぐ晴恵を叩《たた》き起こして詰問《きつもん》してしまいそうだった。

石嶺は現実を受け止めた。晴恵は浮気をしていたのだ。どんなに信じられなくても、動かしがたい証拠がここにある。証拠から事実を認定する作業は、石嶺が誇りとする仕事だった。

晴恵は寂しかったのか。結婚以来一度として推し量ったことがなかった妻の心境を、

石嶺は思った。裁判官の妻とはこういうものだと認識し、現実に適応してくれていると
ばかり思っていた。寂しいから浮気に走るなど、愚かな人間のすることでしかない。晴
恵がそうした類《たぐい》の人間でないことが石嶺の自慢だったのに、裏切るのか。石嶺の全面的
な信頼に背いて愚行に走ることに、晴恵はどんな意味を見いだしているのか。
人は愚かであると、裁判官という職業に就いていればいやでも認識する。これまで石
嶺は、数々の愚行を耳にしてきた。しかしその一方、愚かではない人間もいると知って
いた。自分がそうであるし、大半の検察官も愚かさとは無縁だ。晴恵もまた、同種の範《はん》
疇《ちゅう》に属すると思っていた。頭から信じて疑わなかった。
もっと知りたい。石嶺の裡で、強い欲求が芽生えた。晴恵の気持ちを知りたい。浮気
をした原因やきっかけを知りたい。相手がどんな男か知りたい。いつどこで会って、何
をしているのか知りたい。希求の念はあまりに強く、石嶺の体を食い破らんばかりだっ
た。
だから石嶺は、〝英〟のメールアドレスと電話番号を書き取ることにした。これが、
知るための最初の手がかりだった。

6

山名はどうしても、七年前の捜査手法が気になった。担当刑事である伊佐山は、元からあまり評判がよくなかった。己の勘を恃《たの》み、特に証拠もなく目をつけた相手を精神的に追いつめて自供させる。昔ながらの刑事の生き残りであり、それはそれで貴重な人材ではあるのだが、やり過ぎとの声も多く聞かれた。これまでに明らかになっている冤罪《えんざい》事件の大半は、担当刑事の見込み捜査が原因となっている。江木の事件は違うとは、山名は断言できなかった。

だから、次に何をするかと小西に聞かれたとき、七年前の事件の洗い直しをしたいと言った。すると小西は、顔色を変えて抗議した。

「そりゃどうしてだ。江木の事件は、最高裁まで行って有罪が確定してるんだぞ。それを刑事であるあんたが、なんでいまさら蒸し返さないといけないんだよ。あんたは人権団体の回し者か」

小西の激烈な反応に、山名はいささか戸惑った。江木を逮捕したのは伊佐山であって、小西ではない。だから小西にしてみれば他人事だろうと思っていたが、どうやらそうではなかったらしい。そのときの捜査本部に加わっていた者のひとりとして、当時の捜査に疑義を差し挟まれるのはプライドを傷つけられるに等しいのだろう。所轄刑事の感覚を理解していなかったことを、山名は悔いた。

「小西さん、冷静になってください。小西さんが腹を立てるのはわかりますが、七年前の事件が冤罪であったかどうかではなく、江木の動機の強さを我々は知る必要があるのです。今回の事件の発端は、七年前の事件にあるのですから」

「江木の動機の強さなんて、もう充分わかったじゃないか。一家がばらばらになったことを、江木は逆恨みしてるんだろ。これ以上、何を知りたいって言うんだ？」

そう反論されると、うまく言い返せなかった。己の心に正直になれば、結局のところ、伊佐山のような旧態依然とした捜査をする刑事に対する苛立《いらだ》ちがあることに気づく。伊佐山がきちんとした捜査をしていれば、今の悲劇は生まれなかったのだという憤りが、確かに自分を動かしているのだった。

「わかってください。決して当時の小西さんたちの捜査にケチをつけようというんじゃないんです。七年前の事件を調べ直すことで、今回の事件に繋がる何かが得られるのではないかと期待しているだけなんですよ」

「おれはそうは思わないね」

小西は言って、唾《つば》を地面に吐き捨てた。それは一課刑事に対する所轄刑事の反感というよりは、小西個人が山名に向ける嫌悪《けんお》に見えた。

「あんたは当時の資料を読み直したじゃないか。それでいいだろ。あのときの江木のことなら、おれたちが丸裸にしたよ。全部資料に書いてある。あんたひとりが今になって動いて、何ができると思ってるんだ」

「それはわかりません。でも、必ず何かが見つかるとわかってないと、捜査しちゃいけないんですか。そんなことじゃ、見つかるものも見つからないでしょう」

相棒とはうまくやっていきたいという気持ちがあるが、一方的に言われるままではいられなかった。小西は感情でものを言っている。そんな感情論に言い負かされるわけにはいかないのだ。

「だったら、まずは報告して上の判断を仰いでからにしろよ。おれは上からの命令じゃないと、これ以上あんたに付き合えないからな」

小西は完全に臍《へそ》を曲げた体《てい》で、横を向いた。やむを得ない、と山名も諦める。解決済みの事件を洗い直すなら、小西が言うとおり上の許可がいるだろう。一度捜査本部に戻ることに、異存はなかった。

捜査本部が置かれている講堂に詰めていた係長に、今日の成果を報告した。そして、七年前の事件を調べ直してみたいという希望を伝える。渋い顔でそれを聞いていた係長は、一存では答えられないから待っていろと告げて、講堂を出ていった。おそらく、直属の上司である管理官と相談するのだろう。

三十分あまり、小西とはひと言も口を利《き》かない息苦しい沈黙の中で待った。ようやく戻ってきた係長は、やはり管理官と一緒だった。そして山名たちを呼び寄せると、先ほどの続きのような渋い顔で言った。

「七年前のことは、いまさらほじくるな」

「どうしてですか！」

思わず、声が大きくなった。個人的感情で反対している小西はともかく、大局的に捜査方針を判断する上層部ならば、七年前の事件の洗い直しが必要であることは認めてくれるはずと思っていたのだ。まさか差し止められるとは、予想もしていなかった。

「必要がないからだ」係長は不愉快そうに答えた。「ホンボシは江木で、九分九厘《くぶくりん》間違いない。だったら昔の話を蒸し返すのではなく、江木の今の居所を捜し出せ」

「しかし――」

「命令だ」

ぴしりと言われて、口を噤《つぐ》まざるを得なかった。上からの命令には逆らえない。刑事は、たとえ本部の捜査一課に所属していようと、事件を捜査する歯車のひとつでしかないのだ。

山名はうなだれ、拳を握り締めた。上層部の真意はわかった。七年前の事件が冤罪であれば、それは県警の汚点だ。ならば明らかにするのではなく、極力隠蔽《いんぺい》しておきたいに違いない。お馴染みの組織防衛。警察の理屈を、山名は忘れていた。

得意げな顔をしているであろう小西には、目を向けたくなかった。「わかりました」と答え、係長たちの前を離れる。パイプ椅子に腰を下ろした山名に、小西は近づいてこなかった。

もはや山名は、七年前の事件が冤罪であったとほぼ確信している。その根拠は状況証拠ばかりだが、そもそも七年前の事件が状況証拠だけで有罪になったのだから、似たようなものだ。江木は自分を誤認逮捕した警察と、それに追随した判決を下した日本の司法システムに、人生を壊された。せめて山名だけは、その事実を潔《いさぎよ》く認めようと思った。

やってもいないのに自供してしまう人は、はっきりノーと言えない気が弱いタイプだという。おそらく江木も、そうだったのだろう。そんな人が、復讐のために三人の人間を殺した。その極端な豹変《ひょうへん》ぶりが、山名には恐ろしく感じられた。どれだけの絶望を味わえば、人はそこまで変貌するのか。考えたくても、想像が及ばなかった。

廊下の向こうに、婦人警官が顔を出した。こちらを見て、県警本部捜査一課の山名かと確認してくる。そうだと認めると、電話が入っていると告げた。相手は愛媛県警だとのことだった。

それを聞いて、山名は不吉な予感を覚えた。愛媛の松山は、江木の事件を担当した裁判官のひとりが赴任している地なのだった。

「山名と申します」

刑事部屋に行って、受話器を取り上げた。相手は自分の所属を名乗り、「田中義治《たなかよしはる》さんをご存じでしょうか」と問うてくる。田中義治は、電話しても摑まらなかった裁判官だった。

「名前だけは。田中さんがどうしたのでしょうか」

逸《はや》る気持ちを抑えて、冷静に尋ね返した。対照的に相手は、のんびりした口調で応じた。

「亡くなられたのですよ。事故で」

「なんですって！」

また事故なのか。それが、山名の心に最初に浮かんだ言葉だった。

7

裁判官として石嶺は、これまでいくつもの夫婦間トラブルを目の当たりにしてきた。そのほとんどは、第三者からするとくだらないのひと言で済むような類の揉《も》め事だった。たいてい、どちらかの愚かさに起因している。夫も妻もともに賢ければトラブルなど起きないというのが、長年の経験に基づいた結論だった。

だから、自分たち夫婦の間にはトラブルなど起きないはずと頭から思い込んでいた。自分は言うに及ばず、晴恵も賢い人間だからだ。女性としての魅力についてはどうだかもはやわからないが、頭がいいことは間違いない。していいことと悪いことの区別は、厳然とついているはずだった。

晴恵は独身時代、裁判所で事務官として働いていた。つまり、裁判官の仕事にまったく無知な状態で結婚したのではなく、最初から全容を知っていたのだ。裁判官の妻は、誰でも務まるものではない。三、四年周期で転勤があるのでひとつところに腰を落ち着けることができず、親しい友達もなかなか作りづらい。その地域で馴染んだ人がいても、いずれは縁が遠くなってしまうのだ。加えて、夫は仕事について家庭で語ることができない。裁判官に課せられた守秘義務は、たとえ家庭内といえども破るわけにはいかないのである。つまり夫は、必然的にあまり話題が豊富ではない人となってしまう。

それだけでなく、外に働きに出ることも控えなければならない。裁判官の妻だと知られれば、絶対に好奇の目に曝《さら》される。夫が社会性の高い事件、例えば芸能人が被告人となっている裁判などを担当したならば、口さがない主婦たちは寄ってたかって裁判官の妻を質問攻めにするだろう。そんな事態を避けるためにも、妻は社会との接点を極力少なくしておく必要があるのだ。

列記すれば、かなり過酷な条件だということがわかる。こんな生活は願い下げだと考える若い女性は、きっと多いことだろう。しかし晴恵は、すべて承知した上で石嶺と結婚したのである。話が違う、などという抗議はいっさい受けつけられない。

石嶺は若い頃、社会性を身につけるためにも絶対に結婚したいと思っていた。今はどうだか知らないが、当時は結婚して一人前という風潮があったのだ。だからいずれ、上司の世話になって見合い結婚でもしようと考えていた。普通の恋愛結婚など、自分には不可能なことと最初から諦めていた。

ところが見合いをするまでもなく、晴恵と知り合った。晴恵は裁判官の仕事を熟知しているし、事務官の仕事が勤まるほど頭もいい。当然口は堅く、しかも顔立ちもそこそこかわいかった。申し分ない相手だと思い、結婚に踏み切ったのだった。

石嶺は恋愛感情というものがよくわからなかった。好きで好きでたまらなく、熱意で晴恵を押し切った、とはとうてい言えない。理詰めで考えて晴恵が最も妻にふさわしかったから選んだまでで、他にもっと条件がいい相手がいればそちらでもよかった。たまたま晴恵も石嶺との結婚になんらかの利点を見いだしたと思われるから、利害が一致して結婚に至ったのである。その意味では、恋愛結婚と称するのもかなり違う気がした。

石嶺は晴恵の性格を理解していたから、安心して仕事に専念できた。ほとんど子育てには関われなかったが、自分はそれ以上に社会貢献度の高い仕事をしているのだからやむを得ないと考えていた。もちろん晴恵もそれは承知していたため、文句のひとつも言わなかった。石嶺は未だに、晴恵は自分にとって最高のパートナーだと思っている。その気持ちは、つい数日前まで微塵《みじん》も揺らいでいなかったのだ。

それなのに、と頭の中で繰り言が乱舞する。それなのにどうして、晴恵は愚かな振る舞いに及んだのか。石嶺に対する不満があったとは思えない。同年代のサラリーマンとは比較にならない高給を家庭にもたらしていたし、仕事で失敗したこともない。これほど優秀な夫はなかなかいないだろうと、胸を張って言うことができる。まさか不倫相手は、石嶺よりもさらに優秀な人間なのだろうか。それならばまだ納得がいくが、しかしその可能性は低いとわかっていた。浮気など、愚かな人間がすることだからだ。

頭が薄いからか。真っ先に考えたのは、それだった。自分が頭髪の量を気にしすぎているという自覚は、石嶺にもある。世の中に同種の悩みを持つ男は多く、中には堂々と振る舞っている人もいるのは承知していた。それでも石嶺は、頭の薄さは自分の唯一の弱点と考えていた。髪の毛さえあれば人間として完璧《かんぺき》なのに、自分の意思ではどうにもならずに生え際《ぎわ》が後退している。そして、それをコンプレックスと感じていることを他人に悟られるのも屈辱だった。だから植毛や鬘《かつら》などの手段に頼ることもできず、髪が漸《ぜん》減《げん》する様子を人目に曝してしまっている。晴恵はこんな夫がいやだったのだろうか。

あまりの悔しさに、歯を食いしばった。頭が薄いのは、石嶺の落ち度ではない。容姿の変化を問題視するなら、晴恵だって若いときとはかなり違っているではないか。自分は夫のことを非難できるほど若いままでいるのかと、語彙《ごい》の限りを尽くして罵《ののし》りたかった。

空《むな》しいと思った。そんなことを考えるのは、あまりに無意味だ。それだけでなく、我が身を切り刻むほど辛い。現実逃避と言われようとも、このことからは目を逸らしたかった。頭髪が原因ではなく、何か他に晴恵を浮気に走らせた理由があるのだと考えてみることにした。

寂しかったのか。ありがちな結論だが、その推測は安全だった。寂しかったから、という言い訳はうんざりするほど何度も法廷で聞いてきた。妻という生き物は、夫にかまわれないと必ず浮気するものだと決まっているかのようだ。しかし、そんなことがあるはずがない。仕事で忙しいのは石嶺だけではなく、世の中の大半の男も同じだろう。だとしたら、世の中の大半の妻が浮気をしているという理屈になってしまう。実際はそうでないのだから、寂しいという理由で不倫に走ることに正当性は見いだせない。

それでもやはり、寂しかったからという結論で納得したかった。頭ではわかっている無味乾燥な生活も、実際に体験してみると耐えきれなかったのだろう。結婚して二十年、晴恵は従順に尽くしてくれた。ようやく息子は手許から離れ、ひとりで家にいる毎日を送ることになると、残っていたのは殺伐とした日常だけだったのかもしれない。そこに何者かが、つけ込んだ。あまりにもありきたりだが、それだけに普遍性のある構図だった。

不思議なのは、自分があまり腹を立てていないことだった。屈辱には感じたが、晴恵に対して憤っているわけではない。戸惑いが先に立って怒りを忘れている、というわけでもなさそうだ。戸惑っているのは事実だが、その裏に怒りがあるとは思えない。あるとしたら、妻の不貞そのものにではなく、晴恵の愚かさに対してだった。妻の愚かな振る舞いは、たちまち石嶺に跳ね返ってくる。それが迷惑なだけであり、晴恵が他の男に気持ちを向けていることには心が波立たなかった。

ともかく大切なのは、裁判官としての信用だった。これが損なわれることだけは、なんとしても避けなければならない。離婚など論外だった。裁判官に離婚は許されない。もちろん妻と別れる裁判官も世の中にはいるが、石嶺には不可能だ。職業倫理に忠実であるなら、身辺のスキャンダルは許されることではない。

だから、晴恵に愚かな行為をやめさせる必要があった。きっぱりと男と手を切れば、いっさいを不問に付してやる。石嶺は決して狭量な人間ではない。裁判においても杓子定規に法律をあてがうのではなく、情を交えた判決をいくつも出してきた。妻の浮気を許してやれる男が、世間にどれだけいるだろう。罪を憎んで人を憎まずという精神は、裁判官にとって非常に大事だった。

とはいえ、晴恵にいきなり浮気の事実を突きつけるのは愚策と思えた。そうしたやり方をきっかけに、諍《いさか》いが泥沼化する事例を石嶺はいくつも知っている。機嫌を取る必要はないが、晴恵を追いつめてはならない。法廷で見聞きしたいくつもの先例を反面教師にして、慎重に行動すべきだった。

そのためには、データが必要だった。データが揃《そろ》っていない状態では、何も判断できない。まずは不倫相手のことを知り、それから対策を練ればいい。感情のままに振る舞うのは、愚の骨頂だった。

残念ながら石嶺には、自由に動ける時間がなかった。裁判官としての激務をこなしながら、不倫相手を突き止めるような真似《まね》はできない。ならば、人を雇うしかないだろう。幸い、これまで扱った事件の中で、こうした浮気調査を請け負う探偵を何人も見てきた。その中には、優秀と思える人材もいた。信頼できる相手を選び、調査を依頼する。それが、石嶺が選べる最善の策だった。

一日だけ、仕事を一時間早く切り上げた。書類に目を通すスピードを上げれば、一時間くらいは捻出《ねんしゅつ》できる。もともと無駄のない一日を送っていたのでそこに一時間の暇を作り出すのはかなり難しかったものの、石嶺はやり遂げた。手を抜く気はなかったから、脳がへとへとに疲れ果てるほど集中して仕事に打ち込んだ。

そして官用車を使わないで退庁し、選んでおいた探偵事務所を訪問した。事前に電話してあったので、探偵はすぐに石嶺を迎える。あまり家賃が高そうではない雑居ビルの一室で向き合った探偵は、四十代後半ほどの平凡な容姿の男だった。だが目つきは鋭く、注意力はありそうだ。石嶺がこの地に赴任してきたばかりの事件で一度、証人として法廷に立っただけだから、そのときの裁判官の顔など憶えていないだろう。そう考えて、自分の職業は伏せて今日の予約を取った。

　石嶺は自宅の住所を探偵が差し出した用紙に記入し、晴恵の写真も預けた。携帯電話をチェックして知った、〃英〃の電話番号とメールアドレスも渡す。探偵は特に感想を差し挟むでもなく、適宜《てきぎ》質問をしながら石嶺の依頼に耳を傾けた。その質問が的確だったので、この探偵を選んだ判断は間違っていなかったと石嶺は改めて思った。

「失礼ですが、石嶺さんのご職業を伺ってもいいですか」

　探偵は慇懃《いんぎん》にそう尋ねた。石嶺は用紙の記入欄を指差して、強調する。

「会社員ですけど。ここにもそう書いてますよ」

「いや、それは違うでしょう。嘘をつくってことは、まだ裁判官ですか。弁護士に転職したりはしてませんね」

　石嶺の顔を憶えていたのか。指摘されて、動揺が面《おもて》に出そうになった。優秀だからこの探偵を選んだのだが、もしかしたら優秀すぎたのかもしれない。

「裁判官の奥さんは大変だという話は、小耳に挟んだことがあります。まあ、そんなにいやな顔をなさらないでください。お客さんの秘密は、ちゃんと墓場まで持っていきますから」

　探偵はそう言うと、にやりと笑った。石嶺は無表情を貫いたが、心の奥まで見透かされている気がした。

松山からの電話によれば、田中義治は交通事故で死亡したとのことだった。ジョギング中に車道に飛び出し、通りかかったトラックに轢かれたという。それを聞いて山名は、ただの事故であるはずがないと考えた。田中義治の死亡状況は、伊佐山の死とそっくりではないか。偶然の一致でないのは明らかだった。

8

「ところで、どうして私に連絡をくださったのでしょうか」

肝心な点を確認してみた。すると相手は、不思議そうな声を出す。

「それはこちらが伺いたいことでした。今日山名さんは、田中さんの安否を確認する電話をかけていますよね。電話を受けた裁判所の人が、そのことを憶えていたのです。ちょっと気になりまして、念のためにお知らせしたのですけど」

「そうでしたか。ではお話ししますが、その事故は単なる自動車事故ではなく、殺人の可能性があります」

「は？　なんですと？」

相手の警察官は、素《す》っ頓狂《とんきょう》な声を上げた。ぽかんとする顔が目に浮かぶような驚きぶりである。しかし、それも無理はない。山名は詳しい事故の状況すら聞いていないのだ。

にもかかわらず殺人の可能性に言及されれば、面食らうのは当然だった。

「ご説明します。少し長い話になりますが、よろしいですか」

「はあ、かまいませんが、どうぞ」

戸惑いを隠さずに、相手は促す。山名は事の起こりから語って聞かせた。相手は終始、唸《うな》りっぱなしだった。

「それはまた、なんとも……。いやぁ、それは大変なことですなぁ。いやぁ、どうしたことか……」

山名の話があまりに重大すぎて、受け止めきれずにいるようだった。相手は所轄署の一刑事だという。単なる確認のつもりで電話をしてみたところ、大量連続殺人に繋がってしまい思考が停止したのだろう。この人に何かを求めても無駄だと、山名は判断した。

「今お話ししたことを、上の人に伝えていただけますか。必要とあれば、こちらからいくらでも資料をお送りします。もし可能なら、私もそちらに向かいたいと思います。いずれにしても、一刻も早い対応をお願いします」

「わ、わかりました。ではさっそく」

相手は慌《あわ》てて電話を切った。山名も、受話器を放り投げるようにしてその場を離れた。講堂まで駆け下り、先ほどやり合った係長を摑まえる。血相を変えて飛び込んできた山名を見て、係長は少し面倒そうに「どうした」と訊いた。山名はひとつ小さく息を吸ってから、一気に言った。

「裁判官がやられました。江木の事件を担当していた裁判官です。松山です」

「なに？　それは本当か」

係長は椅子を倒して立ち上がる。横に坐っている管理官も目を剝《む》いていた。

「残念ながら、本当です。電話で聞いただけなので詳細はわかりませんが、トラックに轢かれた事故死に見えるとのことです。しかし、事故のわけがありません。死亡状況は、伊佐山刑事の場合と似ています」

「その裁判官は、本当に江木の裁判を担当した人なんだな」

係長はなおも信じられずにいるようだ。同じ県内の話ならばともかく、松山まで飛び火してしまうと非現実感が強いのだろう。山名は管理官に目を転じ、強い口調で申し出た。

「私を松山まで行かせてください。こちらのヤマとの関連性を、早急に確かめる必要があります」

「そうだな。誰かを行かせる必要があるようだ。行くならお前だな」

管理官の決断は早かった。礼を言う筋合いではないが、山名はその果断さに敬意を表して頭を下げた。

「ありがとうございます」

「課長にも相談する。取りあえずお前は、事故状況の詳しい報告書を松山からもらっておけ。その間に出張の手続きをする」

「わかりました」

「それ、私も行かせてください」

不意に後方から、声が割って入った。立候補したのは、意外にも小西だった。小西は近づいてくると、管理官に直談判《じかだんぱん》した。

「出張ならもうひとり行く必要がありますでしょう。山名さんの相棒は、私です。私に行かせてください」

「わかった。考えておく」

管理官は頷くと、係長を促して席を立った。このまま県警本部まで戻り、上層部と対応を検討するのだろう。ふたりが出ていってから、山名は小西に向き合った。

「もう私と一緒に動く気はないのかと思ってましたよ」

「あんたの考えてることは気に食わないさ」小西は肩を竦める。「でも、仕事なんだから好き嫌いを言っていられる状況じゃない。それに、おれは伊佐さんのことが嫌いじゃなかったからね。少しこだわりたいのさ」

小西は山名に目を向けた。それは、なおも山名の心底を疑うかのような目つきだった。

「あんたが伊佐さんに悪い印象を抱いているのはわかるよ。そう言われても仕方のない面が伊佐さんにあったのは、おれも認める。でもな、あの人は悪い人じゃなかったんだ。仕事のやり方が強引だっただけで、悪徳刑事ってわけじゃない。ヤクザと馴れ合ったり、どっかの企業から金もらって目こぼししたりとか、そういうことはぜんぜんしてないんだ。ごく真っ当な刑事でしかなかったんだよ。そんな人がどうして殺されなければならなかったのかと考えると、おれはどうにも腹が立ってしょうがないんだ」

肚《はら》に溜《た》めていたものを吐き出すような、小西の言葉だった。小西には小西のこだわりがある。それは、山名も尊重したかった。

「わかります。私も伊佐山刑事が殺されて当然の人だったなどとは思っていません」

「そうか。それならいいんだ」

小西は軽く手を振って、山名に背を向けた。それきり、交わすべき言葉は見つからなかった。

以後は、松山に持っていくべき資料の整理に忙殺された。何しろこちらは、七年前の事件まで含めて四件分の事件を説明しなければならない。資料の枚数は、最小限に抑えてもそれなりの量になった。小西の手伝いがなければ、短時間でまとめることは難しかっただろう。

課長の許可が出てすぐに、松山までの航空券を買った。夕方に出発し、飛行機を乗り継いで松山に着いたときには午後七時半を回っていた。強行軍なので、さすがに疲れを覚える。しかし、休んでいる暇はなかった。空港からそのままタクシーで、事故を処理した所轄署に向かった。

事故は交通課から刑事課に回されたとのことだった。所轄署に着いてすぐ、山名たちは刑事課長と面談した。会議室で、交通課の人が詳しい事故状況を話す準備をしているという。待っていた若い警察官は、幾分緊張過多の様子でホワイトボードを使って説明した。

「現場は一本道ですが、蛇行しているので、あまり見通しはよくありませんでした。加害者であるトラック運転手の主張によると、カーブを曲がり終える頃に不意に被害者が路上に飛び出してきて、とっさにブレーキを踏んだものの、間に合わずにぶつかってしまったとのことです。ちょうどこの辺りです」

ホワイトボードに描かれた曲線の一部分を、警察官は指差す。山名たちが頷いたのを確認してから、警察官は話を進めた。

「このように、車道と歩道は分かれていましたが、この辺りはガードレールの切れ目でした。なぜ被害者が車道に飛び出したかは、まだ不明です。トラック運転手の説明によれば、被害者はよろけていたように見えたとのことでした。ですから車道を横切ろうとしたのではなく、何かに躓いて車道に出てしまったのではないかとも推測されます」

「同じだ」

声を発したのは小西だった。警察官は戸惑ったように言葉を切ったが、刑事課長が何も言わないのでそのまま続けた。

「トラック運転手はその場から一一〇番通報をし、救急車が現場に駆けつけましたが、ほとんど即死の状態でした。カーブですからスピードはさほど出ていませんでしたけれども、運悪くタイヤが体に乗り上げてしまったのです。死因は解剖待ちですが、内臓が破裂しているのではないかと思われます」

「よろしいですか」

ここで山名は手を上げた。警察官は堅苦しく、「どうぞ」と促す。

「トラック運転手は、被害者が何者かに突き飛ばされたと主張していませんか？　現場に、別の人物がもうひとりいたということはありませんか」

「いえ、そういう話はしていません。ただ、運転手は動転していたと思われるので、その場に第三者がいても気づかなかった可能性はあります」

こちらの意を汲《く》んだようなことを、警察官は言う。だがそれは、単なる推測でしかなかった。

「現場は一本道と言いましたね。人通りは多いんですか」

「多くはありませんが、めったに人が通らないという道路でもありません。松山では一般的な、生活道路です」

「ならば、目撃者が見つかる可能性がありますね」

「いいえ、残念ながら目撃者はいません」

「そうじゃない。事故の、ではなく、ホシの目撃者です」

山名は言って、資料の山から江木雅史の写真を取り出した。それを刑事課長の前に置く。

「これが、お話しした容疑者です。事故は午前十一時頃でしたね。だったら、現場近くでこの男を見た人がいるかもしれない。ぜひ、重点的に聞き込みをお願いします」

「わかりました」

刑事課長は硬い顔で、写真を受け取った。まじまじと江木の顔を見ると、ひとつ小さく頷く。特に感想はなかった。

江木はまだこの松山にいるかもしれない。今すぐにでも外に飛び出して江木を捜し歩きたい気持ちを、山名はなんとか抑え込んだ。

9

一週間後に、探偵から連絡が来た。依頼は一週間の調査だから、成果があってもなくても報告は来る。裁判所を退庁して探偵事務所に向かう道すがら、石嶺は晴恵の浮気相手を突き止めたいのかそうでないのか自問してみたが、よくわからなかった。うまく自己分析できないことなど、初めての経験だった。

事務所で向かい合い、型どおりの挨拶を交わすとすぐに、探偵は大きく引き伸ばした写真を封筒から取り出した。それを奪い取るように受け取り、目を凝らす。なるほど、と納得がいってしまった。

「相手はこの男です」

写真に写っていたのは、郵便配達夫だったのだ。

世間との接点が少ない晴恵がどうして浮気などできたのか、石嶺はずっと不思議だった。カルチャースクールやフィットネスクラブに通っているとでもいうのなら、そこで知り合ったのだろうと見当がつく。しかし家とスーパーマーケットの往復でしか外出しないような晴恵が、浮気相手を見つけるのはかなり困難なはずだった。よくある出会い系サイトでも使っていたのかと、苦々しく推測していたのである。

郵便配達夫と浮気とはなんとも古典的だと思ったが、裁判官の妻には似つかわしいかもしれないという皮肉な感想も浮かんだ。写真に写る男は特に若くはなく、顔立ちが整っているわけでもない。ただ、頭髪には不自由していないようだった。晴恵はそこを気に入ったのだろうかと考えてしまったが、そんなわけはないと自ら否定して苦笑する。要は晴恵は、石嶺以外の男であれば誰でもよかったのだろう。そんなに外に出たかったたのかと、いまさらながら愕然とする思いだった。ならば言ってくれればよかったのにと文句を並べたところで、詮《せん》ないことでしかない。言えるようなら、そもそも浮気などしなかっただろうからだ。

「写真だけでなく、相手の住所氏名、家族構成、年齢、職場での地位まで調べておきましたよ。報告書にまとめてありますが、口頭でご報告しましょうか」

探偵は無表情なまま、淡々と言った。事務的に話を進めてくれるのがありがたい。ここで薄笑いのひとつでも浮かべられたら、おそらく石嶺は一生この探偵を許さなかっただろう。読み上げる必要はないと断り、石嶺は探偵が差し出す報告書に目を通した。

浮気相手は三十七歳の独身男だった。写真で見るよりは若い。晴恵よりも五歳年下だ。石嶺とは十一歳も違う。その年の差に、自分でも思いがけないほどの苛立ちを覚えた。石嶺が三十七のときにはすでに髪の量を心配していたと思い返せば、ますます相手が許せなく感じられた。

せめて相手が独身でよかった。向こうも既婚者であれば、話が倍ややこしくなる。独身ならば手心を加えてやる必要はなかった。

見事な仕事ぶりに礼を言い、安くはない報酬を支払って事務所を後にした。やはりこの探偵は優秀だった。仕事内容だけでなく、今後の口の堅さにも期待したいところだった。

帰宅して、持ち帰った仕事を片づける傍ら、今後のことを考えた。この資料を晴恵に突きつけ、男と別れるよう促すべきだろうか。しかし、晴恵が男と手を切るとは限らないと思えば、恐れが先に立つ。晴恵は石嶺を捨て、男の許に走るかもしれないのだ。愚かな選択だと石嶺は思うが、人が知性にだけ基づいて行動するわけでないことは裁判を通じて熟知している。すでに馬鹿《ばか》な振る舞いをしている晴恵がこの先、理性的に判断するかどうかは心許なかった。

男の側に働きかけるのはどうか。浮気相手の夫が気づいたと知れば、腰が引けるのではないか。たいていの場合はそうだろう。だが、それでも晴恵が引き下がらなかった場合はどうなる？　やはり晴恵は開き直り、石嶺との別れを望むかもしれない。それでは同じことだった。

裁判官である石嶺に、離婚など許されないのだ。裁判官は常に、国民の手本となるような品行方正な人生を送らなければならない。昨今は犯罪に該当する行為でマスコミを賑《にぎ》わす愚劣な裁判官も現れるようになったが、そんな輩はもともと適性がなかったのだ。石嶺のように裁判官になるべく生まれついた人間は、一点の染みもない綺麗《きれい》な人生を歩まなければならないのだった。

離婚は、純白の人生に汚点を残す。是が非でも避けなければならない。晴恵を自暴自棄にさせる危険は冒せなかった。

となると、晴恵が自主的に男と別れたくなる状況を作るしかない。どうなれば晴恵は男と手を切るか？　男に飽きたときか。しかし危険な遊びを覚えたばかりの晴恵が、そう簡単に飽きるとは思えない。ならば、男がろくでもない人間だったと知ればいいのではないか。男の正体を知ってもなお追いかけるほど、晴恵が愚かでないことを期待しよう。

とはいえ探偵の報告書を読む限り、郵便配達夫はなかなか真面目《まじめ》な人間のようだった。前科はなく、仕事上でも問題を起こしたことはない。格別の出世が望めるタイプではないものの、ごく平均的な市民のひとりだと評価できる。少なくとも報告書上では、人間的欠陥は見つけられなかった。

困ってしまった。いっそ、男が遊び人の方がよかった。真面目な男が、真面目な女と一世一代の過《あやま》ちを犯した。互いに思い詰めていれば、引き裂くのはたやすくないだろう。石嶺は郵便配達夫の真面目さを激しく憎んだ。真面目さは本来好ましいことであるはずなのに、それが石嶺の人生を壊しかけている。その皮肉が、無性に腹立たしくてならなかった。

男に欠陥がないなら、作り上げるしかないか。その結論に達するまでには、さほど時間はかからなかった。思いの外《ほか》に罪悪感はない。罪をでっち上げるといっても、これは本来の意味での冤罪とは違う。冤罪とは、無実の人が罪を着せられることを言うはずだ。

郵便配達夫は、罪がない人とは言えない。罰を問えない罪を犯しているのだから、そんな人に正当な罰を与えるのはむしろ正義の行為ではないか。まさにこれは裁判官の仕事だと、心を強くした。

石嶺は計画を練った。幸い、あらゆる形の犯罪に精通している。これまで見聞きしてきた多くの事例を検証し、郵便配達夫にふさわしい罪を探し出すのだ。計画を完成させるまでには一時間余りの時間を要してしまったが、それが遅いのか早いのか、石嶺の知識では判断できなかった。

翌日から、準備に取りかかった。仕事は極力休みたくないから、勢い退庁後にひとりで動く時間が必要になる。官用車の運転手は長年の慣習を崩し始めた石嶺を不審に思っているかもしれなかったが、何も言いはしなかった。運転手の賢さを、石嶺は評価した。

まず必要なのは、ビデオカメラだった。それも長時間の撮影をする必要がある。最初はノートパソコンにカメラを接続してハードディスクに画像を記録しようかと考えたが、バッテリーの持続時間が不安だった。調べてみたら、市販のビデオカメラでも今はかなり長時間撮影が可能になっていることがわかった。問題のバッテリーも、大容量のものを別途買えば望むだけの時間、稼働《かどう》し続ける。パソコンにカメラを接続するよりも出費が大きくなるものの、背に腹は代えられなかった。

家電量販店で、できるだけ小型のビデオカメラを買った。そしてそれを、官舎の空き家になっている部屋の郵便受けに仕込む。使われていない郵便受けは数字錠で施錠されていたが、金属のこぎりを使って無理矢理開けた。代わりに自分で用意した数字錠で閉じておけば他の人が開ける心配はなくなるから、かえって好都合だった。

カメラのレンズが郵便受けの蓋《ふた》の方に向くように設置すると、隙間《すきま》から前を横切る人の姿が撮影できるようになった。予想していたよりも遥《はる》かに鮮明に映ることに、石嶺は驚いた。

カメラ設置の目的は、郵便配達夫が何時頃に配達に来るかを知ることだった。担当地区は決まっているはずだから、日によって配達時刻が大きく変わることはないと予想する。数日撮影を続けると、その予想が当たっていたことが判明した。郵便配達夫がやってくるのは、午後二時二十分前後。律儀な仕事ぶりが、石嶺の目的には合致していた。真面目な人間は、その真面目さによって足を掬《すく》われればいい。石嶺は生真面目に、そう考えた。

10

最後のひとりとなった石嶺も危ない。それは漠然とした危険性ではなく、はっきりとした脅威だ。石嶺の赴任先の警察に協力を求め、警備を依頼すべきかもしれない。だがそこまで大がかりなことは、一介の刑事に過ぎない山名にはできなかった。事件が広域化したことが、今はもどかしくてならない。

できるのはただ、もう一度警告しておくことだけだった。刑事部屋の電話機を使い、石嶺に再度連絡をしてみる。田中の死亡を伝えても、石嶺は以前と同じように落ち着いていたが、なぜか心ここにあらずといった対応だった。命の危険が迫っているのに、それを実感できないのだろうか。裁判官という人種の感覚が、山名にはよくわからなかった。

「これは絵空事ではないのですよ。おわかりですか。江木の裁判に関わった人が次々殺されていることに、もう間違いはありません。次に狙われるとしたら、あなたかもしれないんですよ」

「おっしゃることはわかってます。ですが、前にも言いましたように、私は官用車で自宅と裁判所を往復しています。その途中で襲われる可能性は、かなり低いです。だから私に関しては、さほど案じる必要はないと推測しているのですが」

石嶺はそんな返事をする。理屈で考えているから、恐怖を覚えないのだろうか。ならばと、谷沢の最期《さいご》について話してやる。

「検察官の谷沢さんは、自宅にいるところを襲われました。ですから、自宅にいれば安全とは言い切れないのです。防犯対策は万全ですか」

「官舎ですから。一般の住居に侵入するのとは、わけが違います」そう応じて石嶺は、まるでやり取りに煩わしさを感じているかのように話を変えた。「ともかく、私に関しては充分に警戒しています。ご警告には感謝しますが、これ以上できることはありません。地元の警察にでも、私の警備を要請していただけるとありがたいです」

「それは、上から話を通してもらうつもりです」

「なら、充分です。もうよろしいですか。忙しいので、失礼」

石嶺はさっさと電話を切ってしまった。なんのために気を揉んでいるのか馬鹿馬鹿しくなる、石嶺のつれない態度だった。おそらくは、自分の担当している裁判で頭がいっぱいなのだろう。見上げた熱心さだが、いささか常人離れしている。山名は徒労感を覚えた。

「江木は殺人鬼だよ、山名さん」

電話を終えると、ひとつ隣の席に坐っていた小西が吐き捨てた。所轄署の刑事部屋は、ほとんどの人が出払っているのでどの席でも空いている。そこに勝手に坐り、電話を使わせてもらっていたのだった。

「これで四人目だろ。前代未聞《みもん》の凶悪犯だ。おれも長いことデカをやってるけど、こんな事件は初めてだよ」

山名はその言葉に頷きながらも、心の中では別のことを考えていた。前代未聞であることに異論はないが、凶悪犯という形容には引っかかるものを覚える。いったい誰が、江木をそこまで追い込んだのか。やってもいない犯罪を認めてしまうような気の小さい男を、何が凶悪犯に仕立て上げてしまったのか。

小西は死んだ伊佐山を、悪い人ではなかったと言った。実際、そうなのだろう。荒っぽい手段に頼ることはあったにしても、その根底に正義感がなかったとは誰も言えない。いっそ伊佐山が自分の利害を守るために江木を犯人に仕立て上げたのだったら、もっと話は簡単だった。

谷沢だってそうだ。谷沢は優秀な検察官だった。冷徹ではあったが、それは悪ではない。むしろ検察官という職業上では、美徳ですらあったかもしれない。もし江木が無実の罪で起訴されたのだとしても、谷沢は職務でのミスを犯したに過ぎないのだ。殺されるような悪人では決してなかった。

綾部のことは知らないが、おそらく単なる腕の悪い弁護士だったのだろう。腕が悪いのもまた、罪ではない。それが死に値するのだとしたら、もっと多くの弁護士が死ななければならない。綾部もきっと、自分の怠慢が死に繋がるとわかっていれば、仕事への身の入れ方も違っただろう。しかし法治国家では、弁護に失敗しても罪に問われることはない。それが、社会秩序を保つ上でのルールというものだった。

誰が悪かったのだ。山名は改めて考え、答えを見つけられない事実に暗然とした心地になった。誰も悪くはない。それなのに、ひとりの男の人生が完全に破滅した。誰も悪くないから、誰ひとり責任を取らない。冤罪だとしても、誰も謝罪しない。復讐は、すべてを封じられた江木に可能な、たったひとつの抗議手段だったのではないかと思えてきた。

復讐は認められない。その気持ちだけは、揺るがせたくなかった。にもかかわらず、心のどこかが江木の絶望感を理解しようとしている。そんな自分の気持ちが、山名は切なかった。封印していた過去が、八重歯をこぼれさせて笑う幸菜の顔が、脳裏をよぎる。幸菜を思い出したくないと感じたのは、初めてだった。

その夜は市内のビジネスホテルに泊まった。動きがあったのは、翌日のことだった。事故があった時間帯に、同じ道路をジョギングしていた人が見つかったのだ。事故の瞬間は目撃していないが、救急車より早く現場に到着している。つまり、田中義治の後方を追走する形だったようだ。

「で、江木らしき男を見ているのですか？」

山名は返事を待つ一拍の間すらもどかしい思いで、刑事課長に尋ねた。刑事課長は難しい顔で、「いや」と首を振る。

「それが、見ていないんだ。江木の写真を見せたが、見憶えがないと言ってる」

「ジョギング中だったんですよね。だったら、誰かとすれ違うのも一瞬だから、顔なんか憶えてないんじゃないですか」

「こっちもそう思って確認した。だがそもそも、江木くらいの年齢の男とすれ違ってないそうなんだ。だから江木が逃げたとしたら、反対方向なんだろう」

刑事課長の説明には納得するしかなかった。しかし、話がおかしくなってきたのは、もうひとりの目撃者が現れてからだった。

「いなかった？」

思わず声が大きくなってしまった。どうにも不可解で、簡単には納得できなかったのだ。

「どういうことなんですか。時間がずれてるんじゃないですか」

「その可能性は検討した。でも、ジョギングしていた人の二分くらい後に、その人も現場に到着している。時間がずれていたとは思えない。それなのに、江木の姿は見られていないんだ」

もうひとりの目撃者は、一本道を反対側から歩いていた人だった。つまり事故現場の両端を、第三者の目が監視していたのだ。一本道は崖沿《がけぞ》いを走っているので、横道に入る手段もない。両端を封じられたら、逃げ場がないのだった。

「江木の容貌《ようぼう》は七年間で様変わりしているのかもしれません。あるいは変装していたとも考えられます。ともかく事故現場が一本道なら、江木は必ずそこにいたはずなんです。

通行人が江木を見ていないなら、見過ごしたとしか思えません」

「うん、まあそうなんだろうけどな」

刑事課長の言葉は、歯切れが悪かった。もしかしたら、江木についての情報自体を疑っているのかもしれない。管轄外から押しかけてきた刑事が、ただの事故を殺人だと騒ぎ立てている。そんなふうに思われているのではないかと、山名は不安を覚えた。

まさか、本当にただの事故だったのか。だとしたら、江木の事件を裁いた裁判官三人のうち、ふたりまでもが交通事故で死んだことになる。果たしてそんな偶然があるだろうか。もし今回も本当に事故だったなら、まるで江木の復讐の念が裁判官たちを次々と殺しているかのようではないか。

天意か。そんな唐突な単語が、不意に頭に浮かんだ。事故が人為によるものではなく純粋な偶然ならば、それは天意とは言えないだろうか。江木の復讐を、天が支持している。被害者たちの繋がりが明らかになっていない間は、江木も自由に動けた。だが今は、どんどん犯行がやりにくくなっているはずだ。まして裁判官は、いみじくも石嶺が言ったとおり、官用車で官舎と裁判所を往復するだけで隙がない。江木が狙う相手の中では、最も襲いにくい人たちだったのだ。

それほどに殺しにくい相手が、立て続けに事故で死んだ。ならばそれは、天が望んだことではないのか。天が江木の復讐を是《ぜ》としたからこそ、裁判官たちは死んだのだ。江木が天に助けられているのは、復讐が正義だからだ。山名は頭をひと振りして、己の考えを捨てた。そんな馬鹿なことがあるか。天が復讐を認めるはずがない。そんな事情があろうとも許されることではないはずだ。そう考えたからこそ、山名は己の心の一部が壊死《えし》することも顧みずに思い留まったのだ。綺麗事を言うつもりはない。許されるのならば、五年前に幸菜が殺されたときに山名は復讐に走っていた。面白半分で幸菜を殺した外道どもを、誰よりも山名が殺してやりたいと望んでいた。復讐を遂げたところで気が晴れないのはわかっていても、不毛の道へと踏み出す覚悟は簡単にできるはずだった。

　踏みとどまったのは、復讐は悪だと考えたからだ。悪で身を染め上げることはできない。だから外道どもを殺す代わりに、自分の心の一部を見殺しにした。それが、人として正しい道だと信じたが故だった。

　天が江木を支持しているなどとは信じない。復讐が許されるなら、今すぐにでも幸菜を殺した犯人たちを葬《ほうむ》り去りたいと願う強い衝動が胸の裡にあることを、山名は自覚してしまった。この衝動は、永久に胸の奥底に押し込めておかなければならない。そのためには、天の意思を想像してはいけない。

　天意など介在していない。田中義治の死は偶然の事故などではなく、江木が仕組んだことだ。頭の中で、何度もそう繰り返した。気が狂いそうなほどに繰り返すことでしか、己を保てそうになかった。

11

郵便配達夫がやってくるのが午後三時二十分頃であれば、さすがに仕事を休まないわけにはいかなかった。幸い、石嶺の他にも優秀な裁判官が揃っているので不安はないが、慢性的な人員不足の中で仕事を抜けるのは気が引けた。まして石嶺は、己の利のために働いているのではなく、公僕である。自己都合で休むことにはどうしても疚しさを覚えてしまうものの、これもまた犯罪者を罰する行為なのだと考えることでなんとか自分を宥《なだ》めた。

しかし、丸一日休暇を取るのは難しかった。仕事上の問題ではなく、晴恵の目をごまかさなければならないからだ。普通のサラリーマンであれば、職場に行く振りをして家を出ればそれで済む。だが石嶺の場合は、毎朝官用車が迎えに来るのだ。晴恵も、石嶺が官用車に乗るところは見届ける。休みを取っておきながら裁判所に行く振りはできなかった。

仕方なく、仮病を使うことにした。いったんは裁判所に登庁し、昼過ぎに具合が悪くなったと称して早退するのだ。それならば晴恵の目はごまかせるものの、事前調整ができないのが難点だった。午後の裁判を急遽《きゅうきょ》キャンセルしなければならないのは、石嶺の責任感を強く責め苛んだ。それでも、これはやらなければならないことだと頑《かたく》なに思い定めた。

仮病を実行したときは、ためらいを振り切って演技に徹した。事務官が心底心配そうにしてくれたのが心苦しかったが、ひとりで医者に行けるからと強引に早退する。そのままタクシーで、自宅方面に向かった。

官舎のそばで降りて、近くの公園の公衆トイレに入った。個室の中で、用意してきた帽子と付け髭《ひげ》を身に着ける。可能ならサングラスもかけたいところだったが、試してみたら見るからに不審人物になってしまったのでやめた。身許を隠そうとしてかえって目立ってしまうのでは、本末転倒だ。付け髭だけでかなり印象が変わるから、後は顔を伏せて歩けば、たとえ知り合いとすれ違っても気づかれずに済むだろうと考えた。

時刻はそろそろ二時十分を回ろうとしている。予定どおりだ。郵便配達夫を待つなら、何も官舎で待機する必要はないのである。公園を出た後は適当に歩き、郵便配達夫の姿を捜した。

官舎そばの、分譲住宅地が密集している地区で、郵便物を積んだ自転車を見つけた。おそらくこれが、晴恵の浮気相手が乗る自転車だろう。予想どおり、各戸に郵便物を届ける際には自転車を放置している。ふたり組で仕事をしているのでない限り、どうしてもそうならざるを得ないのだ。自分の計画の正しさを知り、石嶺は知らぬうちに笑みを浮かべていた。

離れたところから見守っていると、郵便配達夫はすぐに戻ってきた。自転車に乗り、少し走らせてはまた降りる。ゆっくりとついていくのは難しくなかった。

やがて郵便配達夫は、裁判官官舎の敷地に入っていった。ここには踏み入りたくないから、外で待つ。十分とかからずに敷地から出てきた自転車を、再度尾行した。

そして、計画に都合がいい家を見つけた。そこは前庭が大きいが外構がなく、郵便受けに郵便物を入れるためには内部まで歩いていかなければいけない構造だった。当然、その間は自転車を外に置きっぱなしにすることになる。まさに石嶺の計画のためにあつらえたような家だった。

郵便配達夫が戻ってきて、自転車で走り去った。もう後を追う必要はない。姿が見えなくなったところでその家の前庭に入り込み、玄関に掲げてある表札を見た。表札の下には住居表示も出ている。石嶺は一瞬で、それらを記憶に刻み込んだ。

12

江木が目撃されていないという事実には大いに不審を覚えたが、松山に留まり続けるわけにはいかなかった。公費で出張しているからには、一泊の滞在が限度である。今後も密に連絡をとり合うことを約束し、山名は松山を後にした。

「江木の奴《やつ》、だんだん狡猾《こうかつ》になってやがる」

松山空港で搭乗を待っている際に、小西が憎々しげに言った。確かにそのとおりだ。プロの殺し屋でもないのに、江木はすでに四件の殺人に成功している。正確に言えばすべてが江木の犯行と証明されたわけではないが、もはや言葉を取り繕っている場合ではない。警察に目をつけられながらも四件目の殺人を成功させた江木は、狡猾になったとしか評しようがなかった。

「江木は、何を考えているんでしょうかね」

答えてもらうことを期待したわけではなく、つい疑問を漏らしてしまった。江木を動かしているのは、単なる怒りか。山名自身は殺人の経験がないから想像でしかないが、人ひとりの命を奪うという行為は殺人者の精神をも蝕《むしば》む強烈な毒素を持っているのではないかと思う。血に陶酔でもしない限り、殺人を重ねていくのはかなり難しいはずだ。にもかかわらず江木は、四人もの人間の命を奪った。単なる怒りや絶望感だけが原動力なのだとしたら、それは並外れて大きいに違いない。あるいは江木の胸に別のものが忍び込み始めていたら、小西が言うようにもはや血に飢えた殺人鬼に変わり果てているのかもしれなかった。

せめて、江木を衝き動かすものが怒りであって欲しいと、山名は考えてしまう。江木がただの殺人鬼になっているとしたら、あまりに悲惨すぎる。とはいえその思いは、口が裂けても公言できなかった。怒りによる復讐を肯定していると、誤解されかねない。刑事が口にしていい意見ではなかった。

本当に誤解なのか。山名の脳裏に、ほんの一瞬そんな疑問が走った。もちろんだ。山名は慌てて自答する。江木の行為を肯定する気持ちは、自分の裡にかけらほどもないと信じていた。

「江木は狂ってるんだよ」

山名の言葉に、小西はそう答えた。小西は投げやりに言っているだけなのだろうが、山名にとっては一番聞きたくない答えだった。江木には狂って欲しくない。正気のまま、自分の罪を正面から受け止めて欲しい。そう、強く望んだ。

地元に着いたのは夜だったが、そのまま捜査本部が置かれている所轄署に直行した。捜査会議に間に合ったので、出席して松山の事件を報告する。刑事たちはおおよそのところを知っていたはずだが、それでもどよめきが起きた。管理官や係長ら上層部は、皆一様に苦々しい顔をしていた。自分たちの事件が他の県にまで飛び火してしまったのだから、彼らの苦衷は察して余りあった。

これまで捜査本部では、江木を連続殺人犯とは断定していなかった。伊佐山と谷沢が死んだのは単なる偶然である可能性も捨てきれなかったからだ。しかし事ここに至っては、他の可能性を探っているわけにもいかなくなった。江木をこのまま放置しておけば、まだまだ犠牲者が増え続けるのは明白だった。

捜査本部の班分けは、江木の足取りを摑むことを重視してやり直された。谷沢の事件の捜査本部とも、非公式に合体することになった。別個の事件として動いていたのでは、思わぬ見落としをする危険性がある。互いに情報を持ち寄ることで、新たな発見や展開があることが期待された。

かつての江木の知り合いに虱潰《しらみつぶ》しに当たることが、捜査本部の方針となった。江木がいまさら旧知の人物と連絡をとり合っているとは思えないが、他にやれることがないのだ。中でも、江木と交際していた河本由梨恵の存在が重要視された。江木は必ず河本由梨恵の許を訪れると、はっきり断言する刑事すらいた。

以前に一度、河本由梨恵に会ったことがある山名が、再度訪問することになった。あのときの印象を語れば、「地味」のひと言ですべて言い表せてしまいそうな女性だった。特に不細工というわけではなくごく平凡な顔立ちだが、それをよく見せようという努力を放棄しているのか、若さの華やぎがまるでない。陰気なオーラが背後に立ち込めているようなあの雰囲気は、もし私生活で知り合ってもあまり親しくしたいタイプではなかった。

河本由梨恵は今年で三十になるはずだが、江木事件が起きた際に勤めていた会社はすでに辞め、今はアルバイトでホテルの食器洗いをして生活していた。まだ独身なので、親と一緒に暮らしている。独り身で定職にも就いていないという今の状況が、江木事件の影響なのかどうかはわからない。その陰気さが事件に起因するのかも、傍目には判然としない。しかし、事件が少なからず河本由梨恵にも翳《かげ》を落としていることだけは察しがついた。ホテルの裏に出てきて山名の聞き込みに応じた由梨恵は、疲れた声を発した。

「何度も他の刑事さんに申し上げたとおり、あたしはもう江木さんとはお付き合いしていないんです」

明らかに迷惑に思っているはずなのに、強く抗議する気力もないのか、由梨恵の口調は弱々しかった。だからかえって、嘘をついているのかどうかがわかりづらい。こういう陰気な女に限って、思いがけない熱情で男を庇ったりするものだ。山名は由梨恵の表情の動きに注意を払った。嘘をつけば、必ずなんらかの徴候が現れるはずだった。

「あなたは江木の有罪が確定した時点で別れたんでしたよね。あなた自身は、江木が本当に罪を犯したと思っていましたか？」

小西が文句を言いそうな質問を、あえてした。隣に立つ小西には、目を向けなかった。

「……今となっては、もうどうでもいいことです」

由梨恵の言葉は投げやりだった。刑が確定して江木も刑期を終えたので、事件は過去のこととなった。だからもう、その件には触れないで欲しい。言外にそう言っているかのようだった。

「あなたにはどうでもよくても、我々にはどうでもよくないのです。もしあなたが今でも江木は無罪だったと思っているなら、江木はあなたを頼って姿を見せるかもしれない。あなたが江木の所在を知らなくても、我々としてはあなたを無視できないのです」

「なら、はっきり言います」

突然、由梨恵は声を大きくした。昂然《こうぜん》と顔を上げ、聞き間違いようのない明瞭《めいりょう》さで言い放つ。

「あたしは江木さんを信じられませんでした。本当は江木さんが市瀬さんを殺したんじゃないかと、疑いを持ちました。だから、江木さんがあたしを頼ってくるなんてあり得ません。あたしは江木さんを信じなかった女なんですから」

怒りを孕《はら》んだその声は、山名たちしつこい警察に向けられているのか、江木を信じ切れなかった己に浴びせているのか、あるいは理不尽な運命そのものに抗議しているのか、いずれとも判じかねた。もしかしたら、本人にもわかっていないのかもしれない。明らかなのはただ、由梨恵が嘘をついていないということだけだった。だから山名は、納得して引き下がった。

由梨恵もまた、七年前の事件の犠牲者だ。山名は改めて思った。ひとつの事件の波紋は、いつまでも消えずに人々の心に傷を残し続ける。終着点の見えない不幸の連なりの前に、山名はただ立ち竦むだけだった。

13

まずは自分に封書を送ってみて、届くのにどれくらいの日数がかかるか確認した。午前中に出せば、翌日の午後には届く。日本の郵便システムの優秀さを評価しながら、石嶺は計画を次の段階に進めた。

先日見つけた、前庭が広い家。そこに宛《あ》てて、大量の封書を書いた。といっても、差出人の名がない封筒のみで、中身は空だ。そんな封筒を、全部で五十通作った。受け取った方はさぞかし不気味だろうが、実害はないので勘弁してもらいたい。そんな手紙を大量に送る目的は、単にあの家で郵便配達夫を足止めしたいがためだった。

出勤の途中で郵便ポストに立ち寄り、手紙を投函《とうかん》した。むろん、その数の多さが運転手の目に留まらないよう、注意した。宛名はパソコンで印刷したし、切手を舐めて貼《は》るような間抜けなこともしていない。慎重すぎるとは思うが、念のために指紋もつけないように気を配った。封筒自体は、別々の文房具屋やスーパーマーケットで少しずつ買った。量産品の、それこそどこででも買える封筒である。この手紙が石嶺に繋がる心配は皆無だった。

翌日は、ふたたび仮病を使った。二度目ともなると、事務官たちの心配の度合いも前回の比ではなくなる。きちんと検査を受けた方がいい、だの、病院まで同行しよう、だのといった、ありがたいが迷惑な申し出を断るのに苦労した。このところ疲れが溜まっているのだとごまかして、裁判所を早退した。

タクシーで取って返し、公園の公衆トイレで変装をした。帽子を被《かぶ》れば、髪型が隠れてかなり安心できる。そして特に先を急ぐでもない体で、前庭の大きい家の方へと向かった。配達には多少の時間差があるはずだから、少し早めに着くよう調整しておいた。

前庭の大きい家が見える地点まで来たときには、まだ郵便配達夫の姿はなかった。住宅街の中でただ突っ立っているだけでは目立つと思い、携帯電話をいじっている振りをした。携帯電話は、探偵と連絡をとり合うためにわざわざ購入したのである。なくても困らないものだったが、持っているとそれなりに便利だ。特に、ニュースをいち早く見ることができるのは気に入った。今も石嶺は、内外のニュースに目を走らせている。つい没頭してしまい、慌てて周囲の様子に注意を戻した。

そうこうするうちに、郵便配達夫がやってきた。角度的に郵便配達夫の視野に入らない場所に立っていたので、こちらに気づいた気振りはない。自転車を停めて荷台の籠《かご》を漁り、中からひとつにまとまった封書を取り出した。おそらく、すべて石嶺が送ったものだ。

この家の郵便受けは、普通の一般民家用の大きさだった。つまり、大量の郵便物を一度に受け入れられるような形にはなっていないのだ。五十通の封書をすべて入れようとしたら、四、五回に分けて投入しなければならない。その手間こそが、石嶺の狙いだった。

投入に手間取ればそれだけ、自転車が放置されている時間が長くなる。このタイミングで通行人が現れればすべては台なしだが、その場合は再度実行するしかないと思っていた。幸い、道の前後を見渡しても、今はやってくる人がいない。好機だ、と見て取った。

郵便配達夫は封書を抱え、前庭の奥へと向かった。石嶺はすかさず飛び出し、自転車の籠に手を突っ込んだ。選ぶ暇はなく、いくつかの郵便物を鷲《わし》摑みにする。それを自分の鞄に入れて、早々にその場から立ち去った。

最後にもう一度振り返ったが、目撃された心配はなさそうだった。それでも、まだ気を抜くわけにはいかない。逃げているようには見えない程度に早足で、近くの川へと向かった。川に架かる橋は、郵便配達夫が通り過ぎてきたルートだった。

川縁に着いて、改めて周囲を見回した。子供が遊べるほど綺麗な川ではないので、川縁で憩《いこ》っているような人はいない。通行人の目だけを気にしつつ、川縁を下りて橋の下に入った。

そこは湿った土が剝き出しになっているスペースだった。摑み出してきた郵便物を、その土の上に置く。飛び散らないように石で押さえたのは、石嶺の良心の発露だった。うまく行けば、これらの郵便物も受取人の許に届くかもしれない。散逸してしまうような事態は、できるだけ防ぎたかった。

そしてまた、人目を気にしながら路上に戻った。橋から離れてようやく、緊張感を解く。すべて計算どおりにいったことに、石嶺は満足した。

これが、郵便配達夫を陥《おとしい》れる計画だった。配達の途中で郵便物を廃棄した配達夫の話は、過去に何度かニュースで目にしたことがある。配達するのが面倒になった、という自分勝手な理由は理解不能だが、毎日同じことの繰り返しの中でふと魔が差してしまうのだろう。郵便物の廃棄は郵便法に抵触する。たとえ起訴猶予《ゆうよ》になろうとも、職に留まり続けるのは不可能なはずだった。

浮気相手が法に触れることをしでかして無職になれば、さすがに晴恵も目が覚めるのではないか。それこそが、石嶺の狙いだった。ふたりを引き裂くのが難しいなら、晴恵が自主的に関係を打ち切りたくなる状況を作ればいい。そのためには、相手を犯罪者に仕立て上げてしまうのが一番だった。犯罪者を直《じか》に何十人も見てきた石嶺にとって、この程度の計画を立てるのはさほど難しくもなかった。

一度だけでは、単なる過失として処理されてしまう恐れがある。だからこれからも、何度か繰り返す必要があった。最低でも、あと一回。その後で、郵便物が届かないと苦情を入れれば、調査が始まるだろう。捨てた憶えはないと抗弁したところで、不達が複数回に亘れば信じてもらえないはずだ。郵便配達夫の運命は、もはや隘路《あいろ》に嵌《はま》り込んだも同然である。自業自得《じごうじとく》だと、石嶺は心の中で断じる。

時間が余ったからといって、真っ直《す》ぐ帰宅するわけにはいかなかった。仕方なく、国道沿いのファミリーレストランに行って、持ち帰ってきた書類仕事をすることにした。仕事をしているうちは、憂《うれ》いや不安を忘れられて幸せだった。

14

打つ手のない状態が続いた。ホンボシの名前はわかっているのに、その所在が摑めない。決定的証拠もない。こんな状況は、それなりに長くなってきた山名の刑事生活でも初めてのことだった。

結局、事件関係者に何度も当たるより他に手がなかった。そうなれば、やはり母親である江木聡子を無視するわけにはいかない。聡子の頑なな態度を思い出し、口を割らせるのは難しいだろうと山名は予想したが、もう一度会ってみたい気持ちもあった。江木の事件を裁いた裁判官がふたりまでも死んだ今、聡子が何を思うのか知りたかった。前回のことがあるので、朝一番で聡子のアパートを訪ねた。まだ出勤前だったらしく、今回は摑まえることに成功した。散らかっているから、と渋る聡子を押し切り、部屋の中に入る。聡子は六畳ひと間に、ほとんど家具がない状態で暮らしていた。簞笥《たんす》とテレビ、鏡台、卓袱台《ちゃぶだい》、骨壺《こつつぼ》と遺影、そしてこれだけは妙に新しいノートパソコンがあるのみである。七年前の事件以後の、様々なものを失った結果が部屋の有様に凝縮しているようだった。

三和土に立ったままで手帳を構えると、鼻がわずかな異臭を捉《とら》えた。何かが腐っているようだ。臭《にお》いの元を探ろうと台所に視線を転じると、その目の動きを聡子は敏感に察して困った顔をする。山名たちは一方的に押しかけた側なので恥をかかせるのは本意ではなく、それ以上臭いは気にせずに質問を開始した。無駄に時間をとり、仕事に遅刻させるわけにはいかなかった。

「田中義治さんという名前を憶えていますか」

まず、そう尋ねた。聡子は表情を変えず、肯定も否定もしない。しばらく待ったが無反応なので、諦めて続けた。

「一審で息子さんの事件を担当した裁判官です。その人が先日、車に轢かれて亡くなりました」

「息子がやったと、そう言いたいんですか」

今度は返事があった。聡子は足許に視線を落としたまま、山名たちに目を向けない。それは目が合わせられないからではなく、刑事たちの顔など見るものかと決意しているかのようだった。山名は言葉を取り繕わず、はっきりと言った。

「可能性はあります」

「証拠は？　またなんの証拠もなく、息子を逮捕するんですか」

〝また〟という表現に、山名は一瞬言葉を失ってしまった。確かに証拠はない。見込み捜査だと非難されれば、反論は難しかった。

「疚しいところがないなら、息子さんに会わせてください。本人から直接話を聞けば、疑いが晴れるかもしれませんから」

「知らないと、この前も言ったはずです」

聡子はぴしりと答えた。まさに取りつくしまもない物言いだった。

「江木は出所後、いったんはあなたに会いに来ている。それなのにその後、一度も連絡がないと言うんですか」

「ないものはないです」

「それはおかしいですね。江木には他に行くところがないはずだ。親を頼らず、どこに行ったんですか」

「だから、知りません」

　聡子は頑なに首を振る。今回は山名も引き下がらなかった。

「姿を消すには、それ相応の理由があるはずだ。何も問題がなければ、行方を晦《くら》ます必要はないでしょう。自分を有罪に追い込んだ人たちに復讐する意図があったから、あなたを巻き添えにしないように姿を消したのだとは思いませんか」

「思いません。雅史はもう、ここにすらいられなくなったんです。だから、誰も自分のことを知らない場所に行ったんですよ」

「親にも告げずにですか？」

「そうですよ。それを不思議に思うなら、あなたも雅史と同じ立場になってみればいいんですよ。やってもいない罪を着せられ、刑事も検事も弁護士も裁判官も誰ひとり信じてくれず、拘置所や刑務所で何年も暮らしてみればいいんだ。そうすれば、どこか別の場所に行ってやり直したくなる気持ちがわかるはずだから」

　聡子はようやく顔を上げ、山名を呪詛《じゅそ》するように陰々と呟《つぶや》いた。山名は気圧《けお》され、ついに絶句してしまった。それを見て取った小西が、代わって質問をぶつける。

「あなたは息子さんを信じてたんでしょう。だったらあなたとまで連絡を絶つ必要はないんじゃないですか」

　そのとおりだと、山名も内心で頷く。にもかかわらず本当に親とも連絡をとり合っていないなら、それは決意の表れ以外の何物でもない。江木の足取りを掴む手がかりが得られないかと期待しての再訪だったが、どうやら難しいと判断せざるを得なかった。

小西の質問に、聡子は答えようとしなかった。露骨に無視され、小西が不機嫌になったのがわかる。再度、交代して山名が問いかけた。

「息子さんの事件を裁いたもうひとりの裁判官も、去年事故死しているんですよ。ご存知でしたか」

地方都市の一事故が、離れた場所に住む者の耳に入る可能性は低い。だからこの情報に驚くのではないかと予想していたが、聡子の反応は違った。

「天罰ですよ」

聡子は小さく吐き捨てた。その声に籠る悪意はささやかだったが、しかし山名の胸を強く貫いた。大きな衝撃に脳を揺さぶられたように、思考回路が遮断される。気づいてみれば、いつの間にか聡子のアパートを後にして小西と歩いていた。

「おい、あんた。山名さんよ」

次に我に返ったときには、ラーメン屋でカウンター席に坐っていた。声のした方に顔を向けると、小西が隣に坐っていた。小西は何か用件があって話しかけたらしかったが、山名の態度に呆れたのか、顎《あご》をしゃくると「ラーメン伸びるぜ」と言っただけだった。

山名はどんぶりに箸《はし》を突っ込んだまま、考えに没頭していたようだった。

注文したラーメンができあがったことも、自分がそれを食べ始めていたことも意識していなかった。今の山名なら、三歳の子供でも背後から刺し殺すことができるだろう。山名の思考は現在、一点にのみ向かっていた。これほどひとつの思考に拘泥して周囲に注意が向かなくなったのは、初めてのことだった。

山名の頭の中では、江木聡子の言葉が何度も繰り返されていた。聡子は岸本昭典の死を、天罰だと言った。果たして、本当にそうなのか。岸本は天罰を受けて死んだのか。そんなことばかりを、山名はずっと考えているのだった。

どうして岸本は事故なんかで死んだのか。いっそ岸本の死が他殺であった方がよかったとすら、山名は感じ始めていた。江木は殺人マシーンと化し、狙う相手を冷徹に着々と殺害している。岸本もまた、江木の魔の手から逃れられずに死んだのだ。純粋な事故にしか見えないのは、それだけ江木が巧妙だったということだ。

そう思い込もうとしても、空しいだけだった。岸本は本当に事故で死んだ。江木に限らず誰にも、あのような事故を意図的に発生させることはできない。話で聞いただけでもただの事故であることは疑いなく、岸本の死は単なる偶然と考える方がよほど理に適《かな》っていた。

わかっている。だからこそ、考えてしまうのだ。山名は無神論者だから、神の意思など認めない。天罰など、あるわけがないと思う。しかしその一方、自然の摂理とでもいうべき大きな力は存在するのではないかとも考える。人類の進化は神の意思によるものではなく、自然の摂理だ。それは多くの人が望んだ結果と言い換えてもいい。ひとりひとりが別個に望むだけでは何も動かないが、総意には世界の理《ことわり》をも変える力があるのではないか。それはときに、偶然という形で現れるのでは。

ならば岸本の死は、多くの人の無意識の総意ではないだろうか。法律上は、岸本はなんの罪も犯していないし落ち度を認める必要もない。だが素朴な市民感情に照らし合わせて、岸本に謝罪の必要もないと考える人は多くないだろう。常識ある人ならば、人ひとりの人生を台なしにした裁判官は、謝罪くらいすべきだと思うのではないか。多くの人が望むなら、それが社会における正義ではないのか。

むろん、民衆が絶対に無謬《むびゅう》であるとは山名も思わない。マスコミに先導され、民衆こそが冤罪を作り出すこともあるだろう。しかしそのように冷静に考えようとする山名自身の中に、岸本を始めとする死んでいった者たちの責任を問いたくなる義憤がある。正義とはなんなのかわからなくなる惑いがある。それらが山名の脳裏を占拠し、外界への反応を遮断させるのだった。

天罰など、あるわけがない。もし天の意思が存在するのならば、幸菜を無惨《むざん》に殺した者どもはなぜ今も生きているのか。なぜ天は、江木だけを助けるのか。それはあまりに不公平ではないか。

「もしかして、あのおばさんが言ったことにこだわってるのかい？」

先にラーメンを食べ終えた小西が、存外に敏感なことを言った。その問いかけの意味が形となるまでに、しばしのブランクがある。小西は無視されたとでも思ったか、返事を待たずに続けた。

「天罰なんて、冗談じゃないよ。天罰が下るとしたら、江木の方だろう。でも、こんなふうに何もかもホシの思うとおりになることも、たまにはあるんだよ。神も仏もないってことは、おれたちみたいな仕事をやってりゃ、いやでもわかってるんじゃないのか？」

小西の言うことはまったく正しいが、簡単に頷けるほど割り切れてはいなかった。神も仏もいないのは、幸菜が死んだときに痛いほどわかった。だからこそ、江木の復讐が次々に成功する状況が許せないのだ。幸菜の復讐のために立ち上がらなかった自分が、歯痒《はがゆ》いのだ。

しかし、山名は何も答えなかった。幸菜の事件を知らない人に、山名が受けた衝撃を理解できるはずがない。幸菜の事件は、誰にも語りたくなかった。

「それに、あんたはなんだか忘れてるみたいだけど、七年前の事件が冤罪だと決まったわけじゃないんだぜ。江木の逆恨みである可能性も強いんだ。それなのに天罰なんて下されたら、裁判官は命がいくつあっても足りないよな」

あまりに無神経な小西の言葉だったが、窘《たしな》める気にはなれなかった。むしろ、「冤罪だと決まったわけではない」というくだりにわずかな救いを見いだす。そうだ、一連の事件が江木の逆恨みであったらどんなにいいだろう。江木に一片の同情の余地もなければ、これほど惑うことはないのだ。冤罪ではなかった可能性など毛ほども信じていないにもかかわらず、山名は無理にそう思い込もうとした。

「裁判官の最後のひとり、石嶺さんだっけ？　この人だけは絶対に守りとおさないと、うちだけの問題じゃなくって警察全体の恥だよなぁ。といっても、うちにとっては管轄外のことだから、祈るくらいしかできないんだけども」

小西は半ばひとり言のように、ぼそぼそと喋る。まさにそのとおりだ。石嶺のことは絶対に守らなければならないし、それを別の県警に委《ゆだ》ねなければならないのも現実だった。山名たちはといえば、相も変わらず江木の消息を摑むために管轄内を歩き回るだけである。江木が今でも県内に留まっている可能性などゼロに等しいのに、江木の知人を訪ね歩くしかできないのはあまりにもどかしかった。

「私はもう一度、強く警告してもらうよう係長に掛け合ってみます」

ほとんど反射的に、山名は声を発した。もどかしさがそのまま、言葉となって飛び出した格好だった。しかし小西は、顔を顰《しか》めるだけだった。

「えーっ、もう一度？　あんたがどうしてそんなにこだわるのかよくわからないけど、やめといた方がいいと思うよ。上だってよくわかってるんだから、うるさがられるだけだよ」

「それでも、ここでこんなふうにラーメンを食べててもなんの意味もない」

不意に強い衝動が込み上げてきて、山名は箸をどんぶりに叩きつけるように置いた。その剣幕に、小西は目を丸くした。

「ちょっとちょっと。デカだって人間なんだから、せめて昼飯くらいはゆっくり食べようぜ」

「係長に掛け合っても無駄だと思いますか」

山名は身を捻《ひね》って、隣に坐る小西を正面から見た。小西は露骨に身を遠ざけながら、かくかくと頷く。

「あ、ああ。無駄だろ」

言われて、決心がついた。ここに留まっていても無意味だ。自分は石嶺の許に行くべきだと、衝動的に心が定まる。出張を願い出て受け入れられなければ、そのときには考えがあった。

「わかりました。やめておきます」

口でだけは引き下がると、小西ははっきりと安堵《あんど》の色を顔に浮かべた。山名はすでに伸びているラーメンを、無理に腹に収めた。

夜の捜査会議の前に、出張したい旨《むね》を告げた。だが予想どおり、係長はけんもほろろにそれを却下した。

「馬鹿を言うな。お前ひとりが向こうに行って、何ができるって言うんだ。事件が起きたわけでもないのに人を送り込むなんて、先方の能力を不安視しているようなもんじゃないか。そんな失礼なこと、できるわけないだろ」

話にならんとばかりに、係長は蠅《はえ》でも追い払うように手を振った。山名はおとなしく、一礼して席に戻った。

翌日、急な高熱で出勤できなくなったと電話で告げた。インフルエンザかもしれないとつけ加えると、熱が引くまで当分出てくるなと言われた。山名は電話を切り、旅支度を始めた。

15

事務官から来客の名前を聞いても、石嶺には心当たりがなかった。山名などという人が、県警にいただろうか。そもそもそれ以前に、なぜ警察官が会いに来るのかわからない。まさか先日の郵便物遺棄が発覚したのではないかと、不安で冷や汗が出た。

応接室に入って、待っていた人に頭を下げた。山名は三十代前半ほどの、若々しい男だった。私服を着ているから刑事なのだろうが、あまり刑事臭がしない。どこかのやり手サラリーマンだと言われれば納得できてしまいそうな、普通の風貌《ふうぼう》だった。

石嶺が名乗ると、「お忙しいところを申し訳ありません」と詫びて山名は名刺を差し出してきた。《県警本部捜査一課》と所属が書いてある。しかしそれは、他県の県警だった。ようやく山名という名を思い出した。

「以前に何回か、お電話をいただきましたね」

「はい。江木雅史の件で」

そうか、その件だったのか。内心で密《ひそ》かに安堵したが、表情は変えなかった。ポーカーフェイスを装うのは、身に馴染んだ習慣である。こんなところで役に立つとは思わなかった。

「江木がどうしました。捕まりましたか」

山名を邪険にする気はなかったが、時間がないのは事実だった。さっさと用件を済ませて欲しいという思いで、話の先を促す。

「いえ、まだです。それどころか、江木の裁判に関わった人でまだ生きているのは、石嶺さんひとりになってしまいました」

山名は難しい顔で言う。その物言いには引っかかるものがあった。

「田中さんの事故は、他殺と証明されたのですか。先日の電話では、まだ断定はしていないとおっしゃってましたよね」

前回の説明では、ジョギング中にトラックに轢かれたとのことだった。そのトラック運転手が、江木の意を受けていたと発覚したのだろうか。

「江木の犯行です。それは間違いありません」

山名ははっきり言い切った。石嶺はその断言を聞き咎《とが》めた。

「証拠はあるんですか。まさか、まだ見込み捜査を続けているのではないでしょうね」

山名の訪問の意図がよくわからなかった。警告なら、電話で何度となく聞いている。地元の警察にも話は通っている。新証拠が出てきたのでもなければ、所轄外の刑事がわざわざ乗り込んでくる事態とは思えなかった。

「偶然の事故とは、とても思えません。田中さんの死亡状況は、伊佐山刑事の事故に酷似しています。そのどちらにも、第三者の意思が介在していたと考える方が自然です」

山名の口調に揺るぎはなかった。強い思い込みを物語るように、視線が一点に固定している。それはどこか狂的な色を伴っているようで、眼前の男が本当に刑事なのかどうか不安になるほどだった。

「だとしたところでですね、ご存じないのかもしれませんが、我々裁判官はなるべく世間との接点を少なくする努力をしています。おそらく田中さんも、裁判所と官舎を往復するだけの毎日だったと思います。たまたま趣味のジョギング中に奇禍に遭ってしまったのでしょうが、本当なら暴漢が襲う機会はなかったはずです。裁判官を襲うのは、ほとんど不可能なことなのですよ」

石嶺は冷静に反論したつもりだったが、山名は引き下がらなかった。

「捨て身であれば、法廷で裁判官を襲うこともできます。傍聴席と裁判官の間には、大した障害もないのですから」

「それはそうですが……」

山名の言わんとすることは理解できる。傍聴席は隔離されているわけではないし、刑務官も襲撃を想定して待機しているのではない。不意を衝《つ》かれれば、命を落とすことだってないとは言えなかった。しかしそこまで心配するなら、裁判官の職を捨てて海外にでも逃亡するしかない。あらゆる不安を取り除こうとすれば、毒を盛られる危険を恐れ、食事すら満足に摂れないことになってしまう。過度の警戒は、とうてい現実的ではなかった。

「では刑務官や裁判所の警備員にも、特に気をつけてもらうことにします。ともかく、私は官用車で裁判所と官舎を往復するだけの日々を過ごしています。その途中で襲われる心配は皆無ですし、それ以外の時間にひとりで外を出歩くこともありませんから、ご安心ください」

以前の石嶺であれば、これは真実だった。だが今は、晴恵の浮気相手である郵便配達夫を陥れなければならないという義務がある。誰とも分かち合えない義務だから、ひとりで行動するしかない。そこが不安と言えば不安だが、正直に話すわけにもいかなかった。

「本当におひとりで行動する機会はないですね」

まるで石嶺の内心を読み取ったかのように、山名は念を押す。少々薄気味悪く感じながらも、口では肯定した。

「はい、大丈夫です。心配してくださるお気持ちは、大変ありがたく思います。今後充分に気をつけます。それでよろしいですか」

この刑事は、石嶺が殺されれば面子《メンツ》に関わるとでも思っているのだろうか。単にこちらの身を案じているだけとは思えない、執念のようなものを感じてしまう。だから理屈で論破することは諦め、自主的に引き下がってもらうようにし向けた。これ以上のやり取りは、無意味としか思えなかった。

「本当に、くれぐれも身辺にはご注意ください。お願いします」

なぜか山名は、最後に深々と頭を下げた。どうしてお願いをされなければならないのか不可解だったが、訊き返せばさらに面倒なことにもなりかねないと恐れ、石嶺はただ頷くだけに留めた。

16

石嶺と直接会ってみても、山名の不安はいっこうに消えなかった。むしろ、裁判官には言葉が届かないという思いを強くしただけである。山名はこれまでの経験から、裁判官は皆総じて克己心が強いという印象を抱いている。判決のぶれがあってはいけないと意識しているためか、揺るがない信念を抱いているように思う。それは必要なことであり、ひとりの国民として頼もしく感じはするが、同時に頑迷さに繋がる危惧《きぐ》も覚えていた。石嶺もまた、他人の意見に左右されないタイプの人間と見た。

あの手の人は、本当に自分の身に危険が及ばない限り、警告に耳を貸さないだろう。諦念《ていねん》混じりに、山名は思った。いっそ一度襲撃され、それが失敗に終わりさえすれば、石嶺も警告を本気で受け取ってくれるのだろうが、失敗に終わる保証などない。襲撃は是が非でも未然に防がなければならなかった。

そのためには、何ができるか。所轄署に行って警備の増強を促すことも考えたが、よそ者の口出しと受け取られるのが関の山である。一心に考えた末に、山名は世間の目を味方にする方法を考えた。

石嶺襲撃のチャンスは、石嶺の説明が事実ならば、二度しかない。自宅で官用車に乗り降りする際と、裁判所で乗り降りするとき。そのうち裁判所は、入り口に警備員が立っているので危険性は少ない。問題は、自宅だ。

裁判官の自宅を突き止めるのは、ひと昔前であれば至難の業だったろうが、高度に情報化された現代社会ではもはや不可能なこととは言えない。まして個人宅であればともかく、裁判官官舎など特定するのはそれほど難しくないだろう。江木は必ず、官舎で石嶺が車を乗り降りする瞬間を狙うはずだと見当をつけた。

チャンスが一度しかないのであれば、守るのも簡単だ。警察官の立ち番を二十四時間態勢でつけてもらうのは無理としても、近所の目という頼もしい味方がある。官舎付近で不審な男がいたら、誰かが必ず気づくだろう。官舎の住人全員に事情を知っておいてもらえば、江木を見つけた人はすぐ一一〇番通報してくれるはずだ。つまり、官舎に住んでいることそのものが、石嶺を守る防壁となるのだった。

山名は裁判所を出たその足で、目についたコンビニエンスストアに入った。コピー機を使い、江木の顔写真のカラーコピーを大量に作る。それを抱えて、裁判官官舎に向かった。官舎の場所は、事前に県警から聞いていた。

タクシーを使ったので、道に迷うことはなかった。官舎は入り口に特に表記もない、一見したところ普通の団地のようだった。四階建て低層住宅。オートロックではなく、外から見たところエレベーターもなさそうだ。つまりセキュリティー面ではまったく無防備と言ってよく、恨みを買いやすい仕事に就く人の住居としてあまり適しているとは言えなかった。もっとも、警察官官舎も似たようなものだが。

山名は一番端の一階にある部屋から、順に訪ねていくことにした。裁判官の妻は日中でも在宅しているだろうと予想して呼び鈴を押すと、やはり応答がある。チェーンをかけたままドアを開けたのは、四十代半ばほどの年格好の女性だった。

「失礼します。私はこういう者ですが、ある事件の容疑者がこの県内に潜伏しているとの情報を得て、聞き込みに回っております」

微妙に真実とは違う物言いをしたが、咎められるほどではないと自分では思った。休暇中だから警察バッジは見せず、名刺を差し出す。相手は名刺だけでは信用できないとばかりに、チェーンを外そうとはしない。そのまま、「ご苦労様です」と山名に頭を下げた。

「こんな男なのですが、こちらにお住まいの石嶺さんにかつて有罪判決を受け、逆恨みをしている可能性があります。この近辺に出没することも考えられますので、もし見かけたら直ちに一一〇番通報していただけますでしょうか」

そう言って、コンビニで作ってきたカラーコピーを一枚渡す。山名の説明が具体的なことに驚いたか、主婦は目を丸くしてコピーを受け取った。

「この人、凶悪犯なんですか？　そんな人がこの辺りにやってくるかもしれないんですか？」

「はい。すでに何人も殺していると思われる男です。ですから、石嶺さんはなんとしても守らなければならないと考えています。ご協力いただけますでしょうか」

「はい、もちろん。主人も裁判所に勤めていますから、まったく他人事ではありません。見かけたらすぐに警察に連絡します」

「よろしくお願いします」

怯《おび》えた顔の主婦に一礼して、訪問を終えた。すぐに隣の部屋をおとなう。反応はほぼ、先ほどの主婦と同じだった。この調子なら、予想どおり官舎全体が協力してくれそうだった。

こんなことをしていると地元県警に知られれば、越権行為と腹を立てられるだろう。警察はそれぞれ縄張り意識が強いから、よそ者の介入を極端に嫌う傾向がある。だがその一方、執念の捜査に理解を示す末端の者も、数人はいると期待する。同じ刑事として、山名の気持ちはわかると考える人は確実にいるはずだった。

執念か。自分の考えに、山名は皮肉な思いを抱く。これは本当に、執念の捜査なのか。仮病を使ってまで他県にやってきて、私費を投じて作ったカラーコピーを配って歩く。これはまさに執念以外の何物でもないが、自分が守りたいのは石嶺の命なのか、それとも別の何かなのか、突き詰めて考えたいとは思わなかった。山名はもう、己の胸の底に渦巻いているもやもやとした感情を直視する勇気がなくなっていたのだった。

17

晴恵はまだ、〃英〃と連絡をとり合っているようだった。剝《は》がれかけているかさぶたをいじるような自虐《じぎゃく》的な心持ちで、石嶺はまた晴恵の携帯電話を調べてみたのだ。手順は前回を踏襲した。石嶺が気づいているとは夢にも思っていない晴恵は、疑いもせずに睡眠導入剤入りのヨーグルトを食べ、深く寝入る。計画の首尾を思って胸を高鳴らせていることが馬鹿馬鹿しくなるほどの、無警戒ぶりだった。

〃英〃はメールで、郵便物をなくしたことを晴恵に告白していた。あまりに重大なことなのでどうしていいかわからず、まだ上司にも言えずにいるという。なぜなくなったのかわからない、どこかで落としてしまったのかもしれない、と狼狽《ろうばい》が如実《にょじつ》に窺える文面で泣き言を垂れている。それに対して晴恵は、ひょっこり出てくるかもしれないから早まったことはしないで、などというとても有効とは思えない助言をしていた。ひょっこり出てきたときに失態を隠していたことが判明したら、その方が大問題となることがわからないようだ。晴恵の世間知らずを、石嶺は嗤《わら》った。

なるべく早く、二回目を実行しなければならないと思った。起きてしまったことを自力で収拾できず、ただ浮気相手に泣きつくだけの〝英〟は、やはり愚か者だ。ならば、その愚かさは見逃すべきではない。〝英〟が冷静な判断に至る前に、事を決するのが得策だった。

計画を実行に移す前日も、晴恵の携帯電話をチェックした。翌日が〝英〟の休みの日だったら、裁判官の仕事を抜け出したことを死ぬほど後悔してしまうだろうからだ。〝英〟を陥れることにはなんら罪悪感を覚えないが、そのために仕事を滞らせてしまうのは胸が痛む。自分は一個人である以前に公人なのだという自覚を、こんな際に石嶺は強くした。

〝英〟が仕事を休まないことを確認した日、石嶺は三度目の仮病を使った。今回は事務官だけでなく、他の裁判官からも病院できちんと検査してもらえとさんざん言われた。心配してもらえばもらうほど、心苦しさも募る。石嶺は逃げるようにして、裁判所を後にした。

二度目ともなると、すべての手順が頭に叩き込まれているので、遅滞なく行動できた。公衆トイレで変装し、前回と同じ場所で〝英〟こと郵便配達夫がやってくるのを待つ。天気は曇りだが、雨でさえなければ支障はなかった。清いほどの晴天の下では、仕事を抜け出している罪悪感が助長される。空の青さを隠すこの雲は、郵便配達夫の人生に垂れ込める暗雲だと思った。

前方から通行人がやってきた。石嶺は顔を憶えられないよう、電柱の陰に隠れて携帯電話を操作している振りをした。昨今は大の大人が道端で携帯電話をいじっていても奇異に思われないから、こうしたときには助かる。さりげなく通行人に背中を向けて、通り過ぎるのを待とうとした。

道はそれなりに広いのに、なぜか通行人は石嶺が立っている地点へと近づいてくるようだった。さらに半歩動いて、自分の体を完全に電柱の後ろに隠すようにする。その一瞬後、背中に何かが当たった。

通行人がぶつかってきたのだと思った。肩が触れ合うほどの狭い小路ならともかく、車がすれ違える幅のある道路でぶつかってくるのは、意図的に違いない。どういうつもりかと、反射的に振り返った。相手は慌てた様子で石嶺から離れると、そのまま振り返りもせずに走り去っていった。

なんだったんだ。石嶺は怪訝な思いでその人物を見送った。追いかける気にもなれない、ほんのわずかな間の出来事だった。相手はどんなぶつかり方をしてきたのか、背中がやたら痛かった。相手が持っていた何かが、背骨にでも当たったのかもしれない。不愉快な思いを抑えて、背中に手を回した。

すると、なにやら異物の感触があった。なぜそこに異物があるか、思考が停止して理解できない。まるでそれは、石嶺の背中から生えているかのようだった。どうして異物が背中から生えているのか。人体から生えているとは思えないほど、その感触は硬かった。

手を眼前に持ってきて、眺めた。手の色が変わっていた。黒に近い赤。これはなんだと思った瞬間、膝《ひざ》から不意に力が抜けた。両膝を地面に打ちつけて、正座する格好になった。

刺されたのだ。ようやく認識がやってきた。背中には刃物の柄が突き立っている。血が服に滲んでいくのがわかる。それとともに、体からどんどん力が去っていった。

なぜ自分が刺されなければならないのか、理解できなかった。誰かにこんな事態を警告されていた気がするが、記憶はぬかるみの中に落ち込んでしまったように鮮明さを失っている。思い出そうにも、答えは簡単に見つかりそうになかった。そんなことよりも今は、現実的な対応を考えるべきだった。

手にしている携帯電話で、一一九番をしようと考えた。どの程度の深手なのかわからないが、ともかく病院に担《かつ》ぎ込んでもらわないことには助かるものも助からない。石嶺はまだ、死がすぐそばまで近づいているとは認めたくなかった。自分が死ねば晴恵が喜ぶかと思えば、意地でも死にたくなかった。

しかし、晴恵のことを思い出したとたんに手が止まった。救急車を呼べば、石嶺がなぜこんなところで刺されているのかが問題になりはしないか。これは事件だから、警察が捜査をするだろう。すると石嶺の仮病がばれ、悪くすると郵便物抜き取りまでが発覚してしまうかもしれない。そんなことになったら、裁判官人生がお終《しま》いだ。これまでの二十年に亘る裁判官としての実直な職歴に、傷がついてしまう。石嶺が軽蔑《けいべつ》してやまない、犯罪を犯す裁判官のひとりになってしまうのだ。それだけは絶対に避けなければならなかった。

意識が遠のいていく。血が流れ出るのとともに、思考力までが目に見えて減退していく。それでも石嶺は、頑なにひとつの考えにしがみついた。これだけは命と引き替えにしてでも、手放すわけにはいかないと思った。

石嶺が最後までこだわり続けたのは、立派な裁判官としての自分の姿だった。

18

石嶺死亡の報を聞いたとき、山名は雷に打たれたほどの衝撃を受けた。現実を受け入れられず、視界が暗転してその場に立ち尽くす。親の訃報《ふほう》を聞いたとしても、これほど打ちのめされはしないだろう。今の山名にとって、最も起きて欲しくなかったのが石嶺の死だった。

なぜだ。真っ先に浮かんだのが、そんな疑問だった。江木の面はすでに割れている。

県警も石嶺自身も警戒し、容易に近づける状態ではなかったはずだ。加えて、唯一犯行可能と思われる官舎では、山名が警告をして回った。石嶺の周囲で、江木が自由に動ける余地は皆無のはずだった。

「そんなはずはない！」

でたらめを言うなとばかりに、その報をもたらした係長に食ってかかった。上司に対する口の利き方をわきまえろと本来なら窘められるところだが、山名の剣幕に気圧されたか、係長はただ驚くだけだった。わずかに身を遠ざけ、「本当だ」と短く応じた。

「背後から何者かに刃物で刺されて、死亡した。現地ではすでに、他殺と判断して捜査を開始しているそうだ」

「どうして犯行が可能だったんですか！　あそこの警察は無能者揃いですか！」

日頃は温厚な山名が過激な物言いをすることに、係長や同僚は面食らっていた。ただひとり管理官だけが、「山名」と名前を呼ぶ。目を向けると、管理官は厳しい表情で首を振った。

「お前にそんなことを言う資格はない。うちだって管轄内で何人も殺されてるんだ」

冷静に指摘され、山名は絶句した。確かにそのとおりだ。山名は他県の県警を批判できない。それは、言われずともわかっていることだった。

にもかかわらず、不可解に思う気持ちは抑えられなかった。石嶺の安全を確保するために、万全の対策を施したはずだった。連続殺人は、加速度的に難易度を増していく。無差別殺人ならばともかく、今回は狙われる相手も犯人の氏素性も明らかになっているのだ。それでも裏をかかれてしまった現実が、どうしても受け入れられなかった。警察の練度が低い、どこか他の国の出来事のように感じられた。

「状況がよくわかりません。私を向こうに行かせてください。私は江木を追う必要があるんです」

一歩たりとも譲るまいという決意を込めて、出張を申し出た。もし拒否するなら、係長も管理官も殴り倒してやると思った。他の誰でもなく、山名が現場に駆けつける必要があるのだ。これはおれの事件なのだと、強く確信した。

その場で許可が出たわけではないが、気迫で押し切ったかのように、出張が許された。松山に行ったときと同じく、小西が同行することになった。前回とは違い、小西は目付役としての使命を内々に申し渡されたのではないかと山名は勘ぐる。山名が普通でなくなっていることを、上層部は不安視しているのではないか。だとしたところで、いっこうにかまわない。傍目にどう見えようとも、江木さえこの手で逮捕できれば他は些末《さまつ》なことでしかなかった。

その日のうちに出発したかったが、もう飛行機がなかった。いっそ車を飛ばして駆けつけようかとも考えたが、距離の長さを思えば現実的ではない。やむを得ず朝一番の便の予約だけをして、その日は帰宅した。家に帰り着いても、興奮しきった頭にはまるで睡魔が訪れなかった。

翌朝、一睡もしないまま空港に行き、飛行機に乗った。落ち合った小西は、最初に挨拶をしたきり話しかけてこない。なぜか、山名に遠慮しているような気配がある。小西らしくないと思ったが、ささくれ立った気分が山名に沈黙を強いた。

現地の空港から、タクシーで所轄署に直行した。挨拶するのももどかしく、所轄の刑事課長に説明を求める。髪が灰色の刑事課長は、最初から仏頂面《ぶっちょうづら》だった。

「あんたが山名さんか。あんた、ここに来るのは初めてじゃないだろ。どういうつもりだったんだ」

どうやら、官舎で写真のコピーを配ったのが発覚したらしい。面子を潰《つぶ》されたとでも思っているのか、刑事課長の機嫌は悪かった。だが、相手の気分など今の山名にはどうでもよかった。ただ、実際に起きたことだけが知りたかった。

「石嶺さんの命を守りたかったのです。石嶺さんが襲われるとしたら、官舎で官用車に乗り降りするときしかないと思った。だから近隣住人に注意を喚起し、不審人物がいたら通報してもらうよう頼んでおいたのです。そこまでしたのにどうして、石嶺さんは殺されたんですか」

早口に説明すると、もっと文句を言いたそうだった刑事課長は言葉を呑《の》み込んだ。警告されていながらみすみす殺人を許してしまったのは、地元警察の失態である。山名のしたことを出過ぎた真似と非難できる立場ではないと、理解したのだろう。

「現場は、官舎から少し離れた場所だった。具合が悪くなって早退したマルヒは、なぜか病院には行かず、路上で刺し殺されたんだ。マルヒがどこに行こうとしていたのかは不明だ。どうやら具合が悪くなったというのも仮病だったらしい。しかもなぜか、マルヒは付け髭をして帽子を被っていた。変装をしているつもりだったのだろう。誰にも行く先を告げず、嘘をついて仕事を早退して、さらに変装までして何をしようとしていたのかさっぱりわからない。まるで自分からホシに殺されようとしていたみたいだよ」

刑事課長は首を小さく振りながら言った。しかし、そんな説明ではとうてい納得できなかった。

「どういうことですか。私は直接石嶺さんと話をしましたが、裁判所と官舎を官用車で往復するだけの毎日だから、襲われる心配はまったくないと言い切ってましたよ。いったい何が起きたのか、是が非でも洗い出してください。もしかしたらホシに呼び出されたのかもしれないんですから」

「そんなことは言われなくてもわかってる」

ムッとした様子で、刑事課長は腕組みをした。やり過ぎるな、とばかりに小西が後ろから袖《そで》を引っ張る。それを乱暴に振り払って、課長の机に両手をついた。

「石嶺さんは裁判官にありがちな、融通の利かない堅物に見えました。だから、仮病を使って早退だなんて、私にはかなり意外に思えます。ふだんからそういうことをする人だったのでしょうか」

「いや、そうではなさそうだ。あんたの印象は別に間違ってないよ。誰に訊いても、絵に描いたような堅物だと言う。仮病なんて、とても考えられないそうだ」

山名に対する反感と、起きてしまった事件への苛立ちに挟まれ、刑事課長の怒りはかえって中途半端《はんぱ》になっているようだった。邪険な態度はとらず、存外に丁寧に答えてくれる。山名も情報交換に徹した。

「改めて説明するまでもありませんが、ホンボシは江木雅史です。資料はすでにこちらに送っていますが、目を通してますよね」

「あ、ああ。読んでるよ」

事前に警告してあったことを指摘されると、やはり気まずさを覚えるのだろう。刑事課長は少し気圧されたように、小さく二度頷く。山名は畳みかけた。

「顔写真を全刑事に持たせて、聞き込みに当たらせてください。絶対に江木はどこかで目撃されているはずです。誰の目にも触れずに行動できるほど、江木に土地勘があったとは思えませんから」

「わかった」

最後に刑事課長は、素直な返事をした。それに一応のところ満足して、引き下がる。

刑事部屋の一角を借りて、そこで待機することにした。

現地で詳しい説明を聞けば、なぜ犯行が可能だったのか明らかになると思っていた。ところが実際は、逆にかえって不可解さが増すばかりだ。自分の身に危険が及ぶわけがないと高を括っていた節がある石嶺は、どうしたことかわざわざ己の命を捨てるような行動をとり、殺された。その現場は山名の読みを見事に裏切り、官舎でも裁判所前でもなく、石嶺との関係すらわからない場所だった。しかも自分の身許を隠したいかのように、変装までしていた。石嶺は何か弱みを握られ、江木に呼び出されたのだろうか。そんな推測が今のところ妥当なようだが、どうにも違和感を覚える。江木はどこで、石嶺の弱みなど握ったのか。殺す機会を窺ううちに弱みを見つけたのだとしても、あまりに都合がよすぎはしないだろうか。

天意、という単語がまた思考の片隅をよぎる。これほどの警戒網をかいくぐって殺人を成功させるのは、運が味方しているからとしか思えない。ならばそれは、天意ではないのか。江木聡子が言うように、石嶺もまた天罰で死んだのだろうか。

「世の中には、異常にツキまくる奴がいるよな」

ちょうど同じようなことを考えていたのか、小西がひとり言のように呟いた。山名が顔を上げると、小西は口をへの字に曲げてみせる。

「くじを引けば必ず当たるとか、ギャンブルをやれば絶対に負けないとか。刑事にだっているよ。ただ歩いているだけで指名手配犯を捕まえちゃう奴とかね。江木は今、そういうツキまくり期に入っているとしか思えないな」

「小西さん、運が味方するってことは、天が江木の復讐を応援してるってことにならないですかね」

どうにもたまらずに、ついに考えていたことを口にした。小西には思いがけない言葉だったらしく、ぽかんとした顔をする。

「天が？ 天って、神様って意味かい？ 山名さん、あんた、宗教でもやってたのか」

「別にそういうわけじゃないですけど、これだけ江木の思うとおりに事が運ぶと、そんなことまで考えちゃうんですよ。小西さんはそうは思いませんか」

「もし神様が江木の味方をしてるんなら、神様が間違ってるんだよ」

小西は簡単に言い切った。その悩みのなさが羨ましかったが、しかし救いでもあった。そうか、天が間違っているのか。馬鹿馬鹿しいほど単純な結論に、山名は笑い出したくなった。

逐次寄せられる情報に耳を傾けながら、半日を過ごした。夜になり、聞き込みに出ていた刑事たちが所轄署に戻ってくる。見慣れない顔があることに奇異の目を向けてきた刑事たちは、やがてその視線に敵意を込めるようになった。山名が写真のコピーを配って歩いたことが知られたのだろう。捜査会議にオブザーバーとして出席したが、話しかけてくる人は皆無だった。

その会議の席上で、山名はまたもや声を上げそうになった。傍らにいた小西がいち早く察知し、袖を引っ張らなければ、間違いなくそうしていただろう。聞き込みに歩いていた刑事たちの報告は、山名にとってとうてい信じられないものだったのだ。

聞き込みの結果、江木を目撃した人はひとりも見つからなかった。

裁判官官舎内、そして現場付近の住人すべてに当たっても、誰ひとり江木を見ていなかった。特に官舎の住人は、山名が注意を喚起して歩いたこともあって、ほとんどの人が神経を尖らせていたという。常に窓の外に目をやり、不審人物がいないか確認していた人が、複数いたほどである。にもかかわらず、江木は目撃されていなかった。

本当に江木の顔写真はこれで間違いないのか、という疑問の声すら上がった。顔に大きな痣がある江木は、かなり人目につくはずだ。にもかかわらずまったく目撃証言が得られないのは、すでに江木の人相が変わっているからではないのか。そうした意見を、何人もの刑事たちが述べた。

話を聞いていて、山名も同じ不安を抱いた。江木は顔を整形して、痣を消したのか。だから写真に頼っていると、江木を見つけられないのでは。しかし江木と思われる人物はおろか、不審な男性の姿すら誰も見ていないのだから、整形手術説もあまり説得力がなかった。いっそ江木は透明人間になったとでも考えた方が、まだ状況をうまく説明できた。

「江木雅史がホンボシだと断定するのは、早計ではないでしょうか」

議論の末に、そんな意見が飛び出した。縄張りを荒らされたという反感も手伝ってか、その意見は多くの賛同を得ていた。山名たちがいるというのに、江木にこだわらないで通常の捜査に徹しようという結論に至る。反論する言葉が見つからず、山名は悔しさを押し殺した。

いったい何が起きているのか。聞こえてくる会議のやり取りを耳から追い出し、山名は自分の思考に没入した。まったく、何もかもが不可解だった。警察の警戒や捜査は江木の前ではまるで役に立たず、無人の野を行くかのようなたやすさで殺人を重ねていく。それどころか、殺される側の人間が自ら殺害のチャンスを作って江木の復讐を成就《じょうじゅ》させている。これは果たして、現実に起きていることか。それとも、悪夢の中の出来事なのか。

自分の立っている場所が、いつの間にか見知らぬ異次元の世界になっていたような空恐ろしさを覚えて、山名は身震いした。

PAST 4 2008

22

その日の朝をどんな気分で迎えることになるか、江木雅史は何度も想像した。目眩《めくるめ》くような解放感に満たされるのか、心底疲れ果てて喜びも覚えなくなっているのか、あるいは他の日とまったく同じに機械的に目覚めるのか。いずれもあり得そうであり、また、想像自体が空《むな》しかった。〝その日〟はあまりにも遠く、永久にやってこない夢想のようにも思えていたからだった。

だが、ついにやってきた。六年の実刑判決であっても、拘置期間が長かったので、刑務所に入っていたのは実質一年だった。刑務所の暮らしは、存外辛《つら》くはなかった。辛いと感じる心が死に絶えていたのだから、それも当然だ。何度も怪我《けが》をした部分は、やがて皮が厚くなり、感覚も鈍くなる。心にも同じことが起きるのだということを、雅史は他人事《ひとごと》のように理解した。刑務所での日々は、厚い被膜の向こうに存在する、自分とは無関係のことと感じていた。

そして迎えた朝の気持ちを、雅史は的確に表現できなかった。あまりに多くの感情がいちどきに押し寄せてきて、自分が喜んでいるのか悲しんでいるのかもよくわからない。そうかと思えば感情の波は劇的に去っていき、洪水後の惨状にも似た索漠とした心象風景が広がっていた。感情のうねりそのものを、雅史は憎んだ。

いつもの日課を免除された雅史は、房でひとり待機している際に別室に呼び出された。そこで収容時に預けてあった私服や私物を返される。ほぼ六年ぶりに見るそれらの物は、塀の外の生活を雅史に思い出させた。自分には今とまったく異なる平穏な生活があったのだという回想は、もはや違和感を伴うようになっていた。

出所日が今日になることは、弁護士を通じて両親に伝わっているはずだった。迎えに来てくれるのかどうかはわからないが、たとえ来てもらえなくても仕方がないと諦《あきら》めている。有罪が確定して日本の国家から殺人犯と認定された雅史は、両親にとって産んだことを後悔する厄介者に違いない。今夜から自分はどこに寝ればいいのかと、そんなことまで雅史は心配していた。

ご苦労だったな、との刑務官の言葉に送り出され、開かれている門に向かった。門の外には、母と見知らぬ初老の男が立っていた。おそらく男の方は保護司だろう。この男の世話にならない限り、社会に復帰できないのだ。そうした立場になったことを、ごま塩頭の男の姿が雅史に再認識させた。

「母さん――」

言おうと考えていた言葉は、山のようにあった。詫《わ》びなければならないと思う一方、自分は本当に無罪なのだと改めて主張したい気持ちもある。しかし今は、感情が飽和してしまったように思考が働かなかった。雅史の声を聞いて、母は口許《くちもと》を押さえて嗚咽《おえつ》をこらえた。

「よく、よくがんばったね……。本当によく……」

切れ切れに、母はねぎらいの言葉を発しようとする。それがありがたく、泣く感受性など死に絶えていると思っていたにもかかわらず、雅史の目からも涙が溢《あふ》れた。一度涙腺《るいせん》が決壊すると、この六年間の屈辱や辛さがすべて液体となって溢れ出すかのようだった。

母と抱き合って涙を流し続ける雅史の肩に、手が置かれた。それを機に思いをなんとか静め、母から離れる。雅史の肩に手を置いた保護司は、「お疲れ様だったね」と言って自己紹介をした。雅史もまた、丁寧に頭を下げた。

そのときになってようやく、父が来ていないことに気づいた。やはり父は怒っているのだろうか。それも当然だと思いながら、母に確認する。

「父さんは？」

しかし母は、「ちょっとね」と曖昧《あいまい》に答えるだけで、それ以上説明しようとしなかった。そんなにも父は、犯罪者となった息子を拒否しているのか。ぼんやりとした衝撃を覚えつつも、雅史は納得した。今後訪れるであろう苦難のひとつが、早くも現れたとしか思わなかった。

「まずは私の家に行きましょう。それから今後のことを追い追い話し合っていきたいと考えてます」

保護司に言われ、素直に頷《うなず》いた。どうして真っ直《す》ぐ自宅に帰れないのかと訝《いぶか》しんだが、雅史が生まれ育った団地はもう退去したのだと思い出した。母たちが今住んでいる場所は、これまで縁もゆかりもなかった土地らしい。雅史のせいで両親は、慣れ親しんだ地を追われたのだ。前科者に対する世間の風当たりの強さが、すでにそんなところにも見て取れた。

保護司は車で来ているとのことで、近くのコインパーキングまで歩いた。後部座席に母と並んで坐《すわ》り、窓の外を流れる景色に目をやる。六年も隔絶していればずいぶん変わっているのではないかと予想していたが、案に相違して風景に大きな変化はなかった。自分の人生が停滞していた間、世の中の動きもまた止まっていたかのようだ。無実の人に罪を着せるような社会は早く変わって欲しいと願っていたのに、裏切られた心地だった。

雅史は強く目を瞑《つぶ》り、そのまま「母さん」と話しかけた。

「本当にごめんなさい。おれのせいで、母さんにも、父さんにも、姉さんにも迷惑をかけてしまった。おれみたいな子供を産んで、きっと後悔してるよな」

「何を言ってるの！」しかし、それに答える母の口調は激烈だった。「馬鹿《ばか》なことを言うのはやめなさい！　まーくんは人殺しなんかしてないんでしょ。だったら謝ることはないのよ。悪いのは警察や検察や裁判所で、まーくんは被害者なんだから。母さんはまーくんを信じてるんだから、産んだことを後悔なんてするわけないでしょ」

以前とまったく変わらない、力強い母の言葉が嬉《うれ》しかった。どうしてこのように強い意思を持ち続けていられるのだろう。母であることは、人にこんなにも力を与えるのか。雅史は感動すら覚えた。

「でも、父さんはどう思ってるのかな」

母の信頼はわかった。だが父はどうなのだ。父がそれほど強い人間でないことは、雅史も承知している。世間の目を恐れる小心者は、やはり雅史のような息子を持ってしまったことを後悔しているのではないか。

「雅史君」

親子の会話に割って入るように、ハンドルを握っている保護司が呼びかけた。雅史はそれを不愉快に感じ、無言で運転席に視線を向ける。代わって母が答えた。

「大丈夫です。あたしから話します」

そのやり取りに、なにやら不穏なものを感じた。話すとは、いったいなんのことか。

改めて話さなければならないようなことがあるのか。

「まーくん、落ち着いて聞いてね。今から辛いことを言うけど、気持ちを確かに持って」

なんだ、この前置きは。雅史は面食らって、母の顔をまじまじと見た。冗談を言っている場合でないのはわかっていたが、それでもこの大袈裟《おおげさ》な前置きは冗談なのだと言って欲しかった。

「あのね、これまでお父さんと一緒に面会に行ったとき、お父さんが妙に沈んでいると思わなかった？　あれはね、お父さんは鬱病《うつびょう》だったからなの」

「鬱病――」

思いもかけない話を聞かされた。最近は面会にも来なくなっていたが、まさか父がそんな病を患《わずら》っていたとは。自分の悲劇で頭がいっぱいだった雅史は、そのような可能性にはまるで思い至らなかった。父が鬱病になったとしたら、間違いなくその原因は雅史だ。なんと親不孝な息子だったかと、雅史は我が身を責めたくなった。

だが、自責の念に苛《さいな》まれるのはまだ早かった。続く言葉は、雅史の胸を抉《えぐ》り取る凶暴な牙《きば》だった。

「重い鬱病は命に関わる病気なの。生きていくのが辛いと感じてしまう危険性と、いつも隣り合わせだから。鬱病患者の家族は、だからいつも気にかけてあげてなきゃいけなかったのよ。それなのに母さんは、仕事があって家にいられなかった。母さんがいない隙《すき》に父さんは――」

母の説明を最後まで聞いていられなかった。胸の底から得体の知れないものが急激に込み上げてきて、雅史を貫いた。カタカタカタと、何かが振動する音が聞こえる。小刻みに震えて自由にならない顎《あご》をなんとか開いて、雅史は問いかけた。

「父さんは、自殺したの？」

母が頷く様子を、脳がきちんと認識したのかどうかはわからない。次の瞬間に雅史は大声を発して、保護司に呼びかけていたからだ。

「停めてください！　車を停めて！」

保護司は慌《あわ》てて、車を路肩に停めた。ドアを開けて路上に転がり出た雅史は、そのまま地面に吐瀉物《としゃぶつ》を吐き出した。酸《す》っぱい臭《にお》いが鼻孔を突く。いくら吐いても体の中の異物は吐き出しきれず、雅史は涙ぐみながらいつまでもえずき続けた。

23

その壺《つぼ》を見ても、父が中に入っているとはどうしても認識できなかった。壺は片手で抱えられる程度の大きさでしかなく、人間ひとりが入るわけがない。人は骨になってしまえばこんな大きさの壺にも収まるのだとわかっていても、感情が理解を拒否していた。

「嘘《うそ》だろ……」

だから雅史は、呆然《ぼうぜん》と呟《つぶや》いた。母が住んでいる見知らぬアパートの一室に、ぽつんと置かれた骨壺。その光景に耐えがたい違和感を覚え、現実のこととはとても思えなかった。まだ刑務所内の方が、自分の居場所だったという実感がある。変わり果てた世界は、雅史の存在そのものを拒絶しているかのようだった。

母は無言で骨壺の前に坐ると、蠟燭《ろうそく》に火を灯《とも》し、線香に火を点《つ》けてから鈴《りん》を鳴らした。遺影に向かって手を合わせて、しばらく黙禱《もくとう》をする。遺影の父は、笑顔で写真になど写れるかと言わんばかりの仏頂面《ぶっちょうづら》だった。そんな表情がいかにも父らしく、だからこそよけいに黒い枠に囲まれた遺影には違和感があった。父は骨壺の中にいるのではなく、単にどこかに出かけているだけと思えてならなかった。

「まーくんもお父さんにご挨拶《あいさつ》して」

黙禱を終えた母は振り返ると、そう促した。母に言われると不思議にも、体が勝手に動き出した。ぎくしゃくとした動きで母と入れ替わり、遺影に向き合う。雅史は手を伸ばし、遺影を摑《つか》んだ。

「父さん。なんで……」

なんで死んだんだ？　どうしておれを信用できなかったんだ？　そんな問いかけが喉《のど》

元《もと》まで込み上げたが、口にはしなかった。自分にはそれらの問いを口にする権利がないと思った。父だって、死にたくて死んだのではないだろう。圧倒的な絶望感に押し拉《ひし》がれ、死しか選択肢がないと思い詰めたに違いない。父に母の半分ほどの精神的強さがあれば免れられた悲劇とはいえ、弱さは当人のせいではない。弱い父に絶望感を与えた雅史こそが、誰よりも悪いのだった。

涙は出なかった。あまりに罪悪感が強いと、涙は出ないのだと知った。泣くことによって、人は救われる。心の負担が軽くなる。しかし強すぎる自責の念が、楽になることを雅史に許さなかった。雅史は遺影を両手に持ったまま、ただ震えた。震えを促す感情は悲しみなのか、怒りなのか、絶望なのか、自分でもよくわからなかった。

母はなんの説明もしてくれなかった。説明ができないのだろう。父はおそらく、雅史が本当に人を殺したと思い込んでいたのだ。警察や検察、裁判所が揃《そろ》って間違いを犯すとは、普通に生きている一市民には想像もできないことである。裁判所が、それも最高裁判所が有罪と認定したならば、雅史はやはり殺人犯だったのだ。刑事事件などとは無縁に生きてきた小市民の父にとって、最高裁判断は大きかった。人殺しの息子を持ってしまった運の悪さを、父は呪《のろ》ったのだろうか。あるいは育て方を間違ったと、己自身を責めたか。もし後者であるなら、雅史にとって耐えがたかった。父は自分をではなく、雅史を責めるべきだったのだ。死ぬべきは雅史だったのだ。

「父さんの仕事はどうなってたの？」

線香をあげる気にはなれなかった。死者に対する弔い行為をした時点で、本当に父が死んだことになってしまうと思った。それよりは、父が死を選ぶに至った背景を知っておきたかった。知っておくべきだと考えた。

母にとってその質問は、答えにくいことだったようだ。ぐっと顎に力を入れるような表情をして、なかなか口を開かない。母に答えさせるのは酷だったといまさら気づき、ここまで車で送ってくれた保護司をあっさり帰してしまったことを悔いた。こんなことなら、雅史が服役中の話はすべて保護司から聞けばよかった。

「仕事は、辞めたのよ。体の調子が悪くて」

母はなんとか言葉を発したが、雅史は信じなかった。

「嘘だ。会社にいづらくなって辞めたんじゃないのか」

その断定に対し、母は無言のままだった。やはりそうだったかと、雅史は納得する。こうなったら、すべて確認せずにはいられなかった。

「引っ越したってことは、近所の人の目も冷たくなったのか」

この問いかけにも、母は反応を示さなかった。予想していたこととはいえ、世間の冷酷さが骨髄まで染《し》み透《とお》るかのようだった。父の会社の人間はいざ知らず、近所の人は雅史も面識があるのだ。団地内や道で会えば挨拶をするし、町内会の行事でともに作業をしたこともある。そうした人たちが、掌《てのひら》を返したように父と母に冷たい視線を浴びせたのか。それまでの近所付き合いも、息子が罪を犯せば帳消しになってしまう程度のものでしかなかったのか。ましてその罪は、謂《い》われのない濡《ぬ》れ衣《ぎぬ》なのだ。母は間違いなく、雅史が冤罪《えんざい》で服役しているのだと主張しただろう。にもかかわらず、誰ひとり信じてくれる人はいなかったに違いない。ひとりでもいれば、父は自殺などしないで済んだのだ。父は世間に殺されたのだ。

瞬間的に、この世界すべてに対する激烈な怒りを覚えた。父を自殺にまで追いつめた、世間の〝良識〟。人殺しをするような人間に育てたのは親の責任だと、したり顔で言う人々の姿が目に浮かぶ。態度を変えた近所の人全員の名前を母から聞き出し、一軒一軒抗議して回りたいと考えた。

だがそんな激した感情も、ふと我に返った一瞬に霧散した。世間の人々以上に、父の死に責任がある人物の存在に気づいたのだ。もちろんそれは、雅史自身だった。他人を責める以前に、雅史は自分を責めるべきなのだった。

「まーくん、誰のことも恨むんじゃないよ」

母は敏感に、雅史の心の動きを読んでいた。言われて、その言葉を胸の中で嚙《か》み締める。誰のことも恨まずにいられたら、どんなにいいだろう。だが残念ながら、雅史はそこまで悟りきれなかった。凡人でしかない身には、自責の念を和らげるすべもなかった。

「お父さんをいつまでもこんなところには置いておけないけど、まだお墓を買うお金がないんだよ。だから、ふたりで力を合わせてお金を貯《た》めよう。それがお父さんへの供養《くよう》だよ」

母は雅史を見ず、畳に視線を落としてそう言った。母の経済的窮状はわかっている。裁判費用で貯金を使い果たしてしまい、手持ちの金はゼロに等しいのだ。むろん、雅史は明日からでも働くつもりだった。一円でも多く稼いで、母の信頼に報いたい。今はそれしか考えられなかった。

「姉さんとは、まだ連絡とれないの？」

無駄と承知しつつ、確かめた。母は辛そうに頷く。

「もう少し時間がかかるかね。でも、大丈夫だよ。そのうち必ずわかってくれるから」

母の言葉が単なる慰め以上のものでないことは察したが、今はそんな慰めでもありがたかった。ようやく遺影を元の場所に戻し、壁に寄りかかって天井を見上げた。染みができた天井はみすぼらしく、惨《みじ》めな自分には似つかわしく思える。だがそんな状況に母をも巻き込んでいる現状が、辛くてならなかった。誰のことも恨むなという母の言葉は、中空を浮遊して落ち着きどころを見つけられないかのようだった。

「さあ、今夜は久しぶりに母さんの手料理を味わってもらうからね。大したものは作れないけど、刑務所の食事よりはおいしいでしょ」

母はわざとらしいほどに大きい声を出して、台所に向かった。まだ料理を始めるには時刻が早いが、重苦しい雰囲気に耐えかねたのだろう。母に申し訳ないと思ったものの、陽気に振る舞うことはどうしてもできなかった。どこにも行くことができず、ただ天井の染みを見上げるだけの自分は、江木家にとっての厄介者でしかなかった。

夕方五時を過ぎた頃に、母は食卓に料理を揃えた。用意してあった缶ビールを開け、飲めと促す。言われるままに口をつけると、久しぶりのアルコールは瞬時に体内に染み渡るかのようだった。母の「おいしいねぇ」との言葉に、ようやく淡く微笑《ほほえ》むことができた。

母は肉じゃがを作ってくれた。その他に鶏肉《とりにく》のソテーとその付け合わせ、味噌汁《みそしる》、漬け物。それが、雅史の出所祝いに並んだ膳《ぜん》だった。豪華ではないかもしれないが、母の心づくしは何よりの馳走《ちそう》だった。肉じゃがに箸《はし》を伸ばし、口に入れると、懐《なつ》かしい味がする。込み上げてくるものをこらえることができず、雅史は肩を震わせて泣いた。

24

電話をかけるには、勇気がいった。だが出所したというのに、それを知らせないわけにはいかなかった。これまでの苦難を思えば何ほどのこともないと自分に言い聞かせ、雅史は由梨恵の家に電話をした。由梨恵の携帯電話は、すでに解約されているのか繋《つな》がらなかったのだ。

電話口に出たのは、母親だった。何度も言葉を交わしたことがあるので、声でわかる。だが向こうは六年の間に雅史の声を忘れたらしく、特に目立った反応を示さなかった。

「江木ですが」と雅史が名乗って初めて、ひゅっと息を呑《の》む音が聞こえた。

「え、江木さん――」

そう言ったきり、何も続けられないようだった。雅史が電話をしてくるとは、予想していなかったのだろうか。相手の怯《おび》えている気配が悲しかった。

「ご無沙汰《ぶさた》しております。由梨恵さんはいらっしゃいますか」

よけいなことは言わなかった。言っても通じないだろうし、信じてもらえないことで自分が傷つくだけだ。だから単刀直入に切り出したのだが、それによって由梨恵の母親も言い返しやすくなったようだ。

「江木さん、あのですね、言いにくいことですがはっきり申し上げます。もう娘にはつきまとわないでください」

冷たい言葉を浴びせられることは覚悟していたが、それでも心が痛むことに変わりはなかった。母親とは何度も談笑し、親密な関係を築いていたのだ。そんな相手が、にべもない物言いをする。異世界に紛れ込んだ違和感と、そこで生きていくしかない現実を、改めて痛感した。

「それは、由梨恵さん自身の希望ですか」

確かめたいのはその点だけだった。由梨恵自身が雅史との別れを望んでいるのなら、どうしようもない。つきまとって迷惑をかける気はないし、由梨恵が離れていくのは当然だという思いもある。だから雅史が欲していたのは、言わば〝引導〟だった。はっきりと拒絶の言葉を聞き、由梨恵への思いに引導を渡して欲しいのだった。

「はい、そうです」

母親の返答に曖昧さはなかった。望んでいた、明白な拒否。雅史は心の奥底で、深い納得を得た。自分が生きていかなければならない現実世界を、今まさに直視した。

「そうですか。わかりました」

波風を立てたことを詫び、電話を切った。受話器を置いた後も、しばしそこから手が離せなかった。母は一部始終を聞いていただろうに、何も言おうとしない。それに甘えて、沈黙の中に逃げ込んだ。

その晩は、母と布団《ふとん》を並べて寝た。１Ｋのアパートなので、そうせざるを得ないのだ。面映ゆさを感じるかと思いきや、隣に身内がいる安心感だけがあった。なかなか眠りには就けなかったが、ここは刑務所の中ではなく母が住む部屋なのだと思うと、眠れないことをじっくり味わいたい気分にもなった。

そうしてひと晩考え、ひとつの結論に達した。由梨恵が望むなら、別れざるを得ない。いや、もう形としてはとっくに終わっている恋なのだ。由梨恵はすでに別の人と付き合っているのかもしれないし、母親が言わなかっただけで結婚していても不思議ではない。そうであるならいまさら雅史がのこのこ訪ねていくのは迷惑以外の何物でもないだろうが、それでもこちらも人間である。思いを断ち切るためには、最後に一度でいいから本人と直接言葉を交わしたかった。

雅史は由梨恵に手紙を書いた。昔は筆無精だったが、六年間の拘束生活の間に手紙を書くのが得意になった。便箋《びんせん》とボールペンを前にすると、すらすらと文章が湧《わ》いてくる。時候の挨拶から始めて、出所したことの報告、電話をかけたことへの詫びを順に書き、由梨恵の気持ちはよくわかったと続けた。しかし最後に一度だけ、叶《かな》うなら会いたい。それでも二度と由梨恵の前には現れない、と文面を締め括《くく》った。

返事が来る可能性は低いだろうと思っていた。無視されたとしても、由梨恵を恨む気はなかった。だから雅史は、翌日から職探しを始めた。保護司の許を訪ね、仕事を紹介して欲しいと頼む。だが残念ながら折からの不景気もあって、すぐに紹介できる仕事はないと言われた。まともな大学生ですら、仕事にあぶれる時代になったそうだ。特別な資格も技術もない前科者を雇ってくれるような、奇特な企業はそうそうないのだった。

五日待って、由梨恵からなんの反応もなければ諦めようと考えていた。しかし、そんなに待つ必要はなかった。手紙を投函《とうかん》した翌日に、由梨恵から電話がかかってきたのだ。電話に出た母が由梨恵の名前を告げたとき、雅史は聞き違えたかと思った。

「もしもし」

恐る恐る電話を代わると、受話器からは懐かしい声が聞こえた。

「雅史さん……」

まだ由梨恵が「雅史さん」と呼んでくれるのが嬉しかった。雅史は受話器をきつく握り締め、異物が詰まったような喉からなんとか声を出した。

「電話、ありがとう。声が聞けて嬉しい」

たとえこれが引導を渡すための電話であっても、直接言葉を交わせるだけで満足だった。自分の喜びを伝えたいと思ったが、うまく言えないのがもどかしい。それどころか、言うべきたくさんのことはひとつとして形にならないのだった。

「ぜんぜん面会にも行かないで、ごめんなさい……」

由梨恵が口にしたのは、そんな詫びだった。詫びる必要なんかない。誰だって殺人犯となど会いたくはないはずだ。当たり前の心の動きなんだから、詫びたりしなくていいんだ——。そう言ってやりたいのに、唇は固まったように動かない。もともとの口べたは、この六年間でさらに拍車がかかっていた。他人とコミュニケーションをとることは、たとえ相手が由梨恵であっても、困難を伴う行為だった。

「一度会って、話をしましょう」

驚いたことに、由梨恵からそう提案してくれた。思いがけない申し出に、ますます雅史は言葉を失う。由梨恵は雅史の気持ちをすべてわかっているかのように、再会の段取りをてきぱきとつけた。会う場所は、隣県の繁華街である。ふだんは行かない遠方を指定したところに、由梨恵の葛藤《かっとう》が見て取れた。

翌日、由梨恵が指定した喫茶店で顔を合わせた。由梨恵はあまり変わっていないように見えるが、顔色は青白かった。雅史の出所を知ってからの心労が、由梨恵から生気を奪ったのかもしれない。自分は由梨恵の目にどう映っているのだろうかと、不安になった。

「こうしてまた、由梨に会えるとは思わなかった」

昨日は電話の後に反省し、きちんと会話ができるように頭の中を整理した。この言葉は、何を言うべきか考え抜いた上で練習をしてきたのである。由梨恵に心理的負担をかけず、なおかつ感謝の気持ちを伝えなければならない。俯《うつむ》いていた由梨恵は、雅史の言葉に反応して少し顔を上げたが、すぐに面《おもて》を伏せた。

「元気そうで、よかった」

まさに蚊の鳴くような声で、由梨恵は言った。知り合ったばかりの頃の由梨恵に逆戻りしたかのようだ。雅史と交際している間に、由梨恵はずいぶん快活になったはずだった。あの明るかった由梨恵は、少なくとも雅史の前にはもう戻ってこないのだろう。

「今日は無理を言って、すまなかった。出てきてくれて、感謝してる」

雅史は頭を下げた。由梨恵は殺人犯と付き合っていたことで、経験しなくてもいい辛いことをいやというほど味わったはずだ。そんな辛苦を嘗《な》めさせたことへの詫びも含んだ低頭だった。由梨恵は小さく首を振って、答える。

「こっちこそ、謝らなきゃいけないと思ってた。面会にも行かないで、本当にごめんなさい」

昨夜の電話と同じ詫びを繰り返す。雅史から心が離れてしまったことを、由梨恵自身も辛く感じているのだ。その辛さを和らげてやりたいが、雅史にはすべがない。巧みな言葉で心の負担を軽くしてやることもできない。自分の無力さが恨めしかった。

「いいんだ、それは。由梨の気持ちはよくわかる」

かろうじて言えたのは、それだけだった。由梨恵は顔を歪《ゆが》めると、声を震わせた。

「私、もう何もかもわからないの。どうしていいのか、ぜんぜんわからない。雅史さんのことを信じてたはずなのに、本当に雅史さんが無実なのかどうかわからなくなったのよ。ひどいでしょ」

由梨恵はまるで汚い言葉を吐き出すかのように、一気に言った。実際、それは由梨恵にとって汚い言葉も同然なのだろう。雅史は慌てて、「ひどくなんかない」と否定した。

「そういうふうに思うのは、当然のことだ。何しろおれは、三回裁判をしても殺人犯だと見做《みな》されたんだからな。普通の人なら、信じられなくなるよ。だから由梨はぜんぜん悪くないんだ。自分を責めないで欲しい」

「どうしてそんな優しいことを言うの？」

由梨恵の感情は臨界点に達したようだった。顔を手で覆《おお》うと、指の間から嗚咽が漏れた。雅史は自分の言を悔いた。優しくすることもまた、由梨恵を追い込むだけなのだと知った。

由梨恵の気持ちが落ち着くまで、待った。二分ほど泣き続けた由梨恵は、手を離してハンカチで目許を拭《ふ》いた。そしてそのハンカチを手許で丁寧に折り畳みながら、雅史の目を見ずに尋ねた。

「雅史さんは、無実なのね」

「ああ。おれはやってない」

即答すると、由梨恵はようやく顔を上げて、笑った。無理に浮かべた笑みなのは、鈍感な人間にもわかるほど明らかだった。由梨恵はなんのために確認をしたのだろう。雅史は改めて考えてみた。雅史本人の否定を聞くことで、また信用する気持ちを取り戻したいのか。しかし、由梨恵の信頼がたったひと言で戻ってくるとは、とても思えなかった。

その証拠に、由梨恵はすぐに目を逸《そ》らした。由梨恵はもともとそういう内気なたちではあったが、目に怯えの色が浮かんでいるのを雅史は見逃さなかった。その一瞬の気配は、「無実かどうかわからなくなった」という由梨恵の言葉よりも、深く雅史を傷つけた。胸の奥底が抉られ、血が止めどなく流れ出すのを感じた。

「会社で、辛い目に遭《あ》わなかったか」

痛みから目を逸らすために、会話を求めた。言葉を交わしている間は、痛みを忘れられるのではないかと期待した。

由梨恵は俯いたまま、小さく首を振った。

「私、会社、辞めたの」

「辞めた？」

おれのせいでか？　そう尋ねようとして、思い留まった。訊くまでもなかったからだ。おれは家族だけでなく、由梨恵の運命まで変えてしまった。由梨恵が自ら望んで会社を辞めたとは思えない。できるなら、ずっと働き続けていたかったはずだ。そんな由梨恵から、おれは職を奪った。殺人犯と付き合っていた女という汚名を着せてしまった。由梨恵が雅史に心を閉ざすのも、当然だった。

「雅史さんのせいにするつもりはないの。運が悪かったんだと思ってる。私が許せないのは、私自身。どんな目に遭ったって雅史さんを信じ抜ければよかったのに、そうできなかったから。家族とか周りの人の忠告に、つい耳を傾けてしまったから。少しでも疑いを持った時点で、私はもう雅史さんと付き合い続ける資格をなくしてしまったのよ。だから、優しくしないで私をなじって。裏切り者って罵《ののし》ってよ」

由梨恵は肩を震わせながら、言った。家族や周囲の人の忠告がどのようなものだったかは、想像にかたくない。おそらく由梨恵のことだから、最初は耳を貸さなかっただろう。だが何年にも亘《わた》って〝忠告〟され続けた上に、裁判でもいい結果が出なければ、ふと心に迷いが兆《きざ》すのも無理はない。由梨恵の心の揺れが理解できるだけに、罵ることなどできなかった。

「なじってくれないのね……」

何も言おうとしない雅史を怨《えん》じるように、由梨恵は呟いた。そして、それまでとは打って変わった平板な声で言った。

「私のことは忘れて。私はもう変わってしまったの。環境も気持ちも、何もかも。だからもう、私のことは忘れてください。お願いします」

由梨恵は深々と頭を下げた。雅史が何か言うまで、決して顔を上げない覚悟が滲《にじ》んでいた。雅史はそんな由梨恵を、呆然と見ていた。罵って欲しいのはこちらだと、心の中で話しかけた。

由梨恵との仲は終わったと思っていた。また以前のように付き合えるとは、微塵《みじん》も期待していなかった。だから単に最後の別れを告げたかっただけなのに、由梨恵は忘れてくれと懇願する。まるでたちの悪い男との別れ話のように、頭を下げて頼み込んでいる。

そんな由梨恵を見るのは辛かった。

お前のせいで人生がねじ曲がってしまったのだぞと、責めて欲しかった。未《い》だ《ま》に心に疑いの気持ちがあるなら、それをぶつけて欲しかった。なのに由梨恵は、本音を押し隠している。人殺しかもしれない男と向き合っている怯えを、一所懸命隠そうとしている。

そんな取り繕いが、雅史を深く傷つけるとも思い至らずに。

それでも雅史は、由梨恵を恨まなかった。気持ちを隠して雅史と接するのも、当然の判断だと思った。傷つくのは自分だけでいい。由梨恵には傷ついて欲しくない。今日を境に新しい人生に踏み出せるなら、そうすべきなのだ。雅史が落としてしまった暗い翳《かげ》を、過去のこととして忘れて欲しかった。

「……うん、もう由梨のことは忘れる。だから由梨も、おれのことは忘れてくれ」

自分の声が、遥《はる》か遠方から聞こえるようだった。伝票を摑んで、ふらりと立ち上がる。

由梨恵が何か言ったようだったが、もう雅史には聞こえなかった。喫茶店を出た後は、自分が地面を踏み締めている実感すらなかった。

25

心の揺れ幅は小さかった。動きが止まる直前の振り子のように、ある一点に向けて収束しつつある。だから、由梨恵との再会がきっかけというわけではなかった。その前から、自分の存在そのものが大勢の人に迷惑をかけていることはわかっていた。ならば、消えればいい。そんな結論には、出所する前から達していた。

生きていくための希望や糧《かて》は、まったくなかった。この先生き続けても、何ひとついいことはないと知ってしまった絶望。今立っている場所は下り坂で、このまま進めばただ谷底へと落ちていくだけである。それがわかっていて、どうして歩き続けられようか。立ち止まりたいと願うのは、人の性《さが》だった。

母がいないアパートに帰り着いた。母は近所のスーパーマーケットで働いている。ここは前の団地と同じ市内でも、反対側の市境に近いので、雅史の顔を知っている人はいなかった。母は後ろ指を差される心配もなく、普通のパートとして働けているのだろう。今の母の生活だけは、なんとしても守らなければならないと思った。

アパートの間取りは1Kでしかないが、一応風呂《ふろ》トイレ付きだった。浴槽は膝《ひざ》を抱えて入らなければならないほど小さいものの、ないよりはましである。そこに雅史は、水を張った。できるだけ水道代をかけたくなかったので、底から二十センチほど溜《た》まったところで止める。そして、台所から包丁を持ち出した。

心は揺れていないはずだった。だが実際に刃物を前にすると、気持ちが竦《すく》んだ。そんな自分を情けないと思いながら、左の手首に包丁を当てる。一気に掻《か》き切ってしまえばすべてが終わると、己に言い聞かせた。包丁を持つ手は震えていた。

ひとつ深呼吸をしてから、ゆっくりと包丁を動かした。鋭い痛みとともに、手首から血が流れ出す。これでいいと安堵《あんど》しながら、手首を浴槽の水につけた。ぱっと水の中で広がった鮮血を、綺麗《きれい》だと感じた。人殺しの血でも綺麗なのが不思議だった。

血と一緒に、すべての憂《うれ》いが流れ出していくようだった。刑事が訪ねてきた六年前のあの日以来、初めて安寧を感じたのかもしれない。圧倒的な解放感に包まれながら、雅史は目を閉じた。眠りの底に辿《たど》り着くのが、待ち遠しかった。

——意識が戻ったとき、何が起きたかよくわからなかった。遠くから自分を呼ぶ声がするのは、死後の世界でのことだと思った。しかし体は揺れ、瞼《まぶた》が勝手に持ち上がった。ぼやけていた視界が焦点を結ぶと、そこには涙で顔をぐしゃぐしゃにした母がいた。

「まーくん、まーくん！」

母は雅史の体を揺すり、なんとか息子をこの世に引き留めようとしていたのだった。雅史が目を開くと、悲鳴にも似た声を上げる。雅史が坐り込んでいるのはまだ浴室だったが、左手は浴槽から引き抜かれていた。手近にあったタオルで、左手首を縛ったようだ。タオルは血で染まっていた。

母は雅史の右手を自分の肩に回すと、なんとか立ち上がらせようとした。だが雅史が力を入れないので、途中で腰が落ちてしまう。母はまた雅史の顔を覗《のぞ》き込むと、掌でぴしゃぴしゃと頰を叩《たた》いた。

「まーくん、意識はあるんでしょ。寝ないでよ。ほら、立ち上がって」

泣いているくせに、母はなおも気丈だった。叱咤《しった》されると、従わなければならない気になる。雅史は足に力を入れ、母の力を借りて立ち上がった。ふたりでよろけながら、浴室を出た。

母は雅史を畳に寝かせると、すぐに電話で一一九番をした。雅史は染みだらけの天井を見上げながら、自分は死ななかったのだと今頃認識した。そのまま死なせてくれなかった母を恨みたいところだが、そんな気持ちは湧いてこない。母の泣き顔を見て、ただ罪悪感を覚えただけだった。

母は雅史の傍らに、へたり込むように坐った。そして雅史の右手を両手で握ると、「馬鹿っ」と吐き捨てた。

「なんで死のうとなんかするのよ。死んだら負けでしょ。まーくんは何もしてないのに、死んだら認めたも同じじゃないの。諦めたら駄目なのよ。まだ闘うの。お父さんみたいに諦めたらお終《しま》いなのよ——」

母さんはすごいな。その言葉を聞きながら、雅史はぼんやりと考えた。まだ闘うのか。勝ち目のない闘いを、まだ続ける気か。なんてすごいんだろう。どうしてそこまで息子を信じられるんだろう。父も姉も、由梨恵さえも信じ切れなかったのに、なぜ母だけ雅史を信じるのか。その強さはどこから湧いてくるのか。

「絶対に死のうなんて考えないでよ。お父さんが死んじゃって、杏ちゃんはどこか行っちゃって、もう母さんにはまーくんしかいないのよ。母さんをひとりにしないで。お願いだからひとりにしないで……」

母は雅史の手に額を擦りつけながら、悲痛な声を発し続けた。また母を悲しませてしまったと、雅史は己を責める。この上さらに、まだ親不孝を重ねる自分に驚く。雅史はもう、死ぬこともできないのだった。谷底に繋がる坂道を、ただ歩き続けるしかない人生。生きる糧どころか、もう絶望しか残されていない。母の泣き声を遠くに聞きながら、雅史は天井の染みを見つめ続ける。

26

職はなかなか見つからず、母に依存した無為の日々を送るだけだった。せめて家事をしようと思うが、料理はやったことがないのでできない。自分の無能ぶりを情けなく思いながら、掃除と洗濯だけは毎日欠かさず行《おこな》った。それでも母は感謝してくれた。感謝したいのはこちらだと、雅史は思った。

ある日、郵便受けに白い紙が入っていた。チラシかと思ったら、違った。印刷した文字で、《殺人犯は出ていけ！》と書いてある。それを見て雅史は、来るべきものが来たと感じた。ショックはほとんどなかった。

どうやら、雅史のことが近隣の誰かに知られたらしい。いつかこんな日が来るのではないかと恐れていた。普通に暮らしている人は誰だって、人殺しにそばにいて欲しくはない。すぐ近くに殺人犯が住んでいると知れば、出ていけとも言いたくなるだろう。当たり前の反応であって、理不尽とも思わなかった。ただ、母に申し訳ないとだけ考えた。

その日を境に、町の空気が変わった気がした。外を歩いていると、すれ違う人の目に怯えの色が走る。それはちょうど由梨恵の目に現れた色と同じで、雅史の心の傷口を広げた。他人からそのような目で見られるようになったことに、鈍い衝撃を覚える。裁判で殺人犯と認定された瞬間から、雅史は人とは違う何かを顔に刻み込まれたのだろう。その何かが、近隣住民を怯えさせるのだ。消そうにも消せない、殺人犯の刻印。前科者として生きるのがどういうことか、改めて認識させられた。

外出するのが辛くなり、部屋に籠《こも》るようになった。外に出なければ、世間の冷たい視線を浴びせられることはない。しかし部屋に籠りきりの生活は、刑務所内の閉塞《へいそく》感と大差なかった。刑務所ではまだ、運動の時間があった。まったく外に出ない生活は、ある意味刑務所よりも息苦しかった。

母の職場で噂《うわさ》が広まるのが心配だった。《出ていけ》と書かれた紙が投函されていたなどと知れば母が案じると思い、直接は訊けない。怪文書は一度だけでなく、断続的に投げ込まれている。それが母の目に触れないよう、郵便受けを神経症気味に頻繁に覗くのが雅史の日課となっていた。

「職場で何か変わりはない？」

だから、遠回しに尋ねるしかなかった。仕事が見つからず、雅史が鬱々《うつうつ》とした生活を送っているのは母も知っている。新しい話題は母の側にしかないとわかっているからか、質問の意図までは悟られなかった。

「そうねぇ」

母が切り出す話は、たわいないことばかりだった。その日常的なたわいなさが、今は嬉しい。ちょっとしたトラブル話ですら、雅史の耳には楽しい話題だった。

だが、母の職場にも噂が達するのは、時間の問題だった。地方都市は都会と違い、人々の関係が濃い。息子が人を殺して刑務所に入っていた、などという醜聞は、格好のゴシップネタを提供することだろう。そうなる前になんとかしなければならないと焦《あせ》るが、しかしどうすることもできないのだった。

八方塞《はっぽうふさ》がりの状況は、雅史の精神を拉ぐかのようだった。部屋でぼんやりとテレビを見ていると、不意に叫び出したくなる。自分の精神がバランスを崩しかけていることを知り、雅史は衝動的に外に出た。せめて外の空気を吸えば、気分が変わるかもしれないと期待した。

当てもなく、疲れるまで歩き続けた。なるべく遠くに行きたかった。人がいるところには行けない。誰に見咎《みとが》められるかわからないからだ。だからただ真っ直《す》ぐに歩き続け、そして引き返した。母が帰ってきたとき、雅史がいないと心配させてしまう。母の帰宅時刻までには、アパートに着いていたかった。

ふだん歩き慣れていないので、途中で脚が痛くなった。ちょうど公園が見えたので、そこで休むことにする。ブランコと雲梯《うんてい》、砂場しかない小さな公園だったが、ベンチだけはたくさんあった。そのひとつに坐り、見るでもなくぼんやりと公園の光景に視線を投げた。

時間帯がいいのか、子供たちの姿が多い。女の子は砂場で遊び、男の子は勢いをつけてブランコを漕《こ》いでいた。微笑ましくも、遠い世界だった。こんな眺めが自分とは永久に縁のないものになった現実を思い出しても、もう胸は痛まなかった。

母親たちは、雅史とは離れたベンチでお喋《しゃべ》りに興じていた。そのため、子供のひとりが砂で作った団子を手に、雅史に近づいてきたのには気づいていなかった。女の子は団子が自慢なのか、得意げに差し出してくる。受け取っていいものかどうか判断できず、雅史はただ女の子の顔を見つめた。

母親が気づき、こちらにやってきた。「すみませーん」と軽い口調で言うのは、女の子の振る舞いが咎めるほどのことではないからだろう。雅史も久しぶりに心が和み、いいんですよと答えようとした。しかし顔を上げた瞬間、相手の顔色が急変するのを目《ま》の当たりにした。

知っている。雅史は直感した。この母親は雅史のことを知っているのだ。それが証拠に母親は、「すみません」と今度は囁《ささや》くような小声で言うと、娘の胴体を抱きかかえて雅史から遠ざけた。女の子はむずかって抵抗したが、母親は断固として娘を離さなかった。

母親は仲間たちの許に戻ると、何かを告げていた。母親たちが、ちらちらとこちらを窺《うかが》う。雅史が立ち上がると、全員が怯えたように身構えた。雅史は何も言わず、公園を出た。

また歩き続けた。生きる希望も糧もないこの人生を、どのように使うべきか考えた。一度は〝自殺〟という一点で固定した心の振り子が、また小さく揺れ始めている。次の落ち着くべき地点は、黒々とした闇《やみ》に包まれていた。底の知れない闇は恐ろしかったが、しかしもうそこにしか行くべき場所はないようにも思えた。

闘え、と母は言った。そうすべきだと、雅史は考える。闘おう。たとえ何も取り戻せない闘いでも、ただ泣いているよりは生きている実感が味わえる気がする。世間の人は雅史の決意を非難するだろうが、ならば同じ目に遭ってみろと言い返そう。今のこの状況に耐えられる人だけが、雅史を非難できるのだ。

母には迷惑をかけまいと心に誓った。だから、もう二度と母に会わないと決めた。自分でも驚くほど簡単に気持ちは固まり、ためらいはなかった。母にはまだ姉がいる。母はひとりぼっちにならなくて済む。

一度アパートに帰り、着替えなどの荷物をまとめて出発した。鍵《かぎ》をかけ、新聞受けから中に落とし込む。三和土《たたき》に鍵が落ちる音は、何かの終わりを告げていながらも、同時に始まりの合図だった。雅史はその音に勇気をもらった心地だった。

電車に乗り、旅立った。自分が開始した旅の果てしなさを思うと絶望感でいっぱいになるが、引き返す気はなかった。引き返す道など、もう残されていないのだ。ひたすら電車に乗り続けているうちに、やがて日が翳り、夜になる。夜の闇の中を進むこの電車は、雅史をどこに運んでくれるのか。予想も想像もできなかった。

途中下車し、駅の改札脇《かいさつわき》にあった公衆電話から母に電話した。母は雅史の声を聞くと、「どこにいるの？」と不安そうに尋ねた。雅史は心の一部をちぎるようにして、母に告げた。

「母さん、おれ、やるべきことが見つかったよ」

「やるべきこと？」

「うん。だからもう、母さんには会えない。母さんも、おれのような息子がいたことは忘れて、自分の幸せだけを考えて生きて欲しい」

「ちょっと、何言ってるの？　どこにいるのよ。何をするつもりなの？　まーくん、まーくん」

受話器を耳から離しても、母の声が追ってきた。雅史はゆっくりと受話器を戻す。母の声が断ち切られると、ローカル線の駅には静寂が訪れた。これで、本当の意味でひとりきりになった。誰とも繋がらない完全な孤独は、きっと力を与えてくれるだろう。そう信じなければ、雅史の体の震えは止まりそうになかった。

第五章　目撃者

1

　さっきまで機嫌よくしていた赤ん坊が、不意にむずかりだした。テレビのニュースを見ていたのに、ほとんど聞こえなくなる。煩《わずら》わしいと思いながら、ベビーベッドを覗《のぞ》き込んだ。娘は顔を真っ赤にして、何かを主張していた。

「腹減ったんじゃないか」

　雨宮健はキッチンに立つ妻に話しかけた。妻はこちらを振り向きもせず、「おしめが濡《ぬ》れたのかもしれない」と言う。

「ちょっと確かめて、濡れてたら替えてちょうだい」

「了解」

　興味を惹《ひ》かれたニュースだったが、仕方がない。諦《あきら》めて、おしめ替えに取りかかった。知り合いの中にはおしめに触るのもいやだと堂々と言う男もいるが、雨宮はさほど抵抗がない。子育てに関わっているという実感が持てるので、嫌いではなかった。

　開いてみると、案の定濡れていた。手早く赤ん坊の股《また》を拭《ふ》いてやり、紙おむつを丸める。新しい紙おむつをベビーベッドの下から引っ張り出して、下半身を覆《おお》ってやった。ほんの一分前まで身も世もなく泣いていたのに、もう赤ん坊は楽しそうに手足を動かしている。たわいないところがかわいかった。

おとなしくなってくれたので、手を洗ってからまたテレビ画面に目を向けた。事件のニュースは終わってしまい、激安店を紹介する特集が始まっている。面白いネタを拾えなかったことにがっかりしつつ、チャンネルを替えた。もう他の番組でも、事件報道は終わっていた。

そうそう面白い事件が起きるものではないとわかっていても、軽い失望感があった。諦めて、大して興味も惹かれない特集に見入る。そうこうするうちに、夕食ができたと妻が言うので、配膳《はいぜん》を手伝った。妻はベビーベッドのすぐ横、雨宮はテレビに正対する位置に坐《すわ》って、食事を始める。いつもの日曜日の夕食だった。

「うわっ、すごいな、このおばちゃん。テレビに映ってるのに恥ずかしくないのかね」

ビニール袋ひとつにどれだけ詰めても均一価格というセールで、食べ物が潰《つぶ》れるのもかまわず押し込んでいる中年女性が画面に現れていた。ひとり言ではなく、妻に話しかけたつもりだったが、反応はなかった。目を向けると案の定、妻は傍らの赤ん坊を見て微笑《ほほえ》んでいる。雨宮を無視したのではなく、注意が完全に娘に行っていたのだった。

どうでもいい話だったので、あえて返事は求めなかった。しかしわずかにため息が漏れるのは避けられず、自分の手許《てもと》に視線を戻した。妻は子供好きなので、我が子が生まれてからは至福の日々を送っている。愛情のすべてが赤ん坊に向かっているようで、雨宮への興味は極端に減っていた。赤ん坊が産まれればふたりきりの蜜月《みつげつ》期間が終わるのは当然のこととわかっていても、妻を奪われたような気分は拭《ぬぐ》えない。さりとて赤ん坊に嫉妬《しっと》する気持ちはなく、人並みにかわいいと思っているのだから、雨宮の心中は複雑だった。世の中の新米パパは大なり小なり、こんなジレンマに直面しつつ、やがて落としどころを見つけるのだろうか。人生のプロセスをひとつひとつ経ていく過程には、いろいろ思いがけないことが起きるものだなと思う。

妻と寝室を別にしたのも、予想していなかったことのひとつである。赤ん坊の夜泣きがうるさいので、別にせざるを得なかったのだ。借家に住んでいた頃と違い、今は通勤に時間がかかるので、早起きをしなければならない。夜中に何度も起こされるのは、かなり苦痛だった。だから雨宮自身が申し出て別々に寝るようになったのだが、そこにも寂しさを感じる。家を建てたときは誇らしさでいっぱいで、まさかこういうことになるとは思いもしなかった。着実に理想の人生を歩んでいるつもりなのに、少しずつ取りこぼしている気がする。誰でもそういうものなのか。

自分の人生を振り返って採点すれば、比較的高得点をつけられると雨宮は自負している。そこそこいい大学を卒業し、地元ではトップの大企業に就職した。入社以来十数年、目立った失敗をすることなく、堅実に実績を積み上げて今に至っている。その間、社内きっての美人と評判だった女を口説き落とし、結婚を承諾させた。三十四歳にして自分の家を建て、娘も生まれた。まさに絵に描いたような理想の人生だと思う。人生のチェック項目があるとしたら、ひとつも漏らさずに生きてきたと言っていいだろう。満足か不満かと問われれば、満足しているのは間違いなかった。

しかし、何か足りなかった。理想の人生には、何か欠けているものがある。決して遊び足りなかったわけではない。妻と結婚するまでには、それなりに悪さをした。中学時代にクラスメートと付き合い始めたのを皮切りに、女性とは何人か交際した。それぞれに魅力があり、それぞれに欠点があり、女性がどういうものかよくわかったと思っている。だから今の妻に対しても過大な期待は持っていなかったし、結婚後に失望したわけでもない。

大学時代にはアルバイトにいそしみ、稼いだ金で国内や海外の貧乏旅行をした。見聞を広めるべき時期にあのような旅行ができたのは、人生の財産だった。就職してしまえば、あんな無茶はできない。若いときだけの特権と思えば、学生生活を無駄にしなかった自分を誉《ほ》めたくなる。友人たちと浴びるほど酒を飲み、軽い気持ちで女の子にちょっかいを出して楽しい思いをすることもあり、その一方勉強にもそれなりに身を入れた。充分に遊びきったという達成感を味わってから、次のステップに進んだつもりだった。

だから、今のこの満ち足りた生活を揺るがす刺激を求めているわけではなかった。自ら望んで勝ち得た、今の生活である。誰でも得られるものではないし、そういう意味では自慢にも思っている。とはいえ、すべてを手に入れたわけではない。諦めなければならない部分は、当然ある。例えば自宅を建てる際には、本当ならもっと職場に近いところがよかったのだが、予算の都合で郊外に土地を買った。むろん、郊外といっても閑静な住宅地で、住環境は申し分ない。満足度は九割に達しているだろう。だが十割ではない。

美しい妻と愛らしい娘にも、心底満足している。こんなレベルの女と結婚できる男は、世の中にそうそういないだろう。しかし妻の愛情は娘にだけ向かい、寝室も別にしている。それをストレスに思う程度には、漠然とした不満がある。

解消できなくなった性欲を、外で満たすつもりはなかった。妻には満足しているし、それ以前に軍資金がない。家を建てて三十年のローンを背負い、子供が生まれて今後かかるであろう養育費用のことを考えると、いくら大会社に勤めていても金銭的余裕はなかった。すべてのチェック項目をクリアーしてもなお残る、ほんの些細《ささい》な不満。日常とは退屈なものだと、雨宮は考える。

むろん、日常を踏み外して冒険したいなどとは思っていない。浮気をする気はないし、博打《ばくち》に近い投資に手を出すつもりもない。今手にしているものを破壊するような真似《まね》は、絶対にしない。ならば退屈には耐えなければならないことくらい、わかっている。

だからこそ雨宮は、七年前に経験した刺激が忘れられなかった。殺人事件の目撃者になるという、降って湧《わ》いた大事件。正確には殺人行為そのものを目撃したのではなく、現場近くで犯人を見かけただけなのだが、忘れられない出来事であることに変わりはない。何しろ目撃者として法廷に出廷し、証言をしたのだ。道を踏み外すことなく生きている一市民にとって、あんな大事件はない。

あのときのことを思い出すだけで、自分がサスペンスドラマの主人公になったような気分を味わえる。誰に話しても、この経験は興味を持ってもらえる。堅実に生きている人生に、ただ一度だけ生じた非日常の刺激。平凡に生きている大多数の人々にとっても、そのような話は興味深いのだ。注目されれば、気持ちがいい。だから雨宮は、求められれば話すことを惜しまなかった。

ひととおり周囲の人間に話してしまうと、事件について訊《き》かれないことが物足りなくなった。そこで雨宮は、ブログを作った。不特定多数の人にあの経験を伝え、興味を持ってもらいたい。注目をして欲しい。そうなることで、いっときでも日常の退屈さを忘れることができる。些細な不満に目を瞑《つぶ》れる。今やブログは、雨宮に刺激を与えてくれる唯一《ゆいいつ》の場となっていた。

頻繁に更新しなければ、来訪者は離れていく。だから雨宮は、常にニュースに敏感になっていた。ブログにニュースへのコメントを書きつつ、さりげなく自分の経験を織り込む。そうすることで、不特定多数の興味を惹きつけ続けられる。七年前に脚光を浴びた、あの経験が色褪《いろあ》せないで残り続ける。雨宮がテレビを真剣に見るようになった理由は、そういうことだった。

今日は面白いニュースが拾えなかった。こんな日は政治や国際問題について語ることでお茶を濁すのだが、残念ながら露骨にアクセス数が減る。平凡なサラリーマンが政治を語ったところで、読みたい人は多くないのだ。そんな歴然とした数字がまた、七年前の経験を貴重なものに思わせてくれるのだった。

食事を済ませ、自分の担当である後片づけを終えてから、部屋に籠《こも》った。妻は娘と一緒にいられればご機嫌なので、雨宮とのコミュニケーションを求めてこない。雨宮は自室でノートパソコンを開き、腕組みをした。ブログに何を書こうか頭を捻《ひね》ってみても、大して面白い文章は浮かばなかった。

2

四六時中、江木のことが頭から離れなかった。江木は今、どこにいるのか。何を考えているのか。次は誰を狙《ねら》うのか。なぜやすやすと犯行を繰り返せるのか。いくら考えても答えは出ないが、まさに執着と形容するのがふさわしい粘着性で、思考は山名省吾の心を搦《から》め捕っている。気持ちを逸《そ》らそうとしてもできないのは、ひたすらに苦しかった。仕事を終えた後も、意識は江木に吸い寄せられたままだった。息抜きのつもりでパソコンに向かっても、つい江木の名前で検索をしてしまう。そして、そのブログを見つけた。

出だしを読んだだけで、何者が書いたブログかわかった。現場近くで江木らしき男を見かけたと証言した目撃者、雨宮健。あろうことか雨宮は、ブログでそのときのことを綴《つづ》っていた。山名は瞬《まばた》きする暇すら惜しんで、文字を目で追った。

最初は執筆意図がわからなかった。だが最後まで読んで、雨宮は自分の体験を自慢しているのだと知った。普通のサラリーマンが遭遇した、ドラマのような事件。雨宮の証言が決め手となって被告人が有罪になったと、誇らしげに文章は締め括《くく》られている。雨宮は完全に、自分の行為を正義と信じ込んでいた。

「馬鹿《ばか》が」

思わず山名は吐き捨ててしまった。当然のことながら、雨宮も江木の復讐《ふくしゅう》対象になり得ると捜査本部では想定していた。しかしこれまでの被害者とは違い、一般人である雨宮の所在を摑《つか》むのは容易ではない。だから捜査本部では、雨宮の身に危険が迫る可能性は低いと考えていた。次に狙われるとしたら、二審の検事か裁判官だろうというのが一致した予想だった。

　それなのに雨宮は、自ら名乗り出たようなものである。ブログに本名こそ書いていないが、全体を熟読すれば居住地や勤め先を特定する手がかりには事欠かないだろう。何より、江木がこんな記述を読んだときにどう感じるか。雨宮は己自身の手で、自分の死刑執行書にサインをしたも同然だった。

　すぐにも対処したかったが、すでに深夜零時を回っている時刻では何もできなかった。江木がこのブログに気づかないよう、ただ祈るだけである。山名は抑えがたいもどかしさを抱えて布団《ふとん》に入ったが、苛立《いらだ》ちは動けないことに感じているのではなく、雨宮の愚かさに対して覚えていた。もし雨宮が目の前にいたら、ぶん殴ってやりたいほどの怒りが胸の中に渦巻いていた。

　殺人を繰り返す江木を憎まず、被害者になるかもしれない雨宮に腹を立てるのは刑事として矛盾していると思ったが、自分の感情を無理に曲げることはできなかった。

　翌日、朝一番でブログの存在を係長に報告し、捜査会議にも出ずに雨宮を訪ねた。雨宮は七年前の住居から引っ越していたが、自宅を特定するのは簡単だった。だが雨宮は出勤した後で、家には赤ん坊を抱えた妻しかいなかった。妻は突然の刑事たちの訪問に怯《おび》えた顔をしたが、七年前のことだと告げると安堵《あんど》していた。本当は安堵している場合ではないのだがと内心で思ったものの、妻を脅しても仕方がない。雨宮の勤め先を聞き、すぐにそちらに向かった。

目指したのは、県下でも指折りの大企業だった。七年前の調書では勤め先の名前までは書いていなかったが、どうやら雨宮はエリートサラリーマンだったらしい。一階の受付で雨宮を呼び出してもらうと、妻から連絡が行っていたのか、雨宮はすぐにエレベーターで下りてきた。

「なんでしょうか」

事態の重大さを把握していない雨宮は、呑気《のんき》な口調だった。くたびれていないスーツがよく似合うその姿は、さしたる蹉跌《さてつ》もなくこれまでの人生を過ごしてきたことを雄弁に物語っている。そんな雨宮を見て、山名はどうしようもなく反感を覚えた。不器用ながら一所懸命に生きていた江木の人生を眼前の男が壊したのだと思うと、高価そうなスーツまでもが苛立たしい。山名は名刺を渡す気にはなれず、警察バッジをちらりと見せてから切り出した。

「ここでは話しづらいことなので、どこか落ち着いて話ができるところはないでしょうか」

「七年前の、例の事件のことですよね。いまさら、なんですか？」

一連の殺人が江木の犯行だとは、捜査本部はまだ公的に発表していない。だから新聞には載らず、一部週刊誌が被害者たちの繋《つな》がりを指摘しているだけである。どうやら雨宮は、そうした週刊誌の記事には気づいていないようだ。自分の身に迫る危険を知ったとき、余裕を浮かべた雨宮の顔がどのように変わるか見物《みもの》だと、山名は底意地悪く考えてしまった。

「すみません、多少お時間をちょうだいしますが、緊急事態です」

山名の口調でさすがに何かを感じたらしく、雨宮は真顔になった。「では、すぐそこの喫茶店で」と、会社を出て案内する。三十メートルほど歩いたところにある喫茶店で、改めて向かい合った。

「緊急事態って、何かあったんですか」

不安に駆られたように、雨宮から確認してきた。山名は持ってきた新聞記事のコピーを、テーブルの上に並べた。

「ここ四ヵ月ほどの間に、これだけの事件が起きています。これらの亡《な》くなられた方たちには、ある共通点があります。おわかりになりますか」

山名の問いかけに、雨宮はコピーを手に取ってざっと目を通したが、首を傾《かし》げるだけだった。

「わかりません。これが何か？」

「全員、七年前の事件に関わっていた人です。江木を逮捕した刑事、起訴した検事、弁護した弁護士、判決を下した裁判官」

山名は淡々と事実だけを告げたが、それが雨宮に与えた影響は絶大だった。雨宮は見る見る、顔を青ざめさせた。

「ど、ど、どういうことですか。これは事故だし、これは強盗殺人でしょ。何か繋がりがあるんですか」

「それら全員が立て続けになくなったのは、単なる偶然だとは思えません。事故や強盗殺人と判断した初動捜査が間違っていたと、今では我々も考えています」

「わからない。わからないですよ。何が起きてるんですか」

雨宮は混乱しているようだった。わからないのではなく、わかりたくないのだと山名は見て取った。

「江木はすでに、刑期を終えて刑務所を出ています。現在、江木の所在は摑めていません。決定的証拠はまだありませんが、これらの死に江木が関わっている可能性はかなり高いと思われます」

「あの犯人が、裁判に関わった人を殺して回ってるんですか……」

思いもしなかったことらしく、雨宮は惚《ほう》けた顔をした。あまりの衝撃に、思考が停止したらしい。山名は現実をわからせてやることにした。

「そのとおりです。我々は、雨宮さんも例外ではないと考えています」

「ぼ、ぼくも――」

雨宮は目を見開いたまま、絶句した。おそらく雨宮にとって七年前の事件は、自分の世界の外で起きたことだったのだろう。安全な場所から眺め、スリルだけを味わえる楽しい刺激。己に危険が及ぶなどとは想像もせず、無邪気に自慢の種にしていたのだ。そんな別世界の出来事が、不意に我が身に迫ってきた。安全なはずのジェットコースターが壊れるのにも似た恐怖。雨宮の今の気持ちは、戸惑いなどといった表現ではとうてい足りないに違いない。

「どうすればいいんですか！　ぼくには家族がいるんです。生まれたばかりの赤ん坊もいます。ぼくが殺されたら、あまりにかわいそうです。なんとかしてください！」

雨宮は周囲の耳を気にする余裕もなく、摑みかからんばかりに山名に訴えた。山名は白けた気分が顔に出ないよう、無表情を保った。

「まず、あのブログをすぐにも削除してください。江木の目に留まる可能性がありま す」

「わ、わかりました。すぐやります」

雨宮はがくがくと頷《うなず》く。それを見て山名は、もう遅いかもしれないですけどね、と内心でつけ加えた。江木は今や、超常的な力を身につけた暗殺者に変貌《へんぼう》したかのような印象がある。つけいる隙《すき》を見せてしまった雨宮は、江木に目をつけられていてもまったく不思議ではなかった。

「それだけですか。他にした方がいいことはないですか」

縋《すが》るような目で見る雨宮の姿に、さすがに刑事としての良心が目覚めた。どんなに愚かであっても、この雨宮を江木に殺させるわけにはいかない。そのことを、捜査会議で訴えようと決めた。

「雨宮さんに警護をつけるよう、上司に進言します。雨宮さんのご自宅を、制服警官が二十四時間態勢で警備することになると思います」

「そうですか。それはありがたいです。でもぼくは、会社に行かなきゃならない。通勤途中も護《まも》ってもらえるんですか。それとも、会社は休んだ方がいいんでしょうか」

問われて、山名は少しの間考えた。正直、そこまで具体的に対策を練っていたわけではない。今言えるのは、アドバイス程度のことでしかなかった。

「もし休めるなら、会社は休んだ方がいいかもしれません。でも、それが短期間で済むという保証はありません。ご存じないかもしれませんが、江木は最高裁まで争って有罪が確定しています。一審だけではなく、二審以降の関係者をも恨むなら、狙う相手はまだまだいるのです。次に狙われるのが、雨宮さんとは限りません」

「じゃあ、どうすれば……」

雨宮は泣きそうな顔をした。心底途方に暮れているのだろう。山名としては、現実的な対応を説明することしかできなかった。

「ともかく私は、捜査本部に帰って二十四時間態勢の警備を手配します。もし雨宮さんの周囲に不審な人物が現れたら、すぐ知らせてください。捜査本部の電話番号をお知らせしておきます」

山名は自分の名刺の裏に電話番号を書き、渡した。雨宮はそれを、唯一の命綱であるかのように大切に受け取る。喫茶店を出た後も、完全に怯えきった様子で周囲を見回していた。馬鹿なブログの代償は高くついたものだと、山名は皮肉な感想を胸の奥で抱いた。

3

刑事たちと別れた後、雨宮は慌《あわ》てて自宅に電話した。パソコンが苦手で触りたがらない妻を叱咤《しった》し、ブログ更新のためのパスワードを調べさせる。それをメモに控えてから、階段を駆け上がった。会社のパソコンを私用に使うのは禁じられているが、今はそんなことを言っている場合ではない。ブログを置いてあるプロバイダーのホームページにアクセスし、ログインしてすぐブログ全部を削除した。その瞬間は、まったく惜しいとは思わなかった。

削除のボタンを押したときには爽快《そうかい》感すら覚えたが、すぐにそれは恐怖に取って代わられた。あのブログは長期間に亘《わた》って設置していた。アクセス数も、決して微々たるものではない。これまで雨宮はアクセス数が増えることに喜びを感じていたが、その中に江木という殺人犯が交じっていたかもしれないと考えると、背筋に氷を当てられたような感覚を覚える。考えが足りなかった自分の行動を、心底悔いた。

人を殺しておいてたった六年で刑務所を出てくるなんて、短すぎるとは思っていた。最低でも十五年、できたら二十年から三十年くらいは刑務所で己の罪と向き合うべきだと考えていた。それなのに江木という男は、もう社会に戻っていたのだ。そしてやっていることと言えば、裁判に関係した人への復讐である。法廷で見た江木はどちらかというとおどおどした態度の男だったが、六年間の刑務所生活で悪に染まったのだろうか。逆恨みで人を殺して回っているとは、社会の相互信頼を根底から揺るがす極悪犯だ。警察はいったい何をしているのだと、勃然《ぼつぜん》と怒りが込み上げてきた。

その日は一日、仕事が手につかなかった。上司の目を盗んでネットを巡回し、江木が起こしたと思われるここ四ヵ月間の事件について調べた。詳細を知った結果、雨宮の恐怖はますます膨らんだ。江木の事件を担当した一審の検事は、自宅内で殺されていたのだ。つまり、家に籠っていれば安全というわけではないことになる。だったらいったい、どこに逃げればいいのか。今にも自分の背後から江木が襲いかかってくる気がして、オフィス内にもかかわらず何度も後ろを振り返ってしまった。

夜になって仕事を終えても、すぐにオフィスを出る気にはなれなかった。刑事がくれた名刺の番号に電話し、護衛の警察官がついてくれるのかどうかを確認しないことには、外に出られない。ビルの前で制服警官が待っているとのことなので、かろうじて帰宅する勇気を得た。

待っていた制服警官に先導され、パトカーに乗せられた。パトカーの運転席には、別の警官が坐っている。雨宮は後部座席に押し込まれ、待っていた制服警官が隣に坐った。そんなふうに制服警官に囲まれると、護られている身にもかかわらず、自分が犯罪者になったかのような居心地の悪さを覚える。パトカーに乗るところを会社の人間に見られなかっただろうかと、そればかりが心配だった。

自宅前で、雨宮の横に坐っていた警官とともに降りた。パトカーは裏手に回って待機するらしい。降りた警官がそのまま自宅前で立ち番をしてくれると言うので、礼を言って家に入った。妻は窓から外を見ていたらしく、不安げな顔で出迎える。

「どうしたのよ。パトカーで帰ってくるなんて、何があったの？　昼間に刑事さんが来たけど、事件でも起きたの？」

雨宮としてはすぐにもパソコンに齧《かじ》りついて一連の事件についての情報を得たかったのだが、妻の問いかけを無視するわけにはいかない。リビングに移動して、刑事に告げられたことを説明した。話している途中から、妻の顔は蒼白《そうはく》になっていった。

「何よ、それ！　なんでそんなことになるの？　じゃあその犯人は、健くんのことも殺しに来るの？」

「それはまだわからないけど、可能性はあるだろうな」

自分の声が存外に落ち着いているのが、驚きだった。話す相手が先に狼狽《ろうばい》してしまうと、相対的に落ち着きを取り戻すものだと初めて知る。すると、妻の金切り声が鬱陶《うっとう》しく感じられてきた。

「可能性、って冗談じゃないわよ。何を他人事《ひとごと》みたいに言ってるの？　犯人がこの家に押し入ってきたら、あたしやみーちゃんまで巻き添えを食うかもしれないのよ。そんなことになったらどうしてくれるのよ！」

巻き添え、という妻の言い種《ぐさ》に、少しカチンと来た。他人事のように考えているのは、妻の方ではないか。夫の身を案じる気持ちはないのか、との文句が口から出かかる。しかし、妻の形相を見て思い留まった。

妻の目は、見たこともないほど吊《つ》り上がっていたのだ。

妻は柔和な顔立ちの女だったので、まさに豹変《ひょうへん》と言うにふさわしかった。からくり仕掛けの和人形で、一瞬にして表情が鬼女に変わるものがある。雨宮はその人形を連想した。目の前にいるのは見知らぬ女ではないかと錯覚しかけた。

「健くんが馬鹿な真似をしたから、こんなことになるのよ。健くんのせいよ。殺人事件なんかに関わらなきゃよかったじゃない。しかもそれを得意げにブログに書いてたなんて、馬鹿以外の何者でもないわ。もう、ホントに馬鹿。馬鹿馬鹿馬鹿」

恐怖のあまり正気を飛ばしかけている妻は、口汚く罵《のの》り続けた。雨宮は怒りも忘れて、啞然《あぜん》とした。まさか妻から、こんな低劣な罵声《ばせい》を浴びせられるとは。いつもならばこのようなことを妻に言われて黙ってはいない雨宮だが、今ばかりは反論はかえって逆効果だと本能的に悟った。だから、ただ鬼の形相の妻を呆然《ぼうぜん》と眺めた。

「あたし、今から実家に帰る。みーちゃんと一緒に実家に帰る。事件が解決するまで、戻ってこないから。犯人が捕まらないなら、このまま永久に戻ってこないから」

妻は早口に言うと、さっそく立ち上がってリビングを出ていこうとした。雨宮は慌てて身を乗り出し、手首を摑んだ。

「待てよ。もう夜だぞ。こんな時間に外に出ていったら、かえって危ないだろうが。今は警察官が外で立ち番してくれてるんだから、ここにいた方がいい。もっと冷静になって考えろ」

「冷静になんかなれるわけないでしょ、馬鹿っ！」

妻は雨宮の手を振りほどこうとしたが、果たせなかった。絶対にこの手は離してはいけないと、雨宮は力を込めたのだ。妻は理性を失っている。衝動のままに行動させては、犯人の思う壺《つぼ》だ。妻子の身の安全を考えるなら、今はここに留まらせるしかなかった。

何度も押し問答をした挙げ句、雨宮が寝ずの番をすることでなんとか妻を納得させた。雨宮も少なからず動揺して疲れているのに、さらに寝ずの番をするのは辛《つら》かったが、そうでも言わなければとうてい妻を黙らせることはできなかった。ふたりで家中を見て回り、すべての窓に鍵《かぎ》がかかっていることを確認すると、吊り上がっていた妻の目尻《めじり》はようやく元の状態に戻った。

妻と赤ん坊を寝室に押し込むと、思わず安堵の吐息が漏れた。これですべてが解決したわけでないのはわかっているが、眼前の難問がひとつ解決した気分になるのはどうしようもない。雨宮はドアの前に椅子《いす》を持ってきて坐り、頭を抱えた。

まさか、こんなことになるとは思わなかった。自分はただ、市民としての義務を果したしただけだった。誰だって社会は平和であって欲しいと望む。そのための努力は、惜しむべきではない。殺人のような凶悪な犯罪が起き、自分の少しの勇気で犯人が捕まるなら、目撃者として名乗りを上げるのは当然のことだ。誰に話しても賞賛されることを、自分はしただけではないのか。

確かに妻の言うとおり、その一部始終をブログに書いてアップしたのは行き過ぎだったかもしれない。しかしそれも、会社を休んでまで出廷して証言した者の余禄《よろく》だ。思い出してみれば、当時の気分も今と大差なかった。雨宮はまだ独身だったが、将来がぼんやりと見えかけているという点では脇道《わきみち》のない軌道に乗っていたのだ。いい大学を出て、いい会社に就職した。特別な夢や野望があるわけではないから、転職や起業などは考えていない。定年まで会社にしがみつき、いい頃合いで結婚をし、子供がふたりほどできれば傍目にはいい人生と映るだろう。自分がそうした一生を送ることに、なんの疑問も持っていなかった。

だからこそ、退屈もしていた。来年一年間の生活が今年と大差ないと予想できてしまうことに、倦《う》む気持ちがあった。結局今に至るも同じ漠然とした不満を抱えているのだから、当時の予想は当たっていたのだ。それを思うと、声に出して叫びたくなるほどの寂しさを覚えた。

どんな形でもいいから、刺激が欲しかった。できるなら、自分の人生を揺るがせない程度のちょっとした刺激。恋愛で言うなら、結婚を考えた安定した交際ではなく、少し不安を覚えるような危ない女との付き合いの方がスリリングだ。むろん、そういう女に溺《おぼ》れて我を忘れるような愚は犯さない。退屈な日常に色を添えてくれる、安全な刺激。それ以上は望んでいなかった。

そんなときに、あの男と肩が触れ合った。灰色のウィンドブレイカーを着た男。あれが、胸を躍らせる刺激の始まりだった。刺激はいっときの娯楽で終わるものと、当時の雨宮は思い込んでいた……。

4

県内には高等裁判所があるので、居住している裁判官や検察官が他県よりも多い。江木事件の二審を担当した裁判官はさすがに県外に転勤していたが、検察官は未《いま》だ県内にいた。その検察官、是永俊紀《これながとしき》にはすでに護衛がついている。次に狙われるのが検察官か裁判官かはわからなかったが、県内での犯行はなんとしても防がなければならないというのが捜査本部の一致した考えだった。

そこに山名が、雨宮健も江木の標的になり得るとの考えを示した。物的証拠の少ない中で判決が有罪に傾いたのは、雨宮の証言に負うところが大きい。その意味で江木が最も恨む相手は雨宮かもしれず、山名が捜査会議で発表したブログのことは多くの舌打ちをもって迎えられた。

「つまらないことをしやがって」

「後先を考えろよ」

そうした呟《つぶや》きは、山名の思いと一致していた。雨宮がよけいなことをしたために、捜査本部が留意しなければならない事項がひとつ増えたのだ。ただでさえ、県警の総力を挙げて江木の立ち回り先を当たっているさなかである。雨宮の警護に人員を割かなければならないのは、少なからず負担だった。

「でも、去年娑婆《しゃば》に出てきたばかりの江木が、そんなブログに気づくでしょうか」

そうした疑問の声も上がった。山名は江木聡子の暮らしぶりを思い出す。家具がほとんどない、閑散とした部屋。しかしそんな中で、真新しいノートパソコンだけが浮いていた。あれを江木が使用していたなら、ブログを見つけていてもおかしくはない。

「江木の母親はノートパソコンを持っています。それに、江木はインターネットカフェなどを転々としているのかもしれません。だとしたら、むしろネットを覗《のぞ》く機会は多いとも考えられます」

反対意見には妥当性があったので、疑問を発した者も黙り込んだ。それで思いついたらしく、今度は司会の係長が質問を投げかけた。

「江木は携帯電話を持っているのか。携帯があれば、ブログを見ることはできるだろう」

「少なくとも、江木名義の契約はされていません。持っているとしたら、飛ばし携帯でしょうか」

携帯電話各社に当たっていた刑事が、係長の問いかけに答えた。飛ばし携帯を使っているのなら、確認のしようがない。江木がブログに気づいていないと楽観するのは危険だと、山名は考えた。

しかし、山名と意見を同じくする者は、あまり多くなかった。刑事たちの多くは、それほどパソコンに詳しくないのだ。数え切れないくらい存在する個人ブログの中から、そんなに都合よく雨宮のブログを見つけ出せるだろうかという声が上がる。

「そもそも、自分の名前をインターネットで検索してみようなんて、普通思うか？　検索したって、大した話は出てこないだろうが」

「江木は自分のことがどう報道されていたか、知ろうとしたかもしれません。むしろ、検索してみるのが普通ではないでしょうか」

山名は反論したが、首を傾げる者が幾人もいた。

「そりゃあ、あんたが若くてインターネットに馴染《なじ》みがあるからだろ。江木も若いとはいえ、娑婆から六年も遠ざかってたんだ。六年前の知識で留まっている人間が、そんなにうまくインターネットを使いこなせるかね」

そうだよなぁ、といった同調する声がいくつも上がった。山名は彼らの考えが読めた。口に出しては言わないが、一般のサラリーマンと検察官なら、検察官の警護を優先したいのが警察官の本音だ。確かに彼らが言うとおり、江木が雨宮のブログに気づく可能性はそれほど高くない。「人手も足りないしな」というひと言が出ると、議論の流れは決した。

雨宮の警護には、二名の人員を充《あ》てる。雨宮が出勤を望むなら、パトカーで送り届けるしかない。幸い雨宮は内勤なので、一度社屋に送り込めば退社時刻まで張りつく必要はなくなる。会社側にも注意を喚起し、部外者の侵入を防いでもらえば充分だろうということになった。

果たして、それでいいのか。山名はどうにも不安を拭い去れなかったが、かといって明確な反対材料も見つからなかった。雨宮に同情する気持ちが持てないのも、山名に積極的な発言をさせない理由のひとつとなった。落ち着かない気持ちを抱えたまま、捜査会議終了の声を聞いた。

5

あの日、雨宮は朝から調子が悪かった。起きてみると喉《のど》がいがらっぽく、どうやら風邪をひいたようだとすぐに悟った。体力がないわけではないが、年に一度は風邪をひく。おそらく、疲れがピークに達すると免疫力が落ちて風邪をひくのだ。働いていれば避けがたいことなので、諦めとともに受け入れる。動けなくなるほどではないので、いつもどおりに床から出て活動を開始した。

幸い、熱はなさそうだった。朝食を食べる気にはなれないので、出社途中にコンビニエンスストアに寄って栄養ドリンクを買った。風邪薬は、眠くなるので服《の》まなかった。

そういう日に限って、仕事量が多かった。課を挙げて取り組んだものの、残業する羽目になった。とはいえ、翌日までかかるほどの量ではない。八時半を過ぎた頃からぽちぽちと手が空く者が出始めて、『腹減ったなぁ』という声が聞こえた。

だいたいこのくらいの時刻まで残業をすると、課の者たちで飲みに行くことが多い。家に帰って食事をするよりは、一杯引っかけながら腹を満たしたいと考える人が多い課なのだ。雨宮は自分の体調と相談をした。喉は依然として痛いが、熱は結局出なかった。この程度の風邪なら、アルコール消毒で治る。そもそも、こういう展開になることを見越して、夕方になっても風邪薬を服まずにいたのだ。ひとり暮らしの部屋に戻ってコンビニ弁当を食べるくらいなら、みんなで酒を飲んだ方がよかった。

『じゃあ、ちょっと行くか』

全員の仕事が終わったのを確認してから、課長が杯を呷《あお》る仕種《しぐさ》をした。行きましょう行きましょう、と同僚たちが声を合わせる。雨宮も鞄《かばん》を手にして、立ち上がった。

行きつけの居酒屋は、会社から歩いて十分ほどの場所にあった。繁華街の裏路地に面していて、安いが旨《うま》い。その裏路地には他にも飲み屋が軒を連ねていたが、雨宮たちは席が空いている限りその店を利用していた。覗いてみると、混む時間を過ぎていたので座敷が空いていた。

課長はまだ三十代後半の若さなので、部下たちとそれほど年齢差がない。出世が早いのは優秀だからだが、それを鼻にかける気配がまるでないので、部下たちとの関係は良好だった。むしろ、年が近いことでコミュニケーションがうまくいっている。頻繁に飲みに行くのも、課長を中心とした団結力があるからだった。

飲み会の雰囲気は、いつもどおりだった。課長が話せる人だけに、会社に対する愚痴もけっこう出る。課長がそれを掬《すく》い上げて、上に意見を伝えてくれることすらあるため、飲み会は重要な意見交換の場とも言えた。雨宮は喉の調子がよくないのであまり発言しなかったが、やり取りは楽しく聞いた。

翌日も仕事があるので、長く飲みはしなかった。一時間半ほどで切り上げ、解散する。課の人間は全員バス通勤をしているため、バスがあるうちに帰らなければならないという事情もあった。終バスは十一時だからまだ時間はあるが、余裕を持って行動するのが課長の方針だった。

だが雨宮は、コンビニに寄って栄養ドリンクを買いたかった。酒は控えたので酔ってはいないが、多少消耗している。少し高い栄養ドリンクを飲んでひと晩寝れば、明日には回復しているのではないかと期待した。

店の前で課長たちと分かれ、バス停とは反対方向に向かった。路地から表通りに出たところに、コンビニがあるのだ。飲み屋街の裏路地は、この時刻になっても人の行き来が多い。バス停と反対方向に向かう雨宮は、人の流れに逆らう格好になった。

だから、前から来る人には気をつけていた。ぶつからないよう、歩く人の進路を避けて通る。それなのに、人波を縫うようにして早足で進む男がいて、いきなり雨宮の前に飛び出してきた。雨宮はよけきれず、肩が触れてしまった。

『痛いな』

向こうからぶつかってきたようなものなので、反射的に言葉が飛び出した。雨宮は好戦的な人間ではないものの、こうした際に黙っているタイプではない。ひと言謝れという気持ちを込めた言葉だったが、相手は意に介さなかった。振り向きもせず、さっさと遠ざかっていった。

『なんだよ、あいつ』

雨宮は呟いたが、相手の背中には届かなかった。多少不愉快な思いを抱えつつ、コンビニへと急いだ。ぐずぐずしていたら、終バスに乗り遅れてしまうかもしれなかった。

それきり、そのことは忘れていた。道を歩いていて誰かとぶつかることなど、さして珍しくもない。事件報道を新聞で読まなければ、二度と思い出すことはなかっただろう。つまり、いったんは記憶の表層から消えた出来事だった。

翌日の昼休みに、雨宮は行きつけの喫茶店で新聞を読んだ。ひとり暮らしなので、新聞は購読していないのだ。食事をした後にコーヒーを飲みながら、店に備えつけの新聞に目を通せば充分である。一面から順に、ざっと斜め読みを始めた。

最後の三面記事欄で、人が死ぬ事件があったことを知った。特に興味を惹かれたわけではなかったが、事件発生地点が雨宮の目を引き寄せた。記事に書かれていた住所は、あの飲み屋街のそばではないか。そういえばバスで帰る途中、救急車のサイレンらしき音を聞いた。あれは、事件現場に駆けつける救急車だったのか。

記事の最初に戻って、熟読した。それによると、亡くなったのは中年の男性とのことだった。路上に後頭部を強く打ち、死亡している。顔に暴行の跡があったため、何者かに殴られて倒れた際に死んだものと推測されていた。

雨宮はあの周辺の地図を頭の中で描いた。そして、気になることに思い至った。事件現場は昨夜雨宮が居酒屋を出た後に向かっていた方角、つまり居酒屋を挟んでバス停とは反対側に位置する地点だったのだ。

それに気づいた瞬間、ほぼ自動的に男のことが脳裏に浮かんだ。雨宮にぶつかってきながら、謝りもせずに去っていった男。あの男はなぜ、あんなにも急いでいたのか。まるで何かから逃げるかのようだったではないか。記事によると、死亡推定時刻は〝午後十時三十分頃〟となっている。飲み会をお開きにして店を出たのが、まさに午後十時半だった。男とぶつかった時刻は、ちょうどその直後になる。思い出すと、男はなにやら必死な形相だった気がしてきた。あれは、人を殺した後の形相だったのか。

新聞を読み終えて会社に戻った後も、事件のことがずっと気にかかった。もしかしたら自分は、殺人犯の目撃者となったのかもしれない。そう考えると、尾てい骨の辺りがむずむずするような興奮を覚えた。事件は掏摸《すり》や痴漢などといった軽犯罪ではなく、殺人だ。報道やテレビドラマの中でしかお目にかかれない大事件が、昨夜すぐ近くで起きていたことになる。しかも雨宮は、現場から逃走する途中の犯人を目撃したのかもしれないのだ。興奮を抑えるのは難しかった。

仕事が終わった後に、課長に相談してみた。課長は難しい顔で腕組みしつつ、意見を言ってくれた。

『まあ、関係ないとは思うがな。それでも一応、警察にその話はしてみた方がいいかもしれない。無関係だってことがわかれば、お前もすっきりするだろ』

『そうですね。じゃあ、明日の夜にでもちょっと行ってみます』

課長に背を押されると、本当は最初からそうしたかったのだと自分の気持ちに気づいた。どうでもいい情報で警察を振り回してしまうのではないかと、体面を気にしてためらっていたのである。だが本音では、こんなドラマティックなことに関わらずにいるのは惜しいと思っていた。自分の証言で犯人が逮捕されたりしたら、ミステリードラマや小説でしか起きないような劇的な事態を目《ま》の当たりにできる。安定という名の退屈に覆われた日々が、いっときなりとも変化するかもしれない。そう考えると、明日まで待つのがもどかしいほどだった。

それでも念のため、一日様子を見てみたが、事件は解決しなかった。雨宮は勇気を奮い起こして、警察署に行った。警察は情報提供を求めていたらしく、恐れていたような邪険な扱いは受けなかった。少し待たされた末に刑事らしきスーツ姿の男がやってきて、あれこれと質問をされた。ただすれ違っただけなので、男の人相は正直あまり憶《おぼ》えていなかったが、グレーの上着を着ていたことだけはかろうじて思い出した。

『グレーの上着？　どんな上着でした？』

『うーんと、コートじゃなかったですね。そうそう、肩がぶつかったときにがさがさって感じの音がしたから、ウィンドブレイカーかもしれない』

『灰色のウィンドブレイカーね』

その他に、ぶつかった際の肩の高さから、おおよその身長なども推測で証言した。言葉にしてみれば思っていたより曖昧《あいまい》で気が引けたが、刑事は熱心にメモを取った。どうやら役に立つことが言えたようだと、密《ひそ》かに胸を撫《な》で下ろした。

動きがあったのは、二日後のことだった。今度は警察から呼び出しを受けたのだ。有力な参考人を警察署に連れてきているから、確認をして欲しいと言う。確認はマジックミラー越しで、相手に顔を見られる心配はないから協力して欲しいと、やってきた刑事は説明した。

そういうシーンを、何度かドラマで見たことがあった。取調室の様子をマジックミラー越しに見られるなんて、貴重な体験だ。一も二もなく承知し、夕方になってから警察署に向かった。署では驚くほど丁重な扱いを受けた。

いくつかの注意点を聞いてから、小部屋に案内された。小部屋の右側には、壁を覆うようにカーテンがかかっている。スピーカーからは、複数の男のやり取りが聞こえていた。隣の部屋での取り調べが、スピーカーを通してこちらに伝わっているようだ。

『よろしいですか。開けますよ』

大柄な刑事に言われ、小さく頷いた。固唾《かたず》を呑《の》みたくなるほど緊張しているのを自覚する。電動のカーテンが音もなく開くと、机を挟んで向かい合うふたりの男が見えた。

ひと目で、どちらが刑事でどちらが重要参考人かわかった。刑事は机の上に身を乗り出して語りかけ、参考人はうなだれて下を向いていたのだ。部屋の奥に坐っている参考人は、顔の右半分をこちらに向けている。雨宮はじっとその横顔を見たが、記憶は刺激されなかった。

『どうです？あなたがぶつかった男ですか』

問われて、密かに焦《あせ》りを覚えた。そうだとも違うとも言い切れなかったのだ。こうして参考人を見てみて気づいたのだが、ぶつかった男の顔はもはや憶えていなかった。すれ違ったのはほんの一瞬だから、憶えているわけがないのだ。しかし、いまさらそんなことは言えなかった。

『ちょっと、俯《うつむ》いているのでよくわからないですね』

即答できず、角度が悪いと言い訳をした。実際、顔を斜め上から覗き込むようにしては、印象が大きく違うはずだ。膝《ひざ》を折って中腰になり、視線を参考人の顔の高さまで下げた。すると、なんとなく見憶えがあるような気もしてきた。

『どうですか』

再度、期待の籠った問いを向けられた。そんな訊き方をされては、わかりませんとは答えにくかった。漠然とだが、見憶えがあると感じるのも確かだ。慎重に、その旨《むね》を告げた。

『たぶん、私がぶつかった相手じゃないかと思うんですが、ちょっと自信がないです』

『たぶん？　はっきりしないんですか。もう一度よーく見てください。あの男は事件当夜、灰色のウィンドブレイカーを着て外出していたことは認めているんです。被害者に対する恨みも抱いていました。事件が起きた時間帯のアリバイもありません。でも、これだけ状況証拠が揃《そろ》っていながら、決定打に欠けているんです。あなたの証言で、人ひとりを殴り殺した凶悪犯を逮捕することができるんですよ。どうです？　あなたが見かけたのはあの男じゃないんですか』

大柄な刑事の言葉は丁寧だったが、口調はどこか威圧的だった。あの男じゃない、という返事は許されないかのような圧迫を感じる。雨宮は改めて、マジックミラーの向こうにいる男を見つめた。特にこれという特徴のない、平凡な顔立ち。思えば肩がぶつかった男も、平凡な顔をしていた。

『あの人だったかもしれないですね』

恐る恐る、断定は避けて言ったつもりだった。それでも刑事は、顔に嬉《うれ》しげな笑みを浮かべた。

『間違いないですね』

『いや、ですから、かもしれない、と』

『もう一度見てください。あなたが見かけたのは、あの男だったんですね』

刑事は太い指をマジックミラーに向けて、顔を近づけてきた。笑っているだけに、なおさら怖い。言われるままに参考人に目を転じると、不思議にも記憶の中の顔が甦《よみがえ》ってくるかのようだった。ぶつかった男は、マジックミラーの向こうにいる人物で間違いないと思えた。

『はい。私が見たのはあの人です』

頷くと、刑事は満面の笑みを浮かべた。『ご協力ありがとうございます』と丁寧に言って、別の刑事と入れ替わる。改めて椅子に坐り、別の刑事が今の証言を書面に書き留めた。それができあがると警察署の外まで送り出されたが、自分の発言が事件にどう影響するのかは教えてもらえなかった。

暴行殺人の容疑者を逮捕したとのニュースは、次の日の夜に耳に入ってきた。タイミングからして自分の証言が捜査の流れを左右したのかもしれないとは思ったが、あんな曖昧な物言いが決定打になったとは考えにくかった。そもそも、雨宮が見た参考人が逮捕されたとは限らない。犯人が捕まってよかったと、ただそれだけを感想として胸に留めた。

雨宮が警察で目撃証言をしたことは、社内で評判になった。『すごいな』と口々に言われると、やはり自分の証言が事件解決に大きく寄与したような気がしてきた。警察が間違いを犯すわけはないのだから、あの参考人が犯人だったのだろう。ならば雨宮がしたことは、社会正義に基づいた行動だったのだ。そう考えると、なにやら誇らしい気持ちが湧いてきた。

裁判所の呼び出しを受けたときは、さすがに驚いた。裁判でまで証言をすることになるとは、予想していなかったのだ。呼び出されて初めて、あの証言の重要性を認識した。自分が特別な人間になったように感じ、武者震いを覚えた。

出廷の日は会社を休んで裁判所に行った。裁判所に足を運ぶのは初めてなので、緊張は避けられない。まして今回は、マジックミラー越しではなく同じ空間で殺人犯を間近に見るのだ。心臓が高鳴るのを雨宮は自覚したが、これが恐怖によるものか、興奮なのか、緊張なのか、自分でも判然としなかった。

法廷の隣に位置するらしい小部屋で待機させられた。ドア越しに聞こえてくるのは裁判官や検事、弁護士の声だけで、傍聴席の気配はまったくない。被告人の声も聞こえない。ドアの向こうには三人しかいないのではないかと錯覚した。

やがて、出番がやってきた。制服を着た廷吏に促され、法廷に入っていく。真っ先に、被告人の姿が目に飛び込んできた。一瞬、雨宮は戸惑った。

被告人の顔には、目立つ痣《あざ》があったのだ。

あんな痣、警察署では見えなかった。被告人はあのとき、顔の右半分しか雨宮に向けていなかった。痣は顔の左側にあった。正面から見れば見落としようのない、大きな痣だ。雨宮は内心で動揺した。自分がすれ違った男には、痣などなかった気がしたからだ。どういうことなのか。この被告人はぶつかった男ではないのか。瞬時に雨宮は、いくつかの仮定をした。ぶつかった男は事件と無関係だった。ぶつかった男は犯人だが、ここにいる被告人は犯人ではない。あるいは、街灯の明かりの関係で雨宮が痣を見逃した。顔の左側に光が当たっていなければ、痣が目に入らなかった可能性はある。とっさに思いついたのは、その三つだった。

警察が無実の人を逮捕するはずがなかった。ならばやはり、この被告人が犯人なのだ。となると、雨宮が目撃した男は無関係だったのか。それなのにこんなところにのこのこ出てきてしまった自分は、ただの道化だ。いまさらそんなことが言えるだろうか。

痣は見えなかったのだ。雨宮はその結論にしがみついた。痣は陰になっていた。そう考えれば、すべての辻褄《つじつま》が合う。顔や背格好は、この男と一致しているのである。こいつが犯人で間違いないと、何度も自分に言い聞かせた。

それでも、似た人と見間違えた可能性はないのかと弁護士から追及されると、『ないと思います』と答えてしまった。正直な気持ちが、言葉に表れたのだ。弁護士は当然のように、その表現に嚙《か》みついてきた。雨宮としては、恥をかかないためにもはっきり断言するしかなかった。

『思い出しました。あのときすれ違った人には、顔に目立つ痣がありました。間違いなくこの人です』

言い切ると、それが真実だったと思えた。自分は確かに、痣を見た。一瞬のことだったから記憶の底に埋もれていただけで、見たことに間違いはないのだ。そう決めつけると、気持ちが楽になった。だから以後は、二度と被告人の顔を見なかった。

後に、被告人には有罪判決が下った。雨宮はそれを知り、心の底から安堵した。日本の裁判が間違えるはずがない。警察が逮捕し、検察が起訴し、そして裁判所が有罪と判断したのだ。もしあの被告人が無実なら、どこかの段階でそれが証明されていただろう。日本の警察は優秀だし、検察官や裁判官は難しい司法試験を突破したエリートだ。そうした人たちがあの被告人を有罪と考えたのだから、それが事実なのだ。事実の前に、雨宮の記憶の曖昧さなど些細なことでしかなかった。

最初は自分の証言に自信が持てなかった雨宮だが、日を追うごとに記憶が補強されていった。人に何度も話すうちに、顔に痣のある男を目撃した映像までが脳裏に浮かぶようになった。取調室では気弱そうに見えた男も、いつしか人を殴り殺す凶悪犯の表情に変わった。頭の中で反芻《はんすう》するほどに、強固になっていく記憶。七年経《た》って刑事が訪ねてくるまで、あれが事実だと思い込んで疑わなかった。

被告人だった江木という男は、裁判に関係した人々を順番に殺し続けているという。単なる逆恨みで、そこまでするだろうか。年間何人の殺人犯が逮捕されるか知らないが、出所後に裁判関係者への復讐を始めた者の話など聞いたことがない。復讐に走らざるを得ないほどの怒りは、もしや謂《い》われのない罪を着せられたことに発しているのではないか。

こうして思い返してみると、雨宮の記憶は自分が思うほど確固としたものではなかった。むしろ、いい加減と言った方がいい。結果的に真犯人逮捕に繋がったのだからいいじゃないかと考えていたが、そんな気楽な事態ではなかった。おれの曖昧な証言が、江木という男を犯人に仕立て上げたのではないのか。

雨宮は初めてそう考えて、肌が粟立《あわだ》つ思いがした。警察も検察も裁判所も、あんなあやふやな証言ひとつで無実の人を罪人にしたのか。ならば、江木が怒り狂うのも無理はない。人生をめちゃくちゃにされた恨みを、復讐という手段で晴らそうとするのは、ある意味当然のことだ。江木の怒りはこの七年間、決して癒《い》えることはなかっただろうから。

江木は間違いなく、おれを殺しに来る。回想したことで、雨宮は確信した。江木にとって誰よりも許せないのは、このおれだろう。おれさえあんな証言をしなければ、江木に有罪判決が下ることはなかったのだ。江木の人生を破壊したのは、他ならぬこのおれだ。おれを殺さなければ、江木の復讐は完了しないはずだ。

でも——、と雨宮は考える。おれだってまさか、自分の証言で裁判の行方が決まるとは思わなかった。警察の捜査や裁判は、もっときちんとした証拠に基づいて行われるのだと考えていた。証言の他にも物的証拠があったから、江木は有罪だと見做《みな》されたのではないのか。もし証言だけに頼った判決だったのなら、悪いのはそんな判断をした裁判官だ。おれの証言など、裁判官たちの間違いに比べれば大したことはない。

江木が目の前に来たら、そう言いたかった。いや、むろん謝る気持ちはある。反省しているから許して欲しい。おれには妻がいるし、生まれたばかりの子供もいる。おれが殺されてしまえば、妻子があまりにかわいそうだ。江木に人としての情があるなら、おれを殺して妻子を悲しませるような真似はしないでくれ——。

考えれば考えるほど、体の震えは止まらなくなった。おれが悪かった、おれが悪かったと、雨宮は心の中で何度も呟いた。

6

事態は、山名の予想しない形で動いた。江木事件の二審を担当した検察官である是永俊紀が、何者かに襲われたのだ。是永の周囲にはそのとき、三人の警察官がついていた。もちろん、不審人物を近づけるようなミスは犯していない。襲撃者はガードが堅いのを見て取り、遠目からナイフを投げつけてきたのだ。狙いは逸れ、ナイフは是永の二の腕を掠《かす》めただけだった。警察官たちはひとりを残して襲撃者を追いかけたが、逃げ足は速くその姿を捕捉《ほそく》することすらできなかった。高等検察庁支部を退庁する際の、一瞬の隙を衝《つ》かれた襲撃だった。

捜査本部上層部の怒りは、尋常ではなかった。警察官ふたりが追いかけて、その姿すら目撃できなかったのである。これまでほとんど人前に姿を見せず、証拠も残さなかった江木が、ようやく手が届くところまでやってきたのに逃がしてしまった。この失態をマスコミに向けて発表しなければならない上層部が、烈火の如《ごと》く怒るのは当然のことだった。

「江木は何者だ！　どこかの国の特殊部隊にでもいた経歴があるのかよ！」

捜査会議の席上で、管理官が机を叩《たた》いて怒鳴った。この捜査本部が設置されてから、管理官が声を荒らげるのは初めてのことだ。それだけ捜査本部全体に、苛立ちが募ってきているのだろう。その中に身を置く山名も、江木を逃がしたふたりの警察官を厳しく咎《とが》めたい心地だった。

「いえ、江木にそのような過去はありません。もっとも、出所後に姿を消してから、特殊訓練を積んだ可能性は残りますが」

係長に無言で促された一課の刑事が、生真面目《きまじめ》に答えた。だがそんな報告は、聞かずとも会議の席にいる全員が知っている。だからこそ、江木の神出鬼没ぶりが不可解なのだった。むしろ今回は、ナイフが逸れた僥倖《ぎょうこう》を喜ぶべきなのかもしれない。

「ナイフのナシワリ、しっかりやれよ」

管理官の指示に、係長が頷く。ナシワリとは、遺留品の出所を探すことである。江木が残した数少ない物証だけに、警察としては着目せざるを得ないが、おそらくその線を追っても何も出てこないだろうと山名は予想している。ナイフはスーパーマーケットでも売っているような、ごくありふれた果物ナイフだったとのことだ。購入者を割り出すのは、ほとんど不可能だろう。

むしろ山名は、凶器が果物ナイフであったことに着目していた。殺傷能力の高いサバイバルナイフの類《たぐい》であればまだしも、果物ナイフとは江木の本気が疑われる。もともと江木は、是永俊紀をナイフで殺す気などなかったのではないか。にもかかわらず、無理をしてでも是永を襲撃したことには、何か他の意図があるのでは。

陽動作戦、という言葉がすぐに浮かんだ。是永に警察の注意を惹きつけておいて、本当に狙いたい相手の守りを手薄にする。もし山名の推測どおりであるなら、江木が次に狙う相手は雨宮しか考えられなかった。

ナイフに指紋が残されていなかったことが報告されてから、山名は自分の考えを発言した。だが、実際に是永が襲われた今は、裏をかかれることまで考慮して雨宮の警護を厚くするわけにはいかない。むしろ人員は、是永の周辺に多く配置すべきとの意見が多数だった。是永襲撃は陽動作戦との推測はあくまで勘でしかないので、山名も強く主張できなかった。是永の警護態勢の見直しが決まり、具体的なローテーション作りが始まった。

雨宮に固執する山名は、その蚊帳《かや》の外に置かれた。雨宮が襲われる可能性を無視しているわけではないので、山名はそちらの担当ということになったのだ。講堂の一方に集まって警護の順番を決めている者たちを横目に見つつ、事件の行方について考える。山名にとって最悪なのは、江木の自殺という形で事件が終結することだった。できるなら、江木をそこまで追いつめずに逮捕したい。そして理想的なのは、江木に自首してもらうことだ。もうこれ以上の犯行は重ねて欲しくない。自首したところでこれだけ殺人を繰り返してしまった江木に減刑は望めないが、心の猛《たけ》りを静めた状態で矛《ほこ》を収めて欲しいのである。江木の怒りは、何をもって静めることができるだろうかと思案した。

再審か。思いついてみれば、それしかあり得ないと感じられた。再審によって、江木の冤罪《えんざい》を晴らす。自分の無実が証明されれば、江木も納得して警察の縛《ばく》に就くのではないだろうか。考えるほどに、活路はここにしかないと思えた。

再審の扉を開くためには、新たな証拠が必要だった。七年前の事件で、いまさら新証拠が見つかるだろうか。おそらく見つかる可能性はかなり低いが、しかしやらなければならない。江木の怒りを静めることこそが、事件解決への近道なのである。

どこかに突破口はないかと、頭を捻った。七年前の事件の資料を読んで、気にかかることはなかったか。そういえば、奇妙に感じたことがひとつあった。あれはいったい、なんだっただろうか――。

「そうか」

思い出した。雨宮の目撃証言だ。雨宮は当初、自分がぶつかった男の顔に痣があったなどとは言っていなかった。単に、灰色のウィンドブレイカーを着ていたと証言しただけである。江木の顔の痣はかなり特徴的だ。まず真っ先に目につくと言ってもいい。それなのに雨宮が痣に言及しなかったことを、山名は奇妙と感じたのだった。

もう一度、雨宮に会う必要がある。山名は心に決めた。すでに時刻は深夜に近いので、明日の朝一番で再訪しようと考える。小西と待ち合わせるのももどかしく感じられ、単独行動することにした。

翌朝、係長に電話で一報を入れてから、直接雨宮に会いに行った。出勤したばかりのところを呼び出したから、雨宮は不機嫌そうだった。仕事に支障を来《きた》しているのだろう。しかし、殺されるよりはましなはずだった。前回にも来た喫茶店で向き合い、切り出した。

「七年前のことで、質問があります。雨宮さんは法廷で証言する際に、ぶつかった男の特徴として灰色のウィンドブレイカーを挙げていましたね。どうして顔の痣のことは言わなかったんですか」

尋ねると、雨宮の顔色が露骨に変わった。目が泳ぎ、答える言葉を探すように口が何度も開いては閉じられる。やがて吐き出された言葉は、こうだった。

「い、いや、痣のことも言いましたよ」

「確かに、証言の途中で思い出して痣に言及しています。しかし、それは不自然ではないですか。江木の顔にある痣は、後から思い出すような目立たないものではないですよね。すれ違えば、むしろそこにだけ注意を奪われるくらいの特徴ではないかと思います。あなたは実は、ご自分の証言が間違っていたことに気づいてたんじゃないんですか」

直截《ちょくせつ》に切り込んだ。雨宮はなおも口をぱくぱくさせたが、やがて肩を落とした。

「……嘘《うそ》をつくつもりはなかったんです」

雨宮の姿は、白を切っていた容疑者が自白する際の態度を思い起こさせた。罪を告白するという点では、同等なのかもしれない。山名は黙って、続きを待った。

「警察に呼び出されて、マジックミラー越しに見たときには、痣の反対側の横顔しか見えなかったんですよ。あのときに痣が見えてたら、別人ですとはっきり証言してました。だから、悪気はなかったんです。あの時点では本当に、ぼくにぶつかった人に間違いないと思ったんですよ」

「つまり、あなたが目撃した人には顔の痣なんてなかったんですね」

自分の声がくぐもっていることを、山名は自覚した。腹に抑え込んだ感情が、声を低くさせている。雨宮は山名の変化にも気づかず、がくがくと頷いた。

「ありませんでした。いや、少なくともぼくは気づきませんでした。だって、夜道ですよ。照明が当たってない側の顔に痣があるかどうかなんて、わからないじゃないですか。法廷で初めて顔の痣に気づきましたけど、だからって突然証言を変えるわけにはいかなかったんです。刑事さんもそれはわかるでしょ」

雨宮は理解を求めるように、身を乗り出した。反射的に山名は、体を遠ざけた。雨宮の甘えた言い種に、嫌悪《けんお》すら覚えていた。

「痣は見えなかったと、正直に言えばよかったとは思いませんか」

「そんなの無理ですよ！　だってぼくは、裁判なんてものとはまったく無関係に生きてきた一般市民ですよ。あんな特別な雰囲気のところに呼び出されたら、とっさの判断なんかできなくなるに決まってるじゃないですか。ぼくの証言が重視されているのはわかってました。だからよけいに、あの場になって違ってましたとは言えませんよ。誰だってそうだと思いますよ」

「あなたがきちんと証言していれば、無実の人間が刑務所に行くことはなかったかもしれないんです。それについては、なんとも思わないんですか」

「だから、そんなことまで考えられなかったんですって。一度証言しちゃったんですから、引っ込みがつかないじゃないですか」

こらえようとはしていた。目の前にいるのは容疑者ではなく、容疑者を庇《かば》う関係者ですらなく、自分で言うとおりの一般市民でしかないのだ。刑事である山名は、一般市民を守ることに全力を注がなければならない。それでも、自制心には限界があった。

「あなたのような人がいるから！」

怒声を張り上げると、雨宮はびくりと肩を震わせた。あなたには怯える権利すらないのだと言ってやりたかった。

「あなたのような人がいるから、世の中から冤罪がなくならないんだ。不幸の連鎖が止まらないんだ。あなたはもっと、自分が犯した罪について考えるべきだ。そして、心から江木に詫《わ》びる準備をしなさい。それが、人間としての最低の義務だ！」

言い放つと、目を丸くしていた雨宮は悄然《しょうぜん》とうなだれた。山名の苛立ちは、苦い後味となって胸の底に残った。

7

山名はその足で、江木聡子に会いに行った。雨宮の証言があやふやであったなら、再審請求をしてみる価値が充分にある。そのためには、なんとしても江木に自首してもらわなければならなかった。江木に自首を勧められるのは、母親である聡子しかいない。一刻も早く、雨宮が証言の曖昧さを認めたことを知らせてやりたかった。

もうパートに行ってしまったかもしれないと思いつつも、まずはアパートを訪ねた。呼び鈴を押すと、中で人の動く気配がする。まだ在宅しているようだ。ドア越しに誰何《すいか》の声が聞こえたので答えると、少しの間があってからドアが開いた。

そのとたん、ドアの隙間から強い芳香剤の匂《にお》いが漏れ出てきた。あまりに匂いがきついので、一瞬眉《まゆ》を顰《ひそ》めてしまう。聡子は目だけを隙間から覗かせ、「なんでしょう」と尋ねた。ドアにはチェーンがかかっている。

「朝からすみません。ぜひ、江木さんにお知らせしたいことがあるんです」

山名が声を弾ませても、聡子は無言だった。刑事の言葉など信じるかと言いたげな、頑《かたく》なな沈黙だった。山名は廊下の左右を見渡してから、ドアチェーンを指差した。

「ちょっと、中でお話しできませんか。ここで立ち話では、かえって江木さんにご迷惑がかかりますから」

小声で言うと、ドアが閉まった。しばらく待っていたら、聡子が外に出てきた。その際にもやはり、強い芳香剤の匂いがした。

「アパートの外で」

聡子は山名を促すでもなく、さっさと歩き出す。山名は黙って後に続いた。

アパートの敷地を出て、一区画分ほど歩いたところで聡子は足を止めた。途中、黒塗りの車が路上停車していた。運転席にいる男は、シートを倒して顔には雑誌を載せていたので、人相まではわからなかった。

「なんでしょうか」

聡子は無愛想に尋ねてきた。その顔に笑みが浮かぶことを想像しながら、山名は切り出した。

「江木さん、喜んでください。息子さんを現場近くで目撃したと証言した雨宮は、かなり曖昧な記憶だけで証言してたんですよ。雨宮とぶつかった男は、顔に痣がなかったんです」

当然、強い反応があるものと思っていた。ところが聡子は、まるでこちらの言葉を聞いていないかのように表情を変えなかった。呆然としているのか。それとも、雨宮の証言が覆《くつがえ》ったことの意味を理解していないのだろうか。

「おわかりですか、江木さん。証言が曖昧だったのなら、再審請求が通るかもしれないんですよ。もう一度、裁判をやり直してもらえるんです。雨宮は今度こそ、自分が見たとおりのことを証言するはずです。再審請求をしてみるべきですよ」

山名は力説した。今や江木は本当の殺人者になってしまったとは言え、過去の間違いは正されてしかるべきである。復讐では決して得られないものが、再審によって取り戻せるのだ。そんな思いを、言葉に込めたつもりだった。

だが聡子はやはり、顔に喜びを浮かべはしなかった。冷めた、疲れきったような目で山名を見上げるだけだ。

「もう、遅いですよ」

すべてを諦めてしまった人の声だった。江木は濡《ぬ》れ衣《ぎぬ》を着せられたことにより、本当の殺人者になった。血で染まった手は、二度と元に戻らない。そんな思いから、もう遅いと言っているのだと山名は解釈した。

「遅いなんてことはない。今からでも、名誉は回復されるべきなんです。再審こそ、息子さんの心を救う唯一の方法なんですよ。だから江木さんから、息子さんにそれを伝えてください。そして、自首するよう勧めてください」

聡子は江木と連絡をとり合っている。そう確信しての、この勧めだった。聡子がどんなに白を切ろうと、必ず江木に伝わると信じた。

「遅いんですよ！」

聡子は語気を強めて繰り返した。能面のようだった無表情に、ようやく感情が甦る。その感情は、怒りだった。

「何もかも、遅すぎるんです。いまさら雅史の無実が証明されても、どうなるって言うんですか。それで雅史は、社会に戻れるんですか。何もなかったことになるんですか」

問われても、山名はすぐには答えられなかった。冤罪が残した傷は、あまりにも大きい。せめて名誉だけでも回復できればと思ったが、それは部外者の甘い考えだったのかもしれない。江木はすでに、怒りに狂う復讐者になってしまっている。その意味では、確かに遅すぎるのだった。

「何もなかったことにはなりません。息子さんが今、罪に手を染めているなら、社会には戻れません。それでもやはり、過去の間違いは正されるべきだと思うのです。再審によって息子さんがもうこれ以上罪を重ねなくなるなら、母親であるあなたは、自首するよう促すべきだと私は考えます」

「だから、もう遅いんです」

聡子は頑なだった。どんな意見も受けつけられないとばかりに、小刻みに首を振り続ける。

「雅史には何も伝えられないんです。本当です。もう遅いんです」

それだけを言うと、話は終わったとばかりに聡子はアパートの方へと歩き出した。呼び止めようにも、山名にはもうかける言葉がなかった。

雅史には何も伝えられない、と聡子は強調した。つまりそれは、本当に連絡がとれないという意味か。江木は母親にも所在を知らせず、孤独に復讐の修羅を生きているのかもしれない。江木の孤独を思うと、山名の心も震えるようだった。

引き返して、途中で見かけた黒塗りの車の脇に立った。ドアガラスを叩き、中の男の注意を惹く。窓が開いて、人相の悪い男が顔を覗かせた。

「なんだ」

「こういう者だよ」

山名は警察バッジを見せた。男は露骨に顔を顰《しか》める。

「何もやってませんよ」

「ここに車を停めてるのは、駐車違反だろう」

「旦那《だんな》、交通課ですか」

男は目を眇《すが》めて、山名を見る。目つきだけで、たいていの人は臆《おく》するだろう。男はヤクザだった。

殺された綾部と関係があった組の構成員が、聡子を監視しているとの報告は捜査会議で聞いていた。秋成はやはり、私的報復を考えて江木を捜しているのだ。ヤクザに江木を殺させるわけにはいかないので、何度も追い払っているのだが、またこうして舞い戻ってくる。もっとも、こうして監視をしているということは、彼らも江木の捕捉《ほそく》に成功していないのだ。江木は警察からもヤクザからも逃れ、どこかに身を潜めている。

「交通課だろうとなんだろうと、違法駐車は見逃せないんだよ。なんなら、駐禁じゃなくって公務執行妨害でしょっ引いてやろうか」

マル暴刑事でなくても、これくらいのことは言える。刑事がヤクザの視線に怯《ひる》むわけにはいかなかった。

「公務執行妨害って、おれはなんにもしてないじゃないッスか。たまんねえな」

男は忌々《いまいま》しげに山名を睨《にら》んだ。山名は顎《あご》をしゃくって、道の前方を示す。

「ほら、消えろよ。賢く立ち回った方が身のためだぜ」

男はちっと舌打ちして、車のエンジンをかけた。そして山名には何も言わず、急発進して去っていく。それを見届けてから、山名も捜査本部に顔を出すために所轄《しょかつ》署へと向かった。結局何も事態を変えられなかったという無力感が、山名の足を重くさせていた。

8

所轄署で待っていた小西と合流し、いつもの不毛な聞き込みに出た。江木の旧知の人物を訪ね歩いても、消息を知る人などいるわけがないと山名は諦めている。江木はもはや、誰のことも頼る気がないのだ。自分が完全な孤独の中にいると悟ったからこそ、江木は復讐に走ったのだろう。ならば、彼の行方を知る人はこの世にひとりもいないはずだった。いない人を見つけ出そうとする努力は、不毛と言うよりなかった。

「なんか、妙な話だよなぁ。そうは思わないか」

小西も聞き込みに倦んでいるのか、一軒訪ねただけでたばこを吸いたいと言い出した。山名もやる気はないから、休憩に同意する。小西は一度たばこを大きく吹かすと、空を見上げて愚痴を垂れるように言ったのだった。

「江木を取り逃がしたことですか」

相槌《あいづち》を打つと、小西は顔を顰めて「そうそう」と頷いた。

「管理官の言葉じゃないけど、外国の特殊部隊にいたとでも思わなけりゃ、この手際《てぎわ》のよさは不思議で仕方ないよ。だって、姿すら見られてないんだろう？　どういうことなんだか」

天が味方しているからだ。そんな答えが頭をよぎったが、無理に遠ざけた。江木は確かに運がいい。しかしそれは、天が江木の行為を肯定していることを意味するわけではない。江木は凶悪な犯罪者だ。血に狂った殺人者だ。何度もそう繰り返す。

「我々が後手に回っているだけでしょう」

答えてはみたものの、自分でも納得できない返答だった。一審裁判官の田中義治や石嶺亮三が死んだときも、江木は姿を目撃されていない。江木はあるときから、まるで透明人間になったかのように姿を見られなくなっているのだ。それは単に、運のよさだけが理由なのか。

「後手にねぇ。もはやそれだけとは思えないな。変装でもしてるんじゃないかね」

小西は投げやりに言ったが、思いつきの発言を存外悪くないとでも考えたのか、さらに続けた。

「女装してるのかな」

「女装ですか」

半ば冗談だと受け取ったので、山名も軽く笑いながら応じた。江木は美男というわけではなく、どちらかといえば骨張った顔をしている。女性的な優美さはまるでない。加えて、身長も女性とすればいささか高すぎるはずだ。女装をすれば、かえって目立ってしまうだろう。

「女装はどうでしょうねぇ。いくらなんでも」

「整形して、女みたいな顔になってるのかもしれないぜ。刑務所の中でガリガリに痩《や》せてたら、女の服も入るだろうし」

「うーん」

それでも身長はごまかしきれないだろうと思ったが、論破するようなことでもないのであえて控えた。小西だって、本気で主張しているわけではない。そんなことを考えなければならないほど、やけくそな心境になっているのだった。

小西がたばこを吸い終えたのでまた聞き込みを再開したが、なぜ江木が目撃されないのかという疑問は改めて山名の裡《うち》で膨れ上がっていた。疑問を頭の中で転がしているうちに、何か棘《とげ》のような感覚に幾度も引っかかった。気づかぬうちに自分は、見聞きしたものに違和感を覚えている。それは、江木が目撃されない奇妙さと結びついてこそ意味があることだったのだろうか。しかし、その違和感の正体にはなかなか思い当たらない。

昨日まではなかった違和感だった。ならば、今日見聞きしたことの中に、違和感を覚えさせる何かがあったのか。山名は歩きながら、今朝からの自分の行動を振り返った。

江木聡子を訪ねたときのこと。聡子が外に出てきて、アパートから離れた。再審の可能性に耳を貸さない聡子。もう遅すぎる、との頑なな言葉。聡子を監視しているヤクザ……。

いつの間にか、足が止まっていた。乱舞する断片がひとつところに落ち着きかけ、異様な絵を形成しようとしている。山名はその完成形を予想し、愕然《がくぜん》とした。最悪と思っていた事態には、さらに先があったのだといまさら気づいた。

「どうした？」

立ち止まってしまった山名を奇異に思ったらしく、小西が振り返って尋ねる。山名はそれには答えず、じっと自分の足許を凝視し続けた。ひとつの覚悟が、胸の底から頭をもたげてくる。迷いはないかと己に問うてみても、ためらう気持ちはいささかも存在しなかった。

「小西さん」

山名は呼びかけた。戻ってきた小西は、ただならない様子の山名を見て顔を引き締めている。山名はひとつ息を吸って、決意を語った。

「今から私は、単独行動をとります。小西さんは職を失いたくなければ、ついてこないでください」

「おいおい、藪《やぶ》から棒になんだ。職を失いたくなければって、何をやらかすつもりなんだよ」

「聞かない方がいい。小西さんは何も知らないままでいた方が、ご自分のためですよ。馬鹿は私ひとりでいいんだ」

「ちょっと待ってくれ。ちょっと待てよ。あんた、何かに気づいたのか」

「ええ」

山名ははっきり頷いた。確証はないが、自分の推測が間違っているとも思えない。しかし、これを確かめるには違法な手段に訴えなければならない。小西を巻き込むわけにはいかなかった。

「あんたが気づいたことは、正規の捜査で白黒つけられることじゃないのか？」

小西は不安げだった。無理もない。コンビを組んでいるパートナーが突然こんなことを言い出せば、誰だって不安になる。まして小西は、これまでの山名の態度を苦々しく思っていた。一蓮托生《いちれんたくしょう》で経歴に傷がつくような事態は、絶対に避けたいに違いない。

「一刻を争います。一日長引けばそれだけ、不幸の量が増えるんだ。私はもうこれ以上、不幸の連鎖を見たくない」

きっぱり言い切ると、小西は黙り込んだ。山名の覚悟のほどを測るように、じっと正面から見つめてくる。その視線は、確かに刑事のそれだった。頑固で視野は狭いかもしれないが、正義感を第一の原動力として歩き回る刑事の目だった。

「わかったよ、山名さん」小西は何かを諦めるように、肩を落とした。「そこまで言うなら、ひとりで行け。おれは何も聞かないでおく。でも、ひとつだけ言わせてくれ」

「はい」

これでコンビ解消となるなら、最後の文句くらいきちんと聞こう。そう思っての相槌だったが、小西は意外なことを言った。

「おれは、あんたが江木に同情的なのはおかしいと思ってた。どこか信用できない気がしてた。でも、事件を解決したいというあんたの熱意は本物だと思ってるよ。何をやろうとしてるのかわからんが、絶対この事件にけりをつけるんだ」

「はい」

贅言《ぜいげん》は必要ないと思った。だから、大きく頷くだけに留めた。小西の目に浮かぶ不安の色は、山名の身を案じる気持ちだったのだ。ありがたいと思いつつ、山名は自分から目を逸らした。そしてその場に小西を置き去りにして、事件の最後を見届けるための一歩を踏み出した。

9

相手は山名の依頼に、露骨に顔を顰めた。とてもそんな話は聞けないとばかりに、ぶるぶると首を振る。

「駄目ですよ、そんなの。無理言わないでください」

「無理は承知で頼んでいる。お前に迷惑はかけない」

山名はカウンターに両手をつき、頭を下げた。相手は小さく舌打ちして、「やめてくださいよ」と言う。

「いくら頭を下げられたって、無理なものは無理です。そういうことを絶対にしないから、うちの商売は成り立ってるんですから」

わかるだろうと言いたげに、相手は視線で店の中をぐるりと見回した。壁の左右には、いろいろな形の鍵や錠前、シリンダーなどがぶら下がっている。ここは合い鍵屋だった。

男は俗に言う鍵師だった。かつては名うての空き巣狙いだったが、更生した後は特技を生かして合い鍵屋になった。男の過去を知る人がいない土地に来て開業したので、地域の信頼を勝ち得ているようだ。山名は所轄署時代に男を逮捕し、刑務所に送り込んだ。だがその際に、いい弁護士を探してやったり、裁判で男の情状を訴えたりしてやったので、逆に感謝されている。男が合い鍵屋を開業した後は、警察の仕事を何度か回したこともあった。

「これはおれの一生の頼みだと思ってくれ。お前ならわかるだろう。おれがこんなことを頼むからには、よっぽどのことなんだって」

これまで山名は、鍵師に無理な頼みをしたことはなかった。鍵師を自由に使えれば便利なのだが、更生した男に迷惑をかけるわけにはいかないし、違法に鍵をこじ開けて得た証拠では裁判に持ち出せない。何より、鍵師を利用するつもりで面倒を見てやったわけではなかった。自分の厚意を疑わせるような真似は、したくなかったのだ。

しかし今は、この男に頼むよりなかった。鍵を開けた痕跡《こんせき》を残さずに室内に侵入するような真似は、山名にはできない。プロの助けを借りられなければ、この先には進めないのだった。

山名は鍵師の過去を知っている。そんな山名の頼みを拒絶すれば、鍵師が空き巣狙いであったとこの地域に触れ回られてしまうかもしれない。鍵師がそう案じる可能性は、当然考えていた。頭を下げれば、言外の脅しになってしまうことも充分承知している。それでも今は、手段を選んでいる場合ではなかった。せめて高圧的にならないよう、礼だけは尽くしたかった。

「——確かに、山名さんがそんな頼みをするのはよっぽどのことなんでしょうね。それほど大事なことなんですね」

鍵師は声のトーンを落として言った。口調には諦めの色が交じっているようだった。申し訳ないと思いつつ、気づかない振りをする。

「そうだ。大事なことだ。人の命がかかってる」

「わかりました。でしたら、やりましょう。場所はどこですか」

「ありがたい」

心の底からの感謝を、言葉に込めた。無言で首を振る鍵師の表情は、硬かった。

鍵師は店を閉め、車を出してくれた。山名は助手席に乗り、目指す場所を説明する。行く先は、江木聡子が住んでいるアパートだった。

山名は多くを説明しなかった。鍵師は何も知らない方がいいのだ。向こうもそれはわきまえていて、車の中では無言を貫いた。山名の裡で、緊張が徐々に高まっていく。

鍵を開けているところを、他の住人に見咎《みとが》められることだけは絶対に避けなければならなかった。幸い、鍵師の腕はいい。あの古いアパートの鍵ならば、ほんの数秒で開けられるだろう。一瞬の隙を衝いて、作業にかかってもらう必要があった。

鍵師の車には店の名前が入っているので、アパートから離れたコインパーキングに停めた。そこから歩いて、アパートを目指す。江木聡子が外出していることは、すでに確認済みだった。

アパートの敷地内に入るところから、誰にも見られないよう気をつけた。昼日中のことで、人通りもある。通行人がいたので一度アパートの前を通り過ぎ、また戻って中に入った。

「やってくれ」

タイミングを見て、鍵師に声をかけた。他の部屋から突然住人が出てくる可能性はあったが、そこは賭《か》けだ。果たして、鍵師はまるで魔法のように簡単にドアを開けた。もともと鍵など閉まっていなかったかのようだった。

「では、おれはこの辺りをうろついてますから、終わったら電話ください」

低い声で言って、鍵師はアパートを出ていった。山名はそれを見送る暇も惜しんで、ドアの内側に身を滑り込ませる。今朝と同じく、強い芳香剤の匂いが鼻を衝いた。中に入ってみると、匂いの強さは異様なほどだった。

靴を脱ぎ、手袋をした。室内に家具は少ないので、探すべき場所は限られている。真っ先に押し入れに取りつき、開けた。押し入れの上段には、布団が入っていた。身を屈《かが》めて、下段を見た。ビニールのかかった扇風機が、手前にある。そしてその奥には、それより大きいビニール袋が見えた。

10

スーツのポケットに入れてある携帯電話が振動した。雨宮健は上司の目を盗んで、机の下でこっそりと携帯電話を開いた。メールが一通、着信している。開いてみると、廊下に出ろとの指示だった。

席を立ちたくなかった。廊下に出れば、自分の命が危険に曝《さら》される。まさか警察が、善良な市民の命を囮《おとり》に使うような真似をするとは思わなかった。この事実をマスコミに知らせれば大事《おおごと》になるのではないかと考えるが、山名と名乗った刑事の脅しが身に染《し》みていて行動できない。山名の目つきは、今思い出しても怖かった。

『あなたのいい加減な証言のせいで、何人もの人が死んだんですよ』

前に訪ねてきたときには声を荒らげた山名だったが、あのときは静かな口調だった。だがその静かさが、かえって底に秘めた怒りの深さを物語っていた。あの刑事は連続殺人犯である江木よりも、おれのことを憎んでいる。目を見ただけで、そうはっきり認識できた。

『いいですか。ひとりやふたりじゃない。五人もの人が死んだんです。わかってますか？　復讐される前に事故で死んだ人もいますが、もしそんな事故が起きなければ、その人も確実に殺されていたでしょう。あなたのせいで六人の命が失われ、他に大勢の人の人生が無茶苦茶になった。私は江木より、あなたをこそ刑務所に叩き込んでやりたいですよ』

山名の抑揚のない声は、まるで呪《のろ》いのようだった。呪いの言葉を真正面からぶつけられ、平然としていられるほど雨宮の肝は太くない。魅入られたように動けなくなり、山名に言われるままに頷いていたのだった。

山名は雨宮を囮に使って、犯人を捕まえると言った。むろん、そんな捜査が許されるわけもない。おずおずとそう抗議すると、自分の一存だと山名は悪びれずに答えた。あなたは囮になる義務がある。人間としての良心があるなら、協力しろ。もし拒否するなら、どんな理由を作ってでもあなたを刑務所にぶち込んでやる。これは脅しなんかじゃないぞ――。淡々とした物言いで圧力をかけてくる山名の目には、狂的な色が確かにあった。雨宮に拒否などできるはずがなかった。

山名の指示は奇妙だった。警官の護衛を振り切って単独行動をしなければならないのかと思いきや、普通に会社に出社すればいいと言う。山名が要求したことはふたつだけ。まずひとつは、名目をつくって山名を社屋内に入れること。もうひとつは、メールで指示したら自席を離れて廊下に出ること、だった。

『もしかして、江木は会社の中に入り込んでるんですか？』

質問したが、山名は答えてくれなかった。しかし山名ははっきりと、雨宮を囮にすると言ったのだ。ならば、江木が社屋内に侵入してくるとしか思えない。このビルの裏口はオートロックになっているし、表にはガードマンが立っている。許可のない部外者が入り込めるはずはないのだが、山名はなぜ、江木が社屋内で襲ってくると考えているのだろう。視線の動きが極端に少ない刑事の表情からは、まったく内心が読み取れなかった。

いつメールが届くかと気が気でなく、仕事に集中できなかった。だがついに、山名からのメールが来た。山名は江木が社屋内にいることを確認したのだろうか。廊下に出ると、そこで江木が待っているのか。立ち上がると、不覚にも膝が笑っていた。

廊下に続くドアを開けるのが怖かった。開けたとたんに、刃物を突き出されるのではと思えてならなかった。自分の腹にナイフが突き刺さっている様を、鮮明にイメージしてしまう。いっそこのまま、山名の指示など無視してしまいたかった。しかしそんなことをすれば、江木は廊下から室内に乱入してくるかもしれない。同僚たちが巻き添えを食って怪我《けが》したり、あるいは命を落としたりしたら一大事だ。雨宮の責任も、当然問われるだろう。自分の将来を守りたいなら、今は廊下に出るしかなかった。

ドアを細めに開けて、視線で廊下を探ってみた。角度が限られていて、よくわからない。やむを得ず、平静を装《よそお》って廊下に出た。その瞬間にナイフが襲ってくるようなことはなかった。

廊下には、誰もいなかった。正確には、足拭《あしふ》きマットの交換に来たらしき業者がいるだけだった。身を屈めてマットを丸めている業者は中年女性なので、江木ではない。他にはなぜか、山名の姿すら見当たらなかった。

山名の指示では、立ち止まらずに給湯室の方へ向かえとのことだった。雨宮は指示どおり、廊下を奥へと歩き出す。前方にいる業者はちらりとこちらを見て、会釈《えしゃく》した。雨宮はそれを無視して、通り過ぎようとした。

次の瞬間に起きたことは、ほぼ数秒以内の出来事のはずだった。だが渦中《かちゅう》の雨宮には、十分にも二十分にも感じられた。まず網膜が認識したのは、ナイフの光だった。丸められた足拭きマットの中から、なぜかナイフが出てきた。業者の中年女性は、それを腰元で構えて雨宮の方へ突っ込んでこようとした。江木ではなく中年女性が襲ってきたことに驚き、雨宮は硬直した。よけなければと焦るのに、体がまったく言うことを聞かない。刺される、と思った瞬間に、第三の人物が突如現れた。

第三の人物は、ナイフを持つ中年女性の手首を鷲《わし》摑みにした。力を入れているようではないのに、それだけのことで中年女性は動けなくなった。なんとか振りほどこうとするものの、第三の人物はびくともしない。ようやく第三の人物の顔に目を転じると、それは山名だった。

襲ってきた中年女性には、まったく見憶えがなかった。なんだ、この人は？　まさか、江木に雇われた殺し屋か。その割には中年女性の外見はあまりに平凡で、ナイフを振り回す凶行にそぐわない。こうして目の前で取り押さえられている姿を見ても、なぜ自分が襲われなければならないのか、雨宮には理由がわからなかった。

「離して！　離して！」

中年女性が口を開いた。だが山名は、手を離そうとしない。なぜか山名は憐《あわ》れむような眼差《まなざ》しで中年女性を見ると、静かな声で言った。

「もうやめてください、江木さん。こんなことは終わりにしてください」

山名は「江木」と呼びかけた。するとこの女は、江木の母親か。愕然とする思いで女の顔をもう一度確認すると、刃物のような鋭い視線を向けられた。女の目には、滴《した》り落ちんばかりの憎悪《ぞうお》が湛《たた》えられていた。この女は心底おれを憎み、殺したいと願っている。頭ではなく肌で憎悪の強さを感じた雨宮は、そのときになってようやく、自分のしでかしたことの重大さを理解した。唐突に、歯がかちかちと激しく鳴り始める。それは体の芯《しん》から込み上げてきた震えで、雨宮には抑えることができなかった。

11

傷害未遂の現行犯で逮捕したときは執拗《しつよう》に抵抗したのに、今は憑《つ》き物が落ちたようにおとなしくしている。警察署の取調室まで連行されてしまえば、さすがに抵抗も無駄だと観念したのだろう。静かに椅子に坐っている姿は、やはりごく平凡な中年女性にしか見えない。執念が人に与える力の大きさを、山名は改めて実感した。

雨宮を襲ったのが江木ではなく、母親の江木聡子であったことは、捜査本部に大きな驚きをもたらした。山名がこうして聡子を連行してきても、上層部はなかなか信じようとしなかった。だが今頃は、山名の指示に基づいて聡子のアパートが家宅捜索されているはずだ。あそこにあったものが発見されれば、いやでも山名の推理を信じざるを得ない。県警を挙げての大騒ぎになるのは、時間の問題だった。

そうなれば、山名が聡子を逮捕した経緯も明らかになるだろう。山名が雨宮を囮に使ったことは、確実に問題視される。しかし山名は、自分の処遇になどもはや興味はなかった。警察を辞める羽目になるかもしれないが、特に何も感じない。今はただ、聡子と言葉を交わすことだけが重要だった。聡子の無念さを、他の誰でもなくこの自分が受け止めなければならないと考えていた。

聡子の狙いが二審の検察官である是永俊紀ではなく、雨宮だと確信できたのは、僥倖のお蔭《かげ》だった。山名は聡子のアパートに侵入した後、本人に会うために勤め先のスーパーマーケットに行った。だがそこに聡子はおらず、身分を名乗らずに尋ねてみると、休職中との返答があった。二週間ほど前から休んでいるという。ならば聡子は、毎日家を出てどこに行っているのか。

聡子の次の標的は雨宮だと仮定してみた。雨宮は会社への行き帰りを警官に護衛されている。警官がそばにいるときに襲うのは、現実的ではない。襲撃は警官がいないとき、すなわち自宅にいるときか、会社で働いているときしかあり得なかった。

だが雨宮には、まだ幼い子供がいる。自宅にいるところを襲えば、赤ん坊が巻き添えを食う危険性があった。犯人が男性ならばそんなことは気にしないかもしれないが、江木聡子は子を持つ母親である。赤ん坊がいる場所で雨宮を襲うとは考えられなかった。

そうして機会を消去していくと、残りは会社内での襲撃に絞られた。雨宮の勤め先のセキュリティーについては、すでに捜査会議で報告されている。一流企業らしく、社員の安全確保に遺漏はなかった。それでも、内部に入り込む手段はいくつかあるだろう。ビルに出入りする業者を、山名は洗い出した。

清掃業者、自動販売機に飲み物を補充する清涼飲料水会社の人間、ビルの保安要員、保守点検の業者、ＯＡ機器のリース会社の人間など、社員以外にもビルに入れる人は存外に多かった。ひとつひとつ当たっていくうちに、山名はついに江木聡子の名前を見つけた。聡子は足拭きマットのレンタル会社で働き始めていたのだ。

聡子の意図は明らかだった。間違いなく、是永俊紀ではなく雨宮を次の標的に定めている。幸い、足拭きマットは毎日交換するものではない。契約では、一週間に一度となっていた。次の交換日は四日後。その日が雨宮襲撃のＸデーだと確信した。

雨宮を脅しつけ、囮の役目を担《にな》わせた。いやとは言わせなかった。雨宮を始めとする、多くの人たちの無責任が今日の事態を招いたのだ。無責任だった人たちのほとんどは、自分の命をもって罪を贖《あがな》った。ならば雨宮も、行動で罪滅ぼしをしなければならない。そんな強い思いを込めて説得すると、雨宮は納得した。雨宮が引き受けたからには、是が非でも彼の身の安全は守りきらなければならなかった。

マットのレンタル業者が来る時刻はわかっていたので、襲撃に備えるのは難しくなかった。社内の小部屋をひとつ借り、待機する。ドアの隙間から雨宮が働いている部屋を見張っていると、作業着を着た聡子が現れた。後は、聡子の挙動に目を光らせているだけでよかった。聡子がナイフを取り出した瞬間に小部屋を飛び出し、取り押さえた。

観念した聡子の表情は、能面のようだった。とても感情を持つ人間の顔ではない。聡子はもはや、人間としての情を捨て去ってしまったのかもしれない。復讐に生きる者の末路を、山名は見た思いだった。

「江木さん、こうなったら何もかも話してもらえますよね」

山名は話しかけた。机の上の一点を執拗に見つめ続ける聡子は、無反応だ。仕方なく、一方的に続けた。

「江木事件の一審を担当した裁判官が、次々に不審死を遂げました。その中のひとりは本当に事故死ですが、後のふたりは他殺だと我々は考えています。殺したのは江木雅史で間違いないと思われましたが、なぜか目撃証言が得られませんでした。特に、松山の田中義治裁判官が死んだ状況は不可解でした。一本道で何者かに車道に突き飛ばされたようなのに、道の両端から歩いてきた人は江木の姿を見ていないのです。石嶺亮三裁判官の場合も、似たようなものです。裁判官は官舎と裁判所を往復するだけの毎日だから、襲うとしたら官舎近辺しかチャンスがありません。だから私は官舎内に江木雅史の顔写真を配り、住人の注意を喚起しておきました。にもかかわらず、ここでも江木は目撃されませんでした。私たちは困惑しました」

いったん言葉を切って、聡子の反応を窺《うかが》う。聡子はまったくこちらの説明に意識を向けていないようだ。壁に向かってひとり言を言うような空《むな》しさを覚えつつも、続けるしかなかった。

「あなただったんですね、江木聡子さん。あなたがふたりを殺したんだ」

断定すると、わずかな反応があった。小さく首が縦に動く。聡子は自分の犯行と認めたのだ。それに勇気づけられた思いで、山名は語気を強めた。

「早く気づくべきだった。江木が目撃されていなければ、それを不思議がっていないで、別の人間の犯行を疑うべきだったんだ。しかし弁護士の綾部和久さんが殺されたとき、江木ははっきりと姿を目撃されている。まさか犯人が途中で入れ替わっているとは、想像もしなかった。私たちの失態でした」

素直に認めても、聡子は特に感銘を受けていないようだ。聡子の心は凍りついている。それは、一瞥《いちべつ》しただけで見て取れることだった。

「警察は目撃者に、江木の姿を見なかったかとしか尋ねなかった。いや、誰か不審な人物を見なかったかと訊いても、結果は同じだったでしょう。何しろあなたは、どこにでもいそうな中年女性だ。殺人犯の目撃証言を募る際に、人々の注意を惹きつける要素が何もない。先ほど雨宮さんが、あなたの姿を見ても何も警戒しなかったように、あなたは見えていても意識に残らない〝見えない人〟なんだ。我々は江木が透明人間になったのではないかと疑いたくなったが、ある意味でそのとおりだったんですよ。あなたは他人の記憶に残らないその外見で、ふたりの人間を殺したんだ」

江木は刑事の伊佐山、検事の谷沢、弁護士の綾部と、三人の人間の殺害を成功させていた。それだけですでに、前代未聞《みもん》の凶悪犯である。勢い警察も、目撃証言を聞く際には凶悪犯の情報を求めるような態度になってしまった。目撃者が江木聡子の姿を憶えていたとしても、事件とは無関係のことと判断してしまうのはある意味当然だった。その思い込みが新たにふたつの殺人を許してしまったことを考えると、警察はいくら反省をしても足りない。

「私がなぜ、あなたの犯行と気づいたか説明しましょうか」

山名は話を変えた。こちらがどこまで知っているか、聡子にわかってもらう必要があった。

「最初に奇妙に思ったのは、あなたの部屋の芳香剤です。前に訪ねたときは芳香剤なんて使っていなかったのに、先日は鼻を摘《つま》みたくなるほど強烈な匂いが部屋に満ちていた。あなたはその匂いを嗅《か》がれるのをいやがるかのように、私を外に連れ出した。刑事なら、不審に思って当然のことでした」

聡子の態度に変化があった。呆然とした面もちで、山名の顔を見ている。そうだ、私は知っているんだ。山名はそんな思いを込めて頷きかけた。

「我々はヤクザが江木を追っていることも把握していました。ヤクザは弁護士の綾部さんを護衛していたのです。それなのにみすみす、江木に綾部さんを殺されてしまった。面子《メンツ》を潰されたヤクザは、しつこいですよ。あなたのアパートをヤクザがずっと見張っていたのは、ご存じでしたか」

尋ねると、聡子はまた小さく頷いた。表情がわずかに歪《ゆが》んでいる。底に沈んでいた感情が、面《おもて》に表れ始めていた。

「私が再審請求を勧めても、あなたは『もう遅い』と言った。私はその言葉の意味を取り違えていた。江木が本当の殺人者になってしまったから遅いのではなく、江木が死んでしまった今ではもう遅いという意味だったんですね。江木はヤクザに襲われ、命を落としていたんだ」

聡子はふたたび、視線を机の上に落とした。しかしその眸《ひとみ》は、もう無表情ではなかった。怒りに燃える、復讐者のそれだった。聡子はこの目で、ふたりの裁判官を殺したのだ。

「江木は綾部さんを襲った後、重傷を負った状態であなたの許に逃げ込んだんですね。だからヤクザも、江木を完全に仕留めたかどうか確信が持てずにいたんだ。ヤクザも我々警察と同様だったんですよ。犯行が続いているからには、江木はまだ生きている。そう信じ込まされて、あなたのアパートを見張っていたんだから」

山名は聡子のアパートで見つけたものを思い出した。押し入れに隠されていた、江木の遺体。特大のゴミ袋で包み、ガムテープで密封されていたが、腐敗臭はどうしようもなく外に漏れ出ていた。強烈な芳香剤は、その臭いをごまかすために使われていたのだ。聡子は江木の葬式を挙げてやることもできず、遺体が腐敗するのを止めることもできず、あの狭いアパートで何を思っていたのだろう。聡子の気持ちを推し量ろうとしても、どす黒い絶望しか見えてこない。腐敗した江木を目の当たりにした記憶は、一生頭から離れないだろうと思った。

「あの子は」

唐突に、聡子が声を発した。言葉を続けようとしていた山名は、慌てて口を噤《つぐ》む。聡子の告白こそ、なんとしても聞きたいことだった。

「あの子はあたしの腕の中で息絶えました。脇腹《わきばら》を刺されて、あたしのところに逃げ込んできたときはまったく血の気のない顔色をしていました。がたがた震えて、『寒い寒い』と言いました。あたしはぎゅっと抱き締めてやりましたが、震えは止まりませんでした。雅史は息が止まる最後の瞬間まで、『悔しい』と何度も繰り返しました。『悔しい、悔しい、悔しい』と。あたしは、あの子の無念を晴らしてやらなければならないと思いました。それが、親の務めだと思ったんです」

「違う」

口を挟んではいけないと考えていたのに、反射的に反論してしまった。わずかに悔いながらも、山名は言い返した。

「そんなことが親の務めなんかじゃない。復讐をして何になるんですか。何が得られるんですか。あなたに殺された人にだって、家族はいるんですよ。その家族が、また復讐を望んだらどうなるんですか。復讐の連鎖だ。不幸は際限なく続く。それでいいんですか。それが、あなたの望むことなんですか」

山名は言いながらも、自分が誰に向かって言葉を投げているのかわからなくなった。聡子にか。それとも自分自身にか。復讐は不幸しか生み出さない。復讐の果てには何も得られない。そんな言葉は、繰り返し自分自身に言い聞かせたことだった。正論こそ、山名を社会に繋ぎ止める唯一の綱だった。その綱を振りほどいてしまいたい誘惑に、何度も耐えた。だからこそ、幸菜を殺した奴《やつ》らは今も生きていられるのだ。幸菜を無慈悲に殺しておきながら、奴らは今も生きているのだ。なぜ復讐してはいけなかったんだ。山名は踏みとどまったのに、どうして聡子はやすやすとその禁忌を越えられたんだ。復讐をして、あなたは何を得たんだ。今、あなたは満足なのか。それとも復讐の道半ばで捕まってしまったことを悔しがっているのか。

尋ねたいことは、次々と山名の胸に湧いてきた。答えて欲しかった。山名は復讐をすべきだったのか。幸菜の復讐をしなかった自分は、ただの臆病者《おくびょうもの》なのか。聡子の姿は、山名の目に眩《まぶ》しく映る。聡子の言葉は、山名の怯懦《きょうだ》を叱咤しているかのように響く。山名は聡子の返事を聞くのが怖かった。

「だって、誰も信じてくれなかったじゃないですか！」

聡子は声を荒らげた。眦《まなじり》を吊り上げ、山名こそ憎むべき相手であるかのように睨みつける。聡子の声は、山名を強く打った。

「雅史は本当に無実だったんです！　あの子が人殺しなんてするわけなかったんです！　それなのに誰も、誰ひとり、あたしたちの言うことを信じてくれなかった。警察も検察も裁判所も、弁護士もマスコミも近所の人も、みんな雅史がやったと決めつけて、あたしたちの言葉になんか耳を傾けてくれなかったじゃないの。こんなあたしたちに、何ができたって言うんです？　あいつらを反省させるために、何ができたって言うんです？　あたしが雅史のためにしてやれることは、あの子の遺志を継ぐことだけだったんですよ。だって、あたしだけがあの子の味方なんですから。誰も信じてくれない世の中で、雅史にはあたししかいなかったんですから。今になってあたしたちを責めるくらいなら、どうしてあのとき雅史を信じてくれなかったんですか？　ただ真面目に生きていただけの雅史の人生を、どうしてめちゃくちゃにしたんですか。答えてくださいよ、刑事さん。答えてください！」

取調室の中に、聡子の糾弾の声は響き渡った。答えを迫る聡子の前で、山名はただ絶句していた。聡子の問いかけに答えられる人は、世の中にいるのか。自分が聞きたかったのは、この言葉だったのか。果たして自分は、何をしていたのか。これで事件はすべて解決したのか。

山名にはもう、自分の進むべき道がわからなかった。

PAST 0 2002

朝から降っていた雨は、いつの間にかやんでいた。プラネタリウムを見ていたから、天気の変化に気づかなかった。いや、たとえ屋外にいてもわからなかったかもしれない。それほどに江木雅史は、ひとつのことに考えを奪われていたのだった。結婚している人は皆、こんな緊張を経て幸せを掴《つか》んだのだろうか。あの小心者の父でさえ結婚しているのだから、自分もこの重圧に耐えられるはずと、己に言い聞かせた。

ショッピングモールの一番端になるこのテラスは、バス停とは反対側に位置するのであまり人がやってこない。だから夕方から夜にかけての時間帯はいつもカップルが集まってきているのだが、雨でベンチが濡《ぬ》れているからか、今は雅史たちの他に人の姿はなかった。これはやはり、運命がお膳《ぜん》立《だ》てをしてくれているのだ。雅史はそんなふうに考えて、自分を鼓舞した。

「面白かったね、プラネタリウム」傍らにいる由梨恵は、控え目に感想を口にした。

「プラネタリウムなんて、中学以来かな。久しぶりだからかもしれないけど、思ってたよりずっと面白かった」

「うん、そうだね」

気の利《き》かない相槌《あいづち》しか打てなくても、由梨恵は退屈しない。こんな女性は他にいないと、雅史は思っている。だから、ずっと一緒にいたいと望んでいるのだった。

テラスの端まで行った。田んぼの中にぽつんと存在しているショッピングモールなので、見晴らしがいい。彼方《かなた》の山まで視線を遮るものはなく、ここに来るといつも解放感を覚える。モール内の人々の声もかすかにしか聞こえず、高鳴る心臓の音が由梨恵に気づかれてしまわないかと心配だった。雅史はテラスの手摺《てす》りに両手を置き、力を込めて摑んだ。そして、「ねえ」と話しかけた。

「あのさ、おれは由梨と一緒にいるとすごく楽しいんだ」

「……あたしも」

由梨恵は小声で同意してくれた。それに勇気を得て、雅史は一気に言った。

「由梨と会うのはいつも楽しみだし、わくわくするんだけど、夜遅くなると寂しくなってくるんだ。由梨と別れ別れになって、家に帰らなきゃならないから。何回も何回もそういう思いをして、もうこれ以上同じ気持ちを味わいたくないと思ったから、考えたんだよ。夜になっても別々の家に帰らなきゃいいって。同じ家に帰ればいいんだって」

「えっ」

由梨恵はきっと、唐突な雅史の言葉に目を丸くしているのだろう。だがそれは、想像でしかなかった。雅史は由梨恵の顔を直視できなかったのだ。

「あのさ、結婚しよう。結婚して、同じ家に住もうよ。もう別々に帰る必要がないように。ずっと楽しい気持ちが続くように」

一気に言った。手摺りを握る手が白くなっていた。俯《うつむ》いて、由梨恵が次に言う言葉に備えた。由梨恵がどんな辛《つら》い返事を寄越そうとも、笑って耐えようと決めていた。

「……はい」

由梨恵の声は小さかった。それでも、確かに聞こえた。由梨恵は「はい」と言った。

「いや」でも「考えさせて」でもなく、はっきりと「はい」と言った。由梨恵はプロポーズに応じてくれたのだ。

「いいの？」

信じられない思いで、由梨恵の両肘《りょうひじ》を摑んだ。由梨恵は恥ずかしそうに顔を赤らめているが、それでもきちんと顔を上げ、大きく頷《うなず》いた。雅史の目を正面から見て、「すごい、嬉《うれ》しい」と囁《ささや》く。雅史の脳裏は、一瞬真っ白になった。

「——やった」

天を仰いで叫びたかった。おれはやった。由梨恵が結婚を承知してくれた。由梨恵が好きになってくれるという奇跡が起きたことはわかっていたが、それでも結婚してくれると確信はできなかった。こんな幸せな瞬間が自分に訪れるとは、夢見ることも難しかった。だが、由梨恵は承知してくれた。魂が脳天から飛び出し、空を駆け巡りそうだった。

「あ」

由梨恵が驚きの声を発した。「あれ」とテラスの外を指差す。その方角を見て、雅史も「ああ」とため息を漏らした。由梨恵の指の先にあるのは、山陰から見事な弧を描いて天に伸びる鮮やかな虹《にじ》だった。

こんな綺麗《きれい》な虹は、見たことがなかった。ついさっきまで見当たらなかったから、まるで由梨恵が雅史のプロポーズに応じた瞬間に現れたかのようだ。これは天が、おれたちふたりの前途を祝福しているのだ。そうとしか思えなかった。今この瞬間のこの上ない幸せは、あの虹とともにずっと記憶に残るだろう。雅史はそう確信した。

虹は雅史たちのこれからの幸せを保証してくれているのだ。長く生きていれば辛いことも起きるかもしれない。だがふたりでいれば、どんなことでも乗り切れるだろう。雅史はもうひとりではないし、由梨恵もそれは同じだった。ふたりで生きていく未来は、あの虹のように輝いていた。

《参考文献》

『冤罪はこうして作られる』小田中聰樹著　講談社現代新書
『裁判官はなぜ誤るのか』秋山賢三著　岩波新書
『冤罪の構図』江川紹子著　新風舎文庫
『冤罪』菅家利和著　朝日新聞出版
『訊問の罠』菅家利和・佐藤博史著　角川ｏｎｅテーマ21
『冤罪Ｆｉｌｅ』№1〜№4　キューブリック
『検察官の仕事がわかる本』受験新報編集部編　法学書院
『弁護士の仕事がわかる本』受験新報編集部編　法学書院
『裁判官の仕事がわかる本』受験新報編集部編　法学書院
『ドキュメント検察官』読売新聞社会部著　中公新書
『ドキュメント裁判官』読売新聞社会部著　中公新書
『弁護士というお仕事』別冊宝島編集部編　宝島ＳＵＧＯＩ文庫

巻末対談　佐藤凉一・貫井徳郎
テレビ朝日ドラマ「灰色の虹」について

佐藤凉一（さとう・りょういち）
一九五七（昭和三二）年生れ。テレビ朝日ドラマプロデューサー。手掛けた作品は、連続ドラマ「遺留捜査」「臨場」映画「臨場・劇場版」、スペシャルドラマ「灰色の虹」「半落ち」「交渉人」、土曜ワイド劇場「タクシードライバーの推理日誌」「森村誠一の終着駅シリーズ」他多数。

椎名桔平さん主演、ドラマ化から早一年半——

佐藤　貫井さんと初めてお会いしたのは、単行本『灰色の虹』が発売される直前、三年前の九月でしたね。新潮社が新宿にある京王プラザホテルで開催していたパーティーで。

貫井　お会いするのはそれ以来ですから、今日が二回目になりますね。

佐藤　パーティーで貫井さんの『灰色の虹』のバウンドプルーフ（発売前の仮綴本《かりとじ》）を頂いたんです。プルーフを読ませていただいてすぐにドラマ化したいと思ったので、単行本が出版されたころにはもう企画書をお渡ししているはずです。

貫井　ドラマにしようと思われた一番の理由は何ですか。

佐藤　まず「冤罪《えんざい》」というテーマが興味深かった。さらに冤罪事件に関わってくる登場人物たちにもすごく惹《ひ》かれた。とにかく読み物として傑作でしたし、これをドラマにしたら非常に素晴らしいものに仕上がるぞ、と確信したんです。

貫井　作品のどのあたりがドラマに向いていると思われたのですか。

佐藤　映像化するときには、それぞれプロデューサーによってポイントは違うのかもしれませんが、私の場合はまずはストーリーテリング。それから登場人物のキャラクター。

そしてもう一つは、テーマ——作者は何を訴えようとしているのかということ。この三つが非常に重要だと私は思っているのですけれども、『灰色の虹』には全《すべ》てが揃《そろ》っていました。なので自然と、強いドラマになると感じました。

貫井 ありがとうございます。キャラクターとおっしゃっていただきましたが、ちょっと意外な感じがしたんですよ。というのは、ドラマだと主人公は事件全体を追う山名という刑事になっていますけれども、山名って実は、原作の登場人物の中ではむしろ〝薄い〟感じのキャラなんですね。

佐藤 確かにそうですね。

貫井 一方で殺される側は強烈な人たちばかりです。もちろん意図的にコントラストを強調したのですが。地味な人がだんだん事件にとりつかれ、のめり込んでいく。そういうスタイルにしたわけなんですけれども、佐藤さんにとっては、そういうのめり込んでいく側の印象が強かったということなのでしょうか。

佐藤 小説というのは例えば主観で書いたり客観で書いたりと、色々な視点で書ける幅広さがあると思うんですよね。片やドラマというのは、視聴者がどこの目線で見るかということがとっても大事になってくるんです。ですから、例えば主人公が誰で、主人公の視点をどうやって描いていくかというところが大事になります。『灰色の虹』で考えると、それこそ自分を冤罪に陥《おとしい》れた人間への復讐《ふくしゅう》心で、殺人まで犯してしまった江木を主人公にするという手も、もちろんあるとは思う。しかし、原作では薄いと言いながらも、婚約者をかつて殺されたという、言ってみればそれだけでドラマとして成立するような大きな背景を背負った山名も、「復讐」という視点で捉《とら》えると、同じ目的に向かっていってもおかしくない。ドラマでは、気持ちとしては通じ合える部分を持つこの二人の人物が、一方は追われ、一方は追いかける構図が主軸になるとおもしろいなと考えて、山名を主人公に据えました。

貫井　それはもう、一回読んだ段階で、ドラマにするなら主人公は山名だなと思われたんですか。

佐藤　そう思いましたね。

貫井　確かに、全体を通して出てくる人物はそんなにいないですしね。

佐藤　それと、江木を中心にドラマを構成する手はあるなとは思いながらも、江木がどうやって殺人——新たな罪を犯すかということを追いかけていくと、そこにミステリーの要素がなくなるわけです。つまりどんどん殺人を犯す主人公をどうやって追いかけるかが中心になってしまうので、次は誰が殺されるのかという大事なミステリーの要素を落としてしまうことにもなる。やはり、最初から山名を主人公に据えて動かしてみたいなとは思いましたね。

原作とは違うラストシーン

貫井　山名役は、最初から椎名桔平さんをイメージされていたのですか。それともいろいろ試行錯誤されたのですか。

佐藤　主人公は誰かなと考えたときに、年代のことも含めてなんですけれども、複雑さといいますか、復讐心を刑事という職業上、克己心《こっき》で抑えつけている、そういう微妙なものを出せる人……ということで考えたときに、スッと「椎名さんだったらどうかな」と思った。

貫井　椎名さんが非常に繊細に演じてくださっていましたよね。

佐藤　そうですね。ベストキャスティングというか、よく演じていただいたと思っています。

貫井　伺った限りでは、椎名さんも非常に乗り気でらしたとか。

佐藤　乗り気でした。

貫井　のめり込んでやってくださった。

佐藤　それはもう。監督の和泉聖治さんも非常に情熱的に取り組んでくださって。みんなが同じゴールを目指していけたなという感じはしますね。

貫井　椎名さんはコミカルな役も演じられたり、ちょっと変わったキャラクターの役もされますけど、本当はこういう硬派なドラマをやりたいんだという話を伺って、すごく嬉《うれ》しかったです。

佐藤　人間ドラマがやりたいんだ、とは常々おっしゃっています。それをやりながら、一方で全く別のコミカルな面を見せられる幅広さを持っているんですよね。

貫井　原作者としてもうひとつ嬉しかったのは、視聴率が良かったことです。

佐藤　そうですね。ありがとうございます。

貫井　こちらこそありがとうございます。僕は作風的に、最後まで読んでも救いがなかったりして、読者を選ぶタイプの小説家なので、広くお茶の間に見ていただくようなドラマに僕の原作は合わないのではないかと思っていました。ところが、ちゃんと視聴率がとれたというので本当に嬉しくって。受け入れていただけるよう、どう作っていただくかが大事なんだなと思いました。

佐藤　確かに、最後をどうしようかという話はありました……というよりもラストをどうするか、常に考えていました。最後は希望が見える形にしたいと思って、原作とは結末を変えたんですね。新潮社の担当編集の方は、ラストを変えたことに随分こだわられていましたけど。

貫井　僕は、映像は映像だからって。

佐藤　別に、原作通りのラストがダメだということはないんです。作品ごとのテイストがあって、逆に苦いというか、痛い思いをさせて終わるというのももちろんあると思います。けれども、これは私自身の好みなのかもしれませんが、非常に重いものを、どうしても救いようのない思いをどんどん掘り下げていきますので、せめて、見終わった後に浸れるようなものにしたいというのはあるんですね。あくまで私の場合は、ですけれども。だから、細い筋なのかもしれないけれども、前向きな希望の光は常に提示したいなとは思っています。では、この作品に関しては最後に何があるのかと突き詰めたときに、せっかく「虹」で始まっている物語なんだから、最後は言ってみれば綺麗《きれい》な虹色が見たいなと考えて、ああいう結末になりました。ドラマを見ている方の中には、悲しい思いをしている人もたくさんいらっしゃるだろうし、世の中では色々と理不尽なこと、辛《つら》いことが起きるけれども、何があってもみんな必ず前に向かって歩いていける、というメッセージを出したかった。

貫井 僕は本当に、ラストの変更については何も違和感はなかったですし、幸いにも、本数は少ないですけれども、僕の作品を映像にしていただいたものは、全部どれも、ドラマとして非常に完成度が高く、素晴らしいものばかりなんですよ。だから、本当に映像化は映像のプロにお任せするのがいいなとでき上がったものを見て思っています。

佐藤 すごくいい子ぶった言い方になりますけれども、原作をいただいてドラマ、映画も含めて映像化するという話になったときに、一番のファンに原作者がいてほしいというのがあるんですよ。お書きになった原作があって私たちは映像化ができるわけなので、原作者の方がすごくおもしろいと喜んでいただけるのが、もう本当に一番嬉しい。そこは絶対に裏切っちゃいけないなと思って作っています。だから視聴率の話が出ましたけれども、貫井さんがツイッターとかで色々とドラマのことを書いて、ものすごく盛り上げて下さって、非常に嬉しかったんです。

貫井　読者の方たちの感想がすごくよかったですよ。原作を先に読んでいる方は映像化に厳しかったりするんですけど、本当に好意的な意見ばかりだったので、ドラマのレベルがすごく高かったからだと思いました。

佐藤　それはもともと原作がちゃんとしているものだから、ねじ曲がらなかったんだと思います。

〝アレ〟だけで高嶋政伸さん

貫井　視聴者の方もすごいと思った点だと思うのですけれども、キャスティングがすごく豪華でしたよね。本当にちょっとしか出ないのに、ここにこの人が！　という驚き。

佐藤　二シーンぐらいで死んじゃう人とかね（笑）。

貫井　そうそう。やはりキャスティングはこだわっていただいたところだったんですか。

佐藤　そうですね。あれだけの重厚な原作を二時間なら二時間なりに凝縮しなきゃいけないわけですよね。そのためにはどんどん人物や話を整理しなきゃいけない。その分、ひとつひとつのエピソードは非常に凝縮したものになります。それぞれ出番は少ないけれど、インパクトを持って描写しなければいけないですから、キャスティングというのはかなり大事な部分になっていく。そこは頑張って演《や》ってくださったと思います。出演者も、個々の出番は少ないんだけれども、自分の見せ場があるので非常に乗って演ってくださった。

貫井 殺されるというのは、見せ場なんですか。

佐藤 殺される前段階に、その人物の例えば冷徹さの描写があったりするわけですから、出番が少ない中でも芝居どころで勝負できる役柄と捉えていただいたみたいです。逆な言い方をすると、主人公でも、主人公にドラマがないと何のインパクトもない、ただ出番が多い人ということになりかねない。

貫井 自画自賛めいた話にはなってしまうのですけれども、この『灰色の虹』で僕のオリジナルの点があるとすれば、殺される側をきちっと書いているところなんです。復讐の話だと、復讐する側から書くのが普通で、殺される側は記号的になりがちなんですが、そうじゃなくて、きっちり枚数を使ってドラマを作ったので、それがテレビドラマに凝縮するに当たって背景として生きたんだとしたら……。

佐藤 そうだと思います。

貫井 原作者として嬉しいですね。ところで、読者の反応では、雨宮役の高嶋政伸さんが……あれだけで高嶋さん……(笑)。結構みんな驚いていました。

佐藤　雨宮役はもう最初から狙《ねら》ってお願いしました。絶対に高嶋さんでお願いしたかったんです。

貫井　あのときだけ、非常に個性的な髪型をされていたのですが、役作りで？

佐藤　普段はあんなチリチリにしません。時々おかっぱだったりしますけれども(笑)。

貫井　あの髪型もあって結構……非常なインパクトを残された(笑)。高嶋さんで思い出しましたけれども、高嶋さんの勤めているビルがＩＣカードで。

佐藤　ゲートですね。

貫井　あれを使っているというのは僕の原作にはない描写なんです。すごいいアイディアですね。僕は今回ゲラを読み返したときに、一切自分は書いてないのに、雨宮はあそこを通って会社に入っているというような気がしました。

佐藤　なるほど。それは演出ですね。原作では非常にセキュリティのしっかりした会社、という描かれ方でしたから。

貫井　見てわかる説明になっていた。映像化のテクニックといいますか、ぱっと見てわかるというのが、ああ、こういうところかなと思いましたね。

佐藤　逆に言うと、そういうところを探すわけです。

貫井　今の会社の入り口はあんなふうになっているとは知らなかったので、えーっと驚きました。

佐藤　普通にありますよ。複合ビルというか、いろんなテナントやオフィスが入っているところは、ＩＣセキュリティが多いですよね。

貫井　知らなかった。小説家は世間知らずですね（笑）。

佐藤　もし知っていたらお書きになっていました？

貫井　そうですね。うん。文庫でそう書けばよかった。演出といえば、ドラマでは舞台は京都になっていましたよね。

佐藤　東映に京都撮影所というのがあるんですけれども、そこを使っての撮影を前提にしていたものですから、設定は京都にしましょうと。そういえば貫井さんは撮影現場にもいらっしゃいませんでしたね。

貫井　そうそう。これは……。

佐藤　最初はおいでになるという話だったのに、何か……。

貫井　プロデューサーの方によりけりなのかもしれませんけれども、原作者が行っても、邪魔に思われるかなという気持ちが僕はあったんです。

佐藤　邪魔ということはないですよ。むしろ敬意の的だと思いますよ。この方がこの原作者なんだという良い意味の緊張感が生まれて、現場が普段とは違った雰囲気にはなるかもしれませんね。締まるというか。

貫井　それが、むしろ撮影の邪魔をしちゃうかなと。

佐藤　いや、そんなことはないと思います。役者さんが「このキャラクターを書いたもともとの思いは何だったんだ」みたいなことを原作者とお話ができたりするといいな、と僕は思いますけれどもね。

貫井　なるほど。そうなんですか。後で、僕が行かなかったことを残念に思ってくださったという話を聞いて、申し訳なかったなと。もしこれから機会があったらお邪魔させていただきます。ところで撮影日数はどのくらいだったのですか。

佐藤　延べで四週間、実質三週間ぐらいですか。

貫井　一本の二時間ドラマを作るには、普通そのくらいかかるのですか。

佐藤　いや、普通よりも日数は使っていると思います。長ければいいというわけではないのですけれども、日数が短いと、どうしても一気呵成《いっきかせい》に事を進めることを第一としてしまって、役柄を掘り下げ、思考する余地がなくなってしまうことがあるんです。今回は演じながら台本を読み直し、役柄を深め、積み上げられたので非常に良かったと椎名さんが言っていました。

貫井　僕は作風のせいであまり映像化の経験がないので（笑）、そのせいかと思うのですけれども、脚本を読ませてもらったときの印象よりも、実際にでき上がったものの方が数段よくて、正直、驚いたんですよ。脚本だけでは、でき上がりが想像できなかったわけです。やはり僕は映像に関しては素人《しろうと》だから、プロの方に完全にお任せしてよかったなと思いました。

佐藤　脚本はものすごく大事だし、人によっては脚本が全体の六割とか七割を占めるというような言い方もしますけれども、私は各パート全部十割じゃなければいけないと考えています。脚本は十割。演技する方も十割。演出も十割。ここに生身の役者が立つと何が起こるか。役者さんは僕らの想像よりもずっと凄《すさ》まじい演技をされるんですよ。ここまでの演技をするか、こういう表情をするか、とモニターを見ていて驚きの連続です。

貫井　情熱を持って取り組んで下さったおかげで、原作以上のドラマにしていただき、本当に嬉しかったです。今回は原作者にとっては非常にいいめぐり合わせでした。

佐藤　ありがとうございました。またご一緒できることを願っています。

（二〇一三年九月、「ＡＮＡインターコンチネンタル東京」にて）

この作品は二〇一〇年十月新潮社より刊行された。

新潮文庫最新刊

宮本　輝著
三十光年の星たち（上・下）
女にも逃げられた無職の若者に手をさしのべたのは、金貸しの老人だった。若者の再生を通して人生の意味を感動とともに描く巨編。

佐々木　譲著
カウントダウン
この町を殺したのはお前だ！　青年市議と仲間たちは、二十年間支配を続けてきた市長に闘いを挑む。北海道に新たなヒーロー登場。

越谷オサム著
いとみち
相馬いと、十六歳。人見知りを直すため始めたのは、なんとメイドカフェのアルバイト！思わず応援したくなる青春×成長ものがたり。

貫井徳郎著
灰色の虹
冤罪で人生の全てを失った男は、復讐を誓った。次々と殺される刑事、検事、弁護士……。復讐は許されざる罪か。長編ミステリー。

あさのあつこ著
たまゆら
島清恋愛文学賞受賞
山と人里の境界に住む日名子。その家を訪れた十八歳の真帆子の存在が、山に隠した過去の罪を炙り出す。恐ろしくも美しい恋愛小説。

北村　薫著
飲めば都
本に酔い、酒に酔う文芸編集者「都」の恋の行方は？　本好き、酒好き女子必読、酔っぱらい体験もリアルな、ワーキングガール小説。

灰《はい》色《いろ》の虹《にじ》

新潮文庫　ぬ-1-3

平成二十五年十一月一日発行

著者　貫《ぬく》井《い》徳《とく》郎《ろう》

発行者　佐藤隆信

発行所　株式会社 新潮社

郵便番号　一六二―八七一一
東京都新宿区矢来町七一
電話　編集部(〇三)三二六六―五四四〇
　　　読者係(〇三)三二六六―五一一一
http://www.shinchosha.co.jp

価格はカバーに表示してあります。

乱丁・落丁本は、ご面倒ですが小社読者係宛ご送付ください。送料小社負担にてお取替えいたします。

印刷・大日本印刷株式会社　製本・憲専堂製本株式会社

ISBN978-4-10-149913-0 C0193